《自由中國》
全 23 卷總目錄暨索引

主　編
薛化元

遠流出版公司

The Contents and Index of Free China Semimonthly

edited by Hua-yuan Hsueh

Copyright © 2000 by Hua-yuan Hsueh

Published in 2000 by Yuan-Liou Publishing Co., Ltd., Taiwan

All rights reserved

7F-5, 184, Sec. 3, Ding Chou Rd., Taipei, Taiwan

YL*ib* 遠流博識網

Tel: (886-2) 2365-1212　Fax: (886-2) 2365-7979

http://www.ylib.com.tw

e-mail: ylib@yuanliou.ylib.com.tw

《自由中國》全 23 卷總目錄暨索引

主　　編／薛化元

發 行 人／王榮文

出版發行／遠流出版事業股份有限公司

　　　　　　台北市汀州路 3 段 184 號 7 樓之 5

　　　　　　郵撥／0189456-1　　　電話／2365-1212

　　　　　　傳真／2365-7979

香港發行／遠流(香港)出版公司

　　　　　　香港北角英皇道 310 號雲華大廈 4 樓 505 室

　　　　　　電話／2508-9048　　　傳真／2503-3258

　　　　　　香港售價／港幣 266 元

法律顧問／王秀哲律師・董安丹律師

著作權顧問／蕭雄淋律師

2000 年 7 月 1 日　初版一刷

行政院新聞局局版台業字第 1295 號

新台幣售價 800 元　（缺頁或破損的書，請寄回更換）

版權所有・翻印必究　**Printed in Taiwan**

ISBN 957-32-4109-9

目　次

中文作者／篇名首字筆劃檢索 iii

自　序 ix

《自由中國》民主憲政史料的歷史意義 xi

總目錄（全 23 卷，1949～1960） 1

作者索引 119

A *119*	**B** *119*	**C** *120*	**D** *120*	**E** *120*	**F** *120*	**H** *121*
K *121*	**L** *122*	**M** *122*	**N** *122*	**O** *123*	**P** *123*	**Q** *123*
R *123*	**S** *124*	**T** *124*	**V** *125*	**W** *125*		
一劃 *125*	二劃 *127*	三劃 *128*	四劃 *128*	五劃 *139*	六劃 *145*	七劃 *152*
八劃 *168*	九劃 *195*	十劃 *204*	十一劃 *224*	十二劃 *245*	十三劃 *259*	十四劃 *270*
十五劃 *275*	十六劃 *284*	十七劃 *288*	十八劃 *290*	十九劃 *293*	二十劃 *296*	二十一劃 *298*
二十二劃 *298*						

篇名索引 299

一劃 *299*	二劃 *301*	三劃 *302*	四劃 *305*	五劃 *314*	六劃 *322*	七劃 *332*
八劃 *338*	九劃 *344*	十劃 *355*	十一劃 *360*	十二劃 *372*	十三劃 *378*	十四劃 *383*
十五劃 *389*	十六劃 *397*	十七劃 *399*	十八劃 *401*	十九劃 *402*	二十劃 *404*	二十一劃 *405*
二十二劃 *406*	二十三劃 *407*	二十四劃 *408*	二十五劃 *408*	二十七劃 *408*	三十二劃 *408*	

分類索引 409

一、刊物的立場與反省 409

二、自由民主的基本概念 410

三、法治 416

四、表現自由／出版法問題 418

五、其他基本權問題 423

六、責任閣制／責任政治 426

七、行政中立——國民黨退出軍警特 428

八、司法 430

九、立法院問題 432

中文作者／篇名首字筆劃檢索

中文作者

一劃

一／125

二劃

丁／127
刁／127
力／127

三劃

上／128
凡／128
士／128
子／128
小／128
山／128

四劃

不／128
中／128
丹／129
之／129
尹／129
公／129
天／129
孔／129
尤／130
巴／130
心／130
戈／130
文／130
方／131

毛／132
水／133
片／133
牛／133
犬／133
王／133

五劃

丘／139
包／139
北／140
半／140
卡／140
召／140
司／140
史／141
台／141
左／142
布／142
幼／142
本／142
民／143
玉／143
甘／143
田／143
申／144
白／144
石／145
立／145

六劃

交／145
伍／145
仲／145
仰／146
光／146
再／146
冰／146
匡／146
向／146
如／146
字／146
宇／146
安／146
成／147
旭／147
曲／147
朴／147
朱／147
汗／150
江／150
牟／151
竹／151
米／151
羊／151
老／151
自／151
艾／152
行／152

七劃

伴／152
佛／152
何／152
伯／153
余／153
吳／155
呂／157
君／157
宋／157
宏／158
巫／158
希／159
李／159
杜／164
求／165
沙／165
沈／165
汪／166
言／167
谷／167
辛／167
邢／168
阮／168
佘／168

八劃

乖／168
亞／168
來／169

周／169
孟／171
季／172
官／172
宛／172
屈／172
岳／172
忠／173
念／173
於／173
易／174
杭／174
東／175
林／175
松／177
法／177
牧／177
知／177
社／177
祁／192
芬／193
芥／193
邵／193
邱／193
金／193
長／195
阿／195
雨／195
宓／195

九劃

侯／195
俞／195
則／196
南／196
厚／196
咸／196
姜／196
姚／196
威／197
屏／197
思／197
恨／197
施／197
星／198
柯／198
查／198
柳／198
段／199
洪／199
津／199
省／199
看／199
秋／199
紅／200
紀／200
美／200
胡／200
致／203

范／203
苗／203
苓／203
軍／204
韋／204
風／204

十劃

凌／204
原／204
唐／205
夏／205
姬／208
孫／208
師／209
徐／209
時／212
晉／216
晏／216
桑／216
殷／216
海／220
浩／221
烏／221
特／221
祝／221
秦／221
索／221
翁／221
耿／222

荊／222　　許／233　　馮／256　　頌／270　　蔭／280　　歸／290

荀／222　　郭／235　　黃／256　　鼎／270　　蔣／280　　瞿／290

荃／222　　野／236　　甯／258　　　　　　　蔡／282　　簡／291

袁／222　　陳／236　　　　　　　**十四劃**　　衛／282　　矗／291

起／223　　陸／243　　**十三劃**　　僑／270　　諸／282　　薩／292

郝／223　　陶／243　　圓／259　　嘉／270　　鄭／282　　祖／293

馬／223　　雪／244　　奧／259　　甯／270　　鄧／283　　顏／293

高／223　　章／244　　廉／259　　廖／270　　魯／283　　魏／293

涂／224　　竟／245　　微／259　　漢／271　　黎／284　　酈／293

荇／224　　　　　　　愛／259　　熊／271　　墨／284

十一劃　　**十二劃**　　慎／259　　精／271　　　　　　　**十九劃**

健／224　　傅／245　　敬／259　　維／271　　**十六劃**　　攀／293

曼／224　　勞／247　　新／259　　翟／271　　冀／284　　羅／293

基／225　　喻／247　　極／259　　聞／271　　曉／284　　譚／295

密／225　　喬／247　　椰／259　　臺／271　　燕／284　　關／295

專／225　　富／248　　楊／259　　蒙／272　　獨／285　　譎／296

崇／225　　彭／248　　榆／262　　蓀／272　　盧／285

崔／225　　惠／249　　源／262　　赫／272　　穆／285　　**二十劃**

常／225　　揚／249　　滇／262　　趙／272　　蕭／285　　嚴／296

康／225　　曾／249　　溫／262　　遠／274　　賴／286　　蘇／296

張／226　　游／250　　滄／262　　遙／274　　選／286　　警／297

恬／231　　湯／250　　瑞／262　　銓／274　　錢／286　　鐘／298

惜／231　　焦／250　　萬／262　　齊／274　　錚／286　　饒／298

悼／231　　琴／251　　經／263　　　　　　　隨／286

教／231　　琦／251　　葉／263　　**十五劃**　　龍／286　　**二十一劃**

斜／231　　短／251　　葛／263　　劉／275　　　　　　　顧／298

曹／231　　程／254　　董／264　　劍／279　　**十七劃**

望／231　　童／255　　虞／265　　厲／279　　應／288　　**二十二劃**

梁／232　　紫／255　　裕／265　　慰／279　　戴／288　　龔／298

梅／233　　舒／255　　詹／265　　摩／279　　濟／289

淦／233　　華／255　　資／265　　樊／279　　謝／289

盛／233　　菲／255　　賈／265　　樂／279　　邁／290

第／233　　費／256　　路／265　　歐／279　　鍾／290

紹／233　　賀／256　　道／266　　潘／280　　隱／290

莊／233　　貴／256　　達／266　　牖／280　　韓／290

荻／233　　閔／256　　鄒／266　　瑩／280

　　　　　雲／256　　雷／266　　編／280　　**十八劃**

　　　　　　　　　　　　　　　　　　　　　叢／290

中文篇名

一劃

一／299

二劃

丁／301
七／301
九／301
二／301
人／301
入／302
八／302
十／302
又／302

三劃

三／302
下／303
也／303
亡／303
土／303
夕／303
大／303
女／304
小／305
山／305
工／305
已／305

四劃

不／305
中／306
丹／308
五／308
仍／309
今／309
介／309

內／310
六／310
公／310
分／310
勿／310
友／310
反／310
天／211
太／211
巴／211
弔／312
心／312
戈／312
戶／312
手／312
支／312
文／312
日／312
月／314
毋／314
毛／314
水／314
火／314
父／314
牛／314
王／314

五劃

世／314
且／315
主／315
以／315
他／315
冬／315
出／315

加／315
功／316
包／316
北／316
半／316
卡／316
去／316
可／316
古／316
召／316
司／316
叫／316
另／316
只／316
史／316
台／317
四／317
外／317
失／317
奴／317
尼／317
巨／318
巧／318
左／318
市／318
布／318
平／318
幼／318
打／318
斥／318
本／318
未／318
正／318
母／319
民／319

永／320
玄／320
生／320
田／320
由／320
白／321
皮／321
目／321
立／321

六劃

交／322
伊／322
伍／322
仰／322
全／322
共／322
再／322
刑／323
匈／323
印／323
危／324
吉／324
同／324
各／324
向／324
回／324
地／325
在／325
多／325
好／325
如／325
字／326
存／326
守／326

安／326
年／326
成／326
收／326
早／326
有／326
朱／327
死／327
江／327
灰／328
百／328
羊／328
老／328
考／328
自／328
至／330
舟／330
艾／330
血／330
行／330
西／331

七劃

亨／332
佛／332
何／332
伽／332
作／332
你／332
余／332
克／332
免／332
兵／333
冷／333
吳／333

告／333
吻／333
坐／333
尾／333
希／333
形／333
志／333
我／333
抗／337
技／337
把／337
扭／337
改／337
更／337
李／337
杜／337
求／338
沙／338
沈／338
沒／338
灼／338
災／338
狄／338
究／338
言／338
谷／338
貝／338
赤／338
走／338
身／338
車／338
迅／338
防／338

八劃

並／338
亞／339
供／339
兒／339
兩／339
刷／339
到／339
制／339
卑／339
卷／339
取／339
呼／340
和／340
周／340
固／340
夜／340
奉／340
奇／340
妻／340
孟／340
孤／340
官／340
幸／340
忠／340
念／340
怪／340
所／340
承／340
拉／341
放／341
於／341
昆／341
明／341

東／341	俄／344	研／349	准／356	祝／358	執／362	清／369
林／341	俞／344	科／349	剖／356	秧／358	寄／362	淮／369
欣／341	前／344	秋／350	原／356	秘／358	寂／362	理／369
武／341	勇／344	突／350	哲／356	笑／358	寂／362	現／369
歧／341	勉／345	紅／350	埋／356	紐／358	密／362	略／369
注／341	南／345	紀／350	埃／356	耕／358	專／362	畢／369
泥／341	哀／345	約／350	容／356	荒／358	屠／362	異／369
河／342	哈／345	美／350	展／356	記／358	巢／362	第／369
波／342	城／345	耶／352	師／356	討／358	常／362	統／370
法／342	客／345	胃／352	徐／356	豈／358	帶／362	組／370
治／342	封／345	胡／352	恐／356	貢／358	康／362	莎／370
泡／342	屏／345	胎／353	拿／356	起／358	張／362	莫／370
泛／342	建／345	致／353	挪／356	迷／359	強／362	荻／370
爭／342	待／345	苛／353	旁／356	退／359	從／363	蛇／370
物／343	後／345	苦／353	旅／356	逃／359	患／367	被／370
狀／343	怒／345	英／353	時／356	追／359	悉／367	覓／370
的／343	思／346	要／354	書／356	郝／359	悠／367	訪／370
直／343	急／346	計／354	栗／356	酒／359	情／367	許／370
知／343	怎／346	負／354	桑／356	院／359	悼／367	責／370
社／343	恢／346	軍／354	柴／357	飢／359	惆／367	貫／371
糾／343	恪／346	述／354	格／357	馬／359	探／367	貨／371
肥／343	拜／346	重／354	殉／357	高／360	接／367	貪／371
芬／343	拾／346	革／354	殷／357		推／367	這／371
近／343	政／346	風／354	泰／357	**十一劃**	採／367	通／371
邱／343	春／347	香／355	浪／357	僞／360	救／367	造／371
金／343	是／347		消／357	停／360	教／367	透／371
長／343	星／347	**十劃**	海／357	偉／360	敘／368	逢／371
門／343	柏／347	乘／355	烏／357	健／360	斜／368	部／371
阿／343	洪／347	倖／355	特／357	動／360	晚／368	郭／371
雨／344	活／348	值／355	琉／357	參／360	曹／368	釣／371
青／344	爲／348	借／355	留／357	唱／360	望／368	閉／371
非／344	珍／349	倡／355	病／358	唯／360	梁／368	陳／371
	甚／349	個／355	真／358	國／360	梅／368	陸／371
九劃	省／349	候／355	砲／358	堅／362	殺／369	陷／372
㐀／344	相／349	修／355	祖／358	堆／362	氫／369	雪／372
便／344	看／349	倪／355	神／358	基／362	涼／369	章／372
保／344		冤／355		堵／362		

鳥／372
麥／372

十二劃

傅／372
傑／372
最／372
凱／372
割／372
創／372
剩／372
勞／372
喜／373
喪／373
堪／373
報／373
奠／373
尊／373
尋／373
就／373
幾／373
彭／373
惡／373
悲／373
慨／374
提／374
揭／374
捶／374
斯／374
智／374
曾／374
期／374
港／374
游／374
減／374
湛／374
湖／374

湯／374
無／374
琴／374
畫／374
痛／374
發／374
短／375
窗／375
童／375
等／375
筆／375
答／375
結／375
紫／375
絮／375
給／375
萍／375
華／375
菲／376
虛／376
評／376
貿／377
越／377
跌／377
跛／377
進／377
郵／377
鄉／377
開／377
閒／377
陽／377
雅／377
集／377
雲／377
飲／378
黃／378

黑／378

十三劃

傳／378
勢／378
園／378
奧／378
廉／378
徬／378
意／378
慈／378
感／378
愛／378
慎／379
搶／379
搖／379
敬／379
新／379
會／380
極／380
楊／380
爺／380
瑞／380
當／380
睜／380
禁／380
萬／380
節／380
經／381
置／381
義／381
聖／381
腳／381
落／381
葛／381
葡／382
蛻／382

補／382
解／382
試／382
詩／382
跟／382
違／382
遏／382
過／382
隔／382
雷／383
電／383
預／383
鳩／383
鼓／383
鼠／383
嗩／383

十四劃

僑／383
團／383
壽／383
寧／383
對／383
撤／384
歌／384
漢／384
漫／384
熄／384
獄／385
瑪／385
監／385
福／385
管／385
精／385
綜／385
綠／385
緊／385

維／385
翠／385
聞／385
腐／386
臺／386
與／387
舞／388
蓉／388
蒙／388
製／388
語／388
認／388
說／388
豪／388
赫／388
趙／388
趕／388
遠／388
遙／388
銀／388
銓／388
領／388
颱／388
駁／388
鳳／389

十五劃

價／389
劉／389
劍／389
寮／389
寬／389
寫／389
履／389
廢／389
彈／389
德／389

慧／389
憂／389
慰／389
摩／389
敵／389
暮／389
暴／389
標／390
樊／390
歐／390
澄／390
確／390
緬／390
蔣／390
蔡／390
蝸／390
談／390
請／391
調／392
誰／392
論／393
誹／396
賣／396
質／396
適／396
遷／396
鄰／396
醉／396
養／397
駐／397
黎／397
墨／397
噺／397

十六劃

奮／397
學／397

憲／397
憑／397
憶／397
戰／397
擁／398
橫／398
機／398
歷／398
澳／398
燕／398
獨／398
積／399
篩／399
糖／399
蕭／399
褪／399
親／399
諾／399
賴／399
選／399
遲／399
錯／399
錢／399
錫／399
霍／399
駱／399
龍／399

十七劃

儲／399
應／400
懂／400
戴／400
檢／400
營／400
牆／400
總／400

自　序

　　今年適逢公元兩千年，也是《自由中國》在1960年因爲雷震案被迫停刊後的第四十年。經過了數十年，過去《自由中國》的主張，得到更多的肯定，《自由中國》的相關研究，也日漸受到注意。由於《自由中國》文章的內容相當的豐富、篇數很多，因而要一期一期的翻閱雜誌，以求了解它的內容，必須花費相當多的時間。而此一目錄的編輯（出版）就是要爲了方便研究者利用此目錄作爲工具，得以較迅速的掌握到《自由中國》相關內容所在。在此時出版《自由中國》半月刊的總目錄，希望能對研究《自由中國》及自由主義思想提供便利的工具外，也希望透過這本書能使對《自由中國》有興趣的讀者，可以一窺其言論的梗概。

　　爲了便利讀者檢索，這冊目錄的編纂，除了依照時間先後，詳細列舉作者及文章的篇名之外也編有各種索引，以因應不同的需求。如針對已經知道文章篇名，而不知其卷期的讀者，本書便根據筆劃順序排列文章的目錄、出處。若讀者針對個別作者的文章有興趣，則可利用本書依篇名的作者姓名筆劃，詳列同一作者文章的作者索引。同時，由於在編纂此份目錄之前，已針對大部分的文章內容作成摘要，因而又以《自由中國》最重要的民主憲政主張爲中心作成了分類目錄索引，以方便針對各別問題有興趣的讀者可以使用，以提供研究《自由中國》相關主題的便利性。

　　其中必須特別說明的是，這本目錄並不是利用《自由中國》雜誌封面上的目錄或是每隔六期、十二期的目錄加以編纂完成，相對的，是以各篇刊載在雜誌上的文章它所列舉的題目作爲主要編纂的依據。至於其中不免有作者姓名前後不一的情形，則嘗試加以統一，另外更針對《自由中國》編輯委員會中已出有文集的雷震、傅正、殷海光、夏道平等人進行相關文章作者的考證，因此利用作者分類索引也可以找到他們以筆名或者不具名的方式所發表的文章，當然可能由於許多篇社論是由多人討論而成，因此導致有文章被多人各自收入文集之內的現象，對此則同時加以列名，以利後續者進行研究。

　　編輯這本書所根據一套《自由中國》，是當年《自由中國》編委傅正先生臨終前贈送給編者。如今，這本目錄的出版，在某種意義上，也是編者對傅先生當年贈書之情謝意的呈現。而此書得以問世也必須要感謝打字的陳雪琴小姐，以及進行資料蒐集、校對的蔡碧真、周夢如、林果顯、林忠蔚、楊淑雅的協助，同時也要感謝遠流出版社的黃訓慶先生提供了編輯工作之外的專業協助，才使此書得以順利完成。當然沒有陳宏正先生再三的催促，遠流出版社王榮文董事長、吳副總編輯的協助，這本書是不可能完成的。而對編者個人而言，這本目錄的編纂完成，是繼編者過去編纂《台灣歷史年表》之後所進行的另一系列資料檔案的蒐集整理工作的開始，目前正進一步針對與《自由中國》齊名「一報三刊」中的《公論報》、《民主潮》、《民主中國》等進行目錄的編纂整理工作，期待這些編目的完成，能對相關研究的進行有所助益。

薛化元　2000/5/19
于中和

《自由中國》民主憲政史料的歷史意義[*]

薛化元

　　一般認為，《自由中國》是一份主張民主憲政的自由主義刊物，在1949-1960年的台灣，也是台灣最具有代表性的自由主義刊物。當時台灣十分注意民主憲政問題的報刊，除了《自由中國》以外，尚有李萬居主持的《公論報》、青年黨的《民主潮》及民社黨的《民主中國》。不過，《公論報》係日報，而《民主潮》與《民主中國》則係（準）政黨的機關刊物，因此，就政論雜誌而言，《自由中國》的主張在台灣歷史上民主憲政思想發展上有其獨特而不可抹滅的地位。但是，《自由中國》在台灣歷史脈絡中的重要性，更因為有兩個前提存在，越發凸顯其意義。首先，在日據時代，武裝抗日行動告一段落之後，台灣人在政治法律層面與日本統治當局的抗爭中，引進了近代的自由民主思想，並在抗爭的過程中逐漸發展開來。在理論的引進上，當然與西方近代的文化也有相當密切的關係。不過隨著日本大正民主時代的結束，軍國主義逐漸抬頭的結果，台灣方始萌芽發展的自由民主思想，便受到相當的打壓[1]。戰後，國民政府接收台灣，宣佈台灣光復，未幾發生二二八事件，及其後的「清鄉」、「掃紅」等事件，使得台灣本土菁英的政治文化活動力，大不如前。加上隨著政治局勢的發展，統治者的語言政策也隨之改變，台灣與過去日本領台時間的文化思想的傳承，出現了斷裂的現象[2]。因此，從日本領台時代以來，由台灣本土菁英所主導的爭取自由民主行動，乃成為歷史。同時，雖然還有少數的本土菁英在政治文化舞台佔有一席之地，但是，這主要都是個人的角色，而不是團體的角色。這樣的現象之所以發生，肇因於國民黨當局對於台灣本土菁英組織團體、結社這樣的現象，抱持相當程度的高壓態度；如前延平中學校長朱昭陽先生，或是蔣渭川先生（蔣渭水之弟）的經驗，就是明顯的例證[3]。

　　不過，台灣本土菁英主導的民主活動與傳佈的思想雖然已經沒落，卻並不意味著《自由中國》的思想在台灣戰後歷史脈絡中，便一定會扮演重要的角色。此一現象所以產生，從《自由中國》自己發展的脈絡來看，有它理論前後一貫性，與時空條件的偶然性。就歷史時空條件的偶發性來看，《自由中國》

---

[*] 這篇文章主要是根據拙作《『自由中國』與民主憲政》的研究成果，簡介《自由中國》民主憲政史料的意義。

[1] 參見薛化元，《『自由中國』與民主憲政》（台北：稻鄉出版社，民國85年），頁1-2；簡炯仁，《台灣民眾黨》（台北：稻鄉出版社，民國80年），頁10-11、182、247；黃昭堂，《台灣總督府》（東京：教育社，1989年），頁114。

[2] 參見大橋英夫等編，《激動のなかの台灣——その變容と轉成》，東京，田畑書店，1992年9月，頁202-204。

[3] 朱昭陽、魏火曜、謝國城戰後在日本曾組織「新生台灣建設研究會」，返台後則沒有活動，形同解散。但情治單位仍然逮捕朱昭陽，要求他找其他的參與者一同宣佈解散此一組織。見朱昭陽口述，吳君瑩記錄，林忠勝撰述，《朱昭陽回憶錄》（台北：前衛出版社，1994年），頁69、115；由蔣渭川主導籌組的「台灣民眾協會」有意繼承台灣民眾黨的傳統，因此本來以民眾黨籌備處進行工作。因為當時國民黨台灣省黨部主任委員李翼中向蔣氏表達「不宜組黨」，才改以此一名稱成立。李翼中，〈帽沿述事〉，收入《二二八事件資料選輯（二）》（台北：中央研究院近代史研究所，民國81年），頁400。

創刊於1949年，它的創刊雖然是在1949年底，不過實際上早在1949年初，蔣介石總統下台以後，以雷震、胡適、王世杰、杭立武等人為中心所構思的一種自由中國運動，早已逐漸在開展之中[4]。由於中國大陸局勢惡化程度出乎他們的意料之外，所以創刊之際已經來到了台灣，這也是《自由中國》成為台灣的歷史脈絡中重要一環的不可或缺的一個偶然性的因素。另一方面，《自由中國》雜誌本來是以「擁蔣、反共」作為其基本的政治路線；它的創刊則得到當時國民黨當局高層人事如蔣介石、陳誠等人的支持，開辦的費用更得到官方的補助[5]。這樣的一份雜誌會成為台灣自由民主思想發展中不容忽視的角色，則可以從其本身思想發展的脈絡來看，找出端倪。

《自由中國》創刊之初，所採取的「擁蔣、反共」的政治路線，在本質上乃是期待以民主來反共，也期待透過這樣反共的成功，它所宣傳的自由民主理念，得以落實。就歷史的脈絡而言，1949年的蔣介石，雖然採取了聯合自由民主人士的政治方向，也為了爭取美援，任用吳國楨擔任台灣省省主席，孫立人擔任台灣防衛司令、陸軍總司令，及任用了其他具有自由主義色彩的政治人物[6]，不過這並不意味著國民黨當局所採取的政治路線將向單一民主政治的方向發展。相反的，國民黨當局一方面希望得到自由民主人士的擁護，另外一方面也期待透過更嚴密的組織，以及其他的方式來反共。這樣一個發展的方向，到了韓戰爆發以後就更為清楚。由於國民黨當局得到的資源逐漸豐富，整個國家的安全也沒有其他的顧慮，加上在韓戰的過程中，美國與國民黨當局逐漸形成準同盟的關係，因此，使得蔣介石以他個人為中心所建立的強人威權體制，有了良好的發展空間。此後，蔣介石所主導的國民黨改造，以及日後國家政治體制的調整，都逐漸朝向強人威權體制的確立與鞏固來發展[7]。但是這樣的一個方向，與《自由中國》創刊以來所期待的方向是背道而馳的，因此《自由中國》雜誌與蔣介石總統乃至於整個國民黨當局的關係，自然日趨惡化。自1951年「政府不可誘民入罪」事件開始，《自由中國》與國民黨當局的關係從交融，而逐漸朝向磨擦、緊張、破裂，到最後導致了「雷震案」爆發，《自由中國》的停刊，而告一段落[8]。這是《自由中國》堅持著創刊時的基本理念，與統治者當局的理念產生嚴重衝突的必然結果。在這樣的歷史脈絡下，《自由中國》成為當時台灣具有代表性的自由民主憲政的雜誌。其後《自由中國》雜誌所發表的有關民主憲政的理論，也成為1970年代台灣「黨外」運動主張的政治訴求，例如《八十年代》雜誌社出版的《自由中國選集》，可以發現其中有相當程度的承繼關係[9]。直到「國會全面改選」的議題端上檯面，成為台灣民主運動的主流以後，《自由中國》主張具有的代表性，才告一段落。因此，欲掌握1950年代台灣自由民主或民主憲政思想的概況與發展，《自由中國》都是不可或缺的一環。

---

[4] 薛化元，〈台灣自由主義思想發展的歷史考察（1949-1960）〉，「紀念雷震先生百歲冥誕暨傅正先生逝世五週年：跨世紀台灣民主發展研討會」（台北：殷海光基金會主辦，1996年7月7日、8日），頁4。

[5] 薛化元，《『自由中國』與民主憲政》，頁20、63。

[6] 薛化元，《『自由中國』與民主憲政》，頁43-44、58。

[7] 薛化元，《『自由中國』與民主憲政》，頁71-72。

[8] 《自由中國》與國民黨當局互動關係的演變，依次可分為交融期（1949年11月～1951年5月）、磨擦期（1951年6月～1954年12月）、緊張期（1955年1月～1956年9月）、破裂期（1956年10月～1958年12月）、對抗期（1959年1月～1960年9月），參見薛化元，《『自由中國』與民主憲政》，頁75-175。

[9] 《八十年代》出版的《自由中國選集》便是將認為有現實意義的文章重刊。而1970年代民主運動所提出的訴求，除了國會全面改選之外，大抵上則不出《自由中國》主張的範圍。

總目錄
(全 23 卷，1949～1960)

第 1 卷第 1 期，1949 年 11 月 20 日

「自由中國」的宗旨 .... 胡適

發刊詞 .... 本社(雷震)

民主與極權的衝突 .... 胡適

誰是斯大林的繼承人 .... 海星

自由與平等 .... 傅斯年

評蘇俄副總理馬倫科夫演詞 .... 時事述評

獨裁，殘暴，反人性的共產黨 .... 雷震

思想自由與自由思想 .... 殷海光

本刊開闢「青年號角」的前言 .... 編者

美國的教育週 .... 美新社

一個俄國空軍上校初到美國 .... William White 原作／本刊資料室特譯

從赤色家庭解放出來 .... 沈晦

鐵幕後面的故事 .... 本杜

自由與解放 .... 海鷗

第 1 卷第 2 期，1949 年 12 月 5 日

論團結對於反共抗俄的必要 .... 社論

從華德事件看出極權國家的作風 .... 時事述評

中共不能例外 .... 時事述評

駐外俄軍中的地下反共活動 .... 時事述評

反共鬥爭中之台灣 .... 王世杰

我們不能放棄歷史的任務 .... 姬之尹

自由人的難題 .... 圓照

說給英國人聽 .... 夏道平

剩餘價值與國民生產力 .... 蔣勻田

論寬容精神與政治的出路 .... 李中直

組織東亞青年反共軍 .... 朱開來

請用具體的方法搶救青年 .... 恬琴

一個剛到美國的中國青年的來信 .... 金少光

美國的收入是怎樣分配的 .... 威廉哈德原作／本刊資料室譯

共產國際的七種戰略 .... 馬丁依本原作／本刊資料室譯

反共戰爭的本質——傅斯年先生的談片 .... 本刊

慧眼看中共 .... 美新社

「無失論」與賣國賊 .... 山空

一個自由人的最後一剎那 .... 卡爾蔦德文原作／本刊資料室譯

躍向自由——蘇俄嘉森金納夫人著 .... 新書介紹

第 1 卷第 3 期，1949 年 12 月 20 日

我們不能放棄大陸上據點！ .... 社論

蘇聯究竟是一個甚麼國家？ .... 傅斯年講／許冠三記

聯合國的憲章和「和平要義」 .... 毛子水

民主與反民主的鬥爭 .... 陳啟天

中國憲法之重要涵義 .... 張其昀

不屈服的海峽 .... 許冠三

甚麼比共產黨更可怕？ .... 金承藝

反共戰爭的精神條件 .... 彭定公

孤鳳孤雛 .... 陳紀瀅

承認中國赤色政權我們能有甚麼收穫？ .... 美國星期六晚報社論／本刊資料室譯

美國與世界 .... 杜魯門原作／本刊資料室譯

直接向史達林報告 .... 美國之音

維辛斯基在享受自由文化的舒適 .... 美國之音

第 2 卷第 1 期，1950 年 1 月 1 日

二十世紀後半期開始時我們應有的決定 .... 社論

民主與自由 .... 王雲五

一個自由經濟制度的成就 .... 王聿修

從近代文化批判共產黨 .... 雷震

民族戰爭呢？還是社會戰爭？ .... 殷海光

與毛澤東董必武談話的回憶 .... 蔣勻田

中國政治改革的癥結 .... 蔣君章

台灣地方自治的技術問題 .... 張初暘

歷史的坦途只有一條 .... 黃中

重行擬訂俘虜政策 .... 劉侃武

逢新年算舊賬 .... 傅宗懋

半世紀來誰擁有世界上最偉大的陸海空軍？ .... 燕君

杜甫與佛 .... 梁實秋

念重慶 .... 田麟

社會主義與專制 .... 密色斯原作／資友仁譯

美國記者眼中的赤色上海 .... Robert Doyle 原作／本刊資料室譯

一個正在被清算的國家 .... 美國新聞及世界報告原載

中國自由黨組織綱要草案 .... 專載

中國的出路 .... 獨家時論社

在鐵幕之後 .... 夏坦

鐵幕對抗自由 .... 索爾甫

自由鐘聲 .... 北均

第 2 卷第 2 期，1950 年 1 月 16 日

師克在和不在眾 .... 社論

中國能抄襲蘇聯嗎？ .... 左舜生

民主主義也有新舊嗎？ .... 羅鴻詔

誰能擊敗共產主義？ .... 許冠三

中國人的氣候適應力 .... 沙學浚

這是我們反省的時候了！ .... 宋英

我看「甚麼比共產黨更可怕」 .... 沈軍田

為自由中國而戰 .... 思齊

愛國詩人陸放翁 .... 殷勤

身份證的秘密(上) .... 沈晦

蘇聯何其盲目 .... G. F. Eliot 原作／冰生譯

蘇聯的新社會(上) .... 達爾林(蘇俄)原作／摩洛譯

中國自由黨組織綱要草案(續完) .... 專載

「全家福」及「三月十五日」 .... 白眉

第 2 卷第 3 期，1950 年 2 月 1 日

獨立自主與「一邊倒」 .... 社論

共產黨統治下決沒有自由 .... 胡適

戰爭與自由 .... 殷海光

一切當從團結做起！ .... 余家菊

論智識份子錯覺中的共產黨 ....余夢旦

我們需要一種健全的政治教育 ....張中文

論反共聯合陣線 ....李中直

戰鬥中成長的中國新海軍 ....謝永炎

身份證的秘密(下) ....沈晦

蘇聯的新社會(下) ....達爾林(蘇俄)原作／摩洛譯

獄中記 ....柯爾冰(蘇俄)原作／張帆譯

第 2 卷第 4 期，1950 年 2 月 16 日

蘇俄的承認「越南共和國」和美國的製造氫原子彈 ....社論

悲憤話新疆 ....羅家倫

我們為甚麼要抗俄反共？ ....傅斯年

原野之憶 ....半葦

世界霸權與軍國主義 ....戴杜衡

論布爾希維克氣質 ....許冠三

由政治民主到經濟平等 ....資友仁

以暴易暴乎？ ....雷震

我們為何而戰？我們如何而戰？ ....蕭仲泉、楊欣泉記錄

我們需要一個自由中國大運動(香港通訊) ....朱啟葆(夏道平筆名)

「洪承疇」致前駐緬大使涂允檀書(曼谷通訊) ....王安石

殉馬(上) ....長白

我們如何爭取世界 ....J. F. Morse 原作／遠思譯

我在紅軍的生活 ....Fred Virski 原作／冰生譯

第 2 卷第 5 期，1950 年 3 月 1 日

莫斯科的魔術——從史毛間的所謂「談判」到俄毛偽約 ....社論

辯證法的唯物論三大法則批判 ....羅鴻詔

論唯物辯證法的變形 ....黃紹祖

對於思想的幾點看法 ....隨如庵

中山先生論自由(上) ....徐芸書

論空軍確保臺灣 ....起淪

臺灣問題在美國(美國通信) ....林慰君

史太林主義者必將被征服、推翻、和廢除！(美國通信) ....巴格諾考斯基原作

陷後北平教授群(香港通信) ....烏逸人

致為自由而戰的胡適博士(比利時通信) ....雷震遠

毛澤東即或成為狄托，難道我們就不反對嗎？ .... 王仁泉

燕林先生來信 .... 燕林

殉馬(下) .... 長白

英雄又跳起來了 .... 海星

一封沒寄出的信 .... 天南

史太林──彼得大帝遺囑的執行人 .... 瑞士世界一週原載／本六譯

希臘如何對共產主義作戰？ .... Spyros Skouras 原作／本刊資料室譯

文明在考驗之中 .... 星光

第 2 卷第 6 期，1950 年 3 月 16 日

存亡絕續在此一舉──蔣總統復職後我們的願望 .... 社論

二十多年來的中國教育 .... 杭立武

論經濟的國權主義 .... 戴杜衡

西方文明的挑戰 .... 許冠三

「自由」「民主」「社會」三主義合論 .... 曾虛白

中山先生論自由(下) .... 徐芸書

揭開氫原子彈的秘密(美國通信) .... 王紀五

蔣勻田先生來函(附蔣氏覆巴格諾考斯基信) .... 蔣勻田

海外孤兒流乾了辛酸的眼淚！何時才重入自由祖國的懷抱？！(曼谷通信) .... 言川

嚮應自由中國大運動(台中通信) .... 寧遠

關於偉人的定義 .... 毛子水

泡沫 .... 子強

人類的宣言 .... 墨人

你來了(散文詩) .... 亞一

在德國俄國共產黨最怕的人 .... O. K. Armstrong 原作／秦維明譯

第 2 卷第 7 期，1950 年 4 月 1 日

民主自由與經濟制度──經濟社會化應該犧牲政治民主化麼？ .... 社論

經濟社會化的政策性(上) .... 王師復

論馬克思式社會主義的現實性 .... 鄭學稼

個人自由底社會價值 .... 張金鑑

談反共與助共 .... 勞仲瓊

反對黨之自由及如何確保 .... 雷震

在維護「人民自由」與「政治民主」之原則下，中國對經濟措施，應採何種辦法，以實現「經濟社會化」

　　或「經濟平等」。 .... 蕭仲泉、楊欣泉記錄

五星旗下的北平(香港通信) ....梁守中

香港自由人士看陳內閣(香港通信) ....祁自珍

武漢近況的一角(台北通信) ....念象

風波 ....田麟

荻村傳(一) ....陳紀瀅

一個選擇了自由的蘇俄飛行員(上) ....W. L. White 原作／林茂心譯

大可注意的「一九五二」 ....海星

十四行 ....吳螯

第 2 卷第 8 期，1950 年 4 月 16 日

自由中國和聯合國的生命 ....社論

人性的存亡 ....時事述評

皮球可不再踢了！ ....時事述評

把握住迴轉中的人心 ....時事述評

共產黨的吸引力 ....傅斯年

立法院能控制行政院麼？ ....張慶楨

經濟社會化的政策性(下) ....王師復

學術界看布爾希維克主義 ....費極光

我們要在甚麼時候反攻和怎樣反攻？ ....趙盧吾

美國必須採取強硬態度(芝加哥通信) ....林慰君

新軍，新在那裡？(鳳山通信) ....余西蘭

清華園的苦悶(香港通信) ....梁守中

「山東忠義軍馬」時期的辛棄疾 ....杜呈祥

荻村傳(二) ....陳紀瀅

一個選擇了自由的俄國飛行員(下) ....W. L. White 原作／林茂心譯

第 2 卷第 9 期，1950 年 5 月 1 日

把握、把握、把握住人心！ ....社論

經財的破綻，軍政的污點——走私 ....時事述評

「秘密」不能當作禮品 ....時事述評

是「中國通」還是「通」中共？ ....時事述評

血汗與幸福 ....時事述評

清除臭腐 ....時事述評

亞洲當赤禍之衝 ....喬治原作／轟華苓譯

關於「統一思想」底問題 ....殷海光

論自由與國家(上) ....林一新

致聯合國秘書長賴伊函 ....王德箴

與李普曼先生論美國外交政策 ....李中直

「解放」區中所謂教育！(浙南通訊) ....金煜

飢餓的大陸(香港通訊) ....祁自珍

東北變色的鐵證(香港通訊) ....馬存坤

有人說：國民政府是被公營事業拖垮的！(香港通訊) ....張志楷

動蕩中的香港(香港通訊) ....黎庶

荻村傳(三) ....陳紀瀅

以俄制俄 ....Wallace Carroll 原作／遠思譯

第 2 卷第 10 期，1950 年 5 月 16 日

我們現在已臨一毫不可鬆懈的時候了！ ....社論

前線第一、第一前線 ....時事述評

我們曾經捏了一把汗 ....時事述評

胡佛與賴伊 ....時事述評

關於防諜 ....時事述評

一隻雞一塊菜地 ....時事述評

第三次大戰何時爆發？ ....龍倦飛

怎樣發揚我們的力量！ ....余家菊

哀聯合國 ....徐鍾珮

拉斯基教授之死 ....陳恩成

從常識看辯證唯物論(上) ....岳中石

愛國華僑走向何處去？(香港通訊) ....祁自珍

給祖國的一封公開信(芝加哥通訊) ....林慰君

荻村傳(四) ....陳紀瀅

包袱 ....喻嘉濱

從參議員麥加賽提交美國國會的文件中看拉鐵摩爾輩的真面目 ....美國國會紀錄／遠思節譯

第 2 卷第 11 期，1950 年 6 月 1 日

今日的臺灣十年前的英倫 ....社論

軍人魂、文人氣節 ....時事述評

荒謬絕倫的託管說 ....時事述評

香蕉共和國的碧瑤會議 ....時事述評

打落牙齒和血吞 ....時事述評

異哉，請求增發通貨！...時事述評

蘇俄的國策和動向...羅家倫

中共怎樣「清算」農村...許冠三

勞動制度論...汪洪法

史大林對民族主義之苦鬥...羅鴻詔

蘇俄帝國所望於「歐洲內亂」者...黃賽婉

從常識看辯證唯物論(下)...岳中石

亡矣大陸！百萬俄虜入中原！...馬存坤

共黨如何歡迎「民主人士」(香港通訊)...................................宇安

所望於軍政當局者(新竹通訊)...李文燦

隔重洋遠眺群醜有感五首(華府通訊).....................................張文

聞雞起舞(歷史短篇)...王平陵

荻村傳(五)...陳紀瀅

教會與共產主義之在中國(待續).................................雷震遠原作／芬譯

臺灣省雜誌協會成立宣言.......................................臺灣省雜誌協會(雷震)

第 2 卷第 12 期，1950 年 6 月 16 日

向日本人民進一言...社論

節能補虧、約以養源...時事述評

要來的歡迎、要走的請便...時事述評

蘇俄開始嚴密控制東德...時事述評

英國不應阻撓西歐煤鐵合營...時事述評

論立法權的運用...薩孟武

辯證法是玄學底論理學...劉百閔

公營企業的民主化...羅敦偉

論集體主義...蕭輝楷

功乎？罪乎？——從監察院的糾彈案說到國家行局的調整 ....夏道平

古城春色(金門通訊)...方亦文

一封戰友的回信(臺中通訊)...嚴聲華

到臺灣後的觀感(臺北通訊)...劉志英

一位僑胞理髮師對自由中國的嚮往(印尼通訊).............................來乙

養雞場在臺北...陳定山

荻村傳(六)...陳紀瀅

教會與共產主義之在中國.......................................雷震遠原作／芬譯

氫原子彈的煙幕.............................Richard L. Stokes 原作／李卿之節譯

第 3 卷第 1 期，1950 年 7 月 1 日

卷頭語..本社

軍風紀的新紀元...時事述評

消除奢靡、厲行節約...時事述評

艾其遜外交政策難得全體支持...時事述評

北韓究向誰宣戰？...時事述評

俄羅斯帝國主義之傳統...胡秋原

趕快解決對日和約問題...左舜生

論計劃與自由...王希穌

我們要以工作對付工作...雷震

歷史的臺灣——歷史上的臺灣與中國(一)...郭廷以

我們希望立刻改善的三件事(台北通訊)...浩然

反共如救火(新竹通訊)...余大海

豪富的下場...王平陵

荻村傳(七)...陳紀瀅

美奸希斯叛國原委(一).............................R. D. Toledano & V. Lasky 原作／遠思節譯

他們為甚麼招供？..李昂斯原作／焦木譯

台灣省雜誌協會各會員刊物對建立戰時生活體制的共同呼籲.....................台灣省雜誌協會

第 3 卷第 2 期，1950 年 7 月 16 日

霹靂聲中的覺醒...社論

中美交誼的過去和將來...社論

不要鬆懈鬆懈必敗！...時事述評

評限外發行...時事述評

南韓戰事勢必拖延...時事述評

趕快使用原子彈...時事述評

遠東消滅赤禍之關鍵...湯恩伯

兩個戰略的交綏...陶希聖

美軍在南韓失利之原因...閔石麟

美國對遠東的基本態度改變了麼？...蔣勻田

太平洋新局勢與中國前途...陳啟天

從韓國戰事檢討第三次大戰是否爆發？...陳恩成

美國何以急需對日議訂和約...羅盤

歷史的臺灣——荷蘭侵入與臺灣之初次淪陷(二).......................................郭廷以

中共軍隊的士氣在低落(台北通訊)...徐道鄰

「解放」歌謠集(華府通訊) .... 張文

荻村傳(八) .... 陳紀瀅

美奸希斯叛國原委(二) .... R. D. Toledano & V. Lasky 原作／遠思節譯

「自由中國」在華府 .... 張文

第 3 卷第 3 期，1950 年 8 月 1 日

爲國民黨改造進一言 .... 社論(雷震)

從入境問題談到民主政治 .... 時事述評

爲鹽民請命 .... 時事述評

不要再犯錯誤 .... 時事述評

值得印度反省值得世界知道 .... 羅家倫

自由主義底蘊涵(上) .... 殷海光

民族主義之理論的檢討——盧騷與黑格爾兩家思想之比較 .... 羅鴻詔

中國的革命與美國的革命(上) .... 陳威伯

民主國家應該怎樣面對現局？ .... 雷震

歷史的臺灣——初次光復(三) .... 郭廷以

大陸上反共武力的實力及其分佈情形(香港通訊) .... 冀樵

「自由中國」在棉蘭(印尼通訊) .... 饒碧松

郭沫若的過去與現在(上) .... 劉治郁

怒吼(上) .... 田麟

荻村傳(九) .... 陳紀瀅

美奸希斯叛國原委(三) .... R. D. Toledano & V. Lasky 原作／遠思節譯

第 3 卷第 4 期，1950 年 8 月 16 日

民主國際才是防共長堤 .... 社論

談談國民黨改造 .... 時事述評

從安理會上印度代表看印度政府 .... 時事述評

論民主國際與反共抗俄 .... 喬治原作／趙文海譯

自由主義底蘊涵(下) .... 殷海光

論愛倫堡「給西方作家的一封公開信」 .... 歐陽賓

歷史的臺灣——歷史的臺灣與中國(四) .... 郭廷以

顧維鈞大使訪問記 .... 凌霄

張菊生(元濟)靠攏的前前後後(上海通訊) .... 陳敬仁

檢討韓國之戰(華府通訊) .... 許思澄

郭沫若的過去與現在(下) .... 劉治郁

怒吼(下) .... 田麟

荻村傳(十) .... 陳紀瀅

美奸希斯叛國原委(續完) .... R. D. Toledano & V. Lasky 原作／遠思節譯

第 3 卷第 5 期，1950 年 9 月 1 日

迅速締結太平洋公約 .... 社論

收復大陸時所需要的人才 .... 時事述評

向歐洲大陸上的民主領袖進一忠告 .... 時事述評

中美合作與世界和平 .... 威廉

蘇俄侵略的技術 .... 羅家倫

與薩孟武先生論立法權的運用(上) .... 涂浩如

中國的革命與美國的革命(下) .... 陳威伯

歷史的臺灣——歷史的臺灣與中國(五) .... 郭廷以

印度尼西亞怎樣建國(印尼通訊) .... 谷夫

山雨已來風滿樓(華府通訊) .... 許思澄

大陸的人心(香港通訊) .... 李露霞

美國民意趨於援華(舊金山通訊) .... 榆林

駱駝(上) .... 殷勤

荻村傳(十一) .... 陳紀瀅

克里姆林宮中的貓 .... 關皖同譯

第 3 卷第 6 期，1950 年 9 月 16 日

異哉！所謂「臺灣問題」 .... 社論

我們對於大陸同胞的信任 .... 時事述評

政治家民主風度的榜樣 .... 時事述評

現任縣市長競選問題 .... 時事述評

大戰、韓戰與台灣 .... 龍倦飛

國內紛爭與國際組織(上) .... 戴杜衡

論中共的經濟政策 .... 王光華

今日婦女的時代使命！ .... 宋英

與薩孟武先生論立法權的運用(下) .... 涂浩如

歷史的臺灣——歷史的臺灣與中國(六) .... 郭廷以

美國原子能研究的發展(紐約通訊) .... 焦木

日本與聯合國合作的一著棋(東京通訊) .... 荻秋

看中共統治下的工農(香港通訊) .... 吳一并

駱駝(下) .... 殷勤

荻村傳(十二) .... 陳紀瀅

一幅亡命圖 .... Uicolas Baciu 原作／子介節譯

第 3 卷第 7 期，1950 年 10 月 1 日

我們對於美國新任國防部長馬歇爾的期望 .... 社論

為蘇俄出一奇計 .... 時事述評

北緯卅八度 .... 時事述評

入境與生活 .... 時事述評

揭開中印間有關西藏的幕 .... 羅家倫

遠東局面徹底澄清前的幾片暗雲 .... 劉光炎

國內紛爭與國際組織(下) .... 戴杜衡

提前反攻中國大陸與世界反共戰爭 .... 張仲仁

歷史的臺灣——歷史的臺灣與中國(七) .... 郭廷以

他山之石(華府通訊) .... 許思澄

萬事莫如反共急(芝加哥通訊) .... 林慰君

關切的語片(金門通訊) .... 心白

腐蝕墮落中的中共幹部(香港通訊) .... 祁自珍

俄國大鼻子在上海(上海通訊) .... 齊霞

巢湖邊上 .... 宛宛

荻村傳(十三) .... 陳紀瀅

蘇俄的話算數嗎？ .... Jacob Epstein 原作／遠思譯

第 3 卷第 8 期，1950 年 10 月 16 日

聯合國不要腐蝕了勝利的果實 .... 社論

聯合國歷史中最污濁的一頁 .... 時事述評

密件 .... 時事述評

自治與負責 .... 時事述評

形式主義與官僚政治 .... 雷震

東南亞當前的危機 .... 陳國礎

社會主義乎？辯證唯物神學乎？(上) .... 楊一樵

韓國問題解決了之後 .... 黃錫和

歷史的臺灣——歷史的臺灣與中國(八) .... 郭廷以

蕭條苦難話杭州(杭州通訊) .... 野萍

大鼻子在「北京」(北平通訊) .... 基夫

中共統治下的長沙(長沙通訊) ……………………………………………………… 再生

旅行的陰暗面 ………………………………………………………………………… 椰厂

荻村傳(續完) ……………………………………………………………………… 陳紀瀅

躍向自由(上) ………………………………………… 嘉森金納夫人原作／文波節譯

第 3 卷第 9 期，1950 年 11 月 1 日

解救越南危局的根本之圖 …………………………………………………………… 社論

悼念史汀生先生 ……………………………………………………………………… 時事述評

華萊士先生還未完全覺醒 …………………………………………………………… 時事述評

迷途應知返矣 ………………………………………………………………………… 時事述評

史達林怎樣攫取中國的大陸國土？ …………………………………………………… 毛子水

民族主義與國家主義 ………………………………………………………………… 羅鴻詔

論考試權 ……………………………………………………………………………… 趙盧吾

社會主義乎？辯證唯物神學乎？(下) ……………………………………………… 楊一樵

歷史的臺灣——歷史的臺灣與中國(九) …………………………………………… 郭廷以

冷戰、溫戰與熱戰之間(華府通訊) …………………………………………………… 許思澄

李四光靠攏初觸霉頭(香港通訊) …………………………………………………… 齊霞

海南島在鐵幕裡(海南通訊) ………………………………………………………… 念蕙

魔窟塑像 ……………………………………………………………………………… 雲蓀

風流才子話田漢 ……………………………………………………………………… 劉治郁

躍向自由(中) ………………………………………… 嘉森金納夫人原作／文波節譯

第二十世紀 ………………………………………………………… 海光(殷海光筆名)

第 3 卷第 10 期，1950 年 11 月 16 日

臺灣、香港與大陸 …………………………………………………………………… 社論

我們的政府夠民主嗎？ ……………………………………………………………… 時事述評

臺灣的軍隊該出動了！ ……………………………………………………………… 時事述評

從美國大選的結果看美國人民反共的態度 ………………………………………… 時事述評

史達林雄圖下的中國 ………………………………………………… 胡適原作／雲軸譯

我對蕭伯納的看法 …………………………………………………………………… 傅孟真

亞洲赤禍的外在原因 ………………………………………………… 喬治原作／聶華苓譯

蘇俄為甚麼嗾使中共參加韓戰？ …………………………………………………… 羅鴻詔

借箸為美國及聯合國籌一現階段的遠東戰略 ……………………………………… 李長空

歷史的臺灣——歷史的臺灣與中國(十) …………………………………………… 郭廷以

本刊一週年 …………………………………………………………………………… 雷震

中共怎樣奴化下一代？(蘇北通訊) .... 凌秀峰

「獨眼」將軍喪威巴蜀(香港通訊) .... 江望光

自由中國與亞洲的前途(舊金山通訊) .... 榆林

「解放」(獨幕劇) .... 余水姬

躍向自由(下) .... 嘉森金納夫人原作／文波節譯

第 3 卷第 11 期，1950 年 12 月 1 日

教育文化向那方走？ .... 社論

談談黨員競選問題 .... 時事述評

「自作孽」的尼赫魯 .... 時事述評

聯合國的威望轉入低潮 .... 陶希聖

亞洲赤禍的外在原因(中) .... 喬治原作／聶華苓譯

美國選舉前後 .... 王紀五

蘇俄的幕後戰術和聯合國應有的和平計劃 .... 鄒景蘇

歷史的臺灣——歷史的臺灣與中國(十一) .... 郭廷以

美國大選的意義(華府通訊) .... 許思澄

紐約時報論胡適及其他(紐約通訊) .... 李三思

國慶日在墨京(墨京通訊) .... 喬念祖

歧路 .... 金溟若

臺灣的花鳥 .... 李華

蘇維亞怎樣管制思想 .... 海光(殷海光筆名)

第 3 卷第 12 期，1950 年 12 月 16 日

從當前國際局勢看杜艾會談 .... 社論

民主與黨派 .... 時事述評

麥帥之於聯合國 .... 時事述評

響應美國輿論界的正義之聲 .... 時事述評

論中國政治問題的癥結 .... 薩孟武

歷史的教訓和英國的國策 .... 毛子水

亞洲赤禍的外在原因(下) .... 喬治原作／聶華苓譯

工業民主與金融改造 .... 羅敦偉

歷史的台灣——歷史的台灣與中國(十二) .... 郭廷以

大夢誰先覺？(華府通訊) .... 許思澄

哀維也納(維也納通訊) .... 恨生

如此「大使」！(印尼通訊) .... 津棠

糖衣奎寧九..朱西寧

第 4 卷第 1 期，1951 年 1 月 1 日

展望民國四十年 .... 社論

行政院籌組設計委員會 ....時事述評

祝北大西洋聯軍統帥部的成立 ....時事述評

爭取人民 .... 王雲五

中國民族之克難精神 .... 錢穆

臺灣在政治上與文化上抗日的回顧 .... 方豪

一切殖民政策的理論均應銷盡廢絕 .... 吳鐵山

「解放區」、香港、自由中國(上) .... 張力行

傅孟真先生傳略 .... 毛子水

憶孟真 .... 伍俶

值得青年們效法的傅孟真先生 .... 李濟

敬悼傅孟真先生 .... 屈萬里

「抗美援朝」下的南京(南京通訊) .... 曼青

昆明──一個寂靜的死谷(昆明通訊) .... 滇君

謝海籌殉難之謎(香港通訊) .... 韓再生

陳明仁、周震麟合作鈔金(香港通訊) .... 乖崖

離婚 .... 牛言度

斯諾筆下之維辛斯基的臉譜 .... 焦木節譯

民主政治 .... 海光(殷海光筆名)

第 4 卷第 2 期，1951 年 1 月 16 日

建立現代化的制度 .... 社論

建立聯合陣線正是時候了！ ....時事述評

日本人眼中的武裝日本 ....時事述評

中印間關於西藏問題的幕內證件 .... 羅家倫

給杜魯門總統的一封公開信 .... 喬治原作

馬克思政治哲學的錯誤 .... 胡原道

官僚政治別論 .... 陳威伯

「解放區」、香港、自由中國(下) .... 張力行

打打談談打(華府通訊) .... 許思澄

新作風在古巴(古巴通訊) .... 關浪帆

「抗美援朝」聲中的北平(北平通訊) .... 王其祿

我憶孟真先生 .... 海光(殷海光筆名)

蘇聯的教育 .... 致力譯

第 4 卷第 3 期，1951 年 2 月 1 日

正義與和平的抉擇 .... 社論

國民黨黨員歸隊 .... 時事述評

公務員的制服 .... 時事述評

勞氏、勞氏、心勞日拙矣！ .... 時事述評

日本人民目前的平正大道 .... 毛子水

再論民族主義與國家主義 .... 羅鴻詔

杜魯門與羅斯福 .... 鄧啟

經濟的自由主義 .... 高壽昌

改幣以來台灣的貨幣與金融 .... 何千里

一個柏林，兩個世界！(柏林通訊) .... 陳定一

起「帶頭作用」的華西大學(成都通訊) .... 戴生

漢口在低氣壓的氛圍中(漢口通訊) .... 曼君

畫與我 .... 王藍

美國「克里姆林宮」的秘密 .... 彭思衍譯

二十世紀哲學 .... 海光(殷海光筆名)

鐵幕漏隙 .... 傅一勤譯選

「爭取人民」讀後感 .... 士璋

第 4 卷第 4 期，1951 年 2 月 16 日

「大家來」對「一面倒」 .... 社論

大學制度亟需確立 .... 時事述評

杜魯門與塔虎脫之爭 .... 時事述評

論大學校長 .... 方豪

臺大校長問題 .... 姬之尹

俄羅斯帝國主義之發展(上) .... 胡秋原

原子彈的前途和可能性 .... 惠盧

反理性主義與戰爭 .... 田灌夫

巴黎麟爪(巴黎通訊) .... 一鶚

維也納的陰影(維也納通訊) .... 恨生

中共駐緬「大使」姚仲明二三事(香港通訊) .... 乖崖

自由中國四幕劇(一) .... 王平陵

史達林企圖征服世界 ....焦木譯

爲自由而戰 ....漢爾登原作／一鶚譯

第 4 卷第 5 期，1951 年 3 月 1 日

史達林底談話暴露了什麼？ .... 社論

總統復職一周年 ....時事述評

從紀德說起 ....時事述評

尼赫魯被提名爲一九五一年諾貝爾和平獎金候選人 ....時事述評

日本的和約問題和加入聯合國問題 .... 毛子水

國家權力的界限 .... 戴杜衡

從物價管制看美國動員 .... 王紀五

俄羅斯帝國主義之發展(下) .... 胡秋原

抗俄聲中的西歐(巴黎通訊) .... 一鶚譯

清除和脫黨(里昂通訊) .... 頌三

「大家來」對「一面倒」讀後感(臺北通訊) .... 宵遠

自由中國四幕劇(二) .... 王平陵

追求與幻滅 .... 海光(殷海光筆名)

第 4 卷第 6 期，1951 年 3 月 16 日

制裁人類底公敵！ .... 社論

我們在等待什麼？ ....時事述評

公營事業董監事 ....時事述評

文化三階層 .... 錢穆

日本會不會再事侵略？ .... 羅鴻詔

共產主義的落後性與反動性 ....張靜軒

共產黨是要耕者有其田麼？ .... 董時進

波濤洶湧的湖南(長沙通訊) .... 譑齋

看陸軍射擊比賽大會(鳳山通訊) .... 文靜

我們何時與西班牙通使？(瑪德里通訊) .... 警雷

奴隸的歌頌(巴黎通訊) .... 梅雨

文壇巨星的隕落(巴黎通訊) .... 梅雨

自由中國四幕劇(三) .... 王平陵

史達林帝國的致命傷 .... Willam I. Nichols 原作／遠思譯

紅色中國的叛徒 .... 之尹

第 4 卷第 7 期，1951 年 4 月 1 日

於歡迎蔣廷黻博士以後 .... 社論

危機四伏的英伊石油事件 .... 時事述評

麥帥的聲明 .... 時事述評

從聯合國看世界前途 .... 蔣廷黻

論所謂東方狄托 .... 董時進

美國憲法上的新發展 .... 杜光塤

我國租稅應走之路 .... 周鐵

社會主義的虛妄 .... 歐陽賓

我參加了三次「控訴美帝罪行大會」(南京通訊) .... 念鷗

活躍三湘的反共游擊英雄(湖南通訊) .... 曼卿

血證(北平通訊) .... 王生生

自由中國四幕劇(四) .... 王平陵

從中東現勢看戰略性的石油供應 .... Gustav Egloff 原作／遙聲譯

格蘭斯頓與列寧 .... 羅素原作／聶華苓譯

奴隸的歌頌 .... 譯自基督教箴言報

第 4 卷第 8 期，1951 年 4 月 16 日

麥帥之去職 .... 社論

麥帥事件與臺灣 .... 時事述評

節約消耗和穩定財政 .... 時事述評

理想與現實 .... 王雲五

臺灣的金融與美援 .... 瞿荊洲

中共對大陸天主教會的陰謀 .... 沈若望

馬克思歷史哲學批判 .... 胡原道

如何邁入民主政治的坦途 .... 吳大宇

菲律賓華僑與「菲化案」 .... 吳春熙

意共內幕(羅馬通訊) .... 王薇

淮南山區義旗處處(蚌埠通訊) .... 曼青

大江東去(上) .... 田麟

韓戰餘生記 .... Robert L. Sharpe 原作／隱輝譯

我是毛澤東的女秘書 .... 蔭君

第 4 卷第 9 期，1951 年 5 月 1 日

對日和約與集體安全 .... 社論

歡迎美國軍援顧問團 ....時事述評

韓國戰局縱談 ....時事述評

麥帥解職底教訓 ....殷海光

論中立主義 ....程滄波

論知識份子的改造 ....吳康

民主中國的障礙在那裡？ ....許冠三

願望與怨望 ....雷震

自毀汝萬里長城？(華府通訊) ....許思澄

今日福建(福州通訊) ....江風

毛澤東的好學生(北平通訊) ....燕然

篩(上) ....金溟若

大江東去(下) ....田麟

蘇俄如何赤化附庸國 ....Bogdan Raditsa 原作／竹章摘譯

聯合國大會素描 ....譯自基督教箴言報

第4卷第10期，1951年5月16日

消除國際的現實主義 ....社論

杜麥論戰中的兩點 ....時事述評

關於書刊審查 ....時事述評

現任與現役一字之差(苗栗縣長選舉糾紛) ....雷震

常識與政治 ....毛子水

蕭伯納與甘地 ....苓譯

落後地區的工業化問題 ....易巽

鐵幕拾零 ....苓譯

民主與法治 ....陳恩成

論立法權配合行政權的運用 ....涂浩如

芬蘭在熊爪下的掙扎(芬京通訊) ....白盧

西班牙是否要參加第三次大戰(瑪德里通訊) ....警雷

西湖鬼哭(杭州通訊) ....伯卿

篩(下) ....金溟若

美國外交之謎 ....Sumner Wells 原作／隱輝譯

不願做奴隸的人們 ....華苓譯

美國八位偉人 ....海光(殷海光筆名)

第4卷第11期，1951年6月1日

公文旅行 .... 苓譯

寄語大陸同胞 .... 社論

政府不可誘民入罪 .... 社論

選舉中的政黨與人民 .... 時事述評

布萊德雷的天真 .... 時事述評

麥帥被黜後的共黨世界戰略 .... 喬治原作／聶華苓譯

國民經濟論與戰爭(上) .... 戴杜衡

中共的苦果 .... 黃紹祖

民主政治與多數同意 .... 羅鴻詔

抗俄的祕密武器 .... 苓譯

鐵幕裡的「政治犯」 .... 苓譯

郵戰 .... 苓譯

哀王孫(紐約通訊) .... 曾英奇

調景嶺上話義民(香港通訊) .... 黃河清

鐵幕醜劇(香港通訊) .... 浩然

拾起屠刀 .... 朱西寧

不必害怕 .... H. C. Lodge 原作／王召中譯

第4卷第12期，1951年6月16日

民主國家應提高警覺 .... 社論

再論經濟管制的措施 .... 社論

琉球應如何處理 .... 時事述評

向伊朗摩沙德總理進一忠告 .... 時事述評

寬容和民主 .... 毛子水

海軍在戰略上之地位與中國海軍之使命 .... 蔣勻田

從經濟的分析批判階級鬥爭 .... 周德偉

鐵幕擋不住音波 .... 苓

蘇俄理髮師的閒話太多 .... 苓

國民經濟論與戰爭(下) .... 戴杜衡

西歐的防線(紐約通訊) .... 曾英奇

鳩山乎？吉田乎？(東京通訊) .... 余蒼白

彭水沈冤(四川通訊) .... 望楚

憶 .... 苓

陳獨秀與陳炯明 .... 李念嚴

怎樣擊敗俄國 .... 海光(殷海光筆名)

第 5 卷第 1 期，1951 年 7 月 1 日

我們的立場 .... 社論(雷震)

韓戰一年對於世界的影響 .... 社論

馬立克的和平攻勢 .... 時事述評

欣聞杜先生將自遠方來 .... 時事述評

政治作風和人情味 .... 夏道平

集中寺院 .... 苓

同志！讓我吻你的手 .... 苓

論革命 .... 羅鴻詔

臺灣之農業 .... 陳世璞

臺灣之水利 .... 陳克誠

與劫後王孫話將來(紐約通訊) .... 曾英奇

西班牙怎樣反共(馬德里通訊) .... 警雷

血染皖南(皖南通訊) .... 君健

五月的葵村 .... 歐陽賓

百年罪惡 .... 仲岑譯

我看傻常順兒 .... 鍾梅音

第 5 卷第 2 期，1951 年 7 月 16 日

開城談判的裏面觀 .... 社論

歡迎杜威先生 .... 時事述評

教訓的第一課 .... 時事述評

傳統與革新 .... 雷震

論澳洲的外交政策及其對中共的態度 .... 孫宏偉

臺灣的畜牧 .... 戈福江

日本簡化漢字之經過(東京通訊) .... 余蒼白

人變鬼的故事(香港通訊) .... 羊叔子

大陸學人的面面觀(香港通訊) .... 王國復

堆草龍 .... 宛宛

蘇俄囚營十一年記(上) .... Elinor Lipper 原作／章生道譯

一九八四年 .... 海光(殷海光筆名)

第 5 卷第 3 期，1951 年 8 月 1 日

願美國勿再鑄大錯 .... 社論

當兵與練兵 .... 時事述評

不絕如縷的和談 .... 時事述評

談教育機會均等問題 .... 王雲五

論政治責任 .... 夏道平

自由的意義 .... 苓譯

中共統治技術的剖視 .... 邵德潤

園藝事業在臺灣 .... 陸之琳

艾森豪威爾與西歐(西歐通訊) .... 安道

西班牙留學生的憤怒(瑪德里通訊) .... 不文

游擊英雄馳閩江(福建通訊) .... 曼青

覺醒 .... 苓

一位馳譽法國藝壇的中國畫家 .... 蘇雪林

憶高劍父先生 .... 祝秀俠

蘇俄囚營十一年記(中) .... Elinor Lipper 原作／章生道譯

第 5 卷第 4 期，1951 年 8 月 16 日

有容乃大 .... 社論

怎樣實行節約 .... 時事述評

慎防史達林的和平攻勢 .... 時事述評

對日和約中國參加問題 .... 黃正銘

愛好清潔的尼德魯 .... 苓譯

蘇俄小女孩的幽怨 .... 苓譯

如此真理報 .... 苓譯

共黨語言可以襲用嗎？ .... 殷海光

論美澳紐三國安全公約 .... 孫宏偉

臺灣之森林 .... 朱惠方

解除整肅與右傾危機(東京通訊) .... 袁固

西班牙近事(馬德里通訊) .... 警雷

中共怎樣奴役工人階級(香港通訊) .... 丹心

陸小曼的房子與匪區貪污(香港通訊) .... 雪人

百科全書的故事 .... 吳魯芹

蘇俄囚營十一年記(下) .... Elinor Lipper 原作／章生道譯

驚人的造謠 .... 苓譯

不能撒謊的記錄 .... 苓譯

第 5 卷第 5 期，1951 年 9 月 1 日

寫在舊金山和會的前面 .... 社論

願天下有情男女都是喜劇中人 .... 時事述評

開城談判會破裂嗎？ .... 時事述評

致本社的一封信 .... 胡適

十年來中美關係急趨惡化的原委 .... 胡適

自由與奴役的分野 .... 苓

美國應如何爭取主動遏止侵略 .... 黃雪村

入學考試不及格怎麼辦？ .... 毛子水

「共黨語言可以襲用嗎？」書後 .... 雷震

臺灣應實施的林業政策 .... 王子定

印尼共產黨(印尼通訊) .... 津棠

杜威訪澳紀聞(澳洲通訊) .... 胡慧

「特等功臣」縱火犯(重慶通訊) .... 望楚

遙念祖國(印尼通訊) .... 來乙

臨別的光(獨幕劇)(上) .... 水姬

馬克思與社會科學者 .... 郝根原作／劉世超節譯

史達林與毛「主席」 .... 涂允綏譯

極權對民主自由的威脅 .... 海光(殷海光筆名)

第 5 卷第 6 期，1951 年 9 月 16 日

「九一八」廿週年敬告日本人民 .... 社論

陳院長致胡適之先生函 .... 陳誠

中山思想之新綜析 .... 錢穆

論和平 .... 羅鴻詔

個人與國家 .... 李中直

史達林陰謀攫取中國的鐵證 .... 吳桐湘

法國整軍問題(巴黎通訊) .... 警雷

沙坪土貝風光黯淡(重慶通訊) .... 丘宛如

一個「階級本質」的例證(香港通訊) .... 晉文

臨別的光(幕獨劇)(下) .... 水姬

辯證法和黑格爾的歷史神學 .... Hans Kelsen 原作／聶華苓譯

第 5 卷第 7 期，1951 年 10 月 1 日

言論自由的認識及其基本條件 .... 社論(雷震／殷海光)

只有自省才是辦法 .... 時事述評

反共外交的新頁 .... 時事述評

輿論與民主政治(一) .... 雷震

馬克思經濟學批評(上) .... 胡原道

日本文字的改革運動 .... 梁容若

臺灣土壤概況與農林利用 .... 梁鉅榮

且看鹿死誰手(倫敦通訊) .... 石達生

南漪湖上的反共英雄(宣城通訊) .... 江風

血的洗禮 .... 歐陽賓

梁啓超徐志摩論俄帝 .... 吳相湘

文明是怎樣創造的？ .... 海光(殷海光筆名)

第 5 卷第 8 期，1951 年 10 月 16 日

剖視人和魔鬼的談判 .... 社論

大家都是中華好兒女 .... 時事述評

英國外交的多事之秋 .... 時事述評

中共將亡於「宣傳」 .... 成舍我

從一個國家來看心、物、與非心非物 .... 徐復觀

馬克思經濟學批評(下) .... 胡原道

臺灣特產香茅油 .... 洪北江

邱吉爾的生意經 .... 苓譯

從世界大勢，看臺灣前途(華府通訊) .... 伴耘

民命草芥 .... 知非

義和團幽靈復活(香港通訊) .... 梅川克

蕭軍之死 .... 陳紀瀅

自由的謳歌 .... 惜夢

從中東問題說到非洲的戰略地位 .... B. Fellers 原作／幼麟譯

在東南亞的中國人 .... 孫宏偉

第 5 卷第 9 期，1951 年 11 月 1 日

軍法與普通司法的劃分 .... 社論(雷震)

立法院院長的選舉 .... 時事述評

羅素的不主張承認中共政權 .... 時事述評

論「化佃農爲自耕農」 ....張丕介

橫臥在東西羅馬之間的三億回教徒往那裡去？ ....李中直

公教人員待遇辦法的檢討與改善芻議 ....林炳康

共產黨如何左右了美國的輿論(華府通訊) ....許思澄

幼稚的左派爲患日本(東京通訊) ....苗劍秋

日本社會黨左派之剖析(東京通訊) ....高臨渡

與潘重規先生談紅樓夢(上) ....李辰冬

福萊斯特爾陰魂的控訴 ....朱可立譯

科學與社會 ....海光(殷海光筆名)

第 5 卷第 10 期，1951 年 11 月 16 日

本刊第三年的開始 ....社論(雷震)

英國大選的教訓 ....社論

電氣與人生 ....時事述評

從艾契遜無條件支持英國的武力政策說起 ....時事述評

兩年來本刊內容的分析和檢討 ....夏道平

民主政治就是民意政治 ....雷震

民本主義與民主主義 ....羅鴻詔

民主政治的起腳點 ....申思聰

中東的缺口 ....范叔寒

戰後法國新經濟政策 ....郭垣

從東京看中日和約前途(東京通訊) ....余蒼白

從胡適之陳獨秀談起(華府通訊) ....常思琰、王約翰

客從長春來(香港通訊) ....祁自珍

與潘重規先生論紅樓夢(下) ....李辰冬

布爾雪維克對民主的曲解 ....Hans Kelsen 原作／王正路譯

第 5 卷第 11 期，1951 年 12 月 1 日

再向日本人民進一言 ....社論

讀行政院長的施政報告 ....時事述評

巴黎聯合國大會前瞻 ....時事述評

從民權初步論精誠團結 ....張佛泉

苦撐待變 ....杭立武

和平頌 ....苓

世界無雙的典禮 ....苓

鐵幕中的「新式」計算器 .... 苓

「苦撐待變」與反共抗俄必勝信念 .... 吳相湘

談明年美國大選 .... 陳香梅

法共動態(巴黎通訊) .... 警雷

日皇太子的生活 .... 苓

西德整軍問題(西歐通訊) .... 安道

蕭軍之死與赤色文人的末路(香港通訊) .... 羊叔子

陳毅與饒漱石間的暗鬥(香港通訊) .... 柳甦生

海外心影 .... 陶藍

糾正世人對共產主義的錯覺 .... W. H. Chamberlin 原作／召中譯

自由人(美國出版) .... 海光(殷海光筆名)

第 5 卷第 12 期，1951 年 12 月 16 日

反共與團結——本刊一貫的主張 .... 社論(雷震)

李宗仁完了！ .... 時事述評

不能再聽它勒索了！ .... 時事述評

民主政治就是輿論政治 .... 雷震

論巴斯底的鑰匙 .... 李中直

泰國政變與東南亞局勢 .... 張任飛

北方學人的悲劇(香港通訊) .... 瑩星

縱觀世局話和平(華府通訊) .... 伴耘

為日本前途憂(東京通訊) .... 苗劍秋

我的父親 .... 段永蘭

霍夫曼論自由 .... 聶華苓譯

封建式的現行公文程式應予改革 .... 余崇華

第 6 卷第 1 期，1952 年 1 月 1 日

展望民國四十一年的國際局勢 .... 社論

學人蒙難文化遭殃 .... 社論(雷震)

有感於文天祥之被清算 .... 時事述評

親愛精誠的狄恩將軍 .... 時事述評

從貨幣的兩個主義說到自由中國的貨幣 .... 瞿荊洲

綜核名實和政治 .... 毛子水

論中共之統制思想 .... 羅鴻詔

臺灣水利問題之檢討 .... 宋希尚

東歐鐵幕背後(維也納通訊) .... 安道

馬來亞的剿共戰爭(新加坡通訊) .... 尹輝

「四大流寇」與「四大領袖」(香港通訊) .... 柳甦生

真理的鑰匙 .... 金濤

一個美國記者眼中的南斯拉夫 .... 召中譯

第三次世界大戰寫真 .... 海光(殷海光筆名)

我對公文改革的意見 .... 吳守璞

第 6 卷第 2 期，1952 年 1 月 16 日

政治與道德 .... 社論

「再教育」？ .... 時事述評

悼塔西尼將軍 .... 時事述評

健全輿論形成之要件 .... 雷震

我所認識之「真正的自由人」 .... 梅蘊理

史達林對日本的新陰謀 .... 王正路

關於蘇俄陰謀文證彙編 .... 吳相湘

傑弗遜的政治思想 .... Saul K. Padover 原作／申思聰譯

鐵幕高空的寒星(香港通訊) .... 烏逸人

閒話的閒話(紐約通訊) .... 曾英奇

聖誕節在東京(東京通訊) .... 余蒼白

黃昏的故事 .... 聶華苓

我響應公文改革的建議 .... 徐芸書

對本刊的幾點意見 .... 余永祺

第 6 卷第 3 期，1952 年 2 月 1 日

急轉直下的中日媾和 .... 社論

遲回瞻顧後的日本 .... 王雲五

歷史的使命 .... 蔣夢麟

歷史的鏡子 .... 吳相湘

論尼赫魯的外交政策及印度與中共的關係 .... 孫宏偉

候選人提名之謎(紐約通訊) .... 曾英奇

日本再軍備觀(東京通訊) .... 余蒼白

所謂「人民電影」的形形色色(香港通訊) .... 盧一釗

懺悔 .... 徐鍾珮

愛之譁變 .... 胡平

一九五二年的世局 .... 朱啟葆(夏道平筆名)

一個嚴重的青年教育問題 .... 成雨田

第 6 卷第 4 期，1952 年 2 月 16 日

爲中日簽約問題正告日本和我國政府 .... 社論

權力欲與民主政治 .... 戴杜衡

誹謗之意義及與言論自由之界線(上) .... 雷震

論中共對大學教授的「思想改造」 .... 馬東桑

美國對蘇政策 .... 犬養健原作／陸漸譯

礎潤而雨(華府通訊) .... 許思澄

杜邱會談與世界局勢的發展(華府通訊) .... 伴耘

挪威站起來了(西歐通訊) .... 安道

金陵瑣憶 .... 段永蘭

評「我的父親」 .... 陳紀瀅

雅舍小品 .... 海光(殷海光筆名)

第 6 卷第 5 期，1952 年 3 月 1 日

論中日合作的前途並再告兩國當局 .... 社論

給美國政府一個嚴重的警告 .... 社論

論美國的外交 .... 張致遠

貿易對於和約的影響 .... 瞿荊洲

誹謗之意義及與言論自由之界線(下) .... 雷震

自由經濟的成就 .... 資友仁譯

吉田書簡與「吉田哲學」(東京通訊) .... 余蒼白

今日的美國人需要甚麼樣的總統？(紐約通訊) .... 曾英奇

中共在澳洲的勒索(雪梨通訊) .... 胡慧

教國文的一點經驗 .... 梁實秋

火炬的愛 .... 朱西寧

留學獎學金應該公開考選 .... 王致忠

第 6 卷第 6 期，1952 年 3 月 16 日

履霜堅冰至！ .... 社論

巴黎聯合國大會 .... 蔣廷黻

作之君作之師？ .... 羅鴻詔

地方自治與民主政治 .... 陳克文

大陸學人自白書之借鑑 .... 司徒謙益

從中共財經立場解剖其三反四反和五反(香港通訊) .... 原之道(雷震筆名)

我做了「人民代表」(香港通訊) .... 江天

遙遠的祝福 .... 羊叔子

舊歌新唱 .... 思澄

評「洗腦」 .... 吳魯芹

從「政在便民」說到日光節約 .... 寧靜遠

第 6 卷第 7 期，1952 年 4 月 1 日

緬甸華僑堅決反共(仰光通訊) .... 陳振中

節約運動必須正本清源 .... 社論

貢獻給立法院幾點意見(上) .... 雷震

從冷戰談到自由世界的經濟合作 .... 鄒文海

自由是不可分的 .... Bruce Winton Knight 原作／遠思譯

臺灣的文獻 .... 方豪

「東大事件」和日本大學問題(東京通訊) .... 徐逸樵

法共控制了工聯(西歐通訊) .... 警雷

還我自由(香港通訊) .... 嚴肅

覺醒 .... 胡平

羅素論權力 .... 海光(殷海光筆名)

第 6 卷第 8 期，1952 年 4 月 16 日

向美國政府重申警告 .... 社論

研究敵情不容自我陶醉 .... 社論

海關為什麼還要使用英文？ .... 短評

和約談判的癥結在那裡？ .... 短評

神聖同盟與聯合國組織 .... 黃正銘

貢獻給立法院幾點意見(下) .... 雷震

蘇俄在美國的陰謀 .... L. F. Budenz 原作／焦木譯

臺灣的地理 .... 楊錫福

日本舊軍人的煩悶(東京通訊) .... 徐逸樵

緊張而興奮的越北(河內通訊) .... 祁仁

留學獎學金應一律由政府考選嗎？ .... 楊天驥

雪除夕 .... 楊念慈

舟子的悲歌 .... 梁實秋

第 6 卷第 9 期，1952 年 5 月 1 日

五一談工運..社論

祝中日和約告成..短評

「便民」口號重實踐..短評

由控蘇案說到中長鐵路..凌鴻勛

「計劃教育」質疑..徐佛觀

蛻變中的美國對臺政策..朱伴耘

歷史的治亂..陶英貝原作／聶華苓譯

臺灣的土著族..衛惠林

中共對印尼的外交和僑務(椰嘉達通訊)......................................津棠

中梵外交的透視(梵蒂岡通訊)..施克教

曾葆蓀爲國爭光(巴黎通訊)..一鶚

鬻血..高莫野

中國之亂與中國文化精神之潛力....................................朱啟葆(夏道平筆名)

論畢業學生分發就業制度..李慈

第 6 卷第 10 期，1952 年 5 月 16 日

堵防時代思潮中的一股逆流..社論

軍法與司法劃分的進步..短評

負責與法治..短評

回教文化與近東問題(上)..張致遠

戰後日本大觀..徐逸樵

民主與權威..許冠三

戰後歐洲的社會主義(翻譯)..中央社編譯部譯

艾帥返美前夕的西歐防務(西歐通訊)..安道

奮鬥中的突尼斯(北非通訊)..紫宸

造謠者的果報(香港通訊)..范家樹

何處是歸宿..朱西甯

「不在其位，不謀其政」？..顧梅生

加強海外宣傳..史美玉

一位華僑青年徵求祖國朋友..張昌正

我們需要一個新的運動！..朱明

第 6 卷第 11 期，1952 年 6 月 1 日

從對西德和平契約談起..社論

英商自中國大陸撤退 .... 短評

澄清所有的反時代思潮之逆流 .... 王浩然

戰俘營中竟有私刑 .... 短評

從「金雞獨立式」說起 .... 孫愚

立委三年成法(官)(律)師 .... 原之道(雷震筆名)

臺灣的音樂 .... 呂訴上

巨濟島風雲(釜山通訊) .... 朴日成

瑞典能守中立嗎？(西歐通訊) .... 安東

越北華僑回國觀光(河內通訊) .... 惜光

生‧死‧哀‧樂 .... A. E. Hotchner 原作／聶華苓譯

價值判斷與民主政治 .... 劉世超

回教文化與近東問題(下) .... 張致遠

第 6 卷第 12 期，1952 年 6 月 16 日

求公平、節浪費！——寫在軍公教人員待遇調整之前 .... 社論

從間接民主到直接民主(上) .... 戴杜衡

經濟政策之技術的觀點 .... 瞿荊洲

我為什麼反共？ .... 殷海光

臺灣的建築 .... 宋祖平

法國政黨政治的動向(巴黎通訊) .... 舒文

美國的鋼鐵工業糾紛(華府通訊) .... 楊志希

失意政客充「貴賓」(雪梨通訊) .... 孫宏偉

紅旗下的大學生活 .... 悼萍

本屆立法院面臨考驗 .... 朱啟葆(夏道平筆名)

第 7 卷第 1 期，1952 年 7 月 1 日

關於私人投資問題 .... 社論

誰來監察人民代表？ .... 短評

克拉克的新猷——摧毀水豐發電廠 .... 短評

駁斥閻錫山氏的「大同之路」(上) .... 羅鴻詔

臺灣棉布問題面面觀 .... 陳式銳

蘇俄的財政與金融 .... 朱新民

從間接民主到直接民主(下) .... 戴杜衡

印度支那的華僑(河內通訊) .... 丁匡華

金日成會見記(香港通訊) .... 何子修

國際聖體大會中國朝聖團(巴塞羅納通訊) .... 曉星

錢穆先生的莊子纂箋 .... 王叔岷

第 7 卷第 2 期，1952 年 7 月 16 日

我們對於大專畢業生軍訓的幾句要話 .... 社論

論修改憲法與解釋憲法 .... 薩孟武

續論經濟政策之技術的觀點 .... 瞿荊洲

駁斥閻錫山氏的「大同之路」(下) .... 羅鴻詔

太平洋學會如何幫助史達林赤化中國(上) .... James Burnhan 原作／聶華苓譯

透視共黨在泰陰謀(曼谷通訊) .... 道統

西班牙歡迎中國留學生(馬德里通訊) .... 警雷

薪俸與愛情(上) .... 旭愚譯

世界之新希望 .... 海光(殷海光筆名)

公開的集體的作偽 .... 李誠中

第 7 卷第 3 期，1952 年 8 月 1 日

從公文程式的革新說到分層負責 .... 社論

伊朗往何處去？ .... 社論

論日本的「新善鄰」政策 .... 徐逸樵

與錢穆先生談文化問題 .... 李辰冬

思想真能改造嗎？ .... 吳康

太平洋學會如何幫助史達林赤化中國(下) .... James Burnhan 原作／聶華苓譯

共和黨全國大會的前前後後(美國通訊) .... 許思澄

泰國僑社的風波(曼谷通訊) .... 道統

薪俸與愛情(下) .... 旭愚譯

評介「大火炬的愛」 .... 陳紀瀅

關於「為節省外匯而保護紡織業」 .... 陳式銳

第 7 卷第 4 期，1952 年 8 月 16 日

評扶植自耕農方案 .... 社論

弔唁大陸上受迫害的文化工作者！ .... 短評

志願軍與志願遣俘 .... 短評

自由主義之今昔 .... 羅鴻詔

對扶植自耕農計劃的一個輔助建議 .... 徐芸書

蘇俄工業的弱點 .... 朱新民

蘇俄的奴隸勞工制度 .... 龍平甫

越南政壇上的風雲(西貢通訊) .... 丁匡華

澳洲的反共活動(坎倍拉通訊) .... 王東

一個站在鏡子前面的人 .... Lannia 原作／陶冬心譯

萍蹤雲影 .... 張靜

經濟政策與經濟學理 .... 海光(殷海光筆名)

兩 點補充意見 .... 張力行

堅持原則 .... 何培讓

第 7 卷第 5 期，1952 年 9 月 1 日

我們不要瞎猜 .... 社論

歷史的教育價值 .... 張致遠

美國與聯合國 .... 雷崧生

從美澳紐聯防說美國外交 .... 朱伴耘

亞拉伯人爲甚麼反對美國 .... Stephen B. L. Penrose 原作／關迪潛譯

讀薩孟武先生「關於讀經問題」書後 .... 夏道平

重整軍備中的日本(東京通訊) .... 李潤智

印尼華僑教育問題(印尼通訊) .... 陳克文

火(小說) .... 樂季生

匈牙利中產階級在慢性死亡中 .... 一鶚

對於海光先生評介「經濟政策與經濟學理」之商榷 .... 周德偉

南韓聯軍戰俘營反共愛國同胞的一封信 .... 南韓聯軍戰俘營

第 7 卷第 6 期，1952 年 9 月 16 日

對於我們教育的展望 .... 社論

日本政情和次期政權 .... 徐逸樵

由英國近年對外政策談英國民族性 .... 王雲五

蘇俄集團的購買力 .... 資友仁譯

中國門戶開放政策探源 .... 吳相湘

在夾縫中的緬甸——緬北和李彌的游擊隊 .... 鄭斜陽

越南的紅禍 .... 丁匡華

青春戀(小說) .... Lesley Conger 原作／聶華苓譯

不合理的免費乘車證 .... 齊魯道

堪注意的社會新聞 .... 史重光

還可以簡化 .... 陳祖蔭

第 7 卷第 7 期，1952 年 10 月 1 日

對國民黨七全大會的期望 .... 社論(雷震)

談做保 .... 社論(夏道平)

聯合國裁軍交涉僵局的癥結 .... 魏學仁

論艾森豪威爾的「解放政策」 .... 朱伴耘

民主與極權的再認識 .... 陶冬心譯

工業化的實際問題 .... 瞿荊洲

立法院會議人數常不足問題 .... 彭翰

英國在馬來的窘態 .... 王勳

「永不分離」在澳京公演記 .... 孫宏偉

英遊雜感 .... 曾寶蓀

新綠(小說) .... 胡平

自由的寓言(詩) .... 梁雲坡

尾崎行雄自傳 .... 陳固亭譯

第 7 卷第 8 期，1952 年 10 月 16 日

我們對於僑務會議的期望 .... 社論

論美國大選的意義 .... 張佛泉

青年反共救國團的健全發展的商榷 .... 徐復觀

從經濟平等說起 .... 戴杜衡

冷戰前線的柏林 .... 龍平甫

勞山峰下冤魂淚 .... 魯凡夫

印支華僑教育問題 .... 一鳴

是我殺害了他嗎！？(上) .... 宛宛

評「美國的總統」 .... 滄波

第 7 卷第 9 期，1952 年 11 月 1 日

再期望於國民黨者 .... 社論

監察院之將來(一) .... 雷震

二千年前的自由意義 .... 高亞偉

許曼計劃與布勒溫計劃 .... 雷崧生

大選閑話 .... 許思澄

是我殺害了他嗎！？(中) .... 宛宛

羅斯福夫人回憶錄 .... 海光(殷海光筆名)

入境證問題 .... 劉國瑞

第 7 卷第 10 期，1952 年 11 月 16 日

三年來的回顧與自省 .... 雷震

寄語艾森豪！ .... 社論

吉田第四任內閣及其前途 ....徐逸樵

從保衛臺灣到反攻大陸 ....杭立武

如何打開韓戰僵局 ....董時進

唯物辯證法與階級鬥爭 ....蔣勻田

監察院之將來(二) .... 雷震

美國大選雜感 ....夏道平

狄托叛離了蘇俄嗎？(上) ....M. S. Handler 原作／程之行譯

赤魔掌下的東歐天主教 .... 安道

越南戰局透視 ....丁匡華

下輩子 .... 丘邑

短簡 ....張秀亞

是我殺害了他嗎！？(下) .... 宛宛

謝謝你們：雲、海、山！ ....聶華苓

第 7 卷第 11 期，1952 年 12 月 1 日

管理國營事業的前提條件——從電力加價想起 .... 社論

政治與自私 ....朱伴耘

論日本人 ....邱南生

監察院之將來(三) .... 雷震

狄托叛離了蘇俄嗎？(下) ....M. S. Handler 原作／程之行譯

展望澳洲未來兩黨外交 ....孫宏偉

誰是縱火者？ ....樊凡夫

褪色的晚霞(上) ....喻嘉濱

如此莫斯科！ ....Dorothy Emmerson 原作／陶冬心譯

開放的社會及其敵人 ....程滄波

第 7 卷第 12 期，1952 年 12 月 16 日

從法家拂士談到言論自由 .... 社論

「自由中國」雜誌三週年紀念會上致詞 .... 胡適

國際形勢與中國前途 .... 胡適

蘭克的生平與著作(爲紀念傅孟真先生而作) ....張致遠

蘇俄物價體系及盧布外匯匯率之檢討 ....劉國增

爲害於人類的觀念 ....羅素原作／殷海光譯

民主制度的基礎 ....許思澄

菲共虎克黨日暮途窮 ....岳文彬

褪色的晚霞(下) ....喻嘉濱

第 8 卷第 1 期，1953 年 1 月 1 日

法律與自由 ....社論(雷震)

東亞的命運 .... 胡適

國家自由與個人自由 ....羅鴻詔

歐洲聯防條約與對德臨時和約 ....龍平甫

職業教育的檢討與展望 ....陳克誠

監察院之將來(四) .... 雷震

愛因斯坦的人生哲學 ....愛因斯坦原作／劉世超譯

剖析中共農業互助組織 ....金一鴻

我對僑教前途的信心 ....吳德耀

希臘普選的透視 ....溫甦

露莎的姑母 ....徐鍾珮

冬夜 ....張秀亞

爲胡適之先生有關文藝的談話進一解 .... 子強

第 8 卷第 2 期，1953 年 1 月 16 日

競選活動應看做政治教育 ....社論(雷震)

爲調景嶺難胞呼籲 .... 短評

美國全面外交的新展望 ....朱伴耘

我所了解的自由 ....許冠三

中小工業金融之重要性 ....瞿荊洲

監察院之將來(五) .... 雷震

馬來亞的政黨、紅禍與自治運動 ....李銳華

麥克吉利克先生的友情 ....孫宏偉

天主教在蘇俄 .... 安道

憶艾理遜(美軍生活散記) ....瞿國瑾

第 8 卷第 3 期，1953 年 2 月 1 日

全球性戰略與民主世界的團結 .... 社論

三百年來世界文化的趨勢與中國應採取的方向 .... 胡適

歐洲的防禦 .... 龍平甫

關於政黨提名問題的商榷 .... 柯德厚

監察院之將來(六) .... 雷震

泰國內政和共產黨活動 .... 斜陽

逃出鐵幕的各種妙法 .... 荃蓀譯

自由之歌 .... 上官予

一個喬治亞的廚子 .... Robert Spencer Carr 原作／黃沙譯

拉斯基教授最後兩本書 .... 程滄波

第 8 卷第 4 期，1953 年 2 月 16 日

解除臺灣中立化應該是全球性戰略的第一步 .... 社論

國際政治的理想與現實 .... 張致遠

政治家與專家 .... 鄒文海

美國立法程序研究(上) .... 黎連

政治力量的分析研究 .... F. L. Neumann 原作／陳克文譯

香港電影圈的透視 .... 樊凡夫

和比戰難 .... 岳文彬

舊箋 .... 張秀亞

尾崎行雄自傳(中) .... 陳固亭譯

傅孟真先生集 .... 毛子水

第 8 卷第 5 期，1953 年 3 月 1 日

乘中蘇條約廢除的機會論我國外交的心理基礎 .... 社論

讀經與讀經的態度 .... 李經

從公務員待遇談到政治革新 .... 龍運鈞

美國立法程序研究(下) .... 黎連

羅素的人生哲學 .... 羅素原作／劉世超譯

馬來亞的人種歧視 .... 李銳華

解除臺灣中立後西班牙輿論的反響 .... 警雷

護理工作在美國 .... 陳雅甯

幸福的病 .... 胡平

蛇卵及其他 .... 梁雲坡

尾崎行雄自傳(下) .... 陳固亭譯

莫斯科的寒夜 .... 殷海光

第8卷第6期，1953年3月16日

當前管制經濟的措施亟待改進 .... 社論

作為工業金融市場的證券交易所之主要業務——臺灣證交易所應否緩設之探討 .... 瞿荊洲

公私之分 .... 龍運鈞

思想上的自由主義與統制主義 .... 羅鴻詔

蘇俄內部的反叛運動 .... 焦木譯

德意志聯邦建軍計劃 .... 龍平甫

患難朋友西班牙 .... 陳賢友

王載博士譽滿澳洲 .... 孫宏偉

鐵幕話數則 .... 荃蓀編譯

我掙脫了魔掌 .... 謝鍵友

文學批評中的「美」 .... 李經

美國去來 .... 殷海光

第8卷第7期，1953年4月1日

希望政府切實實行陳院長在檢討會的指陳 .... 社論(雷震)

今後的日本政局 .... 徐逸樵

青年節應當改期 .... 夏道平

有感於大學課程 .... 邁雲

美國是否走向另一經濟恐慌？ .... Sumner Slichter 原作／楊志希譯

大陸上大學教育的毀滅 .... 劉書傳

萬里風浪 .... 郭友梅

冷眼看「新婚姻法」 .... 劉剛

約會 .... 師範

柴卻羅夫上校 .... Stephen Kelen 原作／陶冬心譯

國父與歐美之友好 .... 陸漸

晚清宮庭實紀 .... 張白汀

第8卷第8期，1953年4月16日

對共產集團和平攻勢應有的瞭解與對策 .... 社論

馬林可夫政權與狄托主義 .... 蔣勻田

美國積極外交的面面觀 .... 朱伴耘

公教得其養 .... 黃鐘

未來八十年 .... 羅素原作／葉雨象譯

日本總選舉前各黨政見之剖視 .... 陳之道

史大林之死與西歐輿論 .... 龍平甫

從狄托訪英說起 .... 安道

馬西西——菲律賓的艾森豪 .... 岳文彬

龍娃和玉梅子 .... 楊文璞

金七公公的期待 .... 歐陽賓

胡適言論集甲編 .... 張敬

第 8 卷第 9 期，1953 年 5 月 1 日

日本大選與今後的政局 .... 社論

自由與國際和平 .... 張佛泉

臺灣經濟革新芻議 .... 陳式銳

日本戰敗秘史 .... 陳固亭

鐵幕下的東德 .... 龍平甫

從澳紐看「太平洋公約」 .... 伍聞非

地中海防務與美西基地使用協定 .... 黃廣

紅裙 .... 胡平

暮春漫筆 .... 張秀亞

西洋通史 .... 陸漸

第 8 卷第 10 期，1953 年 5 月 16 日

論米價 .... 社論

國民大會要走到那裏去？(上) .... 雷震

進展中的日本選民意識 .... 徐逸樵

自由之確鑿意義 .... 張佛泉

韓國濟州島戰俘營生活素描 .... 向自由

馬來亞華僑統計 .... 李銳華

意大利普選前夕 .... 方及

綠藤 .... 聶華苓

憶烏尤 .... 虞敏平(夏道平筆名)

新蘇維埃帝國 .... 殷海光

第 8 卷第 11 期，1953 年 6 月 1 日

當前國際形勢與反共聯合戰線 .... 社論

春風綠來話和平 .... 朱伴耘

臺灣省實施地方自治的檢討 .... 阮毅成

國民大會要走到那裏去？(下) .... 雷震

由西歐看蘇俄的「和平」運用 .... 龍平甫

葡萄牙近事 .... 警雷

屠狗者 .... 公孫嬿

歌頌咖啡的人 .... 李雅韻

中國歷史參考圖譜 .... 毛子水

第 8 卷第 12 期，1953 年 6 月 16 日

韓國停戰就是實行「解放政策」的第一步麼？ .... 社論

百慕達會議應有的認識 .... 蔣勻田

向美國政府進一言 .... 朱伴耘

治亂底關鍵 .... 殷海光

公職候選人的考試問題 .... 薩孟武

俄國與西方的對壘 .... 湯比原作／葉雨�象譯

西班牙的政經狀況及其戰略價值 .... Andre Visson 原作／熊望權譯

殺害東德人民的特務頭子 .... 奧挺

筆尖 .... 師範

中西交通史第一冊 .... 祝封

第 9 卷第 1 期，1953 年 7 月 1 日

為李承晚釋俘事件婉告美國 .... 社論

我們對李承晚釋俘事件應有的態度 .... 夏道平

艾森豪總統解放政策的試金石 .... 蔣勻田

英國的解剖 .... 鄒文海

論行政與立法之關係 .... 杜光塤

西方的抉擇(上) .... S. Bernard 原作／一思譯

大陸上中學教育的惡變(上) .... 劉書傳

意大利選舉的前前後後 .... 方及

西歐輿論對韓局的反響 .... 警雷

人間到處有青山 .... 司馬桑敦

華僑讀者爭閱本刊 .... 李銳華、江康城

第 9 卷第 2 期，1953 年 7 月 16 日

鐵幕內亂與西方對策 .... 社論

中國政治的根本難題 .... 徐芸書

關於個體自由與群體自由......................................許冠三

試論我國憲法的利弊得失......................................鄧啟

西方的抉擇(下)......................S. Bernard 原作／一思譯

由邱吉爾和平演說談到東德暴動..............................龍平甫

馬德里近事..警雷

大陸上中學教育的惡變(下)..................................劉書傳

布老虎..風雷

中國近代史..吳士偉

關於「胡適與白話文」..張起鈞

第 9 卷第 3 期，1953 年 8 月 1 日

公用事業的價格問題..社論

教育行政應有示範作用──守法................................社論

蘇俄與西方..羅鴻詔

蘇俄的強迫移民政策..朱新民

論現代國際收支及貿易平衡(上)..............................劉國增

東德人民揭竿而起..龍平甫

東德人民在過著什麼樣子的生活？..............................宋念慈譯

馬化政策下的馬華教育..李雲溪

一顆孤星..聶華苓

絮語..張秀亞

胡適言論集(乙編)..夏道平

關於臺灣省立師範學院的二三事................................朱誠中

第 9 卷第 4 期，1953 年 8 月 16 日

中立集團與美國政策..社論

高等教育的一方面──對臺大的一項建議........................蔣廷黻

唯物辯證法與必然性..劉世超

出售公營事業之估價及其股票之流通與保值....................林希美

論現代國際收支及貿易平衡(下)..............................劉國增

從蛛絲馬跡看匪劍帷燈..許思澄

從印尼僑情說到僑務方案..津棠

西班牙藍衫黨..警雷

尋夢曲..郭嗣汾

教育部來函..教育部

第 9 卷第 5 期，1953 年 9 月 1 日

在教育界多事之秋談建教合作 .... 社論

民意機關「議事資格」之比較的研究——為立法院和國民大會的議事資格進一言 .... 雷震

俄帝的新動向及民主國家應有的對策 .... 鄒文海

大學教育應如何改進發展？ .... 羅鴻詔

放棄了的道路 .... 海耶克原作／殷海光譯

警察國家匈牙利 .... 梅欣葆譯

韓境停戰在泰國的反響 .... 莊心在

採桑女(上) .... 王治修

關於師範學院事件的來函三件 .... 教育廳、布朗先生、李致一

第 9 卷第 6 期，1953 年 9 月 16 日

時機不可再失！(向諾蘭先生進一言) .... 社論

從教廳的一件命令談法治前途與政治作風 .... 社論

世界未來局勢與中國前途 .... 朱伴耘

論美國外交政策的目的(上) .... 樊際昌原作／王德昭譯

個人自由乎？國家自由乎？ .... 傅中梅

偉大的烏托邦 .... 海耶克原作／殷海光譯

貝利亞被捕後的蘇俄內政與外交 .... 龍平甫

開發臺東與加路蘭築港 .... 張冠英

詩與詩人 .... 李經

採桑女(下) .... 王治修

對臺大錄取新生的兩點意見 .... 宓去病

從教廳重新規定中學生制服說起 .... 史浩然

第 9 卷第 7 期，1953 年 10 月 1 日

聯合國可容中共闖進嗎？ .... 社論

美國外交政策的檢討 .... 張致遠

論美國外交政策的目的(下) .... 樊際昌原作／王德昭譯

珍珠港偷襲的決策與實行 .... 李祥麟

管制計劃與自由計劃 .... 海耶克原作／殷海光譯

北行途中話澳洲 .... 孫宏偉

共產國家裏的家庭生活實況 .... 葆譯

山洪暴發的時候 .... 司馬桑敦

內在的敵人 .... 陳紀瀅

車禍猖獗，人命草芥！......................................趙清之

不該管的去管，該管又不管！..............................黃希春

第 9 卷第 8 期，1953 年 10 月 16 日

我們信賴聯軍統帥的保證....................................社論

寫在反共救國會議之前......................................社論

日本往那裏走？..徐逸樵

法國政局何以動盪不安？....................................楊日旭

論琉球歸屬問題..梁嘉彬

大陸小學教育的剖視..劉書傳

美西協定簽字以後..何西

雞尾酒會..吳魯芹

紫娟表妹(上)..徐斌

希斯奇案..吳炳鍾

不平之鳴..王達人

第 9 卷第 9 期，1953 年 11 月 1 日

從反共義士的行動看出自由民主的真實價值....................社論(雷震)

知與行之概念的分析..羅鴻詔

關於在中國如何推進科學思想的幾個問題......................李濟

英國預算的分析..劉國增

管制計劃是無可避免的嗎？............................海耶克原作／殷海光譯

德國的政黨與大選..龍平甫

從香港看反共救國會議......................................陳登嶽

紫娟表妹(下)..徐斌

秋思..虞敏平(夏道平筆名)

綠窗隨筆..聶華苓

為一本「文藝名著」的出版與推薦而抗議......................余錚

第 9 卷第 10 期，1953 年 11 月 16 日

向尼克森先生致意..社論

輿論界的反省(為本刊第五年開始而作)........................社論(雷震)

冤獄賠償與民主政治..袁良驊

耕者有其田實施過程中須得糾正的幾點........................易農

凱恩斯的乘數原理(上)......................................戴杜衡

個體主義與民主政治...海耶克原作／殷海光譯

我對反共救國會議的看法...董時進

考驗人心向背的準繩...廖樞

戰後芬蘭...梅興譯

雨過天青(上)...黎中天

「世界永久沒戰爭」的「推薦者」蘇雪林趙友培陳紀瀅三先生聲明撤銷推薦.....蘇雪林、趙友培、陳紀瀅

第 9 卷第 11 期，1953 年 12 月 1 日

美國應如何領導自由世界... 社論

邱吉爾導演的東西巨頭會議...朱伴耘

論內閣制的新型態...孟浩

談世界婦女地位...曾寶蓀

凱恩斯的乘數原理(下)...戴杜衡

的港問題的演變...齊萬森

中共「新五反運動」之透視...沈秉文

我對「反共救國會議」的意見...周祥光

湛山莊主人...司馬桑敦

讀者來書二則..周南、蕭益思

謝冰瑩先生的來信——簽名難...謝冰瑩

羅家倫先生的來信——並代于右任先生申明撤銷推薦.............................羅家倫

第 9 卷第 12 期，1953 年 12 月 16 日

斥中立主義... 社論

蘇俄虎視下的中東現狀...王雲五

如何建立法治的社會基礎？...龍運鈞

法治底要旨..海耶克原作／殷海光譯

沒有史達林的第一個十一月...........................Bertram D. Wolfe 原作／遠思譯

我對反共救國會議的希望...朱伴耘

風雲變幻中的的港... 方及

中東防衛問題剖視...張瑾譯

憂鬱的靈魂...彭歌

舞台...王敬義

尋夢與畫夢...公孫嬿

一本誤謬不堪的農職教科書...焦言田

第 10 卷第 1 期，1954 年 1 月 1 日

新年的願望——民主與團結 .... 社論

追念吳稚暉先生 .... 胡適

日本「和平憲法」和軍備的消長 .... 徐逸樵

新年話世局 .... 朱伴耘

社會主義未能改進生活 .... 王聿修

東歐社會經濟現況 .... Dr. George Kemney 原作／李循和譯

反共救國會議的面面觀 .... 徐蛻

印尼往何處去？ .... 李銳華

霧裏獻花人 .... 郭嗣汾

懷念 .... 張秀亞

中國法制史論略 .... 牟潤孫

第 10 卷第 2 期，1954 年 1 月 16 日

倖進之風不可長 .... 社論

韓境反共義士必須如期釋放 .... 社論

政治組織與個人自由 .... 殷海光

政府權威與公民自由 .... 許冠三

美國的新軍事預算 .... 鄒文海

錫蘭的政黨與政治 .... 周祥光

行將揭幕的中國書院 .... 警雷

小襟人物 .... 吳魯芹

晚餐 .... 張之萍

自由與文化 .... 張佛泉

第 10 卷第 3 期，1954 年 2 月 1 日

自由日談真自由 .... 社論

教育和政俗 .... 社論

自由觀念的制度化與組織化 .... 蔣勻田

基本人權溯源 .... 李祥麟

承認中共政府問題 .... 費威克

統制經濟底種種危害 .... 海耶克原作／殷海光譯

馬林可夫政權的內政 .... 龍平甫

馬來亞華僑教育之厄運 .... 余東

我對副總統選舉的意見 .... 董時進

從文藝的應用性談文藝政策 .... 李經

詩二首(感覺的糊塗‧殘更) .... 徐訏

伊凡 .... 歐陽賓

反共義士李煥先生來信 .... 李煥

第 10 卷第 4 期，1954 年 2 月 16 日

行憲六年 .... 社論

政治民主才能經濟平等 .... 邱昌渭

現代自由經濟國家貨幣政策之檢討 .... 劉國增

紀念哲學大師康德 .... 鄭壽麟

從賀年信看日本 .... 余蒼白

提議徵召胡適之先生為中華民國副總統 .... 許思澄

響應選舉胡適之先生為副總統 .... 朱伴耘

我不贊成選胡適先生做副總統 .... 朱啟葆(夏道平筆名)

歡迎胡適之先生返國 .... 龍運鈞

在寒冷的絕崖上 .... 司馬桑敦

敵友之間 .... 燕歸來

第 10 卷第 5 期，1954 年 3 月 1 日

行憲與守法 .... 社論

拿出抗日的決心和勇氣來反共！ .... 董時進

平等概念的檢討 .... 余英時

機關首長應該澄清的幾個觀念 .... 湯絢章

印度共產黨的前途 .... Chester Bowles 原作／焦木譯

中共「民族政策」之剖視 .... 沈秉文

華僑與泰國經濟 .... 莊心在

西德總理阿德諾 .... 安道

七星寮(上) .... 王敬義

關於風蕭蕭的電影 .... 徐訏

沈痛的呼籲 .... 李心田

第 10 卷第 6 期，1954 年 3 月 16 日

行憲與民主 .... 社論

從「到奴役之路」說起 .... 胡適

憲法與行憲 .... 邱昌渭

制憲與行憲..蔣勻田

吳國楨事件發展中的平議...................................朱啟葆(夏道平筆名)

美國政治學的發展趨勢.......................................羅孟浩

柏林會議..龍平甫

剖解中共「經建公債」.......................................丁匡華

友情的悵惘..郭湘章

七星寮(下)..王敬羲

美國政治制度...殷海光

從幾部中國影片談起...薩滿

第10卷第7期，1954年4月1日

敬以諍言慶祝蔣總統當選連任...............................社論

為菲化案敬告菲國政府.......................................社論

中國古代政治思想史的一個看法............................胡適

獨裁怕自由..殷海光

論行政院與立法院之關係....................................張敬原

土耳其和凱末爾...鄧逸先譯

何必庸人自擾？...許思澄

毛澤東生死之謎...鐘靈

東德六月抗暴事件之回顧(上)...............................鄭壽麟

幸運的石頭..郭衣洞

如此結局..薩滿

讀胡朱兩先生文有感...鄭崇儒

第10卷第8期，1954年4月16日

我們對字體簡化的意見.......................................社論(夏道平)

日內瓦會議的展望...社論

從柏林會議展望日內瓦會議...................................朱伴耘

思想家能做些什麼？...劉世超

迷妄的平等......................................海耶克原作／殷海光譯

蘇俄窺視下的地中海...方及

左右夾縫中的印尼...林剛

東德六月抗暴事件之回顧(下)...............................鄭壽麟

錯誤的抉擇(上)..郭良蕙

讀「盲戀」..周棄子

中西文化交通小史 .... 方豪

第 10 卷第 9 期，1954 年 5 月 1 日

更多的民主與更多的自由 .... 社論

競選活動應有這樣不合理的限制嗎？ .... 社論

個體主義與全體主義 .... 羅鴻詔

臺灣大學現行招生辦法之商榷 .... 李濟

字體簡化勢在必行 .... 張延康

為目的可以不擇手段嗎？ .... T. V. Smith & Eduard C. Lindeman 原作／夏道平節譯

政潮起伏的意大利 .... 方及

印度民社黨首次掌理省政 .... 周祥光

西班牙之行 .... 孫多慈

文人與無行 .... 吳魯芹

談文藝批評 .... 方思

錯誤的抉擇(中) .... 郭良蕙

評介「老子哲學」 .... 杜呈祥

第 10 卷第 10 期，1954 年 5 月 16 日

我們需要怎樣的行政院長 .... 社論(雷震)

這是國民黨反省的時候 .... 社論(雷震／殷海光)

日內瓦會議的國際政治背景 .... 龍平甫

評新公務人員任用法 .... 鄭知三

凱恩斯的投資理論(上) .... 戴杜衡

檢討我駐外使節與華僑的關係 .... 聞甦

與共黨鬥爭中的印尼自由僑教 .... 片影

莎士比亞的秘密 .... 張沅長

死的自由 .... 黎中天

錯誤的抉擇(下) .... 郭良蕙

鼓浪嶼之夏 .... 王敬羲

響應字體簡化運動 .... 楊志希

第 10 卷第 11 期，1954 年 6 月 1 日

從氫彈試驗竚望美國改變對蘇政策 .... 社論

打開投資之門 .... 社論

自由經濟必然平等 .... 王聿修

美國是否不景氣之研究..劉國增

今後財經政策的展望..林希美

日本重建之途徑..宋希尚

凱恩斯的投資理論(下)..戴杜衡

與法國大將談兵..陳賢文

被擯棄的與被選擇的..王敬羲

給惠德曼..余光中

給胡適之先生的公開信..尤光先

恐怖征服..殷海光

第 10 卷第 12 期，1954 年 6 月 16 日

確立文人治軍制度..社論(雷震)

立法院給憲政開一惡例..社論(雷震／夏道平)

現階段美國對亞政策評議..朱伴耘

論中山先生的全面利用外資政策..徐芸書

從一點邏輯問題說起..殷海光

知識——最有力量的武器..........................Grayso Kirk 原作／徐里譯

奠邊府之戰..齊萬森

共黨覷覦下的泰國..王魯

迷途的印尼..林剛

明清名賢百家書札真跡序..胡適

山居..聶華苓

等待(新詩)..方思

中華文物集成..蘇景坡

讀者投書..李銳華

第 11 卷第 1 期，1954 年 7 月 1 日

建議中韓日同盟..社論

諾言貴實踐..社論(雷震／夏道平)

灰色的英國..程滄波

西方「國家」概念的演變..曾子友

安全與自由..海耶克原作／殷海光譯

日內瓦會議與東南亞防禦問題(上)..龍平甫

美巴簽訂軍事協定..王曾善

幾番風雨(一)..孟瑤

小室之春 .... 何琤

一點邏輯問題的討論(答殷海光先生) .... 勞思光

質詢和答覆 .... 侯庭督

第 11 卷第 2 期，1954 年 7 月 16 日

美國在亞洲要有積極的政策 .... 社論

民主憲政的又一試金石 .... 社論(雷震)

亞洲人民反共的最終目的 .... 張佛泉

一個符合美國立國精神的判決 .... 劉慶瑞

蘇俄消費品增產計劃下的人民生活 .... 劉一樵

壞人為何得勢？ .... 海耶克原作／殷海光譯

危地馬拉內幕 .... 李毓漢譯

日內瓦會議與東南亞防禦問題(下) .... 龍平甫

請客 .... 吳魯芹

幾番風雨(二) .... 孟瑤

美國的民主政治 .... 崔寶瑛

第 11 卷第 3 期，1954 年 8 月 1 日

越南停戰以後 .... 社論

對亞洲人民反共會議的期望 .... 社論

責任的意義 .... 邱昌渭

阿根廷的政制及政治 .... 涂浩如

論新舊詩的出路 .... 周天健

書店老闆談讀書 .... 孫國仁

中立國之戰(一) .... 劉明遠

中共在西藏的軍事佈署 .... 李望梅

怎樣申請留美獎學金？ .... 王若愚

老碶頭的風情畫 .... 公孫嬿

幾番風雨(三) .... 孟瑤

日記一頁 .... 薩滿

從紀德談起(作家書簡) .... 司馬桑敦

美國政治與政黨制度 .... 滄波

第 11 卷第 4 期，1954 年 8 月 16 日

為美國人想——唯有解放政策才能避免原子戰爭 .... 社論

對文化界清潔運動的兩項意見 .... 社論

政治批評之我見 .... 龍一諤

英美自由金融政策之分析 .... 劉國增

日本極右翼團體的復活 .... 陸崇仁

中立國之戰(二) .... 劉明遠

走向虎口的印度 .... 王魯

楊梅 .... 琦君

吻 .... 王敬羲

幾番風雨(四) .... 孟瑤

政治常識 .... 佛泉

戶稅要不得 .... 王志和

勢利眼的灑水車 .... 陳居仁

第 11 卷第 5 期，1954 年 9 月 5 日

從包啓黃案件論軍法 .... 社論(夏道平)

就業考試與中等學校教員 .... 社論

十餘人來金銀外匯及貿易政策 .... 周德偉

如何利用反對黨？ .... 蔣勻田

日內瓦停火協定及今後世局 .... 龍平甫

法國孟德斯法朗士內閣 .... 齊萬森

透視周恩來印緬之行 .... 黃巖

山中書簡 .... 郭嗣汾

我讀「山洪暴發的時候」 .... 歸人

幾番風雨(五) .... 孟瑤

這樣做法，是否官僚作風？ .... 鄧澂濤

何謂「標準」教科書？ .... 葉宏琛

第 11 卷第 6 期，1954 年 9 月 16 日

金門事件發展中的期待 .... 社論

公賣制度必須改革 .... 社論

美國能再徬徨觀望嗎？ .... 朱伴耘

泛談現代文化 .... 張致遠

英國經濟復興與英鎊自由兌換 .... 瞿荊洲

越南分割前後的華僑動態 .... 田寧

我所見及的美國中學教育的特點 .... 盛孝玲

中立國之戰(三) ....劉明遠

灰衣人 ....聶華苓

八月的天空 ....王敬義

幾番風雨(六) ....孟瑤

從多惱河到鴨綠江 ....陳石孚

有感於臺大教聘會拒聘事件 ....朱啟葆(夏道平筆名)

從內幕雜誌停刊說起 ....葛泰山

由「內舉不避親」做到「外舉不避仇」 ....黃孔武、戴經

第 11 卷第 7 期，1954 年 10 月 1 日

正告日本朝野認清中共的真相 ....社論

又一個關係憲政的問題 ....社論(雷震／夏道平)

戰後日本右翼論 ....徐逸樵

電力必須加價嗎？ ....陶百川

長江水災之探討 ....宋希尚

論思想國有 ....海耶克原作／殷海光譯

巴爾幹軍事聯防簽字 ....方及

中立國之戰(四) ....劉明遠

嗩吶 ....公孫嬿

日記抄 ....張秀亞

幾番風雨(七) ....孟瑤

趕快取消戶稅 ....袁臨風

正視教師待遇 ....田菁

俞院長的兼職問題 ....趙小培

教育部高教司來函 ....教育部高教司

第 11 卷第 8 期，1954 年 10 月 16 日

清算英國的艾德禮 ....社論

從李慕白套匯案談到外匯政策 ....社論

馬林可夫政權的對外政策 ....龍平甫

我們需要一個文藝政策嗎？ ....李僉

危險的時代 ....賴家球譯

中立國之戰(五) ....劉明遠

新興土耳其 ....方及

中共對西藏的控制 ....李望梅

難忘的人物——三劃阿王 .... 琦君

有回音的房屋 .... T. F. Powys 原作／薩滿譯

幾番風雨(八) .... 孟瑤

秧歌 .... 周子強

抗議印尼政府非法捕僑 .... 史丹青

香港政府審判中國人竟改用中共法律 .... 文忠

也有感於臺大聘委會拒聘事件 .... 丁劍霞

第 11 卷第 9 期，1954 年 11 月 1 日

韓國近來的態度是否利於反共 .... 社論

軍司法再進一步的革新 .... 社論(夏道平)

斥無恥的讕言 .... 社論

不容忽視的中共與蘇聯築路的勾當 .... 凌鴻勛

國營事業轉投資問題的商榷 .... 夏道平

法國與歐洲聯防 .... 齊萬森

敬悼尾崎行雄先生 .... 陳固亭

砲戰話金門 .... 公孫嬿

美國的政黨政治 .... 汪理

牆 .... 黃思騁

我的小屋 .... 王敬羲

憶一位失去自由的教授 .... 查良釗

幾番風雨(九) .... 孟瑤

「黨報社論」是否「不值一讀」？ .... 成舍我

第 11 卷第 10 期，1954 年 11 月 16 日

出版品限制取消以後的責任問題 .... 社論

美國選舉後外交政策的期望 .... 社論

我們五年來工作的重點 .... 雷震

立法院的試金石 .... 蔣勻田

評內政部新頒出版品禁限事項 .... 陶百川

民主真詮(上) .... A. Powell Davies 原作／何欣譯

美國國會選舉勝負因素的綜析 .... 陳恩成

注視章勳義案的發展 .... 林剛

的里雅斯德港問題的解決 .... 齊萬森

訪畫記 .... 彭歌

我和老周..張君藍

幾番風雨(十)..孟瑤

颱風警報中的記者群...余錚

這個樣子的訓導主任！..魯愚

第 11 卷第 11 期，1954 年 12 月 1 日

一份祝壽的心儀(爲中國國民黨六十周年紀念作)................................社論(夏道平)

期待於國立政治大學...社論

有感於水泥紙業兩公司的股東大會...社論

我是一個「人」..辛之魯

吉田和反吉田大決戰的前夜..徐逸樵

臺電不需再加價...陳式銳

西德參加歐洲防禦及恢復主權問題...龍平甫

秋在東京...孟清流

被猛烈踢過的狗...郭衣洞

幾番風雨(十一)...孟瑤

行政與司法似未配合...虞經華

刑事案件可以和解了事嗎？..陳光夏

陳紀瀅先生來函...陳紀瀅

第 11 卷第 12 期，1954 年 12 月 16 日

論中美共同防禦條約...社論

吉田內閣總辭與日本政局展望..社論

心理戰與客觀道德...劉世超

我們爲什麼要大學...李經

我可以幫助你嗎？...辛之魯

民主真詮(下)...A. Powell Davies 原作／何欣譯

今日法國的激進社會黨..齊佑之

邁進中的南洋大學...嚴賜賀

幾番風雨(續完)...孟瑤

醉...汪度

搶救教育危機...余燕人

如此官樣文書...李良棟

教育部高教司來函...教育部高教司

第 12 卷第 1 期，1955 年 1 月 1 日

美國應有明朗的對日政策 .... 社論

如何加強自由制度——請自便民始 .... 社論

介紹一本最值得讀的自傳 .... 胡適

武裝共存的面面觀 .... 朱伴耘

戶稅問題的商榷 .... 俞南琛

一個有重大意義的小東西！ .... 辛之魯

蘇俄何時能發動大戰？ .... 芬萊特(Thomas K. Finletter)原作／金郁彭譯

銀行放款制度與出口貿易之關係 .... 張子良

從一個書目看中共的出版物 .... 陸廷賢

緬甸內部紛爭與中緬關係之發展 .... 王魯

聖誕禮物 .... 王敬義

畢業酒 .... 黃思騁

母與女 .... 聶華苓

介紹「人文現象的理解(第一輯)」 .... 子水

國民黨立委齊世英被開除了黨籍嗎？ .... 袁固

第 12 卷第 2 期，1955 年 1 月 16 日

國民黨應如何領導從政黨員 .... 社論(雷震)

文化自由協會與文化自由運動 .... 東方既白

論英鎊之將來(上) .... 劉國增

傑克不會成個呆孩子！ .... 辛之魯

民主的巴西總統費爾約 .... 遠思摘譯

自由對抗奴役(對大陸廣播) .... 雷震

希臘與希臘人 .... 龍平甫

駐歐外交使節近況簡述 .... 琴流溪

額穆索的狼 .... 司馬桑敦

談小賬 .... 吳魯芹

「蕙美」及其作者 .... 周棄子

有感於「搶救教育危機」 .... 張瑚玉

一點建議 .... 黃念台

第 12 卷第 3 期，1955 年 2 月 1 日

胡適思想爲甚麼遭受中共嫉忌 .... 社論

對艾森豪總統關於遠東政策咨文的觀感 .... 社論

科學與道德 .... 羅鴻詔

如何建立民主制度 .... 龍一諤

悉聽尊便！ .... 辛之魯

論英鎊之將來(下) .... 劉國增

我們的時代是開場還是收場？ .... 羅素原作／劉世超譯

蘇俄實力總檢討 .... 方及

拾夢(上) .... 郭嗣汾

等待 .... 張秀亞

風箏 .... 陳梅隱

當局對付批評的新作風 .... 陶百川

從一個機關的名稱說起 .... 翁澤生

第 12 卷第 4 期，1955 年 2 月 16 日

斥所謂「停火」與「兩個中國」之謬說 .... 社論

有容乃大・無慾則剛 .... 社論(夏道平)

從皇姑屯到柳條溝 .... 徐逸樵

讓人民可以「告法」 .... 鄭知三

自由日談言論自由 .... 龍一諤

我看美國人 .... 辛之魯

從邱吉爾八十歲看歐洲「領導者」 .... 田雨耕

加強對菲外交 .... 李汝楓

檢討臺灣地方選舉的缺失 .... 應浩文

拾夢(下) .... 郭嗣汾

置電話記 .... 吳魯芹

給高市長的一封公開信 .... 吳四維

第 12 卷第 5 期，1955 年 3 月 1 日

蘇俄政變與臺灣海峽 .... 社論

所謂「時裝表演」事件的始末與我們的觀感 .... 社論

自由的意義 .... 鄒文海

對於所謂蘇俄政變的另一種看法 .... 諸星雲

論史太林造成「權化」的策略 .... 黃天健

兵為貴！ .... 辛之魯

巴黎協定的批准 .... 龍平甫

月是故鄉明 .... 陳之藩

莎士比亞之謎 ....梁實秋

悲哀 ....李嶽

中西交通史第四、五冊 ....黃大受

第 12 卷第 6 期，1955 年 3 月 16 日

我們對於管理外匯貿易新辦法的關懷 .... 社論

修辭立其誠(有感於俞院長在立法院的答覆詞)..................................社論(夏道平)

聯合國憲章與鐵幕內人民的解放 ....蔣廷黻

「人權保障」與「言論自由」...成舍我

論日本的直接民權 ....孟浩

自然思想與人文思想 ....菲格原作／殷海光著

英國最近對臺灣的態度 ....田雨耕

搖籃與竹馬(一) ....王敬義

鮮牛奶的故事 ....琦君

哲人的微笑 ....陳之藩

林肯新傳 ....夏道平

戶稅計稅標準憑什麼？ ....劉濟華

第 12 卷第 7 期，1955 年 4 月 1 日

雅爾達密約與臺灣海峽停火 .... 社論

胡光麃案的教訓 .... 社論

「寧鳴而死，不默而生」...胡適

美國兩黨政策變遷的理論基礎 ....蔣勻田

如何判斷一個政策的價值 ....薩孟武

G.I.回家去吧！..辛之魯

自然思想與人文思想(下) ....菲格原作／殷海光譯

克里姆林宮的政變 ....龍平甫

出國與出家 ....陳之藩

搖籃與竹馬(二) ....王敬義

白熱的海洋 ....康俠

第 12 卷第 8 期，1955 年 4 月 16 日

民營事業的使命——勉臺紙公司及其他民營事業 ....社論(夏道平)

從金融觀點看日本經濟 ....瞿荊洲

論臺灣外匯貿易管制的改變 ....陳式銳

美國和波多黎哥 ....章雅谷譯

西行漫記 ....殷海光

女畫家方君璧馳譽東瀛 ....蘇雪林

真實的啓示(上) ....黃思騁

搖籃與竹馬(續完) ....王敬義

童子操刀 ....陳之藩

讀司徒雷登著「五十年在中國」書後 ....呂光

第 12 卷第 9 期，1955 年 5 月 1 日

我們要貫徹「五四」精神 ....社論

亞非會議與中共陰謀 ....社論

論思想統一問題 ....陳康

民主為中庸之道 ....龍一謌

官商勾結的背信罪 ....陶百川

俄帝外交的戰略 ....陶震宇

科學定律與倫理定律 ....愛因斯坦原作／殷海光譯

從孟德斯到佛爾 ....齊佑之

同床異夢的亞非會議 ....史信

並不是悲觀 ....陳之藩

真實的啓示(下) ....黃思騁

理髮篇 ....賀肇蕭

琴心 ....公孫嬿

第 12 卷第 10 期，1955 年 5 月 16 日

亞盟要把握住反共的有效武器 ....社論

臺灣海峽停火談判勢在必行嗎？ ....社論

今後反共抗俄的三大方略 ....陳啟天

自由亞洲的重要性 ....杭立武

權威及權威統治 ....李歛

西德工業生產近況 ....鄭壽麟

亞非會議素描 ....史信

耶路撒冷遊記 ....盛孝玲

血旗(上) ....潘壘

歸吻 ....光中

智慧的火花 ....陳之藩

林語堂與周恩來 .... 蕭立坤

對減輕學生課業負擔的檢討 .... 健人

第 12 卷第 11 期，1955 年 6 月 1 日

亞盟會議的流產與亞洲團結反共 .... 社論

福利國家的科學意義 .... 徐道鄰

責任與榮譽 .... 方一諤

鳩山政權的苦悶 .... 徐逸樵

自由的保障 .... 胡佛原作／陳質如譯

今日印尼 .... 史信

中共的「新三害」與「新三反」 .... 沈秉文

永誌不忘的佩斐爾特號 .... W. J. Lederer 原作／朱雲浪譯

鵝與主人 .... 子強

到什麼地方去？ .... 陳之藩

血旗(中) .... 潘壘

禁書要禁得合理 .... 王少南

第 12 卷第 12 期，1955 年 6 月 16 日

從總預算案的爭執說到公平待遇 .... 社論

從星加坡的學潮看東南亞的安危 .... 社論

抗議與申訴 .... 社論

論宣傳 .... 羅鴻詔

亞洲反共人士在臺北 .... 夏道平

應該改變的美國反共戰略 .... 孫旭辰

一九六〇年美國經濟展望 .... 楊志希譯

星加坡工潮學潮的經過和分析 .... 荀詩

今日印尼(二) .... 史信

慈愛的心 .... 沙玉華

成功的哲學 .... 陳之藩

血旗(下) .... 潘壘

「文學與生活」第一輯 .... 歸人

如此「圖書審查」！ .... 臺南農職讀者

美國人也不講公道 .... 錚鏘

減輕學生課業負擔問題(來函) .... 蔣建白

第 13 卷第 1 期，1955 年 7 月 1 日

小事體，大問題 .... 社論(夏道平)

如何瞭解美國外交政策 .... 饒大衛

美國政黨之組織與活動 .... 李宗澤

巴黎協定批准後的國際局勢 .... 龍平甫

谷錫五先生事略 .... 周德偉

蘇俄向狄托進香 .... 方及

緬甸對反共軍的煩惱 .... 石佛

女畫家(一) .... 雨初

失根的蘭花 .... 陳之藩

藍斯瓦拉卜著：「甘地主義與共產主義」 .... 陳石孚

觀「永恒之島」後 .... 陳立人

臺南農職教員來函 .... 臺南農職教員

第 13 卷第 2 期，1955 年 7 月 16 日

四國會議的展望 .... 社論

大學聯合招考依系科志願分配新生之不合理 .... 社論

論輿論之本質(上) .... 雷震

民主必需有個人自由 .... 龍一誇

亞洲反共人民的團結問題 .... 包時學

如何加強華僑聯繫、團結反共人士 .... 陶志俠

馬共的「和平攻勢」 .... 葉泛

今日印尼(三) .... 史信

海員的故事 .... 蕭立坤

栗色馬 .... 張秀亞

女畫家(二) .... 雨初

愛因斯坦的苦悶 .... 陳之藩

不公平的就業考試成績計算法 .... 瞿宗泉、葉家梧

製漆業原料輸入管制辦法應速改革 .... 洪洋

臺南農職教員來函二件 .... 臺南農職教員

第 13 卷第 3 期，1955 年 8 月 1 日

共產黨怕自由 .... 社論

歡迎僑資與整飭金融 .... 白瑜

論簡體字 .... 周法高

論輿論之本質(下) .... 雷震

南越北越行走 .... 劉生

阿根廷的革命 .... 蕭立坤

美國短篇小說與美國生活 .... 費翰

哲學家皇帝 .... 陳之藩

女畫家(三) .... 雨初

「赤地」——良心論 .... 朱介凡

聯合招考入學志願問題 .... 張佛泉

職校畢業生限制報考院系的商榷 .... 洪炳坤

高普考限額錄取之不合理 .... 翁錦葵

第 13 卷第 4 期，1955 年 8 月 16 日

要談，談什麼？ .... 社論

從疏散事件說到一個基本的問題 .... 社論(夏道平)

談今日英國的大學 .... 趙世洵

相對論——一個較豐富的真理(上) .... 殷海光

日美經濟關係十年(上) .... 余蒼白譯

胡風事件的總透視 .... 沈秉文

阿根廷的教育 .... 蕭立坤

鐘聲的召喚 .... 陳之藩

女畫家(四續) .... 雨初

雲 .... 光中

鵝鑾鼻燈塔 .... 夏菁

臺南農職一位青年教師的控訴 .... 李勁秋

檢討當前的留學政策及留學考試 .... 何應鳴

關於留學考試「改進」辦法 .... 王浩然

第 13 卷第 5 期，1955 年 9 月 1 日

為民主和自由解惑 .... 社論

從孫案的反應矚望於調查委員會 .... 社論

日內瓦四國會議前後 .... 龍平甫

相對論——一個較豐富的真理(下) .... 殷海光

日美經濟關係十年(下) .... 余蒼白譯

馬來亞大選的經過 .... 葉泛

日內瓦會外散記 .... 方及

可憂的東南亞文化..康俠

女畫家(五續)..雨初

祖宗的遺產..陳之藩

正字標記乎？歪字標記乎？..馬振基

第 13 卷第 6 期，1955 年 9 月 18 日

法屬北非問題..社論

保護政策的限度..社論

論最近兩大財經措施..白瑜

僑資條例准許輸入其他物資的弊害及對策..張九如

國家主義與世界主義(上)..傅正

權威與個人(一)..羅素原作／汪仲譯

突尼斯問題及其解決..齊佑之

鄉村醫生(上)..黃思騁

女畫家(六)..雨初

新生入學必須樂捐！？..王大川

經濟部中央標準局來函..經濟部中央標準局

第 13 卷第 7 期，1955 年 10 月 1 日

南韓新反對黨的誕生..社論

談臺北市政..社論

日本貿易之進步及其趨向..瞿荊洲

評存款戶使用本名及行使支票管理辦法..濟民

國家主義與世界主義(下)..傅正

權威與個人(二)..羅素原作／汪仲譯

阿根廷獨裁者裴倫的倒臺..田心

回教世界中的巴基斯坦..王魯

從中國大陸歸來(上)..鄧納奎主教原作／焦木譯

女畫家(續完)..雨初

鄉村醫生(下)..黃思騁

教師節為教師請命..陳養吾

第 13 卷第 8 期，1955 年 10 月 16 日

議會辯論與政治教育..社論

聯大討論阿爾及利亞問題的意義..社論

恢復固有道德的問題 .... 陳康

自由與領導 .... 李儉

美國的社會安全制度 .... 楊志希

摩洛哥問題 .... 齊佑之

美國與中共的日內瓦會談 .... 龍平甫

關於哥倫坡計劃 .... 荀詩

如相和尚 .... 周子強

釣勝於魚 .... 陳之藩

評「水東流」 .... 杜詩

有感於南韓新反對黨的誕生 .... 陳正文

第 13 卷第 9 期，1955 年 11 月 5 日

自清運動要不得 .... 社論

論日本的「保守合同」 .... 徐逸樵

論質詢權的行使程式(上) .... 孟浩

所望於臺省審計處者 .... 彭郎

權威與個人(三) .... 羅素原作／汪仲譯

西班牙未來的王位問題 .... 竟千

從中國大陸歸來(下) .... 鄧納奎主教原作／焦木譯

論蕭伯納 .... 趙世洵

山水與人物 .... 陳之藩

小天地 .... 歸人

教育界的壞現象 .... 張力行

第 13 卷第 10 期，1955 年 11 月 16 日

我們的檢討與報告 .... 社論

自由選擇，選擇自由 .... 社論

我替領導反共鬥爭的美國著想 .... 雷震

論質詢權的行使程式(下) .... 孟浩

兩個英國間諜使美國在韓戰中受挫 .... 華明譯

馬共和談內幕 .... 許屏齋

印尼大選真相 .... 史信

康伯蘭的秋天 .... 郭嗣汾

覓回自己 .... 陳之藩

評洪譯「凱因斯指南」 .... 陸民仁

第 13 卷第 11 期，1955 年 12 月 1 日

論言論與新聞的管制 .... 社論

對民青兩黨的期望 .... 社論(夏道平)

陽明學說述評(上) .... 羅鴻詔

由「一窩風」現象談到新聞自由 .... 魏書翰

權威與個人(四) .... 羅素原作／汪沖譯

加拿大的移民政策與華僑 .... 焦增煜

漫談教學自由 .... 凡生

老伴兒 .... 咸思

飲一八四二年葡萄酒 .... 光中

「綠天」增訂本讀後所感 .... 周棄子

談立院對胡案判決質詢的問題 .... 胡學古

第 13 卷第 12 期，1955 年 12 月 16 日

尼赫魯先生當心點！ .... 社論

論物價問題 .... 社論

日在發展中的語意學 .... 徐道鄰

六年來新臺幣制度之檢討 .... 楊承厚

陽明學說述評(下) .... 羅鴻詔

印度的大學教育 .... 周祥光

馬共二次和談之真相 .... 許屏齋

蓉子 .... 沙玉華

「情感的花朵」前記 .... 張秀亞

介紹張佛泉著：「自由與人權」 .... 東方既白

爲「自由談」作一次義務廣告 .... 芥子

第 14 卷第 1 期，1956 年 1 月 1 日

這一年！ .... 社論(夏道平)

日本遭蘇俄否決後的出路 .... 社論

一篇來自月球的世局分析 .... 朱伴耘

籌建石門水庫的好參考 .... 凌鴻勛

美國的勞工組織 .... 楊志希

權威與個人(五) .... 羅素原作／汪仲譯

法國國會的解散 .... 齊佑之

中東的危機 .... 方及

黎明 .... 琦君

冬心草 .... 周棄子

史大林死後的蘇俄(上) .... 史信摘譯

中國留美學生之聲 .... 李佛朗

第 14 卷第 2 期，1956 年 1 月 16 日

從法國大選得到的教訓 .... 社論

從物價談到資本 .... 瞿荊洲

去年世界女權運動的觀感 .... 曾寶蓀

權威與個人(六) .... 羅素原作／汪仲譯

德國問題 .... 龍平甫

越南政局及其展望(上) .... 齊佑之

落月(一) .... 彭歌

泥土的芬芳 .... 陳之藩

一群退役戰士的呼籲 .... 李樹樺等

第 14 卷第 3 期，1956 年 2 月 1 日

對於杜勒斯外交政策的觀感 .... 社論

教育問題引端 .... 社論

論信用政策 .... 戴杜衡

物價問題與行政技術問題 .... 張九如

臺灣報紙篇幅利用之商榷 .... 陸崇仁

馬共和談續訊 .... 許屏齋

越南政局及其展望(下) .... 齊佑之

落月(二續) .... 彭歌

「桑格里(角)」與華僑 .... 張沅長

史大林死後的蘇俄(下) .... 史信摘譯

目的何在？憤慨呢？還是恐怖？ .... 王大川

第 14 卷第 4 期，1956 年 2 月 16 日

國家應爲個人利益而存在 .... 社論

從保護政策說起 .... 社論

日本二大政黨對立觀 .... 余蒼柏

加拿大政黨組織及其現況 .... 厲元生

民意機關的議事公開 .... 薩孟武

蘇俄內部的反抗運動 ....龍平甫

回到自由祖國的觀感 ....楊少珍

落月(三續) ....彭歌

戴五星帽的文學批評 ....李經

自由與人權 ....崔寶瑛

中國歷史上三大工程——長城、運河和「羅斯福路」 ....原之道(雷震筆名)

第 14 卷第 5 期，1956 年 3 月 1 日

「歷史判斷」與「另請高明」 ....社論(夏道平)

搶救緬境難胞 ....社論

個人為國家之本 ....社論(殷海光)

從雷正琪案談到官吏圖利問題 ....陶百川

美國要在亞洲做些什麼？ ....許冠三

留待歷史判斷？ ....李寄予

論臺灣獄政(上) ....蔡保勳

法國大選之分析 ....齊佑之

孟買大暴動寫真 ....吳東

鄰居 ....吳魯芹

印字小工二百五十年誕祭 ....陳之藩

落月(四續) ....彭歌

免試升學和延長義務教育 ....葛寶戡

第 14 卷第 6 期，1956 年 3 月 16 日

史達林被清算了 ....社論

國校畢業生免試升學方案平議 ....社論

歡迎我們的代表蔣廷黻博士 ....社論

大戰後美國對遠東與對近東政策的差別 ....蔣廷黻

國家與個人 ....蔣勻田

論臺灣獄政(下) ....蔡保勳

共匪最近在巴黎的活動 ....田雨耕

馬來亞明年獨立了！ ....荀詩

埃及為何走向蘇俄？ ....方及

莎弗致法昂書 ....張秀亞

落月(五續) ....彭歌

寂寞的書 ....周棄子

教育兩大措施質疑 ....史丹青

第 14 卷第 7 期，1956 年 4 月 1 日

拿出大氣派來應付敵人政治攻勢 .... 社論

建立反共知識的權威 .... 社論

自由、平等與民主 .... 鄒文海

何貴乎有銀行？ .... 白瑜

基本科學爲何常使極權者與迫害異端者受窘？ .... 法蘭克原作／陳少廷譯

共黨對香港的和平攻勢 .... 林靜

印尼內在的危機 .... 史信

琉球美國教師訪臺記 .... 閔航

酒瘋 .... 黃思村

落月(六續) .... 彭歌

守護我們底堡壘(上) .... 殷海光

教育改革兩案果真沒有變更現行學制麼？ ....楊公望

我建議以提名代替選舉 .... 葉時修

交通部臺北電信局來函 ....交通部臺北電信局

第 14 卷第 8 期，1956 年 4 月 16 日

毋自壞長城 .... 社論(雷震)

不能接受的「籌設中醫學校」案 .... 社論

悼念羅鴻詔先生 .... 社論

論個人主義 .... 東方既白

中東及東南亞之經濟戰 .... 陳式銳

回教世界之冷戰 .... 龍平甫

中國生產力中心的工作和使命 .... 彭翰

南洋大學開學了！ .... 苟詩

落月(七續) .... 彭歌

詩二首 .... 光中

守護我們的堡壘(下) .... 殷海光

胡適之先生的一封信 .... 胡適

仰光一讀者的來信 ....仰光一讀者

第 14 卷第 9 期，1956 年 5 月 1 日

喪鐘乎？警鐘乎？ .... 社論

亟待拯救的臺灣林業 .... 社論

標語有何用處？ .... 社論

丁在君與徐霞客 .... 胡適

論立法院通過「籌設中醫學校」 .... 毛子水

美國的農業問題 .... 楊志希

藝術創造與自由 .... 劉復之

錫蘭大選之分析 .... 史信

傳訊華僑事件的始末 .... 馬識途

烏魯木齊之憶 .... 潘人木

落月(八續) .... 彭歌

「邏輯新引」讀後感 .... 龍一諤

立法院太不像樣了！ .... 周學藩

會考未行而弊端已見 .... 王大川

第 14 卷第 10 期，1956 年 5 月 16 日

美援與友誼 .... 社論

公教人員的待遇問題 .... 社論

我對清算史達林的看法 .... 王新衡

論覆議權的行使程式 .... 孟浩

「權」「利」的發展與歸著 .... 徐傳禮

人權與聯合國憲章之修訂 .... Quincy Wright 原作／呂光譯

在十字路口的高棉王國 .... 荀詩

法國最近會承認中共嗎？ .... 田雨耕

落月(九續) .... 彭歌

新官僚政治文獻的代表作 .... 荊凡

由「中醫學校」想起 .... 龍遠銘

第 14 卷第 11 期，1956 年 6 月 1 日

檢討外交的時候 .... 社論

有感於韓國大選 .... 社論

美援急須擴及文化部門 .... 社論

韓國選民已奠定了光明的民主前途 .... 蔣勻田

玄奘留學時之印度與西方關於玄奘著作目錄 .... 張君勱

立法委員的「民主風度」觀 .... 雷震

最近中東情勢之分析 .... 施仁

星加坡獨立談判之分析 .... 苟詩

葛藤(一) .... 聶華苓

落月(續完) .... 彭歌

給在日本的梅蘭芳一封公開信 .... 周棄子

准假四月與另有任用 .... 袁世駿

偽藥與車禍 .... 楊誠

水泥的配售與價管 .... 王大川

第 14 卷第 12 期，1956 年 6 月 16 日

從華盛頓椅背上的太陽說起 .... 社論

刷新外交的三大前題 .... 社論

從周恩來口中看美國的外交 .... 蔣勻田

中東北非現勢圖──衝突頻起之邊界 .... 蔡正倫

阿拉伯聯盟之組織及其背景 .... 維諒

巴格達公約之組成及其現狀 .... 孫至厚

伊朗與蘇俄之關係 .... 孟平

俄帝對中近東的威脅 .... 慰慈

北非與北非問題焦點──阿爾及尼亞 .... 廖勤

中近東問題座談會 .... 本社

第 15 卷第 1 期，1956 年 7 月 1 日

擁護僑委會的新號召──並建議召開國是會議 .... 社論

人無遠慮、必有近憂──對日本鳩山內閣進一言 .... 社論

一個監察委員的狗生哲學 .... 陶百川

銓釋中立主義 .... 蔣勻田

銀行抄送存戶名單問題評議 .... 戴濟民

語文的功用 .... 劉世超

亞非學生會議之初貌 .... 史信

亞非學生會議公報全文 .... 史信

星加坡的新閣登場 .... 苟詩

綠藻和鹹蛋 .... 林海音

葛藤(二續) .... 聶華苓

報導客觀事實是報紙的責任 .... 劉圓明

妻以夫貴 .... 王明龍

第 15 卷第 2 期，1956 年 7 月 16 日

如何應付共匪的和談攻勢？ .... 社論

值得重視的華僑教育問題 .... 社論

評星加坡的「教育政策白皮書」 .... 社論

「美國的亞洲政策」書後 .... 蔣勻田

工業面臨十重關 .... 張九如

從史大林的死後清算說起 .... 龍平甫

與章勳義先生一席譚 .... 范益生

緬甸政情 .... 顏彥

中立主義的苦果 .... 顏彥

緬甸社會黨的新內閣 .... 蘇榴生

葛藤(三續) .... 聶華苓

黃昏星 .... 光中

我為港澳知識份子呼籲 .... 虞承唐

祝壽也要攤派麼？ .... 張壽民

第 15 卷第 3 期，1956 年 8 月 1 日

加強中韓越三國合作 .... 社論

探本尋源論財經大計 .... 社論

評醞釀中的又一次文清運動 .... 社論

論新所得稅法 .... 白瑜

徬徨歧途的美國外交 .... 伴耘

佛洛伊德學說的背景與其影響 .... 東方既白

羅素自述 .... 羅素原作／林毓生譯

東南亞聯防公約軍事會議在星開幕 .... 荀詩

星加坡的工商貿易考察團 .... 劉申

葛藤(四續) .... 聶華苓

「落月」後記 .... 彭歌

應該加強我們的外交活動 .... 易健吾

章勳義先生來函 .... 章勳義

第 15 卷第 4 期，1956 年 8 月 16 日

我們應該怎樣來反共 .... 社論

建立法治 .... 社論(夏道平)

集權政府中央行政組織形態的剖析 .... 邱昌渭遺著

我對解決蘇彝士運河爭端的看法 .... 蔣勻田

論鼓勵出口聲中的矛盾現象 .... 夏期岳

教育計劃中的優先事項 .... James Ouillen 原作／周淑清譯

馬來亞華僑當前的三難 .... 施勛

葛藤(五續) .... 聶華苓

評僑務教育函授學校 .... 簡會元

僑委會鄭委員長來函 .... 僑委會鄭委員長

第 15 卷第 5 期，1956 年 9 月 1 日

法治乎？黨治乎？ .... 社論

遏止這股反時代的逆流 .... 社論

丁文江留英紀實 .... 胡適

對於丁文江所提倡的科學研究幾段回憶 .... 李濟

論「籌設中醫學校」案與所謂中西醫問題 .... 如濱

波蘭人的反共怒潮 .... 龍平甫

吳廷琰其人其事 .... 雷震遠

華人力爭出生地公民權 .... 佘陽

斜輝(一) .... 孟瑤

葛藤(續完) .... 聶華苓

大學應是通才教育麼？ .... 劉濟華

大學畢業生為甚麼不能再讀書？ .... 江志平

陳啓天先生來函 .... 陳啟天

第 15 卷第 6 期，1956 年 9 月 16 日

研究貪污問題的第一課 .... 社論

失言乎？實言乎？ .... 社論

貨幣供給理論概述(上) .... 瞿荊洲

蘇彝士運河事件的面面觀 .... 伴耘

毛筆與國文 .... 張清徽

擴張不已的殖民帝國——俄羅斯 .... 華明譯

中共攻擊緬甸之經過 .... 蘇榴生

馬來亞公民權的規定 .... 施信

一個煙盒的故事 .... 黃思村

斜暉(二續) .... 孟瑤

日本國會制度 .... 陳固亭

評師範生代職實習的試辦 ......章子鈞

高考及格者應考研究院所問題之商榷 ......黃健生

第 15 卷第 7 期，1956 年 10 月 1 日

教育部長張其昀的民主觀——君主的民主 ......社論(殷海光)

司法偵查權不容侵越 ......社論

言論自由與「百家爭鳴」 ......張佛泉

國家要把人當人 ......傅正

貨幣供給理論概述(下) ......瞿荊洲

清算史達林後的法義共黨 ......齊佑之

馬華社團大會不同意憲制備忘錄 ......施勛

腳踏實地說老實話(讀「文學雜誌」創刊號) ......周棄子

斜暉(三續) ......孟瑤

各國憲法及其政府 ......李聲庭

「結果圓滿」了嗎？ ......余明遠

過則勿憚改！ ......游紹虞

內政部警政司長李謇先生來函 ......李謇

第 15 卷第 8 期，1956 年 10 月 16 日

我們對於反共救國會議的幾點初步意見 ......社論

再論「君主的民主」 ......社論(殷海光)

適時調整文武公教人員待遇平議 ......陶實之

論現階段法國第四共和的政治 ......齊佑之

亞洲協會的工作 ......羅勃・布侖姆原作／章雅谷譯

西德共產黨之解散 ......萬森

星加坡在轉變中 ......司馬夫

智者的旅棧 ......陳之藩

斜暉(四續) ......孟瑤

答李聲庭君評「各國憲法及其政府」 ......劉慶瑞

一件不容忽視的小事 ......王大川

高考及格應考研究院問題之質疑 ......李清源

蔣勻田先生來函 ......蔣勻田

臺灣省政府教育廳來函 ......臺灣省政府教育廳

第 15 卷第 9 期，1956 年 10 月 31 日

壽總統蔣公 .... 社論

試談文化的建設和反共的理論以壽蔣總統 .... 毛子水

政治建設的根本問題 .... 王師曾

述艾森豪總統的兩個故事給蔣總統祝壽 .... 胡適

我所了解的蔣總統的一面 .... 徐復觀

民主、法治與制度 .... 徐道鄰

請從今天起有效地保障言論自由 .... 夏道平

現行經濟機構怎可不再改革？ .... 翁之鏞

祝望造成一個現代化的民主憲政國家 .... 張士棻

改革政治、團結人心 .... 陳啟天

貫徹法治壽世慰親 .... 陶百川

謹獻對於國防制度之意見 .... 雷震

清議與干戈 .... 劉博崑

忠誠的反應 .... 蔣勻田

民主政治的基本精神——合法的反對 .... 魏正明

建立自由教育必須剔除的兩大弊害 .... 羅大年

第 15 卷第 10 期，1956 年 11 月 16 日

消弭中東戰亂與解放東歐 .... 社論

政府和輿論都應重視這一次的反應！ .... 社論(雷震)

臺省府還有整頓林政積弊的決心嗎？ .... 社論

我們的態度 .... 雷震

甚麼是民主政治的真諦？ .... 江宗一

檢察官對少年竊盜贓物犯的處理問題 .... 鄧澂濤

星加坡大暴動的始末 .... 史信

中共傾覆緬甸的陰謀 .... 佘陽

美國文學之瑰寶——白鯨記 .... 彭歌

斜暉(五續) .... 孟瑤

赫魯歇夫秘密演說全文 .... 一思

爲縣市長省議員候選人提名向國民黨進一言 .... 陳紹基

何以沒有讀「自由中國」的自由？ .... 敬禮

新臺灣紡織公司來函 .... 新臺灣紡織公司

第 15 卷第 11 期，1956 年 12 月 1 日

從波匈抗暴看特務政治的毀滅 .... 社論

希望於我們的人民代表們 .... 社論

史家的靈感 .... 張致遠

民主政治的實例 .... 蔣勻田

政府召開「反共救國會議」有感 .... 周祥光

蘇彝士運河問題的前因後果 .... 龍平甫

泰馬邊防會議記詳 .... 蘇平

談戴樂美 .... 趙世洵

新秋 .... 夏菁

斜暉(六續) .... 孟瑤

大學生談大學生的領導問題 .... 宏毅

公共汽車應部份開放民營 .... 史丹青

周棄子先生來函 .... 周棄子

臺灣省教育廳來函 .... 臺灣省教育廳

第 15 卷第 12 期，1956 年 12 月 16 日

如何糾正臺灣選舉的弊端 .... 社論

政治改革不容再緩！.. 社論

父道政治歟？民主政治歟？.. 陳式銳

關於反共團結運動 .... 傅正

匈牙利人的革命運動 .... 龍平甫

今日之英國共產黨 .... 齊佑之

馬華公會對憲制備忘錄之解釋 .... 施信

老人星 .... 郭嗣汾

斜暉(七續) .... 孟瑤

惆悵的夕陽 .... 陳之藩

讀「中國新聞法概論」再版書後 .... 田言

同是後備軍人，何以厚彼薄此？.. 丁開誠

以黨治礦！.. 石靈

不要「領導」！.. 游紹虞

公務與黨務 .... 廖水土

第 16 卷第 1 期，1957 年 1 月 1 日

軍公教人員待遇的調整還可再拖嗎？.. 社論(雷震)

不要怕民主！...社論(殷海光)

張其昀部長的原子迷...社論(殷海光)

爭自由為革命的動因...蔣勻田

我對反共救國會議之希望...邵鏡人

正視越南壓迫華僑改變國籍事件...蘇子

論美元銀行承兌匯票及其與自由世界金融貿易之關係(上)..................................劉國增

反資本主義的心理(一)..米塞斯原作／夏道平譯

參加「佛教對藝術文學暨哲學貢獻講習會」...周祥光

英馬獨立談判之前瞻...史信

我關心免試升學的前途...馮文正

白夜...張秀亞

詩三首...李經

斜暉(八續)...孟瑤

「百獸圖」與諷刺文學...梁實秋

這樣就能推行簡易商業會計制度嗎？...李進財

四十元夠租房子？...韋青

第 16 卷第 2 期，1957 年 1 月 16 日

觀念的混亂・理論的破產...社論

我們的答辯...社論

美國國情的透視...丘漢平

一九五七年世局試測...伴耘

論美元銀行承兌匯票及其與自由世界金融貿易之關係(下)..................................劉國增

反資本主義的心理(二)..米塞斯原作／夏道平譯

印尼軍人政變記詳...蘇益生

印尼軍人政變續訊...蘇益生

哈德遜劇院...陳之藩

斜暉(九續)...孟瑤

經濟學新辭典...凡夫

中華日報鼓吹暴動...范度才

談自由與違法...王木公

行政院來函...行政院

第 16 卷第 3 期，1957 年 2 月 1 日

艾森豪主義與中東危機...社論

艾登辭職與責任政治 .... 社論

個人主義的觀點與態度 .... 東方既白

略論反對黨問題的癥結 .... 牟力非

懷念沈從文教授 .... 馬逢華

反資本主義的心理(三) .... 米塞斯原作／夏道平譯

介紹一間優良的空軍官校 .... 顧文中

拜年 .... 夏承楹

河邊的故事 .... 陳之藩

斜暉(十續) .... 孟瑤

李辰冬著「陶淵明評論」 .... 廉齋

建議推胡適先生為諾貝爾文學獎金候選人 .... 余光中等

可以強學生去充臨時演員嗎？ .... 徐萬駒

待遇還不調整嗎？ .... 劉鳴

答王木公先生談自由 .... 陳致平

第 16 卷第 4 期，1957 年 2 月 16 日

對構陷與誣衊的抗議——從個人自由與國家自由說起 .... 社論(雷震)

從日本的已變看日本的未變 .... 徐逸樵

駁一種浮誇的歷史考證 .... 宋岑

我對「清議與干戈」的看法——敬答中華日報社長曹聖芬先生 .... 范度才

反資本主義的心理(四) .... 米塞斯原作／夏道平譯

殉 .... 林海音

悠揚的山歌 .... 陳之藩

斜暉(十一續) .... 孟瑤

有感於曹聖芬先生的「看法和作法」 .... 易水寒

「懷念沈從文教授」讀後 .... 劉祖年

行政院主計處來函 .... 行政院主計處

第 16 卷第 5 期，1957 年 3 月 1 日

如何使和諧失掉作用 .... 社論

一項亟待解決的土地問題 .... 社論

為調整待遇闢財源 .... 夏佐虞

大學教育的悲哀 .... 袁始

寫在反共救國會議之前 .... 趙世洵

從讀「胡適文存」說起 .... 李敖

多瑪主義與辯證唯物論 .... 法蘭克原作／陳少廷譯

華僑與古巴獨立 .... Gonzalo de Quesado 原作／漢聲譯

瑪德里近事 .... 牧人

春回 .... 童真

斜暉(續完) .... 孟瑤

不可栽誣前賢！ .... 樊努材

省立復興中學來函 .... 省立復興中學

第 16 卷第 6 期，1957 年 3 月 16 日

不要上了圈套！ .... 社論

懷疑與希望 .... 社論

創刊「自由中國」的意旨 .... 雷震

中共開放自由市場的分析 .... 李靜之

論國軍現代化之另一面 .... 吳秋山

匈牙利的革命輿論 .... 姜懷平

從艾登辭職說起 .... 萬遜

晚餐 .... 聶華苓

二月之夜 .... 光中

對高普考的幾點改進意見 .... 林金順

第 16 卷第 7 期，1957 年 4 月 1 日

日「中」貿易的嚴重性 .... 社論

寫在本屆地方選舉之前 .... 社論

反對黨！反對黨！反對黨！ .... 朱伴耘

論臺灣省的選舉 .... 王嵐僧

怎樣以凱因斯的理論來研究臺灣經濟 .... 趙岡

波蘭的「二次革命」 .... 龍平甫

雲南邊區紀行 .... 汪京金

蘇迦諾的救國方案 .... 蘇益生

冷月 .... 琦君

湖上的小詩 .... 張秀亞

林何皮三案判後感 .... 余致力

這是什麼作風？ .... 趙正誠

獻玉乎？獻寶乎？ .... 郭慕泰

公路局不應停售學生月票 .... 劉無欲

第 16 卷第 8 期，1957 年 4 月 16 日

反民主的民主 .... 社論

論效忠 .... 社論

一本萬利案奇觀 .... 陶百川

我看「選賢與能、節約守法」 .... 朱文伯

人心重要！ .... 蔣勻田

有關臺省地方選舉的幾個問題 .... 沈雲龍

美國憲法所保障之信教自由 .... 周道濟

加拿大自由黨之政策及其成就 .... 力元生

湯餅會 .... 鍾梅音

仰望 .... 光中

請國民黨放棄「革命」 .... 賈長卿

國民黨可以不守選舉法規嗎？ .... 陸大順

讀李辰冬評先翁詩後的感言 .... 陳陶淑明

臺灣省政府公路局來函 .... 臺灣省政府公路局

第 16 卷第 9 期，1957 年 5 月 1 日

重整五四精神！ .... 社論(殷海光)

殷臺案必須澈底澄清 .... 社論

行為科學中的新概念 .... 徐道鄰

學術思想的自由創進及其演變 .... 曾子友

對本屆地方選舉的檢討 .... 傅正

俄毛貸款之謎 .... 趙岡

「五四」與文藝 .... 梁實秋

對於新詩的一點意見 .... 夏濟安

一個低調的批評論 .... 周棄子

鳥仔卦 .... 林海音

我掏出良心說話！ .... 陳力行

「公共場所，莫談國事！」 .... 陳哲春

國家和個人 .... 樂志誠

李辰冬先生來函 .... 李辰冬

第 16 卷第 10 期，1957 年 5 月 16 日

選票與人心 .... 社論(夏道平)

放寬對匪禁運的危險性 .... 社論

緊握收拾人心的機會 .... 蔣勻田

約旦政潮之面面觀 .... 沙清海

戈慕卡主義的本質及將來 .... 宋文明

論議會機關應有的專家機構 .... 孟浩

請看新竹縣試辦「國校畢業生免試升學」之成果 .... 本刊記者

朱安達——印尼的新總理 .... 蘇益生

熄滅了的星火 .... 童真

詩二首 .... 余光中

我的解釋 .... 王鈞

確立院士的標準與榮譽 .... 陳一士

王超群先生來函 .... 王超群

賴淵平先生來函 .... 賴淵平

第 16 卷第 11 期，1957 年 6 月 1 日

雷諾判決無罪與臺北騷動事件之檢討 .... 社論(夏道平)

我們要求一貫的僑務政策 .... 社論

發展臺灣經濟的方向 .... 趙岡

劉自然案帶來的血的教訓 ！ .... 傅正

日匪貿易問題 .... 梁振超

伽納的獨立 .... 龍平甫

奧地利社會黨的勝利原因 .... 紀夢平

帶淚的百合 .... 於梨華

劊子手 .... 朱西甯

讀徐著「語意學概要」 .... 張佛泉

這樣的辦法怎可不再修正？ .... 鄭誠

第 16 卷第 12 期，1957 年 6 月 16 日

怎樣挽救當前的危局？ .... 社論

臺北騷動事件的心理分析 .... 徐道鄰

個人主義與英雄主義 .... 東方既白

論新資本主義 .... 劉道元

告大陸農民書 .... 董時進

越南排華的遠因近果 .... 趙家將

匈牙利報紙給予的啓示 .... 姜懷平

試談新詩形式上的問題 .... 嚴明

涼棚下 .... 琦君

詩二首 .... 張秀亞

爲地理教本審查事質詢教育部 .... 李月軒

第 17 卷第 1 期，1957 年 7 月 1 日

今日的司法！ .... 社論(雷震)

共匪玩弄民主 .... 社論

政府權力與公民自由 .... 許冠三

論西德經濟的復興(上) .... 余堅

介紹美國國務卿杜勒斯 .... 周道濟

丹麥大選以後 .... 萬遜

從加拿大僑裔鄭天華當選議員談起 .... 金承藝

紅絨鞋 .... 周子強

胃氣和爭氣(海外寄語之一) .... 於梨華

外匯貿易體系應予一元化 .... 邱平

高雄縣長選舉舞弊續訊 .... 余登發

有感於地理教本審查之事 .... 游紹虞

王益崖先生來函 .... 王益崖

第 17 卷第 2 期，1957 年 7 月 16 日

俄共內爭的意義與影響 .... 社論

廉潔的公教人員活不下去！ .... 社論

意在對外的毛澤東「處理人民內部矛盾」 .... 蔣勻田

從「限用毛筆」說起 .... 趙曼君

再論新資本主義 .... 劉道元

論西德經濟的復興(下) .... 余堅

英國對中共放寬禁運 .... 龍平甫

英國新軍事政策的分析 .... 姜懷平

卑微的人 .... 聶華苓

烏托邦在何處？(海外寄語之二) .... 於梨華

介紹邱昌渭先生遺著「政治常識」 .... 周道濟

怎樣糾正不良學風？ .... 康梅

高雄縣長選舉訴訟近訊 .... 余登發

強迫的志願 .... 李礪莢

勞榦先生來函 .... 勞榦

第 17 卷第 3 期，1957 年 8 月 1 日

是什麼，就說什麼(代緒論) ......社論(殷海光)

今日的問題(二)反攻大陸問題 ......社論(殷海光)

有關中共命運的兩件大事 ......陳伯莊

評李辰冬的評詩標準(上) ......陳康

大學英文系與「英文人材」 ......李經

意大利的左派勢力 ......魯冀

雷諾事件在美國 ......王紀五

愛與死 ......張秀亞

白色小屋的主人(海外寄語之三) ......於梨華

病室(新詩) ......余光中

對盲目檢扣書報的抗議 ......轉載祖國周刊

寫給司法行政會議 ......萬香堂

臺灣高等法院對於「今日的司法」之聲明 ......臺灣高等法院

敬覆李月軒先生 ......萬子霖

第 17 卷第 4 期，1957 年 8 月 16 日

我們的軍事 ......社論(夏道平)

談反對黨 ......李璜

當前國際形勢靜觀 ......朱伴耘

「百家爭鳴」與「思想擂臺」 ......嚴明

評李辰冬的評詩標準(下) ......陳康

一黨執政太久，老百姓要換口味(民主隨筆) ......姚士幼

俄共內鬨的分析 ......龍平甫

意大利閣潮的前因後果 ......魯冀

鄉下醫生 ......艾雯

一年的成績(海外寄語之四) ......於梨華

學術審議委員人選 ......張震

華僑中學易長糾紛 ......張秀明

羅敦偉先生來函 ......羅敦偉

樊努材先生按語 ......樊努材

第 17 卷第 5 期，1957 年 9 月 5 日

我們的財政 ......社論

關於「反攻大陸問題」的問題 ......社論(殷海光)

建立我們的法律觀念 ....王聿修

發展臺灣經濟的方向：幾點商榷 ....馬逢華

邏輯解析的哲學 ....羅素原作／張尚德譯

由土耳其總理孟德士訪華談到政治不應干涉司法(民主隨筆之二)........................姚士幼

剖視蘇俄的新整肅行動 ....佘陽

灼子 ....司馬中原

尼加拉瀑布(海外寄語之五)..於梨華

對臺灣省政府改組的感想 ....沈建平

為在野黨的遭遇說幾句話 ....楊正義

院士候選人的名單應當公開 ....王亮

中央信託局來函 ....中央信託局

第 17 卷第 6 期，1957 年 9 月 16 日

今日的問題(五)我們的經濟 ....社論

再論反對黨 ....朱伴耘

艾森豪的思想路線 ....宋文明

印度遊記 ....湯因比原作／鍾玄靈輯譯

馬來亞獨立後的兩大課題 ....佘陽

法國新閣的政治及其瞻望 ....孔治

翠鳥湖(一) ....童真

訪康克特(海外寄語之六)..於梨華

我所知道的今日軍事之一面 ....則鳴

銓敘部來函 ....銓敘部

第 17 卷第 7 期，1957 年 10 月 1 日

美援運用問題 ....社論

法家的淵源、演變、及其影響 ....沈剛伯

一個大學生的信念與看法 ....揚正民

從責任政治說到反對黨 ....傅正

漫談泰國政變(「民主隨筆」之三) ....姚士幼

印尼徵收外僑稅的分析 ....葛偕吾

巴印紀遊 ....易希陶

翠鳥湖(二) ....童真

八德血案十七點質疑 ....楊宏光

對初中地理教本第三冊的商榷 ....馬真吾

第 17 卷第 8 期，1957 年 10 月 16 日

小地盤、大機構 .... 社論

讀胡適先生在聯大的演說 .... 社論(殷海光)

蘇俄發射人造衛星以後 .... 社論

從政府威信談到國是會議 .... 朱伴耘

談紡織品外銷的幾個問題 .... 陳若谷

敘利亞問題的發生和發展 .... 沙清海

西德大選之分析 .... 吳為

星洲政府大捕共黨份子 .... 唐篤

門 .... 周子強

翠鳥湖(三) .... 童真

介紹一本「新老殘遊記」 .... 胡虛一

十足的官腔！ .... 金克文

大專聯考四大惑 .... 鄺大志

第 17 卷第 9 期，1957 年 11 月 1 日

我們的中央政制 .... 社論

以行動為號召 .... 社論

再談今日的司法 .... 社論

從衛星放射到彌賽亞精神 .... 殷海光

讀中國國民黨政綱 .... 朱佛心

不讓毛澤東遁藏原形 .... 蔣勻田

中共對外貿易額之研究 .... 趙岡

對大陸知識份子「大鳴大放」的分析 .... 鍾正梅

寂寞的畫廊 .... 陳之藩

翠鳥湖(四) .... 童真

匈牙利作家看匈牙利革命 .... 夏道平

請司法當局立即採取行動 .... 李聲庭

第 17 卷第 10 期，1957 年 11 月 16 日

我們的地方政制 .... 社論

朱可夫事件引起的感想 .... 社論

一個博得喝采的決議案 .... 社論(夏道平)

英國兩黨政治的歷史背景(上) .... 程滄波

應該慚愧的！ .... 葉維理

所望於教育當局者 .... 水元

從蘇俄發射人造衛星談到自由世界的科學組織 ....劉世超

慨乎蔣梅二先生之言！ ....劉世超

綜析西德第三屆大選 ....紀夢平

未來的李楊沒有教室！ .... 田曉

無題 .... 思果

中華標準教科書地理科編輯委員會來函 ......中華標準教科書地理科編輯委員會

翠鳥湖(續完) .... 童真

朱可夫下臺以後 ....易浮生

印度各大學研究中國歷史與語文概況 ....吳秀雲

「雞尾酒會及其他」序 ....周棄子

蘇俄人造衛星與世界大局 ....宋文明

第 17 卷第 11 期，1957 年 12 月 1 日

今天的立法院 ....社論(雷震)

待遇調整案的檢討 .... 社論

倪路案亟待澄清 .... 社論

檢討美俄武器競賽 .... 宋岑

赫魯雪夫恫嚇伎倆的底層 ....易浮生

選舉監察工作研究 ....謝漢儒

英國兩黨政治的歷史背景(下) ....程滄波

中東危機與世界局勢 ....龍平甫

城南舊事(上) ....林海音

我的最後航程 ....易希陶

答中央信託局 .... 邱平

個別審訊，強迫樂捐 ....王有信

第 17 卷第 12 期，1957 年 12 月 16 日

我們的新聞自由（「今日的問題」之十一） .... 社論

為四屆縣市議員選舉婉告國民黨人 .... 社論

國大何故要開臨時會？ .... 社論

我從競選失敗中得到的知識 ....楊基振

大陸人口問題與馬克斯經濟學 ....趙岡

從「鳴放」到「反右派鬥爭」 ....嚴明

從李楊獲獎說到科學教育 ....趙曼君

太平洋上 ....辛之魯

新墳 ....朱西甯

城南舊事(下) ....林海音

關於防衛捐的決議 ....陳繼平

第 18 卷第 1 期，1958 年 1 月 1 日

青年反共救國團問題(「今日的問題」)之十二 ....社論(傅正)

北大首長會議的決定及其影響 ....社論

行政院長應不應到監察院報告備詢 ....社論(雷震)

彈劾案與調查權 ....社論(雷震／夏道平)

為「自治」半月刊橫遭查扣而抗議 ....社論(雷震／夏道平)

文化──一個名詞的滄桑 ....徐道鄰

多目標的水庫之發軔──石門水庫 ....宋希尚

執政黨控制臺灣地方選舉的心理分析 ....朱文伯

日匪貿易之死結 ....王沿津

蘇嘉諾、哈達能合作嗎？ ....萬偕吾

明寮一年 ....雷震

歐遊雜詩二首 ....李經

異哉所謂安全室主任 ....謝琇如

為永久性的臨時雇員說一句話 ....林合源

立法院應設立資料部門 ....趙岡

為僑資進口物資辦法再進一言 ....邱平

第 18 卷第 2 期，1958 年 1 月 16 日

我們的教育(「今日的問題」之十三) ....社論(殷海光)

供給制為浪費之源 ....社論

勿陷總統於違憲──駁斥中央日報一月九日社論 ....社論

英國政黨史上一位偉大的鬥士──福克思查理(Charles James Fox) ....程滄波

人造衛星與社會制度 ....王厚生

倡導護憲運動 ....楊金虎

從「中國劇團」訪問西班牙說起 ....牧人

被遺忘的人 ....子強

綠窗漫筆 ....聶華苓

年終檢討會上 ....石柱

治安機關應知所警惕 ....李士龍

青年團破壞法制與浪費國帑 ....路狄君

第 18 卷第 3 期，1958 年 2 月 1 日

近年的政治心理與作風(「今日的問題」之十四)..........................社論(殷海光)

已是財經改革的時候了 ....社論

世界上有這種政治制度麼？——「總統有權，內閣有責」.........................社論

救國主義與亡國主義的對照 ....社論(夏道平)

論政治的干涉經濟 ....陳式銳

現行租稅政策之商榷 ....趙岡

高速電腦計算機簡介 ....溫新徹

西德新內閣 ....鄭壽麟

星加坡的隱憂 ....林僧

李隆老店 ....司馬中原

誰是「亡國主義」？誰是「救國主義」？ ....朱大川

第 18 卷第 4 期，1958 年 2 月 16 日

反對黨問題(「今日的問題」之十五) ....社論(雷震)

一篇血腥氣的怪論——「中立主義的轉變」..................................社論(夏道平)

「和平共存」？ ....蔣廷黻

三論反對黨 ....朱伴耘

論政黨政治 ....梁叔文

介紹美國聯邦最高法院的九位法官 ....周道濟

由北大西洋公約國家首長會議說起 ....龍平甫

從國際輿論看北大西洋公約會議之成果 ....孔治

紅樓夢的藝術價值與小說裏的對白(一) ....徐訐

遷居 ....思果

論港務警察的正名問題 ....匡煥球

第 18 卷第 5 期，1958 年 3 月 1 日

從滿街蘋果談到外匯管制的弊端 ....社論

高階層會議與聯大會議 ....社論

自治捐與防衛捐及其紛爭與解決途徑 ....白瑜

預訓班與大專學生的軍訓問題 ....陳孜

看大陸念反攻 ....張益弘

土敘糾紛與中東前途 ....易浮生

巴格達公約會議 .... 孔治

克魯克氏談澳洲的移民政策及對中國的外交政策 .... 李達生

紅樓夢的藝術價值與小說裏的對白(二續) .... 徐訏

大法官人選問題 .... 陳玉章

俞鴻鈞真的不是拒絕調查嗎？ .... 陳文峰

給司法院大法官會議的一封請願書 .... 曹浪平等

爲「被誣衊了的資本主義」一書之被擅刪改，向行政院經濟安定委員會工業委員會抗議 .... 夏道平

第 18 卷第 6 期，1958 年 3 月 16 日

中國人看美國的遠東政策——對美遠東使節的臺北會議提幾點坦率建議 .... 社論

究竟誰在給共匪利用？ .... 社論

自由世界十病 .... 李中直

日本爲政者的老獝性 .... 余蒼柏

關於「留學生問題」——謹以此文紀念已故崔書琴教授 .... 馬達華

英國財長的辭職 .... 萬遜

從開羅會議看蘇俄對中近東的陰謀 .... 魯冀

紅樓夢的藝術價值與小說裏的對白(續完) .... 徐訏

浪擲民脂之一例 .... 李元禾

部編標準教科書爲何加價？ .... 崔文若

司法行政秘書室來函 .... 司法行政秘書室

中國國民黨中央委員會秘書處來函 .... 中國國民黨中央委員會秘書處

第 18 卷第 7 期，1958 年 4 月 1 日

改組與改革 .... 社論

日匪貿易協定與我們的對日外交 .... 社論

反共冷戰中的政治力量與現代的主權觀念 .... 社論

落後國家的資本形成問題 .... 高叔康

再談財經政策 .... 趙岡

反對黨與反共 .... 黃安

所謂「勿蹈民盟路線的覆轍」 .... 傅正

埃敘合併與伊約合併 .... 淦克超

介紹曼谷關於文化問題的圓桌討論會 .... 李達生

夕陽(一) .... 黃思騁

黃尊生詩序 .... 陳伯莊

如此臺北警察！ .... 李雍民

虛矯和自我陶醉 .... 陶之本

一個僑生的意見 .... 蕭展

第 18 卷第 8 期，1958 年 4 月 16 日

改進黨政關係 .... 社論

立監兩院加緊自肅運動！ .... 社論(夏道平)

請勿濫用「學術研究」之名 .... 殷海光

論美國憲法上的種族平等 .... 劉慶瑞

談中共本身的矛盾 .... 王厚生

當前外匯貿易管理的「死結」 .... 希美

南德風光 .... 易希陶

夕陽(續完) .... 黃思騁

鼠 .... 沙基(Saki)原作／思果譯

大學教育與學術環境 .... 楊德本

籲請立監兩院澈查司法黑暗 .... 喻伯凱

一次莫名其妙的圍剿戰 .... 金燕君

臺灣省鐵路警察局來函 .... 臺灣省鐵路警察局

臺北市警察局第五分局來函 .... 臺北市警察局第五分局

第 18 卷第 9 期，1958 年 5 月 1 日

跟著五四的腳步前進 .... 社論(殷海光)

出版法修正案仍以撤回為妥 .... 社論

評外匯貿易改進方案 .... 社論

安全室是幹什麼的？ .... 社論

四論反對黨 .... 朱伴耘

由印尼事件談杜勒斯外交的矛盾與錯誤 .... 艾國勳

高階層會議前夕的美國外交政策檢討 .... 丁堅

今日法國政治與經濟之危機 .... 姜懷平

北大西洋公約會議後的西德外交動向 .... 紀夢平

笑容 .... 徐訏

聖陵的晨歌 .... Conrad Aiken 原作／余光中譯

無處訴苦——代請願 .... 姚和民

一個軍人的話 .... 夏貴培

臺北地方法院檢察處來函 .... 臺北地方法院檢察處

第18卷第10期，1958年5月16日

學術教育應獨立于政治 .... 社論

出版法事件的綜合觀 .... 社論(夏道平)

從王國柱之死談臺灣地方自治 .... 社論

中東危機與其前途 .... 王雲五

共黨為什麼清算「胡適思想」？ .... 殷海光

出版法修正草案程序之爭 .... 崔霖

固步自封的僑務 .... 喬迺南

我要編一本新尺牘 .... 思果

鎌倉三週與「三文判」印章 .... 雷震

我們應當查究部編「標準教科書」的盈餘款項 .... 施濟民

一個假退役軍官的呼籲 .... 季濟才

大哉！周主席的巡視場面！ .... 李覺

第18卷第11期，1958年6月1日

再論青年反共救國團撤銷問題 .... 社論

為學術教育工作者請命 .... 社論

南美洲教訓了美國什麼？ .... 社論

從爭取言論自由談到反對黨 .... 胡適講／楊欣泉記

一個臺灣人對建設臺灣成模範省的看法 .... 楊金虎

再駁徐福即神武天皇說 .... 宋岑

八股論調的悲哀 .... 朱佛心

從政治與軍事因素看大戰爆發的可能性 .... 鼎山

狄托與莫斯科爭執內情與影響 .... 丁堅

捶帖 .... 朱西甯

笑容(補登) .... 徐訏

補正「籲請立監兩院澈查司法黑暗」一文 .... 喻伯凱

「惡性畢業捐」應明令禁止 .... 王家燕

籲請國民黨切勿再打擊立法院聲望 .... 程海公

教育部中學標準教科書編印委員會來函 .... 教育部中學標準教科書編印委員會

第18卷第12期，1958年6月16日

政治的神經衰弱症 .... 社論(殷海光)

國民黨當局還不懸崖勒馬？ .... 社論(傅正)

積極展開新黨運動！ .... 社論

日本東南亞經濟開發基金問題的檢討 .... 王沿津

我所知道的司法 .... 簡暢

看兩位先哲對於出版自由的意見 .... 金承藝

尼克森在南美受辱的前因後果 .... 丁堅

尼克森不虛此行 .... 李鈞

一九五八年度的普列茲文藝獎金 .... 鼎山

感性的自覺 .... 李經

也是秋天(一) .... 於梨華

青年救國團害國害青年 .... 路狄

爲甚麼要教員強銷書刊？ .... 陳偉士

一部份臺灣大專教授的來函 .... 一部份臺灣大專教授

一個小攤販的呼聲 .... 趙得寶

屏東縣警察局來函 .... 屏東縣警察局

第 19 卷第 1 期，1958 年 7 月 1 日

立法院第二十一期秘密會通過的出版法條文摘要 .... 社論(附)

國民黨當局應負的責任和我們應有的努力 .... 社論(傅正)

由地方行政改革談一黨特權 .... 社論

一個留美學生——望大陸‧念臺灣 .... 唐德剛

一個免試升學學校教員對免試升學的意見 .... 傅正

真正民主的議會 .... 李宗澤編譯

土耳其的今昔 .... 龍平甫

墨西哥最近的政治發展 .... 淦克超

幾度夕陽紅 .... 陳之藩

也是秋天(二續) .... 於梨華

請勿濫用多數決！ .... 陳維民

籲請澈查臺中女中溺斃學生案 .... 巫禔川

我要追問「標準教科書」盈餘款項問題 .... 孔祥之

僑務委員會秘書室來函 .... 僑務委員會秘書室

第 19 卷第 2 期，1958 年 7 月 16 日

期望中的憂慮——進言於新任行政院長陳誠氏 .... 社論

自由民主是反共的活路 .... 社論(殷海光)

停止無聊的日內瓦大使談判 .... 社論

梁任公先生年譜長編初稿序 .... 胡適

由出版法談到委任命令及自由裁量 .... 薩孟武

誰是「惡性補習」的禍首？ .... 伍家邦

創設講理俱樂部 .... 殷海光

軍人之友社總社來函 .... 軍人之友社

民意是不是在立法院？ .... 丁堅

中共對中國傳統思想的綏靖政策 .... 劉富蘭

從義大利大選說起 .... 魯冀

最後的微笑 .... 夏菁

也是秋天(三續) .... 於梨華

「今檮杌傳」片感 .... 崇仁

「惡性補習」與「惡性收費」 .... 王世鈞

展開民主政治討論的風氣 .... 董鼎山

台灣省政府教育廳秘書處來函 .... 台灣省政府教育廳秘書處

張希文等來函 .... 張希文等

臺灣省立台中女子中學來函 .... 沈雅利

第 19 卷第 3 期，1958 年 8 月 1 日

新閣的作風與人事安排 .... 社論

從伊拉克政變看美國的中東政策 .... 社論

論二分法 .... 社論(殷海光)

我對於知識分子大結合的看法和寄望 .... 牟力非

對「革命」的一個看法 .... 杜蘅之

臺灣的利率問題 .... 趙岡

非洲世紀的開端與東西冷戰 .... 宋文明

戴高樂組閣的前前後後 .... 孔治

文字的命運 .... 思果

也是秋天(四續) .... 於梨華

駁正省立臺中女中溺斃學生案更正函 .... 巫禊川

臺灣省立台北師範學校附屬學來函 .... 臺灣省立台北師範學校

第 19 卷第 4 期，1958 年 8 月 16 日

對梅部長的低調希望 .... 社論(殷海光)

工商業倒風的對策 .... 社論

日本的「欲樂沒氣外交」 .... 余蒼柏

由倒風看經濟的改善 .... 陳式銳

反對黨勢在必組 .... 黎復

論狄托在拉賓演說對大陸的影響 .... 王厚生

中東危機、納塞主義、與高階層會議 .... 丁堅

西方的島國：西印度群島聯邦 .... 華明譯

欣賞與了解 .... 梁實秋

也是秋天(五續) .... 於梨華

籲請政府澈查基隆中正堂案 .... 程玉

請廢止師大專修科 .... 陳斐玲

谷鳳翔還不該撤換嗎？ .... 陶潤之

第 19 卷第 5 期，1958 年 9 月 1 日

以沈著與機智應付臺峽緊張局勢 .... 社論

從速救助中國大陸流亡學生！ .... 社論(傅正)

急救臺灣地方政治 .... 社論

五論反對黨 .... 朱伴耘

美國證券市場的管理(上) .... 楊志固

今日家庭教育的沒落 .... 喻血輪

杜勒斯對中東問題的幾個錯誤觀念 .... 鼎山

請看香港「聯合評論」 .... 方望思

夜窗詩草 .... 徐訏

也是秋天(六續) .... 於梨華

請速制止農藥漲價！ .... 楊昆明

我們的呼聲——給臺灣及海外中國同胞的一封公開信 .... 一群中國大陸流亡學生

第 19 卷第 6 期，1958 年 9 月 16 日

為教師爭人格 .... 社論(殷海光)

扼殺民營報紙的又一辦法 .... 社論(傅正)

與內政部田部長論警察權 .... 李聲庭

今日教育的方向 .... 金溟若

個性・獨立思考・與今後的世界 .... 羅業宏譯

美國證券市場的管理(中) .... 楊志固

泛評僑務決策 .... 孟戈

黎巴嫩問題 .... 龍平甫

感恩日 .... 秋楊

也是秋天(七續) .... 於梨華

請監察院慎選大法官！ .... 林縝

陽明山公園爲何不開放？ .... 俞朱錢

退除役官兵待遇直言 .... 丁開誠

第 19 卷第 7 期，1958 年 10 月 1 日

論台海危機 .... 社論

爲政不在於擺排場逞威風——向周至柔主席進一言 .... 社論

論民主文化的培養 .... 葉時修

臺灣人對陳內閣的期望 .... 秋水

自由中國東西橫貫公路的建設 .... 文農

美國證券市場的管理(下) .... 楊志固

「免試升學」如何了？ .... 短評

黨國元老的「革命」手段 .... 短評

誰在「強銷書刊」！ .... 短評

如何根除「四害」？ .... 短評

中共在香港搞「計劃輿論」 .... 厚生

伊拉克政變及其後果 .... 紀夢平

逃亡夜 .... 晏寒松

也是秋天(八續) .... 於梨華

看官方的違章建築！ .... 盧華英

也談「人才下鄉」 .... 一群讀者

第 19 卷第 8 期，1958 年 10 月 16 日

認清當前形勢・展開自新運動 .... 社論(殷海光)

由證券市場之設立以覘新內閣行政效率 .... 社論

人口增加與資本累積 .... 瞿荊洲

從華沙談判談到美國「不得使用武力」政策 .... 宋文明

勉新任大法官 .... 李聲庭

論赫魯雪夫其人及其爲政 .... 董鼎山

當前僑務的檢討與策進 .... 喬迺南

賣麵茶的哨子 .... 聶華苓

也是秋天(續完) .... 於梨華

關於教育部的機構和人事 .... 李偉

請看如此兼職！ .... 楊生、陳名

共產黨也談「人道主義」！ .... 短評

早該取消慶典！ .... 短評

「通信週」和「通信自由」 .... 短評

誰奢誰儉？ .... 短評

執法者違法 .... 短評

「惡性補習」的原因何在？ .... 短評

防空洞與公共廁所之間 .... 短評

第 19 卷第 9 期，1958 年 11 月 5 日

呼籲從速召開反共救國會議——並請蔣總統釋疑 .... 社論

論放棄主動使用武力之承諾 .... 社論

營利事業所得稅應該廢止 .... 趙岡

分析中美會談結果及「不使用武力」聲明 .... 施治華

讓胡適牽著鼻子走是好漢嗎？ .... 金承藝

評蘇俄集團與南共「綱領」之爭 .... 金一鴻

西歐輿論對臺灣海峽事件的反響 .... 紀夢平

聯合國匈牙利問題特別調委會特別報告 .... 孫靜琪譯

梅老師 .... 童真

發薪日 .... 勞影

請外匯貿易審議會答覆 .... 一群大學生

關於省立大學教師送審問題 .... 張葆真

兩「口」才可交流 .... 短評

國慶與僞國慶之在香港 .... 短評

看人家‧想自己 .... 短評

市長不懂得「法人」這個名詞 .... 短評

節約歟？浪費歟？ .... 短評

政治花瓶推行花瓶政治 .... 短評

考察熱 .... 短評

第 19 卷第 10 期，1958 年 11 月 16 日

如此司法——「奉命不上訴」 .... 社論(夏道平)

教育的轉機 .... 社論

從本屆美國大選看美國政治及外交動向 .... 社論

後設歷史學試論 .... 殷海光

討論「大膽假設、小心求證」之我見 .... 劉家璧

法治與武斷 .... 簡暢

「人民公社」是怎麼回事？...厚生

緬甸政變與政黨形勢...佘陽

學生時代救國活動的回憶...雷震

聯合國...李經

如此中央日報玉里分銷處主任！...白鵬

保障人權還在「研究」中...短評

七十歲...短評

軍訓已到「武裝睡覺」階段...短評

誰在「胡說」？...短評

輿論制裁與法律責任...短評

加「乾」薪...短評

惡性補習與教室荒...短評

第19卷第11期，1958年12月1日

你要不要做人...社論(殷海光)

共產統治與人權...社論

從官方的報道再論「奉命不上訴」...社論(夏道平)

政府不應用經濟方法打擊民營報紙！...社論(傅正)

世界人權宣言之淵源及其意義...胡秋原

理論與事實——漫談人權保障問題...朱文伯

世界人權宣言十週年...李聲庭

如何保障基本人權...李鈞

請政府切實保障人權！...王建邦(傅正筆名)

紀念人權節應把臺灣建為保障人權模範省...金承藝

世界人權宣言(附錄)

從人權保障談到孫秋源被捕...汪文瑞

「奉命不上訴」的新論證...史濟人

請看這樣無法無天的事！...宇俊英

打人的是警察！...短評

看監察院的！...短評

只准警官罵人？...短評

政治相聲...短評

保障出版自由...短評

三叉路口...短評

第 19 卷第 12 期，1958 年 12 月 16 日

從憲法保障人身體自由說到取締流氓辦法 .... 社論(雷震)

三論谷鳳翔對「奉命不上訴」案應負的法律責任——又一證據谷鳳翔難逃教唆罪嫌 .... 社論

日美修約談判與遠東大局 .... 社論

蔡元培先生對我國教育的貢獻 .... 沈雲龍

儲蓄與儲蓄存款 .... 楊志希

國是問題與出版法——「亞洲畫報」六十四期讀後感 .... 屈堯庭

從「齊瓦哥醫生」論蘇俄知識份子 .... 董鼎山

暴力國會與日本人 .... 郭恒鈺

紅樓夢後四十回的考證問題(上)——對林語堂先生的翻案提出商榷 .... 嚴明

如此省立大學——省立法商學院 .... 求直

省立農學院學生的哀鳴 .... 王有守、凌天賜

請勿製造少年犯 .... 貴仁

這就是大家的需要 .... 短評

冤獄如何了？ .... 短評

伍藻池闖下「言禍」 .... 短評

誰該負責？ .... 短評

國民黨眼中的「共產黨同路人」 .... 短評

第 20 卷第 1 期，1959 年 1 月 1 日

本刊的十年回顧 .... 社論(雷震／夏道平)

欣幸中的疑慮——關於蔣總統反對修憲的聲明 .... 社論

從毛匪去職事件談共產政權的性格 .... 社論

關於言論自由和反共救國會議 .... 胡適講／楊欣泉記

閒談政治 .... 薩孟武

論議會議員的言論不負責權 .... 劉慶瑞

臺灣森林增產的重要性及其途徑 .... 胡舒寒

請政府快救救慘遭迫害的印尼華僑！ .... 忠靈

戴高樂將軍與法國新憲法 .... 姜懷平

主客 .... 思果

詩二首 .... 李經

紅樓夢後四十回的考證問題(下) .... 嚴明

評大專青年論文競賽 .... 王文瑞

從監所條例看司法行政部的法治精神 .... 一群監所管理員

中學教師分等考核制應取消 .... 邢公俠

撤銷警備總司令部！ .... 短評

加價和加薪 .... 短評

我國不是「一黨專政」麼？ .... 短評

魔術政治 .... 短評

谷鳳翔何時撤職查辦？ .... 短評

黃市長「巧辯」 .... 短評

第 20 卷第 2 期，1959 年 1 月 16 日

取消一黨專政！——從黨有、黨治、黨享走向民有、民治、民享的大道 .... 社論

「奉命不上訴」為何「不予起訴」？ .... 社論(夏道平)

韓國的政爭與東方的民主 .... 社論

為中國地方自治研究會再說幾句話 .... 朱文伯

屠克維爾論民主對社會及家庭關係的影響 .... 李達生

尊師重道哀教師！——作為一個中學教師的感慨 .... 胡慮一

從「亞非作家會議」談起 .... 薩摩訶

給亡命者及其他 .... 周策縱

愛國獎券 .... 聶華苓

軍人也贊成反對黨 .... 老兵

革命軍人為何要以「狗」自居？ .... 陳懷琪

豈獨南美為然？ .... 短評

就「法」言法 .... 短評

周主席進步了？ .... 短評

輿論的力量！ .... 短評

非不能也，是不為也！ .... 短評

台灣高等法院來函 .... 台灣高等法院書記室

政治廣告 .... 短評

第 20 卷第 3 期，1959 年 2 月 1 日

科學教育的基本認識 .... 社論

從韓國政爭看我國的民主運動 .... 社論

痛定思痛談免試升學 .... 社論

各級法院應不應該隸屬於司法院？

　　——依據憲法第七十七條之「正」解，司法院究竟是個什麼性質的機關？ .... 雷震

民意代表在議會內的言論對外不負責任問題 .... 李聲庭

神話與魔術 .... 羅素原作／劉世超譯

凱瑟在美國企業界的成就 ....毛樹清

日本在摸索中(「日本的今天與明天」之一) ....郭恒鈺

解凍的時候 ....蔡文甫

夜奔 ....王敬義

何必「逼上梁山」啊！——國民黨爲何開除省議員許世賢等黨籍 ....李超群

所謂「精神講話」 ....詹同章

當兵的還敢談享受？ ....一群丘八

二十世紀的「酷刑」 ....短評

以「法」違法 ....短評

谷鳳翔逍遙法外！ ....短評

取消「黨化司法」 ....短評

支票請在臺灣兌現 ....短評

錢！錢！錢！ ....短評

第 20 卷第 4 期，1959 年 2 月 16 日

自由中國之路——十年了！ ....社論(殷海光)

軍公教人員待遇爲何不能合理改善？ ....社論

從立委律師鳴槍事件說起 ....社論

林肯一百五十年的生日紀念 ....胡適

明仁的婚約在預兆些甚麼？ ....徐逸樵

言辭與思想及行爲的關係 ....徐傳禮

請看香港發出的臺灣政治颱風警報 ....方望思

中共迫害學術界的新高潮 ....辛明

小乖驢 ....楊海宴

「戴季陶先生編年傳記」評介 ....沈雲龍

新年語痛 ....田心

向臺北市長黃啓瑞進一言 ....王夢熊

我們的薪餉到那裏去了？ ....一群第七期海軍預備軍官

車禍！車禍！ ....短評

臺北市一年白淌了多少水？ ....短評

調查乎？疏通乎？ ....短評

監察院明察秋毫不見輿薪 ....短評

羊毛出在羊身上 ....短評

三輪車的管理與就業 ....短評

第 20 卷第 5 期，1959 年 3 月 1 日

冤獄賠償制度之建立不容再緩了——兼評立法院刑事補償草案 .... 社論(雷震)

從法理人情說違章建築之處理 .... 社論

關於陳懷琪投書事件的簡報 .... 社論(夏道平)

今日的小學教育 .... 陳康

地方自治乎？省府官治乎？——對省府所擬地方自治法規七種修正草案的總評 .... 傅正

臺灣省地方自治法規修正草案芻議 .... 王地

永遠的模倣者(「日本的今天與明天」之二) .... 郭恒鈺

八高三年和中京景物 .... 雷震

我們對海軍總部的期望 .... 一群第七期海軍預備軍官

在美國‧念臺灣 .... 張仲凱

「革命性」的逃稅 .... 司徒舜

官家良申冤的「陳情書」 .... 官家良

兒童玩具 .... 短評

反共歟？效共歟？ .... 短評

苛捐雜稅 .... 短評

立法院要「自立」了！ .... 短評

學術與廣告 .... 短評

看陳院長的「勇氣」和「決心」 .... 短評

第 20 卷第 6 期，1959 年 3 月 16 日

我們反對軍隊黨化 .... 社論(夏道平)

治安機關無權查扣書刊——從「祖國周刊」被扣說到書報雜誌審查會報之違法 .... 社論(傅正)

海埔新生地的開發問題 .... 社論

容忍與自由 .... 胡適

論憲法之修改及其程序 .... 李聲庭

社會學的幾個變遷 .... 張天增

修訂國民學校課程標準問題商榷 .... 趙英若

中共對東南亞及當地華僑的陰謀 .... 葛偕吾

精兵‧除害‧團結(附錄) .... 齊世英

談話的藝術 .... 梁實秋

八高三年和中京景物(二續) .... 雷震

卡文逃稅闖關案之檢討 .... 劉金輝

請教育當局制止學店之風！ .... 尤錫光

奇怪不奇怪？ .... 章船

旁觀者清 .... 短評

團結才能反共 .... 短評

議員好威風！ .... 短評

廢止總動員法 .... 短評

「黃禍」何處來？ .... 短評

兵不在多而在精 .... 短評

第 20 卷第 7 期，1959 年 4 月 1 日

軍事改革的起點 .... 社論

重視西藏掀起的抗暴運動 .... 社論

從中日更動大使檢討中日外交關係 .... 社論

寫在臺灣全省行政會議之後 .... 社論

在陰黯矛盾中演變的大陸文藝(上) .... 東方既白

胡適之先生給本社編輯委員會一封信 .... 胡適

「容忍與自由」書後 .... 毛子水

胡適論「容忍與自由」讀後 .... 殷海光

西藏反共革命的長成與發展 .... 萬夫雄

再見，火車的輪聲！ .... 朱西甯

八高三年和中京景物(三續) .... 雷震

也談「惡性」補習 .... 顧問搏

召開國是會議 .... 短評

人民代表與新聞自由 .... 短評

標準警察 .... 短評

保安處分執行法 .... 短評

外交需要人才 .... 短評

「肥水」不落外人田 .... 短評

第 20 卷第 8 期，1959 年 4 月 16 日

國是會議應該從速召開 .... 社論

論進口管制之開放 .... 社論

留學生赴美的簽證問題 .... 社論

今日臺灣之市政 .... 李先良

科學是甚麼？ .... 潘毓剛

在陰黯矛盾中演變的大陸文藝(中) .... 東方既白

西藏抗暴的經過與影響 .... 王厚生

日本的文化人(「日本的今天與明天」之三)..................................郭恒鈺

紐約(詩)..................................周策縱

八高三年和中京景物(四續)..................................雷震

請政府在出版界放條生路..................................汪新明

閉門造車..................................短評

專家政治..................................短評

「行易知難」？..................................短評

貪污與待遇..................................短評

公款「私」用..................................短評

新「官場現形記」..................................短評

第 20 卷第 9 期，1959 年 5 月 1 日

展開啓蒙運動..................................社論(殷海光)

「地方黨治」必須立即停止..................................社論

柏林危機與日內瓦四外長會議..................................社論

胡適與國運..................................殷海光

在陰黯矛盾中演變的大陸文藝(下)..................................東方既白

蘇丹政變面面觀..................................魯翼

古巴往何處去？..................................漢聲

勇敢的新世界中的科學(寓言小說)..................................赫胥黎原作／劉世超譯

八高三年和中京景物(五續)..................................雷震

慰出洋不成的童軍朋友..................................何愚

第 20 卷第 10 期，1959 年 5 月 16 日

反共的方法問題——從日本此次地選舉看出自由民主的價值..................................社論

多災多難的「冤獄賠償法草案」——未被冤埋，又有被肢解的危險..................................社論

從權力政治說毛去劉來..................................社論

六論反對黨..................................朱伴耘

一個美國人眼中的孫中山先生與自由中國..................................毛樹清譯

文藝政策的兩重涵義..................................李經

火箭‧飛彈‧衛星‧行星..................................董鼎山

獨立一年來的馬來亞..................................佘陽

窗..................................聶華苓

八高三年和中京景物(六續)..................................雷震

介紹「鸚鵡螺號的故事」..................................紹輔

從臺北監(所)看司法 ....俞大問

黑幕重重話違建 ....甘火文

臺灣省議會的悲哀！ ....文漢瑞

第 20 卷第 11 期，1959 年 6 月 1 日

當前台灣警政問題的嚴重性！ ....社論(傅正)

從兩個故事看公務員的待遇 ....社論

由節育問題說到教條主義之為害 ....社論

本年美國經濟的兩大問題 ....劉道元

論民主自由運動與反對黨 ....王厚生

一個警察人員籲請重視警察界的危機 ....盧楚白

教師與「窮」！──介紹中學教師的待遇及其生活 ....胡虛一

西藏戰火的火種──前共產國際情報局的「解放亞洲」方案 ....吳彥傑

海外對總統三任問題的反應 ....方望思

江湖行(一) ....徐訏

八高三年和中京景物(七續) ....雷震

今日小學教育中該糾正的兩件事 ....金重

第 20 卷第 12 期，1959 年 6 月 16 日

蔣總統不會作錯了決定吧？ ....社論(夏道平)

由兩件不愉快的事看我們的外交 ....社論

教育與文化·科學與黨化 ....蔣勻田

我國不是內閣制嗎？ ....傅正

關於改進初中入學考試問題 ....趙英若

我所知道的日本人 ....念鹿

胎死腹中的臺中議長王地答辯書 ....王正言

江湖行(二續) ....徐訏

八高三年與中京景物(續完) ....雷震

請看軍人之「友」社！ ....源夫

第 21 卷第 1 期，1959 年 7 月 1 日

憑甚麼查扣「自由人」？ ....社論(傅正)

再談軍公教人員待遇問題 ....社論

古亭國校事件透露的嚴重問題 ....社論

論初唐盛唐還沒有雕板書 ....胡適

新加坡人民行動黨反對自由中國！──因為他們是偽裝的共產黨 .... 沙學浚

談杜勒斯(1888～1959) .... 董鼎山

籌安會的醜劇 .... 顧達德

法國第五共和的第一屆國會與政府 .... 姜懷平

新加坡國的誕生 .... 司馬夫

江湖行(三續) .... 徐訏

月戀及其他(詩) .... 周策縱

何著「貨幣學」評介 .... 華國

讜論流徵──張知本先生「修改憲法問題」讀後感 .... 金鳴

省議會的風波！ .... 漢瑞

第 21 卷第 2 期，1959 年 7 月 16 日

這樣能解決問題嗎？──對於左舜生先生主張與中央日報社論的平議 .... 社論

好一個舞文弄法的謬論！──所謂「修改臨時條款並不是修改憲法本身」 .... 社論(夏道平)

中國文化發展的新取向 .... 社論(殷海光)

對於臺灣金融政策的一點建議 .... 趙岡

論臨時條款與修憲 .... 宋功仁

從學風腐蝕論中等教育 .... 金溟若

從日內瓦會議論蘇俄政策的基本目標 .... 董鼎山

看中共的最近動態 .... 厚生

日本人的「路」(「日本的今天與明天」之四) .... 郭恒鈺

江湖行(四續) .... 徐訏

理髮 .... 思果

至高的理性──科學哲學的研究 .... 潘郁良

看法商學院之前途 .... 宋宗憲

請代向監察委員先生們呼籲 .... 胡學古

第 21 卷第 3 期，1959 年 8 月 1 日

解決臺灣省政體制的根本辦法──省長必須實行民選！ .... 社論

美國輿情與其援外政策新趨向 .... 社論

加緊撲滅翻版盜印的惡風 .... 社論

從「醜陋的美國人」談美國在東南亞的外交──權力觀念淹沒了林肯精神！ ... 夏道平

從常識論政黨制度的功用──在於建立自由社會的秩序 .... 劉世超

論「進出口商管理辦法」 .... 陳式銳

政府不應再坐視人口的增加 .... 金承藝

曹丕怎樣在群臣勸進下稱帝的？ ....看雲樓主

日內瓦四外長會議與柏林問題 ....姜懷平

悲劇與英雄 ....Arther Miller 原作／李經譯

江湖行(五續) ....徐訏

節育與教條之我見 ....張天增

談「自由中國」「社論」論節育問題 ....江必理

請政府重視盜印惡風！ ....林德泰

第 21 卷第 4 期，1959 年 8 月 16 日

美蘇首長互訪計劃與我們的道路 ....社論

臺北市政問題還容忽視嗎？——望黃市長「崇法負責」 ....社論

談考試與任用 ....社論

杜威在中國 ....胡適講／夏道平譯

法治是甚麼？ ....李聲庭

共產奴隸典範的塑造——「關於資產階級法權問題討論」的分析 ....李仁山

左舜生先生的答辯 ....方望思

中共上演的「曹操翻案」鬧劇 ....孟戈

江湖行(六續) ....徐訏

心(詩) ....周策縱

張桂卻死得冤枉！ ....牅民

請釋明「軍官服役條例」之疑義 ....馬成龍

第 21 卷第 5 期，1959 年 9 月 1 日

記者節談穆萬森案件 ....社論(夏道平)

「聖地牙哥宣言」敲響了獨裁者的喪鐘！ ....社論

痛定思痛話水災 ....社論

從艾赫互相訪問談到美國對蘇的新認識 ....朱伴耘

哀悼瘦桐管公度先生 ....夏道平

修憲已沒有「合法途徑」了！ ....傅正

新疆六十萬哈薩克是俄中兩匪幫的死敵

　　——並補充蒙藏會委員長李永新對邊疆抗暴運動的公開報導 ....吳傑彥

寮國戰局政局剖析 ....佘陽

從艾赫互訪論美蘇「實力平衡」問題 ....董鼎山

江湖行(七續) ....徐訏

老兵的悲哀！——對退除役政策的檢討 ....余布衣

由中影片廠被焚說起 ....高飛影

給教育廳劉廳長的一封公開信 ....萬如鎔、王曦、譚謙

中國民主社會黨第二屆全國黨員代表大會宣言(來件)

第 21 卷第 6 期，1959 年 9 月 16 日

災區重建計劃與緊急處分命令——開闢財源應從杜絕浪費、整頓稅收著手......... 社論

寮國危局與東南亞的政治 .... 社論

周室果有仁政乎？ ....沈剛伯

自由社會基於出版自由 ....小野秀雄原作／郭恒鈺譯

卡斯特羅的革命及其新人道主義 ....宋文明

法國原子政策及其對國際局勢的影響 .... 孔治

跌斷了腿的大躍進！ ....劉富蘭

從艾赫會談的目標說到美國民間反應 ....董鼎山

病 ....松青

江湖行(八續) ....徐訏

軍人應該任「冤」嗎？ ....牛不凡

立法院有不可寬恕之錯失 ....蘇甦

答覆萬如鎔王曦譚謙三位先生的一封公開信 ....劉真

第 21 卷第 7 期，1959 年 10 月 1 日

叫我們如何鼓勵「抬不起頭的」稅務人員？ ....社論(夏道平)

撤銷軍人之友社！ ....社論(傅正)

分析赫魯雪夫的裁軍高調及其用心——兼論北平偽政權軍事首腦的更動......... 社論

略談「同文同種」 ....徐逸樵

有感於設置選舉投票觀察員 ....楊金虎

到世界和平之路！ ....王國璋

我對於改革華僑教育課程底芻議 .... 孟戈

「技術革命」如此云乎？ .... 何可

兩截壓憋了的黃瓜(小說) ....楊海宴

江湖行(九續) ....徐訏

國際統一科學百科全書 ....潘毓剛

我有少數幾句話 ....徐道鄰

談談離職軍文人員的身分與待遇 ....汪道揆

第 21 卷第 8 期，1959 年 10 月 16 日

睜開眼睛看當前世局——不要因愚昧的宣傳害了自己 .... 社論

趙品玉案所蘊含的幾個問題 .... 社論

從「自由人」被扣說到「自由人」停刊 .... 社論(傅正)

論國民黨「以黨領軍政策」 .... 曲靈鈞

日本復興經濟發展貿易方法之研究 .... 楊瀨

以現實態度論美蘇五個問題 .... 董鼎山

毛澤東勢力在逐漸孤立了！ .... 季農

卡斯特羅其人與古巴 .... 巴布島

手(小說) .... 童真

江湖行(十續) .... 徐訏

請制止補習班盜用姓名刊登廣告 .... 林文雄

聞三軍官校停訓生保送大專有感 .... 安泓

對蘇甦先生之聲明 .... 裕隆公司

第 21 卷第 9 期，1959 年 11 月 1 日

現有軍事機構與員額不可以裁減嗎？ .... 社論

馬歇爾留給我們的警惕 .... 社論(夏道平)

黃啓瑞在公車加價案中「玩法弄權」！ .... 社論

領袖公僕論 .... 李達生

殷虛建築遺存報告序 .... 李濟

赫魯雪夫治下的蘇俄(上) .... Harrison E. Salisbury 原作／董鼎山摘譯

對省府處置高雄市長罷免案平議 .... 楊金虎

從開發蘭嶼檢討省政建設 .... 劍聲

評中廣小說選播「紅樓夢」 .... 嚴明

江湖行(十一續) .... 徐訏

請速改善下級官兵眷屬的生活 .... 阿珠

如此婦聯會！ .... 微言

第 21 卷第 10 期，1959 年 11 月 16 日

解決中國問題須要以民意為依歸 .... 社論

「自由中國」十週年感言 .... 毛子水

談談人民的集會結社自由 .... 朱文伯

對於軍事的兩個基本願望 .... 曲靈鈞

五十年來的教育 .... 沈剛伯

記民五黃克強致黃膺白的一封信 .... 沈雲龍

文化沙漠 .... 李濟

恪遵憲法厲行法治 .... 李聲庭

被浪費了的讀書人 .... 杜蘅之

記美國醫學教育與大學教育的改造者弗勒斯納先生 .... 胡適

對當前僑務工作的幾點意見 .... 柳樹青

從所謂「康隆報告」談起 .... 夏濤聲

羅斯福總統究不敢毀憲 .... 唐德剛

關於民主法治的四項建議 .... 陶百川

如何使國是不再成問題 .... 張九如

民主與自由的來源 .... 張天增

社會主義之方向轉變 .... 張君勱

當前國策之商榷 .... 曹德宣

從本刊的「讀者投書」說到國是問題 .... 傅正

民主罪言 .... 楊金虎

重申我們說話的態度 .... 雷震

創造新的價值取向 .... 蔣勻田

康德及黑格爾論自由 .... 謝扶雅

黃啟瑞來函 .... 黃啟瑞

紅十字會台灣省分會來函 .... 紅十字會台灣省分會

第 21 卷第 11 期，1959 年 12 月 5 日

開倒車——走私案移送軍法審判 .... 社論(雷震／夏道平)

政府豈可趁「災」加價？ .... 社論

請速停辦「大陸來臺國民調查」！ .... 社論(雷震／傅正)

「容忍與自由」——「自由中國」十週年紀念會上講詞 .... 胡適講／楊欣泉記

國際局勢與反攻復國之道 .... 金思愷

正視第五次電力加價問題 .... 陳式銳

赫魯雪夫治下的蘇俄(下) .... Harrison E. Salisbury 原作／董鼎山摘譯

請重視海外對總統連任問題的看法 .... 方望思

西德總統的選舉 .... 姜懷平

英國大選以後 .... 紀夢平

江湖行(十二續) .... 徐訏

西雅圖的秋天 .... 叢甦

亨利‧魯斯對於蔣總統連任所暗示的意見 .... 桑明

第 21 卷第 12 期，1959 年 12 月 16 日

重申我們反對修憲的意見 ....社論(傅正)

對於監察院總檢討的檢討 ....社論

對民社黨和國民黨提名競選之爭的看法 ....社論

虛雲和尚年譜討論 ....胡適

自由經濟與開發貸款 ....Vance Brand 講／毛樹清譯

略論蘇俄與中共的「理論競爭」問題 ....唐盛鎬

四巨頭會談以前──試論現階段東西集團的關係及東西方對國際問題的態度 ....姜懷平

我對印度中共邊界糾紛的看法 ....佘陽

懂了，原來「帽子」是扣上去的！ ....劉富蘭

江湖行(十三續) ....徐訏

介紹一本值得當代青年一讀的書 ....胡虛一

我們懂得「軍」與「家」 ....蕭人鑑

對「教職員婚喪互助辦法」的意見 ....王明生

請聽我們的控訴！ ....一群三軍官校停訓生

誰是包庇臺北市城東供銷場大違建的幕後人物？ ....甘火文

第 22 卷第 1 期，1960 年 1 月 1 日

藉團結以打開政治新局面 ....社論

「死亡宣告」可以適用於國大代表嗎？ ....社論(傅正)

康隆報告的實質及其根本錯誤 ....社論

民選省長此其時矣！ ....郭雨新

最近年來的美國最高法院 ....劉慶瑞

曹操的改造 ....東方既白

從巴黎四國高層會決議看未來世局 ....宋文明

一個軍人對「以軍為家運動」的看法 ....丘仲言

論國民教育及其課業的加重與減輕 ....趙英若

新年初論美國總統競選 ....董鼎山

如此的「偉大試驗」！ ....劉富蘭

牛皮紙的包裹 ....思果

江湖行(十四續) ....徐訏

「仍有商討餘地」的「三民主義學術獎金」 ....黃少友

從臺大講師慘死說到警務處李葆初的措置 ....林醒

國大代表不該為自己「名」「利」打算！ ....蘇子飛

一個教育人員子弟給劉廳長的信 ....「自由中國」一讀者

第 22 卷第 2 期，1960 年 1 月 16 日

歡迎吳廷琰總統並談中、越、韓合作 .... 社論

「臨時條款等於憲法」！——根據第一屆國民大會第二次會議的記載 .... 社論

對政經半月刊事件的觀感 .... 社論(夏道平)

擁護蔣總統繼續領導而不贊同連任——希望國大代表要負起歷史之責任！ .... 曹德宣

民主與世界安全 .... 楊基振

看我國所漠視的可倫坡計劃如何被日本利用 .... 羅堅白

論國有化在國際法上的幾個問題 .... 金惠民

中國留學生的號角響了！ .... 方望思

臺北行 .... 余伍源

鳳姐的結局——「一從二令三人木」 .... 嚴明

江湖行(十五續) .... 徐訏

美國風‧美國人 .... 穆寧

談臺灣大學的擁護連任運動 .... 一群臺大學生

萬般感慨卸征衫！——從一份「保證書」說起 .... 精希

民族晚報的「斯人獨榮耀」讀後感 .... 何瀾

第 22 卷第 3 期，1960 年 2 月 1 日

敬向蔣總統作一最後的忠告 .... 社論(夏道平)

紅白壽慶送往迎來——從臺北市長黃啓瑞娶兒媳「大擺流水席」說到官場風氣 .... 社論

改善投資環境的基本問題 .... 社論

國事十問 .... 胡越

論兩種保險法規裏有關保險的錯誤 .... 孫洵侯

要者居先！——美國民主黨領袖史蒂文生的看法 .... Adlai E. Stevenson 原作／董鼎山節譯

看中共與蘇共之間的關係 .... 王厚生

毛澤東在獨木橋上高呼「躍進」！ .... 金思愷

印尼一瞥 .... 王天民

左舜生不出席國民大會了！ .... 李樺

紫君的婚禮 .... 於梨華

江湖行(十六續) .... 徐訏

望不要張冠李戴！ .... 章若虛

請國民黨國大代表切記谷正綱之言 .... 張心剛

省教育廳答本刊投書質疑 .... 省教育廳

省教育廳秘書處來函 .... 省教育廳秘書處

第 22 卷第 4 期，1960 年 2 月 16 日

敬告我們的國大代表——團結・法統・政治買賣 .... 社論(雷震、夏道平)

美日安全新約與太陽旗的重新升起 .... 社論

護憲乎？毀憲乎？——望國大代表作明智的抉擇！ .... 傅正

擁護蔣總統繼續領導的我見 .... 楊金虎

國民黨興衰之關鍵在選舉！——為國民黨建黨六十五週年紀念而作 .... 曹大我

駁某畫報「論所謂蔣總統的『連任』問題」 .... 紀仁(傅正筆名)

洪憲帝制期間各方申討之文獻 .... 蒿文侯

從中德復交談蔣總統連任 .... 岳賽夫

國民黨的李國俊配當基隆市長候選人嗎？ .... 包平

人生如球戲——美語新詮之一 .... 喬志高

江湖行(十七續) .... 徐訏

「追求幻想的人們」 .... 方恩

正視現實與解決問題——有感於退除役軍人變賣「戰士授田證」 .... 文信國

巧姐的年齡問題——敬答嚴明先生 .... 趙岡

第 22 卷第 5 期，1960 年 3 月 1 日

不要再玩政治魔術！——告國民黨當局 .... 社論(傅正)

豈容「御用」大法官濫用解釋權？ .... 社論(傅正)

另一方式的修改憲法 .... 夏濤聲

修憲、毀憲與責任 .... 朱文伯

敬向國大代表同仁說幾句話 .... 雷震

幾點國是意見 .... 王厚生

主義與政治 .... 陳咸森

接受過去兩次庚子年的教訓 .... 金承藝

海外人士的十二點國是意見 .... 方望思

看國民大會的明爭暗鬥！ .... 袁治本

烏煙瘴氣的政治活動在臺大！ .... 極光(殷海光筆名)

推銷員的精神 .... 邢公個

一粒灰塵 .... 司馬中原

望國大代表勿為國民黨所收買 .... 陶心和

再談誰是包庇臺北市城東供銷場大違建的幕後人物？ .... 甘火文

我們對毀憲策動者的警告 .... 左舜生、張君勱、張發奎、李璜等

第 22 卷第 6 期，1960 年 3 月 16 日

怎樣才使國大的紛爭平息了的！ .... 社論(雷震／夏道平)

論無記名投票——進步的民主制度 .... 社論(雷震)

對於地方選舉的兩點起碼要求 .... 社論(傅正)

赫爾回憶錄序 .... 胡適

致全體國大代表書——關於修改憲法及總統連任問題 .... 董時進

一個要求‧一條大道——盼國民黨當局慎重考慮問題 .... 王嵐僧

揭穿國民黨所謂安全措施下的選舉舞弊 .... 李福春、李賜卿

爭取臺灣地方選舉的重點 .... 楊基振

異哉！所謂國大代表總額問題！ .... 龍在天

從臺中縣地方選舉實例談到公平合法 .... 林觀道

港報一致抨擊彭孟緝！ .... 方望思

新成立的日本民主社會黨 .... 黃洋

論今本紅樓夢的後四十回(上) .... 趙岡

哀思錄引(詩) .... 李經

黃昏在唐人街 .... 叢甦

看國大幕後活動如此這般！ .... 汪文瑞

談大圈圈裏的小圈圈 .... 小市民

在國民大會反對修改憲法和臨時條款的書面意見 .... 雷震

徐堪先生來函 .... 徐堪

余建中先生來函 .... 余建中

第 22 卷第 7 期，1960 年 4 月 1 日

蔣總統如何向歷史交待？ .... 社論(夏道平)

韓國的流血選舉與反對派的榜樣 .... 社論

就地方選舉向國民黨再進一言 .... 社論

臺灣地方選舉的「三黨主義」 .... 朱文伯

從把握時機促進團結說到地方選舉 .... 楊金虎

由地方選舉看民主政治的前途 .... 王嵐僧

割除選癌‧收拾民心 .... 王地

執政黨控制下的臺北市議會如此總質詢！ .... 宋霖康

寫在「臺灣地方自治與選舉的檢討」之前——代序 .... 雷震

美國大選前途的展望 .... 南園

「黑馬」與「寵兒」 .... 喬志高

論今本紅樓夢的後四十回(下) .... 趙岡

江湖行(十八續) .... 徐訏

如此擁護連任！ .... 南瀛

請問政府用意何在？ .... 陳袁言

「陳情書」 .... 第二光盛輪難屬代表

敬向教育廳劉廳長請教 .... 譚益齋

在野黨及無黨無派人士對於本屆地方選舉向國民黨及政府提出的十五點要求(來件) .... 雷震

第 22 卷第 8 期，1960 年 4 月 16 日

請投在野黨和無黨無派候選人一票！ .... 社論(傅正)

物價，公教待遇與財政 .... 社論

國民黨豈可重演違法競選的故技？ .... 社論(傅正)

臺灣的選舉為甚麼辦不好？ .... 陳咸森

希望能得到公平！——談我這次參加臺中市長競選的觀感 .... 何春木

人心！人心！人心！——從臺中縣、臺南市、雲林縣事例說到唐秘書長和田部長的談話 .... 雷震

黃啓瑞能向臺北市民交代嗎？ .... 傅正

對本屆地方選舉應有的認識和態度 .... 楊基振

看臺灣各縣市群雄角逐！——關於全省二十一縣市選局報導 .... 本刊資料室

江湖行(十九續) .... 徐訏

請問黃市長 .... 沈澤清

怪哉！所謂葉廷珪政見「語句刺激」！ .... 高心平

有感於雲林縣長候選人黃文斗登記受阻撓 .... 張思海

由蔡金塗被捕談法治 .... 文漢瑞

請看基隆市海水浴場一篇濫賬是誰搞的！——從去年十月我反對提名李國俊競選市長說起 .... 江秀文

中國民主社會黨對臺灣省本屆地方選舉的聲明 .... 中國民主社會黨

梁財源蘇朝清先生來函 .... 梁財源、蘇朝清

第 22 卷第 9 期，1960 年 5 月 1 日

「五四」是我們的燈塔！ .... 社論(殷海光)

韓國人民的憤怒驚醒了美國政府！ .... 社論

這樣的地方選舉能算「公平合法」嗎？ .... 社論(傅正)

政府不應縱容中廣公司違法！ .... 社論

斲害「五四精神」的幽靈——現代中國社會心理的分析 .... 謝文孫

郝希曼論平衡發展 .... 馬逢華

談軍人待遇與生活實況——兼論其對於士氣和建軍的影響 .... 彭觀清

介紹明年美國新總統 .... 董鼎山

學術自由在臺大？ .... 石翠

談美國的總統預選 .... 黃錫照

江湖行(二十續) .... 徐訏

請解禁攝影範圍 .... 一攝影者

從美國看臺灣 .... 玉東

一腔孤憤話醫療 .... 黃漢昇

第 22 卷第 10 期，1960 年 5 月 16 日

「反共」不是黑暗統治的護符！ .... 社論(殷海光)

違法舞弊的臺南市長選舉應宣告無效 .... 社論

我們為什麼迫切需要一個強有力的反對黨 .... 雷震

給雷震先生的一封公開信 .... 殷海光

人類乘太空船進入太空問題 .... 方子衛

評「工商日報」對南韓政治風暴的看法 .... 傅正

赫魯雪夫法國之行 .... 程天牧

痛話臺中市長選舉 .... 柯一民

高階層會議不會解決基本問題 .... 董鼎山

蝸居和漂鳥 .... 叢甦

江湖行(二十一續) .... 徐訏

看交通部的疏遷德政！ .... 一鳴

再向教育廳劉廳長請教 .... 譚益齋

我支持臺南市選民檢舉辛文炳 .... 洪安邦

立法委員唐嗣堯對行政院五十年度總預算之質詢 .... 李子

台北市警察局來函 .... 台北市警察局

第 22 卷第 11 期，1960 年 6 月 1 日

國庫不是國民黨的私囊！——從民社黨拒受宣傳補助費說到國民黨把國庫當作黨庫 .... 社論

警備總部不應根據盛世才挾嫌誣告而濫行捕人 .... 社論(雷震)

韓政演變的光明啓示——人類理性時代的展開 .... 社論

西德聯邦憲法法院與自由民主 .... 劉慶瑞

從「國際難民年」看香港區的中國難民 .... 佘陽

競選縣長三次落選感言 .... 石錫勳

論設置「憲政研討委員會」的法律根據 .... 龍在天

在野黨及無黨無派人士舉行本屆地方選舉檢討會紀錄摘要 .... 選舉檢討

從郭雨新當選看人心 .... 張健生

瀑布(詩) .... 周策縱

江湖行(二十二續) .... 徐訏

再看交通部的疏建德政 .... 路誠

給臺大石翠同學的一封公開信 .... 師大學生・季玉

本刊對臺南市「萬人簽署請願書」代表蔡炎炭、吳旺根、蔡德邨、林再傳、

　　翁余森櫻等的答覆 .... 自由中國

田功震、耿汝冰先生來函 .... 田功震、耿汝冰

第 22 卷第 12 期，1960 年 6 月 16 日

歡迎艾森豪總統訪華 .... 社論

從行政院改組說到陳院長觀念中的經濟建設 .... 社論(夏道平)

為軍公教人員叫不平 .... 社論(夏道平)

土耳其政變的教訓——兼論反對黨的正面價值 .... 社論

我對于三民主義的看法和建議 .... 殷海光

試談文化問題 .... 楊懋春

唱票員要做到魔術師之重視觀眾 .... 李賜卿

論修正考試院組織法 .... 龍在天

選舉改進座談會的聲明 .... 傅正

日美條約閃電式通過引起的日本政治風暴 .... 黃洋

大選年美國朝野在國防問題上之爭論 .... 朱心恆

江湖行(二十三續) .... 徐訏

擺渡船上(詩) .... 周夢蝶

「跛鴨」與「拉夫」 .... 喬志高

「西遊記與中國古代政治」 .... 楊正之

一群士兵的幾個疑問 .... 刁免戈

給公費留學倡議諸公的幾點建議 .... 慎和

請問戰時海外特別匯款何時解凍？ .... 郭海浪

立法委員一百六十一人對於總統未依憲法規定將行政院長提請同意之質詢 .... 立法委員

交通部祕書室來函 .... 交通部祕書室

第 23 卷第 1 期，1960 年 7 月 1 日

誰是真正的多數？ .... 社論

與陳兼院長論反對黨 .... 社論(雷震)

從待遇調整案的發展與結束展望政局前途 .... 社論

反對黨不能組織起來嗎？ .... 葉時修

對貨幣數量說之探討 .... 楊剛毅

臺大青年的心聲 .... 攀星

談現行高普考的考試制度 .... 仲夏

選舉改進座談會鄭重要求內政部長連震東公開答覆 .... 特載(傅正)

旁聽第十六屆亞洲遠東經濟委員會年會偶拾 .... 荇子

坐筵 .... 姚詠蕚

江湖行(二十四續) .... 徐訏

田炯錦委員長的「駕重就熟」 .... 汗之孫

對交通部更正函的駁正 .... 一鳴

李萬居先生在選舉改進座談會委員會議第一次會議中致開會辭全文 ..... 李萬居

第 23 卷第 2 期，1960 年 7 月 16 日

臺灣人與大陸人 .... 社論(夏道平)

我們要有說真話的自由 .... 社論(殷海光)

創辦新報的限制該解除了吧！——今天連違法的根據也沒有了 .... 社論

我對於在野黨的基本建議 .... 殷海光

評高等法院對臺北市省議員選舉訴訟的判決 .... 洪安邦

談中共中央所犯教條錯誤及其意向 .... 王厚生

日本國會議員個人之特權 .... 林秋水

從日本矢野馬戲團開鑼說到張祥傳濫權 .... 袁治本

介紹國際新聞學會對臺灣新聞自由的報告 .... 耿瀑志

江湖行(二十五續) .... 徐訏

天理良心——對交通部更正函的駁正 .... 路誠

我們對於調整待遇案的抗議 .... 一群陸軍中下級軍官

希望公佈調整待遇案明細表 .... 刁聯珊

論中華路違章建築整建後間位分配問題 .... 富伯平、梁肅戎、李公權

第 23 卷第 3 期，1960 年 8 月 1 日

黨霸教育的真面目——兼論政大教授李聲庭解聘事 .... 社論

司法獨立與司法人員的管理 .... 社論

中央銀行復業問題 .... 社論

重行考慮「中國問題」 .... Chester Bowles 原作／蔣勻田譯

我們衷心期待的反對黨 .... 楊金虎

科學與裁軍 .... 方子衛

談今日臺灣的交通問題 .... 余諫

毛澤東困獸猶鬥...金思愷

從公論報奪產事件看張祥傳橫行霸道...易駿

從大安農會改選流血說到縣長何金生枉妄措置...應沉吟

江湖行(續完)...徐訏

喜宴...琦君

交通部前總務司長被控變相敲詐豈可無下文！...馮溫炳

請改善各甲種平交道安全設備裝置...一群看柵工

第 23 卷第 4 期，1960 年 8 月 16 日

留學生為甚麼去多回少？...社論

人為的水災...社論

評選舉監察辦法修正案——國民黨黨政當局再不要玩弄手法了！.........................社論

駁斥黨報官報的謬論和誣衊——所謂「政黨的承認」和「共匪支持新黨」.............雷震

論「西山會議派」——民國史實試論之一...唐德剛

評「經濟部建立證券市場研究小組報告書」...周正元

談古巴危機真相與美國的對策...力元生

印度的不能接觸階級...徐夜窗

歷盡艱辛的日美安全保障條約...黃洋

爺爺的寶貝...聶華苓

「埋沙集」書前...顧一樵

為師大費副教授呼籲社會正義！...程和

向蒙藏委員會委員長請教！...汗之孫

張祥傳、蔡水勝先生來函...張祥傳、蔡水勝

第 23 卷第 5 期，1960 年 9 月 1 日

三論青年反共救國團撤銷問題...社論(傅正)

大江東流擋不住！...社論(殷海光)

寮國政變對自由世界的教訓...社論

七論反對黨——代結論...朱伴耘

論組黨與反共復國的契機...傅添榮

誘買試題案裡的人權問題...龔一中

解除留學生出國的難關...劉道孟

選舉改進座談會緊急聲明...雷震、李萬居、高玉樹

政黨的承認問題...中央日報

組政黨何需經過另一政黨承認？...星島日報

作者索引

譯作者　篇名　　　　　　　　　　　　　　　　　　　　　　**日期 卷期**

中國民主社會黨第二屆全國黨員代表大會宣言(來件)..................................9/1/59　**21:5**

世界人權宣言(附錄)..12/1/58　**19:11**

【A】

Aiken, Conrad 原作／余光中譯

聖陵的晨歌..5/1/58　**18:9**

Armstrong, O. K.原作／秦維明譯

在德國俄國共產黨最怕的人...3/16/50　**2:6**

【B】

Baciu, Uicolas 原作／子介節譯

一幅亡命圖..9/16/50　**3:6**

Bernard, S.原作／一思譯

西方的抉擇(上)..7/1/53　**9:1**

西方的抉擇(下)..7/16/53　**9:2**

Bowles, Chester 原作

印度共產黨的前途[焦木譯]...3/1/54　**10:5**

重行考慮「中國問題」[蔣勻田譯]..8/1/60　**23:3**

Brand, Vance 講／毛樹清譯

自由經濟與開發貸款...12/16/59　**21:12**

Budenz, L. F.原作／焦木譯

蘇俄在美國的陰謀...4/16/52　**6:8**

Burnhan, James 原作／聶華苓譯

太平洋學會如何幫助史達林赤化中國(上)..7/16/52　**7:2**

太平洋學會如何幫助史達林赤化中國(下)..8/1/52　**7:3**

【C】

Carr, Robert Spencer 原作／黃沙譯

　一個喬治亞的廚子 .... 2/1/53　**8:3**

Carroll, Wallace 原作／遠思譯

　以俄制俄 .... 5/1/50　**2:9**

Chamberlin, W. H.原作／召中譯

　糾正世人對共產主義的錯覺 .... 12/1/51　**5:11**

Conger, Lesley 原作／聶華苓譯

　青春戀(小說) .... 9/16/52　**7:6**

【D】

Davies, A. Powell 原作／何欣譯

　民主真詮(上) .... 11/16/54　**11:10**

　民主真詮(下) .... 12/16/54　**11:12**

Doyle, Robert 原作／本刊資料室譯

　美國記者眼中的赤色上海 .... 1/1/50　**2:1**

【E】

Egloff, Gustav 原作／遙聲譯

　從中東現勢看戰略性的石油供應 .... 4/1/51　**4:7**

Einstein, Albert (愛因斯坦)原作

　科學定律與倫理定律[殷海光譯] .... 5/1/55　**12:9**

　愛因斯坦的人生哲學[劉世超譯] .... 1/1/53　**8:1**

Emmerson, Dorothy 原作／陶冬心譯

　如此莫斯科！ .... 12/1/52　**7:11**

Epstein, Jacob 原作／遠思譯

　蘇俄的話算數嗎？ .... 10/1/50　**3:7**

【F】

Fellers, B.原作／幼麟譯

　從中東問題說到非洲的戰略地位 .... 10/16/51　**5:8**

Finletter, Thomas K.(芬萊特)原作／金郁彰譯

　蘇俄何時能發動大戰？ .... 1/1/55　**12:1**

【H】

Handler, M. S.原作／程之行譯

　狄托叛離了蘇俄嗎？（上）....................................... 11/16/52　**7:10**

　狄托叛離了蘇俄嗎？（下）....................................... 12/1/52　**7:11**

Hayek, H. A.(海耶克)原作／殷海光譯

　安全與自由 .... 7/1/54　**11:1**

　放棄了的道路 .... 9/1/53　**9:5**

　法治底要旨 .... 12/16/53　**9:12**

　個體主義與民主政治 .... 11/16/53　**9:10**

　迷妄的平等 .... 4/16/54　**10:8**

　偉大的烏托邦 .... 9/16/53　**9:6**

　統制經濟底種種危害 .... 2/1/54　**10:3**

　管制計劃是無可避免的嗎？ .... 11/1/53　**9:9**

　管制計劃與自由計劃 .... 10/1/53　**9:7**

　論思想國有 .... 10/1/54　**11:7**

　壞人為何得勢？ .... 7/16/54　**11:2**

Hotchner, A. E.原作／聶華苓譯

　生・死・哀・樂 .... 6/1/52　**6:11**

【K】

Kelen, Stephen 原作／陶冬心譯

　柴卻羅夫上校 .... 4/1/53　**8:7**

Kelsen, Hans 原作／王正路譯

　布爾雪維克對民主的曲解 .... 11/16/51　**5:10**

　辯證法和黑格爾的歷史神學 .... 9/16/51　**5:6**

Kemney, George 原作／李循和譯

　東歐社會經濟現況 .... 1/1/54　**10:1**

Kirk, Grayso 原作／徐里譯

　知識——最有力量的武器 .... 6/16/54　**10:12**

Knight, Bruce Winton 原作／遠思譯

　　自由是不可分的 .... 4/1/52　**6:7**

【L】

Lannia 原作／陶冬心譯

　　一個站在鏡子前面的人 .... 8/16/52　**7:4**

Lederer, W. J.原作／朱雲浪譯

　　永誌不忘的佩斐爾特號 .... 6/1/55　**12:11**

Lipper, Elinor 原作／章生道譯

　　蘇俄囚營十一年記(上) .... 7/16/51　**5:2**

　　蘇俄囚營十一年記(中) .... 8/1/51　**5:3**

　　蘇俄囚營十一年記(下) .... 8/16/51　**5:4**

Lodge, H. C.原作／王召中譯

　　不必害怕 .... 6/1/51　**4:11**

【M】

Miller, Arther 原作／李經譯

　　悲劇與英雄 .... 8/1/59　**21:3**

Ludwig von Mises (米塞斯)原作／夏道平譯

　　反資本主義的心理(一) .... 1/1/57　**16:1**

　　反資本主義的心理(二) .... 1/16/57　**16:2**

　　反資本主義的心理(三) .... 2/1/57　**16:3**

　　反資本主義的心理(四) .... 2/16/57　**16:4**

Morse, J. F.原作／遠思譯

　　我們如何爭取世界 .... 2/16/50　**2:4**

【N】

Neumann, F. L.原作／陳克文譯

　　政治力量的分析研究 .... 2/16/53　**8:4**

Nichols, Willam I.原作／遠思譯

　　史達林帝國的致命傷 .... 3/16/51　**4:6**

【O】

Ouillen, James 原作／周淑清譯

教育計劃中的優先事項 8/16/56 **15:4**

【P】

Padover, Saul K. 原作／申思聰譯

傑弗遜的政治思想 1/16/52 **6:2**

Penrose, Stephen B. L. 原作／關迪潛譯

亞拉伯人爲甚麼反對美國 9/1/52 **7:5**

Powys, T. F. 原作／薩滿譯

有回音的房屋 10/16/54 **11:8**

【Q】

Quesado, Gonzalo de 原作／漢聲譯

華僑與古巴獨立 3/1/57 **16:5**

【R】

Raditsa, Bogdan 原作／竹章摘譯

蘇俄如何赤化附庸國 5/1/51 **4:9**

Russell, Bertrand (羅素) 原作

未來八十年 [葉雨桌譯] 4/16/53 **8:8**

我們的時代是開場還是收場？[劉世超譯] 2/1/55 **12:3**

爲害於人類的觀念 [殷海光譯] 12/16/52 **7:12**

格蘭斯頓與列寧 [聶華苓譯] 4/1/51 **4:7**

神話與魔術 [劉世超譯] 2/1/59 **20:3**

羅素自述 [林毓生譯] 8/1/56 **15:3**

羅素的人生哲學 [劉世超譯] 3/1/53 **8:5**

權威與個人(一) [汪仲譯] 9/18/55 **13:6**

權威與個人(二) [汪仲譯] 10/1/55 **13:7**

權威與個人(三) [汪仲譯] 11/5/55 **13:9**

權威與個人(四) [汪仲譯] 12/1/55 **13:11**

權威與個人(五) [汪仲譯] 1/1/56 **14:1**

Russell, Bertrand (羅素)原作[續前]

　權威與個人(六)[汪仲譯] ....1/16/56　**14:2**

　邏輯解析的哲學[張尚德譯] ....9/5/57　**17:5**

【S】

Saki (沙基)原作／思果譯

　鼠 ....4/16/58　**18:8**

Salisbury, Harrison E.原作／董鼎山摘譯

　赫魯雪夫治下的蘇俄(上) ....11/1/59　**21:9**

　赫魯雪夫治下的蘇俄(下) ....12/5/59　**21:11**

Sharpe, Robert L.原作／隱輝譯

　韓戰餘生記 ....4/16/51　**4:8**

Skouras, Spyros 原作／本刊資料室譯

　希臘如何對共產主義作戰？ ....3/1/50　**2:5**

Slichter, Sumner 原作／楊志希譯

　美國是否走向另一經濟恐慌？ ....4/1/53　**8:7**

Smith, T. V. & Lindeman, Eduard C.原作／夏道平節譯

　爲目的可以不擇手段嗎？ ....5/1/54　**10:9**

Stevenson, Adlai E.原作／董鼎山節譯

　要者居先！──美國民主黨領袖史蒂文生的看法 ....2/1/60　**22:3**

Stokes, Richard L.原作／李卿之節譯

　氫原子彈的煙幕 ....6/16/50　**2:12**

【T】

Toledano, R. D. & Lasky, V.原作／遠思節譯

　美奸希斯叛國原委(一) ....7/1/50　**3:1**

　美奸希斯叛國原委(二) ....7/16/50　**3:2**

　美奸希斯叛國原委(三) ....8/1/50　**3:3**

　美奸希斯叛國原委(續完) ....8/16/50　**3:4**

【V】

Virski, Fred 原作／冰生譯

　我在紅軍的生活 .... 2/16/50　**2:4**

　蘇聯何其盲目 .... 1/16/50　**2:2**

Visson, Andre 原作／熊望權譯

　西班牙的政經狀況及其戰略價值 .... 6/16/53　**8:12**

【W】

Wells, Sumner 原作／隱輝譯

　美國外交之謎 .... 5/16/51　**4:10**

White, W. L.原作／林茂心譯

　一個選擇了自由的蘇俄飛行員(上) .... 4/1/50　**2:7**

　一個選擇了自由的俄國飛行員(下) .... 4/16/50　**2:8**

White, William 原作／本刊資料室特譯

　一個俄國空軍上校初到美國 .... 11/20/49　**1:1**

Wolfe, Bertram D.原作／遠思譯

　沒有史達林的第一個十一月 .... 12/16/53　**9:12**

Wright, Quincy 原作／呂光譯

　人權與聯合國憲章之修訂 .... 5/16/56　**14:10**

【一劃】

一思

　西方的抉擇(上)〔譯作，原作者：S. Bernard〕 .... 7/1/53　**9:1**

　西方的抉擇(下)〔譯作，原作者：S. Bernard〕 .... 7/16/53　**9:2**

　赫魯歇夫秘密演說全文 11/16/56 **15:10**

一部份臺灣大專教授

　一部份臺灣大專教授的來函 6/16/58 **18:12**

一群三軍官校停訓生

　請聽我們的控訴！ 12/16/59 **21:12**

一群大學生

　請外匯貿易審議會答覆 .... 11/5/58　**19:9**

【一劃】(續)

一群中國大陸流亡學生

我們的呼聲——給臺灣及海外中國同胞的一封公開信 .... 9/1/58　**19:5**

一群丘八

當兵的還敢談享受？ .... 2/1/59　**20:3**

一群看柵工

請改善各甲種平交道安全設備裝置 .... 8/1/60　**23:3**

一群第七期海軍預備軍官

我們的薪餉到那裏去了？ .... 2/16/59　**20:4**

一群第七期海軍預備軍官

我們對海軍總部的期望 .... 3/1/59　**20:5**

一群陸軍中下級軍官

我們對於調整待遇案的抗議 .... 7/16/60　**23:2**

一群監所管理員

從監所條例看司法行政部的法治精神 .... 1/1/59　**20:1**

一群臺大學生

談臺灣大學的擁護連任運動 .... 1/16/60　**22:2**

一群讀者

也談「人才下鄉」 .... 10/1/58　**19:7**

一鳴

印支華僑教育問題 .... 10/16/52　**7:8**

看交通部的疏遷德政！ .... 5/16/60　**22:10**

對交通部更正函的駁正 .... 7/1/60　**23:1**

一鶚

巴黎麟爪(巴黎通訊) .... 2/16/51　**4:4**

匈牙利中產階級在慢性死亡中 .... 9/1/52　**7:5**

抗俄聲中的西歐(巴黎通訊)[譯作] .... 3/1/51　**4:5**

爲自由而戰[譯作，原作者：漢爾登] .... 2/16/51　**4:4**

曾葆蓀爲國爭光(巴黎通訊) .... 5/1/52　**6:9**

【一劃】(續)

一攝影者

請解禁攝影範圍 5/1/60 **22:9**

一讀者

一個教育人員子弟給劉廳長的信 1/1/60 **22:1**

【二劃】

丁匡華

印度支那的華僑(河內通訊) 7/1/52 **7:1**

剖解中共「經建公債」 3/16/54 **10:6**

越南的紅禍 9/16/52 **7:6**

越南政壇上的風雲(西貢通訊) 8/16/52 **7:4**

越南戰局透視 11/16/52 **7:10**

丁堅

中東危機、納塞主義、與高階層會議 8/16/58 **19:4**

尼克森在南美受辱的前因後果 6/16/58 **18:12**

民意是不是在立法院？ 7/16/58 **19:2**

狄托與莫斯科爭執內情與影響 6/1/58 **18:11**

高階層會議前夕的美國外交政策檢討 5/1/58 **18:9**

丁開誠

同是後備軍人，何以厚彼薄此？ 12/16/56 **15:12**

退除役官兵待遇直言 9/16/58 **19:6**

丁劍霞

也有感於臺大聘委會拒聘事件 10/16/54 **11:8**

刁免戈

一群士兵的幾個疑問 6/16/60 **22:12**

刁聯珊

希望公佈調整待遇案明細表 7/16/60 **23:2**

力元生

加拿大自由黨之政策及其成就 4/16/57 **16:8**

談古巴危機真相與美國的對策 8/16/60 **23:4**

【三劃】

上官予

自由之歌 .... 2/1/53　**8:3**

凡夫

經濟學新辭典 .... 1/16/57　**16:2**

凡生

漫談教學自由 .... 12/1/55　**13:11**

士瑋

「爭取人民」讀後感 .... 2/1/51　**4:3**

子介

一幅亡命圖[譯作，原作者：Uicolas Baciu] ... 9/16/50　**3:6**

子水

介紹「人文現象的理解(第一輯)」 .... 1/1/55　**12:1**

子強

泡沫 .... 3/16/50　**2:6**

爲胡適之先生有關文藝的談話進一解 .... 1/1/53　**8:1**

被遺忘的人 .... 1/16/58　**18:2**

鵝與主人 .... 6/1/55　**12:11**

小市民

談大圈圈裏的小圈圈 .... 3/16/60　**22:6**

小野秀雄原作／郭恒鈺譯

自由社會基於出版自由 .... 9/16/59　**21:6**

山空

「無失論」與賣國賊 .... 12/5/49　**1:2**

【四劃】

不文

西班牙留學生的憤怒(瑪德里通訊) .... 8/1/51　**5:3**

中央日報

政黨的承認問題 .... 9/1/60　**23:5**

【四劃】(續)

中央社編譯部

戰後歐洲的社會主義(翻譯) .... 5/16/52　**6:10**

中央信託局

中央信託局來函 .... 9/5/57　**17:5**

中國民主社會黨

中國民主社會黨對臺灣省本屆地方選舉的聲明 .... 4/16/60　**22:8**

中國國民黨中央委員會秘書處

中國國民黨中央委員會秘書處來函 .... 3/16/58　**18:6**

中華標準教科書地理科編輯委員會

中華標準教科書地理科編輯委員會來函 11/16/57 **17:10**

丹心

中共怎樣奴役工人階級(香港通訊) .... 8/16/51　**5:4**

之尹

紅色中國的叛徒 .... 3/16/51　**4:6**

尹輝

馬來亞的剿共戰爭(新加坡通訊) .... 1/1/52　**6:1**

公孫嬿

老碉頭的風情畫 .... 8/1/54　**11:3**

砲戰話金門 .... 11/1/54　**11:9**

屠狗者 .... 6/1/53　**8:11**

尋夢與畫夢 .... 12/16/53　**9:12**

琴心 .... 5/1/55　**12:9**

嗩吶 .... 10/1/54　**11:7**

公論報

也談談政黨的承認問題 .... 9/1/60　**23:5**

天南

一封沒寄出的信 .... 3/1/50　**2:5**

孔治

巴格達公約會議 .... 3/1/58　**18:5**

【四劃】(續)

孔治 [續前]

法國原子政策及其對國際局勢的影響 .... 9/16/59　**21:6**

法國新閣的政治及其瞻望 .... 9/16/57　**17:6**

從國際輿論看北大西洋公約會議之成果 .... 2/16/58　**18:4**

戴高樂組閣的前前後後 .... 8/1/58　**19:3**

孔祥之

我要追問「標準教科書」盈餘款項問題 .... 7/1/58　**19:1**

尤光先

給胡適之先生的公開信 .... 6/1/54　**10:11**

尤錫光

請教育當局制止學店之風！ .... 3/16/59　**20:6**

巴布島

卡斯特羅其人與古巴 .... 10/16/59　**21:8**

巴格諾考斯基原作

史太林主義者必將被征服、推翻、和廢除！(美國通信) .... 3/1/50　**2:5**

心白

關切的語片(金門通訊) .... 10/1/50　**3:7**

戈福江

臺灣的畜牧 .... 7/16/51　**5:2**

文忠

香港政府審判中國人竟改用中共法律 .... 10/16/54　**11:8**

文波

躍向自由(上) [節譯，原作者：嘉森金納夫人] .... 10/16/50　**3:8**

躍向自由(中) [節譯，原作者：嘉森金納夫人] .... 11/1/50　**3:9**

躍向自由(下) [節譯，原作者：嘉森金納夫人] .... 11/16/50　**3:10**

文信國

正視現實與解決問題——有感於退除役軍人變賣「戰士授田證」 .... 2/16/60　**22:4**

文農

自由中國東西橫貫公路的建設 .... 10/1/58　**19:7**

【四劃】(續)

文漢瑞

  由蔡金塗被捕談法治 .... 4/16/60　**22:8**

  臺灣省議會的悲哀！ 5/16/59 **20:10**

文靜

  看陸軍射擊比賽大會(鳳山通訊) .... 3/16/51　**4:6**

方一諤

  責任與榮譽 6/1/55 **12:11**

方子衛

  人類乘太空船進入太空問題 5/16/60 **22:10**

  科學與裁軍 .... 8/1/60　**23:3**

方及

  中東的危機 .... 1/1/56　**14:1**

  巴爾幹軍事聯防簽字 .... 10/1/54　**11:7**

  日內瓦會外散記 .... 9/1/55　**13:5**

  政潮起伏的意大利 .... 5/1/54　**10:9**

  風雲變幻中的的港 .... 12/16/53　**9:12**

  埃及爲何走向蘇俄？ .... 3/16/56　**14:6**

  意大利普選前夕 .... 5/16/53　**8:10**

  意大利選舉的前前後後 .... 7/1/53　**9:1**

  新興土耳其 .... 10/16/54　**11:8**

  蘇俄向狄托進香 .... 7/1/55　**13:1**

  蘇俄實力總檢討 .... 2/1/55　**12:3**

  蘇俄窺視下的地中海 .... 4/16/54　**10:8**

方亦文

  古城春色(金門通訊) .... 6/16/50　**2:12**

方思

  等待(新詩) 6/16/54 **10:12**

  談文藝批評 .... 5/1/54　**10:9**

方思

  「追求幻想的人們」 .... 2/16/60　**22:4**

【四劃】(續)

方望思

中國留學生的號角響了！ 1/16/60 **22:2**

左舜生先生的答辯 8/16/59 **21:4**

海外人士的十二點國是意見 3/1/60 **22:5**

海外對總統三任問題的反應 6/1/59 **20:11**

港報一致抨擊彭孟緝！ 3/16/60 **22:6**

請看香港「聯合評論」 9/1/58 **19:5**

請看香港發出的臺灣政治颱風警報 2/16/59 **20:4**

請重視海外對總統連任問題的看法 12/5/59 **21:11**

方豪

中西文化交通小史 4/16/54 **10:8**

臺灣在政治上與文化上抗日的回顧 1/1/51 **4:1**

臺灣的文獻 4/1/52 **6:7**

論大學校長 2/16/51 **4:4**

毛子水

入學考試不及格怎麼辦？ 9/1/51 **5:5**

中國歷史參考圖譜 6/1/53 **8:11**

日本人民目前的平正大道 2/1/51 **4:3**

日本的和約問題和加入聯合國問題 3/1/51 **4:5**

史達林怎樣攫取中國的大陸國土？ 11/1/50 **3:9**

「自由中國」十週年感言 11/16/59 **21:10**

「容忍與自由」書後 4/1/59 **20:7**

常識與政治 5/16/51 **4:10**

傅孟真先生集 2/16/53 **8:4**

傅孟真先生傳略 1/1/51 **4:1**

試談文化的建設和反共的理論以壽蔣總統 10/31/56 **15:9**

綜核名實和政治 1/1/52 **6:1**

寬容和民主 6/16/51 **4:12**

論立法院通過「籌設中醫學校」 5/1/56 **14:9**

歷史的教訓和英國的國策 12/16/50 **3:12**

聯合國的憲章和「和平要義」 12/20/49 **1:3**

關於偉人的定義 3/16/50 **2:6**

【四劃】(續)

毛樹清

一個美國人眼中的孫中山先生與自由中國[譯作] 5/16/59 **20:10**

自由經濟與開發貸款[譯作，原作者：Vance Brand] 12/16/59 **21:12**

凱瑟在美國企業界的成就 2/1/59 **20:3**

水元

所望於教育當局者 11/16/57 **17:10**

水姬

臨別的光(獨幕劇)(上) 9/1/51 **5:5**

臨別的光(幕獨劇)(下) 9/16/51 **5:6**

片影

與共黨鬥爭中的印尼自由僑教 5/16/54 **10:10**

牛不凡

軍人應該任「冗」嗎？ 9/16/59 **21:6**

牛言度

離婚 1/1/51 **4:1**

犬養健原作／陸漸譯

美國對蘇政策 2/16/52 **6:4**

王大川

一件不容忽視的小事 10/16/56 **15:8**

水泥的配售與價管 6/1/56 **14:11**

目的何在？憤慨呢？還是恐怖？ 2/1/56 **14:3**

新生入學必須樂捐！？ 9/18/55 **13:6**

會考未行而弊端已見 5/1/56 **14:9**

王子定

臺灣應實施的林業政策 9/1/51 **5:5**

王仁泉

毛澤東即或成為狄托，難道我們就不反對嗎？ 3/1/50 **2:5**

王天民

印尼一瞥 2/1/60 **22:3**

【四劃】(續)

王少南

禁書要禁得合理 .... 6/1/55　**12:11**

王文瑞

評大專青年論文競賽 .... 1/1/59　**20:1**

王木公

談自由與違法 .... 1/16/57　**16:2**

王世杰

反共鬥爭中之台灣 .... 12/5/49　**1:2**

王世鈞

「惡性補習」與「惡性收費」 .... 7/16/58　**19:2**

王召中

不必害怕[譯作，原作者：H. C. Lodge] .... 6/1/51　**4:11**

王平陵

自由中國四幕劇(一) .... 2/16/51　**4:4**

自由中國四幕劇(二) .... 3/1/51　**4:5**

自由中國四幕劇(三) .... 3/16/51　**4:6**

自由中國四幕劇(四) .... 4/1/51　**4:7**

聞雞起舞(歷史短篇) .... 6/1/50　**2:11**

豪富的下場 .... 7/1/50　**3:1**

王正言

胎死腹中的臺中議長王地答辯書 .... 6/16/59　**20:12**

王正路

史達林對日本的新陰謀 .... 1/16/52　**6:2**

布爾雪維克對民主的曲解[譯作，原作者：Hans Kelsen] .... 11/16/51　**5:10**

辯證法和黑格爾的歷史神學[譯作，原作者：Hans Kelsen] .... 9/16/51　**5:6**

王生生

血證(北平通訊) .... 4/1/51　**4:7**

王光華

論中共的經濟政策 .... 9/16/50　**3:6**

【四劃】(續)

王地

　割除選癌・收拾民心 .... 4/1/60　**22:7**

　臺灣省地方自治法規修正草案芻議 .... 3/1/59　**20:5**

王安石

　「洪承疇」致前駐緬大使涂允檀書(曼谷通訊) .... 2/16/50　**2:4**

王有守

　省立農學院學生的哀鳴[合著者：凌天賜] 12/16/58 **19:12**

王有信

　個別審訊，強迫樂捐 12/1/57 **17:11**

王聿修

　一個自由經濟制度的成就 .... 1/1/50　**2:1**

　自由經濟必然平等 6/1/54 **10:11**

　社會主義未能改進生活 1/1/54 **10:1**

　建立我們的法律觀念 .... 9/5/57　**17:5**

王希穌

　論計劃與自由 .... 7/1/50　**3:1**

王志和

　戶稅要不得 .... 8/16/54　**11:4**

王其祿

　「抗美援朝」聲中的北平(北平通訊) .... 1/16/51　**4:2**

王叔岷

　錢穆先生的莊子纂箋 .... 7/1/52　**7:1**

王明生

　對「教職員婚喪互助辦法」的意見 12/16/59 **21:12**

王明龍

　妻以夫貴 .... 7/1/56　**15:1**

王東

　澳洲的反共活動(坎倍拉通訊) .... 8/16/52　**7:4**

【四劃】(續)

王沿津

日本東南亞經濟開發基金問題的檢討 6/16/58 **18:12**

日匪貿易之死結 1/1/58 **18:1**

王治修

採桑女(上) 9/1/53 **9:5**

採桑女(下) 9/16/53 **9:6**

王亮

院士候選人的名單應當公開 9/5/57 **17:5**

王厚生

人造衛星與社會制度 1/16/58 **18:2**

西藏抗暴的經過與影響 4/16/59 **20:8**

看中共與蘇共之間的關係 2/1/60 **22:3**

幾點國是意見 3/1/60 **22:5**

談中共中央所犯教條錯誤及其意向 7/16/60 **23:2**

談中共本身的矛盾 4/16/58 **18:8**

論民主自由運動與反對黨 6/1/59 **20:11**

論狄托在拉賓演說對大陸的影響 8/16/58 **19:4**

王建邦(傅正筆名)

請政府切實保障人權！ 12/1/58 **19:11**

王紀五

美國選舉前後 12/1/50 **3:11**

從物價管制看美國動員 3/1/51 **4:5**

揭開氫原子彈的秘密(美國通信) 3/16/50 **2:6**

雷諾事件在美國 8/1/57 **17:3**

王約翰

從胡適之陳獨秀談起(華府通訊)[合著者：常思玳] 11/16/51 **5:10**

王致忠

留學獎學金應該公開考選 3/1/52 **6:5**

王若愚

怎樣申請留美獎學金？ 8/1/54 **11:3**

【四劃】(續)

王家燕

「惡性畢業捐」應明令禁止 6/1/58 **18:11**

王師復

經濟社會化的政策性(上) 4/1/50 **2:7**

經濟社會化的政策性(下) 4/16/50 **2:8**

王師曾

政治建設的根本問題 10/31/56 **15:9**

王浩然

澄清所有的反時代思潮之逆流 6/1/52 **6:11**

關於留學考試「改進」辦法 8/16/55 **13:4**

王益崖

王益崖先生來函 7/1/57 **17:1**

王國復

大陸學人的面面觀(香港通訊) 7/16/51 **5:2**

王國璋

到世界和平之路！ 10/1/59 **21:7**

王嵐僧

一個要求・一條大道——盼國民黨當局慎重考慮問題 3/16/60 **22:6**

由地方選舉看民主政治的前途 4/1/60 **22:7**

論臺灣省的選舉 4/1/57 **16:7**

王曾善

美巴簽訂軍事協定 7/1/54 **11:1**

王超群

王超群先生來函 5/16/57 **16:10**

王鈞

我的解釋 5/16/57 **16:10**

王雲五

中東危機與其前途 5/16/58 **18:10**

民主與自由 1/1/50 **2:1**

【四劃】(續)

王雲五［續前］

由英國近年對外政策談英國民族性 .... 9/16/52　**7:6**

爭取人民 .... 1/1/51　**4:1**

理想與現實 .... 4/16/51　**4:8**

談教育機會均等問題 .... 8/1/51　**5:3**

遲回瞻顧後的日本 .... 2/1/52　**6:3**

蘇俄虎視下的中東現狀 .... 12/16/53　**9:12**

王敬羲

七星寮(上) .... 3/1/54　**10:5**

七星寮(下) .... 3/16/54　**10:6**

八月的天空 .... 9/16/54　**11:6**

吻 .... 8/16/54　**11:4**

我的小屋 .... 11/1/54　**11:9**

夜奔 .... 2/1/59　**20:3**

被擯棄的與被選擇的 .... 6/1/54　**10:11**

搖籃與竹馬(一) .... 3/16/55　**12:6**

搖籃與竹馬(二) .... 4/1/55　**12:7**

搖籃與竹馬(續完) .... 4/16/55　**12:8**

聖誕禮物 .... 1/1/55　**12:1**

鼓浪嶼之夏 .... 5/16/54　**10:10**

舞台 .... 12/16/53　**9:12**

王新衡

我對清算史達林的看法 .... 5/16/56　**14:10**

王達人

不平之鳴 .... 10/16/53　**9:8**

王夢熊

向臺北市長黃啓瑞進一言 .... 2/16/59　**20:4**

王德昭

論美國外交政策的目的(上)［譯作，原作者：樊際昌］ .... 9/16/53　**9:6**

論美國外交政策的目的(下)［譯作，原作者：樊際昌］ .... 10/1/53　**9:7**

【四劃】(續)

王德箴

致聯合國秘書長賴伊函 5/1/50 **2:9**

王魯

共黨覬覦下的泰國 6/16/54 **10:12**

回教世界中的巴基斯坦 10/1/55 **13:7**

走向虎口的印度 8/16/54 **11:4**

緬甸內部紛爭與中緬關係之發展 1/1/55 **12:1**

王勳

英國在馬來的窘態 10/1/52 **7:7**

王薇

意共內幕(羅馬通訊) 4/16/51 **4:8**

王藍

畫與我 2/1/51 **4:3**

王曦

給教育廳劉廳長的一封公開信[合著者：萬如鎔、譚謙] 9/1/59 **21:5**

【五劃】

丘仲言

一個軍人對「以軍為家運動」的看法 1/1/60 **22:1**

丘邑

下輩子 11/16/52 **7:10**

丘宛如

沙坪土貝風光黯淡(重慶通訊) 9/16/51 **5:6**

丘漢平

美國國情的透視 1/16/57 **16:2**

包平

國民黨的李國俊配當基隆市長候選人嗎？ 2/16/60 **22:4**

包時學

亞洲反共人民的團結問題 7/16/55 **13:2**

【五劃】(續)

北均

　自由鐘聲 .... 1/1/50　**2:1**

半葦

　原野之憶 .... 2/16/50　**2:4**

卡爾葛德文原作／本刊資料室譯

　一個自由人的最後一剎那 .... 12/5/49　**1:2**

召中

　一個美國記者眼中的南斯拉夫［譯作］ .... 1/1/52　**6:1**

　糾正世人對共產主義的錯覺［譯作，原作者：W. H. Chamberlin］ .... 12/1/51　**5:11**

司法行政秘書室

　司法行政秘書室來函 .... 3/16/58　**18:6**

司徒舜

　「革命性」的逃稅 .... 3/1/59　**20:5**

司徒謙益

　大陸學人自白書之借鑑 .... 3/16/52　**6:6**

司馬中原

　一粒灰塵 .... 3/1/60　**22:5**

　李隆老店 .... 2/1/58　**18:3**

　灼子 .... 9/5/57　**17:5**

司馬夫

　星加坡在轉變中 .... 10/16/56　**15:8**

　新加坡國的誕生 .... 7/1/59　**21:1**

司馬桑敦

　人間到處有青山 .... 7/1/53　**9:1**

　山洪暴發的時候 .... 10/1/53　**9:7**

　在寒冷的絕崖上 .... 2/16/54　**10:4**

　從紀德談起(作家書簡) .... 8/1/54　**11:3**

　湛山莊主人 .... 12/1/53　**9:11**

　額穆索的狼 .... 1/16/55　**12:2**

【五劃】(續)

史丹青

公共汽車應部份開放民營 12/1/56 **15:11**

抗議印尼政府非法捕僑 10/16/54 **11:8**

教育兩大措施質疑 3/16/56 **14:6**

史信

今日印尼 6/1/55 **12:11**

今日印尼(二) 6/16/55 **12:12**

今日印尼(三) 7/16/55 **13:2**

史大林死後的蘇俄(上)[摘譯] 1/1/56 **14:1**

史大林死後的蘇俄(下)[摘譯] 2/1/56 **14:3**

印尼大選真相 11/16/55 **13:10**

印尼內在的危機 4/1/56 **14:7**

同床異夢的亞非會議 5/1/55 **12:9**

亞非會議素描 5/16/55 **12:10**

亞非學生會議之初貌 7/1/56 **15:1**

亞非學生會議公報全文 7/1/56 **15:1**

星加坡大暴動的始末 11/16/56 **15:10**

英馬獨立談判之前瞻 1/1/57 **16:1**

錫蘭大選之分析 5/1/56 **14:9**

史美玉

加強海外宣傳 5/16/52 **6:10**

史重光

堪注意的社會新聞 9/16/52 **7:6**

史浩然

從教廳重新規定中學生制服說起 9/16/53 **9:6**

史濟人

「奉命不上訴」的新論證 12/1/58 **19:11**

台北市警察局

台北市警察局來函 5/16/60 **22:10**

【五劃】(續)

台灣省政府教育廳秘書處

台灣省政府教育廳秘書處來函 .... 7/16/58　**19:2**

台灣省雜誌協會

台灣省雜誌協會各會員刊物對建立戰時生活體制的共同呼籲......................... 7/1/50　**3:1**

台灣高等法院書記室

台灣高等法院來函 .... 1/16/59　**20:2**

左舜生

中國能抄襲蘇聯嗎？ .... 1/16/50　**2:2**

我們對毀憲策動者的警告[合著者：張君勱、張發奎、李璜等] .... 3/1/60　**22:5**

趕快解決對日和約問題 .... 7/1/50　**3:1**

布朗先生、教育廳、李致一

關於師範學院事件的來函三件 .... 9/1/53　**9:5**

幼麟

從中東問題說到非洲的戰略地位[譯作，原作者：B. Fellers] .... 10/16/51　**5:8**

本六

史太林──彼得大帝遺囑的執行人[譯作，原作者：瑞士世界一週] .... 3/1/50　**2:5**

本刊

反共戰爭的本質──傅斯年先生的談片 .... 12/5/49　**1:2**

本刊記者

請看新竹縣試辦「國校畢業生免試升學」之成果 .... 5/16/57　**16:10**

本刊資料室

一個自由人的最後一剎那[譯作，德文原作者：卡爾萵] .... 12/5/49　**1:2**

一個俄國空軍上校初到美國[譯作，原作者：William White] .... 11/20/49　**1:1**

共產國際的七種戰略[譯作，原作者：馬丁依本] .... 12/5/49　**1:2**

希臘如何對共產主義作戰？[譯作，原作者：Spyros Skouras] .... 3/1/50　**2:5**

承認中國赤色政權我們能有甚麼收穫？[譯作，原作者：美國星期六晚報社論] .... 12/20/49　**1:3**

看臺灣各縣市群雄角逐！──關於全省二十一縣市選局報導 .... 4/16/60　**22:8**

美國的收入是怎樣分配的[譯作，原作者：威廉哈德] .... 12/5/49　**1:2**

美國記者眼中的赤色上海[譯作，原作者：Robert Doyle] .... 1/1/50　**2:1**

【五劃】(續)

本刊資料室[續前]

美國與世界[譯作,原作者:杜魯門] .... 12/20/49　**1:3**

本杜

中近東問題座談會 6/16/56 **14:12**

卷頭語 .... 7/1/50　**3:1**

發刊詞[雷震] .... 11/20/49　**1:1**

鐵幕後面的故事 .... 11/20/49　**1:1**

民主中國

評「政黨的承認問題」 .... 9/1/60　**23:5**

民主潮

異哉所謂「政黨的承認問題」 .... 9/1/60　**23:5**

玉東

從美國看臺灣 .... 5/1/60　**22:9**

甘火文

再談誰是包庇臺北市城東供銷場大違建的幕後人物? .... 3/1/60　**22:5**

黑幕重重話違建 5/16/59 **20:10**

誰是包庇臺北市城東供銷場大違建的幕後人物? 12/16/59 **21:12**

田心

阿根廷獨裁者裴倫的倒臺 .... 10/1/55　**13:7**

新年語痛 .... 2/16/59　**20:4**

田功震、耿汝冰

田功震、耿汝冰先生來函 6/1/60 **22:11**

田言

讀「中國新聞法概論」再版書後 12/16/56 **15:12**

田雨耕

共匪最近在巴黎的活動 .... 3/16/56　**14:6**

法國最近會承認中共嗎? 5/16/56 **14:10**

英國最近對臺灣的態度 .... 3/16/55　**12:6**

從邱吉爾八十歲看歐洲「領導者」 .... 2/16/55　**12:4**

【五劃】(續)

田甚

正視教師待遇 10/1/54 **11:7**

田寧

越南分割前後的華僑動態 9/16/54 **11:6**

田曉

未來的李楊沒有教室！ 11/16/57 **17:10**

田灌夫

反理性主義與戰爭 2/16/51 **4:4**

田麟

大江東去(上) 4/16/51 **4:8**

大江東去(下) 5/1/51 **4:9**

念重慶 1/1/50 **2:1**

怒吼(上) 8/1/50 **3:3**

怒吼(下) 8/16/50 **3:4**

風波 4/1/50 **2:7**

申思聰

民主政治的起腳點 11/16/51 **5:10**

傑弗遜的政治思想[譯作，原作者：Saul K. Padover] 1/16/52 **6:2**

白眉

「全家福」及「三月十五日」 1/16/50 **2:2**

白瑜

自治捐與防衛捐及其紛爭與解決途徑 3/1/58 **18:5**

何貴乎有銀行？ 4/1/56 **14:7**

論最近兩大財經措施 9/18/55 **13:6**

論新所得稅法 8/1/56 **15:3**

歡迎僑資與整飭金融 8/1/55 **13:3**

白盧

芬蘭在熊爪下的掙扎(芬京通訊) 5/16/51 **4:10**

白鵬

如此中央日報玉里分銷處主任！ 11/16/58 **19:10**

【五劃】(續)

石佛

　緬甸對反共軍的煩惱 .... 7/1/55　**13:1**

石柱

　年終檢討會上 .... 1/16/58　**18:2**

石達生

　且看鹿死誰手(倫敦通訊) .... 10/1/51　**5:7**

石翠

　學術自由在臺大？ .... 5/1/60　**22:9**

石錫勳

　競選縣長三次落選感言 .... 6/1/60　**22:11**

石靈

　以黨治礦！ .... 12/16/56　**15:12**

立法委員

　立法委員一百六十一人對於總統未依憲法規定將行政院長提請同意之質詢 .... 6/16/60　**22:12**

【六劃】

交通部祕書室

　交通部祕書室來函 .... 6/16/60　**22:12**

交通部臺北電信局

　交通部臺北電信局來函 .... 4/1/56　**14:7**

伍家邦

　誰是「惡性補習」的禍首？ .... 7/16/58　**19:2**

伍俶

　憶孟真 .... 1/1/51　**4:1**

伍聞非

　從澳紐看「太平洋公約」 .... 5/1/53　**8:9**

仲岑

　百年罪惡[譯作] .... 7/1/51　**5:1**

【六劃】(續)

仲夏

談現行高普考的考試制度 7/1/60 **23:1**

仰光一讀者

仰光一讀者的來信 4/16/56 **14:8**

光中

二月之夜 3/16/57 **16:6**

仰望 4/16/57 **16:8**

雲 8/16/55 **13:4**

飲一八四二年葡萄酒 12/1/55 **13:11**

黃昏星 7/16/56 **15:2**

詩二首 4/16/56 **14:8**

歸吻 5/16/55 **12:10**

再生

中共統治下的長沙(長沙通訊) 10/16/50 **3:8**

冰生

我在紅軍的生活[譯作，原作者：Fred Virski] 2/16/50 **2:4**

蘇聯何其盲目[譯作，原作者：Fred Virski] 1/16/50 **2:2**

匡煥球

論港務警察的正名問題 2/16/58 **18:4**

向自由

韓國濟州島戰俘營生活素描 5/16/53 **8:10**

如濱

論「籌設中醫學校」案與所謂中西醫問題 9/1/56 **15:5**

字俊英

請看這樣無法無天的事！ 12/1/58 **19:11**

宇安

共黨如何歡迎「民主人士」(香港通訊) 6/1/50 **2:11**

安東

瑞典能守中立嗎？(西歐通訊) 6/1/52 **6:11**

【六劃】(續)

安泓

聞三軍官校停訓生保送大專有感 10/16/59 **21:8**

安道

天主教在蘇俄 1/16/53 **8:2**

艾帥返美前夕的西歐防務(西歐通訊) 5/16/52 **6:10**

艾森豪威爾與西歐(西歐通訊) 8/1/51 **5:3**

西德整軍問題(西歐通訊) 12/1/51 **5:11**

西德總理阿德諾 3/1/54 **10:5**

赤魔掌下的東歐天主教 11/16/52 **7:10**

東歐鐵幕背後(維也納通訊) 1/1/52 **6:1**

挪威站起來了(西歐通訊) 2/16/52 **6:4**

從狄托訪英說起 4/16/53 **8:8**

成舍我

「人權保障」與「言論自由」 3/16/55 **12:6**

中共將亡於「宣傳」 10/16/51 **5:8**

「黨報社論」是否「不值一讀」？ 11/1/54 **11:9**

成雨田

一個嚴重的青年教育問題 2/1/52 **6:3**

旭愚

薪俸與愛情(上)[譯作] 7/16/52 **7:2**

薪俸與愛情(下)[譯作] 8/1/52 **7:3**

曲靈鈞

對於軍事的兩個基本願望 11/16/59 **21:10**

論國民黨「以黨領軍政策」 10/16/59 **21:8**

朴日成

巨濟島風雲(釜山通訊) 6/1/52 **6:11**

朱大川

誰是「亡國主義」？誰是「救國主義」？ 2/1/58 **18:3**

朱介凡

「赤地」——良心論 8/1/55 **13:3**

【六劃】(續)

朱心恆

大選年美國朝野在國防問題上之爭論 ……………………………… 6/16/60 **22:12**

朱文伯

我看「選賢與能、節約守法」 …………………………………… 4/16/57 **16:8**

爲中國地方自治研究會再說幾句話 ………………………………… 1/16/59 **20:2**

修憲、毀憲與責任 ……………………………………………… 3/1/60 **22:5**

執政黨控制臺灣地方選舉的心理分析 ……………………………… 1/1/58 **18:1**

理論與事實——漫談人權保障問題 …………………………… 12/1/58 **19:11**

臺灣地方選舉的「三黨主義」 ……………………………………… 4/1/60 **22:7**

談談人民的集會結社自由 ……………………………………… 11/16/59 **21:10**

朱可立

福萊斯特爾陰魂的控訴［譯作］ ………………………………… 11/1/51 **5:9**

朱西甯

火炬的愛 ……………………………………………………… 3/1/52 **6:5**

再見，火車的輪聲！ …………………………………………… 4/1/59 **20:7**

何處是歸宿 …………………………………………………… 5/16/52 **6:10**

拾起屠刀 ……………………………………………………… 6/1/51 **4:11**

捶帖 …………………………………………………………… 6/1/58 **18:11**

新墳 ………………………………………………………… 12/16/57 **17:12**

劊子手 ………………………………………………………… 6/1/57 **16:11**

糖衣奎寧丸 …………………………………………………… 12/16/50 **3:12**

朱伴耘

一篇來自月球的世局分析 ………………………………………… 1/1/56 **14:1**

反對黨！反對黨！反對黨！ ……………………………………… 4/1/57 **16:7**

再論反對黨 …………………………………………………… 9/16/57 **17:6**

三論反對黨 …………………………………………………… 2/16/58 **18:4**

四論反對黨 …………………………………………………… 5/1/58 **18:9**

五論反對黨 …………………………………………………… 9/1/58 **19:5**

六論反對黨 …………………………………………………… 5/16/59 **20:10**

七論反對黨——代結論 …………………………………………… 9/1/60 **23:5**

世界未來局勢與中國前途 ………………………………………… 9/16/53 **9:6**

【六劃】(續)

朱伴耘[續前]

向美國政府進一言 .... 6/16/53　**8:12**

我對反共救國會議的希望 .... 12/16/53　**9:12**

武裝共存的面面觀 .... 1/1/55　**12:1**

邱吉爾導演的東西巨頭會議 .... 12/1/53　**9:11**

政治與自私 .... 12/1/52　**7:11**

春風綠來話和平 .... 6/1/53　**8:11**

美國全面外交的新展望 .... 1/16/53　**8:2**

美國能再徬徨觀望嗎？ .... 9/16/54　**11:6**

美國積極外交的面面觀 .... 4/16/53　**8:8**

從艾赫互相訪問談到美國對蘇的新認識 .... 9/1/59　**21:5**

從政府威信談到國是會議 .... 10/16/57　**17:8**

從柏林會議展望日內瓦會議 .... 4/16/54　**10:8**

從美澳紐聯防說美國外交 .... 9/1/52　**7:5**

現階段美國對亞政策評議 .... 6/16/54　**10:12**

新年話世局 .... 1/1/54　**10:1**

當前國際形勢靜觀 .... 8/16/57　**17:4**

蛻變中的美國對臺政策 .... 5/1/52　**6:9**

論艾森豪威爾的「解放政策」 .... 10/1/52　**7:7**

響應選舉胡適之先生為副總統 .... 2/16/54　**10:4**

朱佛心

八股論調的悲哀 .... 6/1/58　**18:11**

讀中國國民黨政綱 .... 11/1/57　**17:9**

朱明

我們需要一個新的運動！ .... 5/16/52　**6:10**

朱啟葆(夏道平筆名)

一九五二年的世局 .... 2/1/52　**6:3**

中國之亂與中國文化精神之潛力 .... 5/1/52　**6:9**

本屆立法院面臨考驗 .... 6/16/52　**6:12**

有感於臺大教聘會拒聘事件 .... 9/16/54　**11:6**

吳國楨事件發展中的平議 .... 3/16/54　**10:6**

我不贊成選胡適先生做副總統 .... 2/16/54　**10:4**

【六劃】(續)

朱啟葆(夏道平筆名)[續前]

我們需要一個自由中國大運動(香港通訊)...2/16/50　**2:4**

朱惠方

臺灣之森林...8/16/51　**5:4**

朱開來

組織東亞青年反共軍...12/5/49　**1:2**

朱雲浪

永誌不忘的佩斐爾特號[譯作，原作者：W. J. Lederer].......................................6/1/55　**12:11**

朱新民

蘇俄工業的弱點...8/16/52　**7:4**

蘇俄的財政與金融...7/1/52　**7:1**

蘇俄的強迫移民政策...8/1/53　**9:3**

朱誠中

關於臺灣省立師範學院的二三事...8/1/53　**9:3**

汗之孫

田炯錦委員長的「駕重就熟」...7/1/60　**23:1**

向蒙藏委員會委員長請教！...8/16/60　**23:4**

江天

我做了「人民代表」(香港通訊)...3/16/52　**6:6**

江必理

談「自由中國」「社論」論節育問題...8/1/59　**21:3**

江志平

大學畢業生為甚麼不能再讀書？...9/1/56　**15:5**

江秀文

請看基隆市海水浴場一篇濫賬是誰搞的！

——從去年十月我反對提名李國俊競選市長說起...4/16/60　**22:8**

江宗一

甚麼是民主政治的真諦？...11/16/56　**15:10**

【六劃】(續)

江風

今日福建(福州通訊) 5/1/51 **4:9**

南漪湖上的反共英雄(宣城通訊) 10/1/51 **5:7**

江康城

華僑讀者爭閱本刊[合著者：李銳華] 7/1/53 **9:1**

江望光

「獨眼」將軍喪威巴蜀(香港通訊) 11/16/50 **3:10**

牟力非

我對於知識分子大結合的看法和寄望 8/1/58 **19:3**

略論反對黨問題的癥結 2/1/57 **16:3**

牟潤孫

中國法制史論略 1/1/54 **10:1**

竹章

蘇俄如何赤化附庸國[摘譯，原作者：Bogdan Raditsa] 5/1/51 **4:9**

米塞斯(Ludwig von Mises)原作／夏道平譯

反資本主義的心理(一) 1/1/57 **16:1**

反資本主義的心理(二) 1/16/57 **16:2**

反資本主義的心理(三) 2/1/57 **16:3**

反資本主義的心理(四) 2/16/57 **16:4**

羊叔子

人變鬼的故事(香港通訊) 7/16/51 **5:2**

遙遠的祝福 3/16/52 **6:6**

蕭軍之死與赤色文人的末路(香港通訊) 12/1/51 **5:11**

老兵

軍人也贊成反對黨 1/16/59 **20:2**

自由中國

本刊對臺南市「萬人簽署請願書」代表蔡炎炭、吳旺根、蔡德邨、林再傳、

翁余森櫻等的答覆 6/1/60 **22:11**

【六劃】(續)

艾國勳

由印尼事件談杜勒斯外交的矛盾與錯誤 5/1/58 **18:9**

艾雯

鄉下醫生 8/16/57 **17:4**

行政院

行政院來函 1/16/57 **16:2**

行政院主計處

行政院主計處來函 2/16/57 **16:4**

【七劃】

伴耘

一九五七年世局試測 1/16/57 **16:2**

杜邱會談與世界局勢的發展(華府通訊) 2/16/52 **6:4**

從世界大勢，看臺灣前途(華府通訊) 10/16/51 **5:8**

徬徨歧途的美國外交 8/1/56 **15:3**

縱觀世局話和平(華府通訊) 12/16/51 **5:12**

蘇彝士運河事件的面面觀 9/16/56 **15:6**

佛泉

政治常識 8/16/54 **11:4**

何千里

改幣以來台灣的貨幣與金融 2/1/51 **4:3**

何子修

金日成會見記(香港通訊) 7/1/52 **7:1**

何可

「技術革命」如此云乎？ 10/1/59 **21:7**

何西

美西協定簽字以後 10/16/53 **9:8**

何欣

民主真詮(上)〔譯作，原作者：A. Powell Davies〕 11/16/54 **11:10**

民主真詮(下)〔譯作，原作者：A. Powell Davies〕 12/16/54 **11:12**

【七劃】(續)

何春木

　希望能得到公平！——談我這次參加臺中市長競選的觀感.................4/16/60　**22:8**

何培讓

　堅持原則...8/16/52　**7:4**

何琤

　小室之春...7/1/54　**11:1**

何愚

　慰出洋不成的童軍朋友..5/1/59　**20:9**

何應鳴

　檢討當前的留學政策及留學考試...8/16/55　**13:4**

何瀾

　民族晚報的「斯人獨榮耀」讀後感..1/16/60　**22:2**

伯卿

　西湖鬼哭(杭州通訊)..5/16/51　**4:10**

余大海

　反共如救火(新竹通訊)..7/1/50　**3:1**

余水姬

　「解放」(獨幕劇)...11/16/50　**3:10**

余布衣

　老兵的悲哀！——對退除役政策的檢討....................................9/1/59　**21:5**

余永祺

　對本刊的幾點意見..1/16/52　**6:2**

余伍源

　臺北行..1/16/60　**22:2**

余光中

　病室(新詩)...8/1/57　**17:3**

　給惠德曼...6/1/54　**10:11**

　聖陵的晨歌[譯作，原作者：Conrad Aiken].............................5/1/58　**18:9**

　詩二首..5/16/57　**16:10**

【七劃】(續)

余光中等

　建議推胡適先生爲諾貝爾文學獎金候選人 .... 2/1/57　**16:3**

余西蘭

　新軍，新在那裡？(鳳山通信) .... 4/16/50　**2:8**

余明遠

　「結果圓滿」了嗎？ .... 10/1/56　**15:7**

余東

　馬來亞華僑教育之厄運 .... 2/1/54　**10:3**

余建中

　余建中先生來函 .... 3/16/60　**22:6**

余致力

　林何皮三案判後感 .... 4/1/57　**16:7**

余英時

　平等概念的檢討 .... 3/1/54　**10:5**

余家菊

　一切當從團結做起！ .... 2/1/50　**2:3**

　怎樣發揚我們的力量！ .... 5/16/50　**2:10**

余堅

　論西德經濟的復興(上) .... 7/1/57　**17:1**

　論西德經濟的復興(下) .... 7/16/57　**17:2**

余崇華

　封建式的現行公文程式應予改革 .... 12/16/51　**5:12**

余登發

　高雄縣長選舉訴訟近訊 .... 7/16/57　**17:2**

　高雄縣長選舉舞弊續訊 .... 7/1/57　**17:1**

余夢旦

　論智識份子錯覺中的共產黨 .... 2/1/50　**2:3**

　日本再軍備觀(東京通訊) .... 2/1/52　**6:3**

　日本簡化漢字之經過(東京通訊) .... 7/16/51　**5:2**

【七劃】(續)

余夢旦[續前]

　日美經濟關係十年(下)[譯作] .... 9/1/55　**13:5**

　日美經濟關係十年(上)[譯作] .... 8/16/55　**13:4**

　吉田書簡與「吉田哲學」(東京通訊) .... 3/1/52　**6:5**

　從東京看中日和約前途(東京通訊) .... 11/16/51　**5:10**

　從賀年信看日本 .... 2/16/54　**10:4**

　聖誕節在東京(東京通訊) .... 1/16/52　**6:2**

　鳩山乎？吉田乎？(東京通訊) .... 6/16/51　**4:12**

余蒼柏

　日本二大政黨對立觀 .... 2/16/56　**14:4**

　日本的「欲樂沒氣外交」 .... 8/16/58　**19:4**

　日本爲政者的老獪性 .... 3/16/58　**18:6**

余燕人

　搶救教育危機 .... 12/16/54　**11:12**

余諫

　談今日臺灣的交通問題 .... 8/1/60　**23:3**

余錚

　爲一本「文藝名著」的出版與推薦而抗議 .... 11/1/53　**9:9**

　颱風警報中的記者群 .... 11/16/54　**11:10**

吳一并

　看中共統治下的工農(香港通訊) .... 9/16/50　**3:6**

吳士偉

　中國近代史 .... 7/16/53　**9:2**

吳大宇

　如何邁入民主政治的坦途 .... 4/16/51　**4:8**

吳四維

　給高市長的一封公開信 .... 2/16/55　**12:4**

吳守璞

　我對公文改革的意見 .... 1/1/52　**6:1**

【七劃】(續)

吳秀雲

　印度各大學研究中國歷史與語文概況 11/16/57 **17:10**

吳東

　孟買大暴動寫真 3/1/56 **14:5**

吳彥傑

　西藏戰火的火種——前共產國際情報局的「解放亞洲」方案 6/1/59 **20:11**

吳春熙

　菲律賓華僑與「菲化案」 4/16/51 **4:8**

吳為

　西德大選之分析 10/16/57 **17:8**

吳炳鍾

　希斯奇案 10/16/53 **9:8**

吳相湘

　中國門戶開放政策探源 9/16/52 **7:6**

　「苦撐待變」與反共抗俄必勝信念 12/1/51 **5:11**

　梁啓超徐志摩論俄帝 10/1/51 **5:7**

　歷史的鏡子 2/1/52 **6:3**

　關於蘇俄陰謀文證彙編 1/16/52 **6:2**

吳秋山

　論國軍現代化之另一面 3/16/57 **16:6**

吳桐湘

　史達林陰謀攫取中國的鐵證 9/16/51 **5:6**

吳康

　思想真能改造嗎？ 8/1/52 **7:3**

　論知識份子的改造 5/1/51 **4:9**

吳傑彥

　新疆六十萬哈薩克是俄中兩匪幫的死敵

　　——並補充蒙藏會委員長李永新對邊疆抗暴運動的公開報導 9/1/59 **21:5**

【七劃】(續)

吳德耀

我對僑教前途的信心 .... 1/1/53　**8:1**

吳魯芹

小襟人物 .... 1/16/54　**10:2**

文人與無行 .... 5/1/54　**10:9**

百科全書的故事 .... 8/16/51　**5:4**

評「洗腦」.. 3/16/52　**6:6**

置電話記 .... 2/16/55　**12:4**

談小賬 .... 1/16/55　**12:2**

請客 .... 7/16/54　**11:2**

鄰居 .... 3/1/56　**14:5**

雞尾酒會 .... 10/16/53　**9:8**

吳螯

十四行 .... 4/1/50　**2:7**

吳鐵山

一切殖民政策的理論均應銷盡廢絕 .... 1/1/51　**4:1**

呂光

人權與聯合國憲章之修訂 [譯作，原作者：Quincy Wright] .... 5/16/56　**14:10**

讀司徒雷登著「五十年在中國」書後 .... 4/16/55　**12:8**

呂訴上

臺灣的音樂 .... 6/1/52　**6:11**

君健

血染皖南(皖南通訊) .... 7/1/51　**5:1**

宋文明

戈慕卡主義的本質及將來 .... 5/16/57　**16:10**

卡斯特羅的革命及其新人道主義 .... 9/16/59　**21:6**

艾森豪的思想路線 .... 9/16/57　**17:6**

非洲世紀的開端與東西冷戰 .... 8/1/58　**19:3**

從巴黎四國高層會決議看未來世局 .... 1/1/60　**22:1**

從華沙談判談到美國「不得使用武力」政策 .... 10/16/58　**19:8**

【七劃】(續)

宋文明[續前]

蘇俄人造衛星與世界大局 11/16/57 **17:10**

宋功仁

論臨時條款與修憲 7/16/59 **21:2**

宋岑

再駁徐福即神武天皇說 6/1/58 **18:11**

駁一種浮誇的歷史考證 2/16/57 **16:4**

檢討美俄武器競賽 12/1/57 **17:11**

宋希尚

日本重建之途徑 6/1/54 **10:11**

多目標的水庫之發軔——石門水庫 1/1/58 **18:1**

長江水災之探討 10/1/54 **11:7**

臺灣水利問題之檢討 1/1/52 **6:1**

宋宗憲

看法商學院之前途 7/16/59 **21:2**

宋念慈

東德人民在過著什麼樣子的生活？[譯作] 8/1/53 **9:3**

宋英

今日婦女的時代使命！ 9/16/50 **3:6**

這是我們反省的時候了！ 1/16/50 **2:2**

宋祖平

臺灣的建築 6/16/52 **6:12**

宋霖康

執政黨控制下的臺北市議會如此總質詢！ 4/1/60 **22:7**

宏毅

大學生談大學生的領導問題 12/1/56 **15:11**

巫祺川

駁正省立臺中女中溺斃學生案更正函 8/1/58 **19:3**

籲請澈查臺中女中溺斃學生案 7/1/58 **19:1**

【七劃】(續)

希美

　　當前外匯貿易管理的「死結」 .... 4/16/58　**18:8**

李三思

　　紐約時報論胡適及其他(紐約通訊) .... 12/1/50　**3:11**

李士龍

　　治安機關應知所警惕 .... 1/16/58　**18:2**

李子

　　立法委員唐嗣堯對行政院五十年度總預算之質詢 .... 5/16/60　**22:10**

李中直

　　自由世界十病 .... 3/16/58　**18:6**

　　個人與國家 .... 9/16/51　**5:6**

　　與李普曼先生論美國外交政策 .... 5/1/50　**2:9**

　　論反共聯合陣線 .... 2/1/50　**2:3**

　　論巴斯底的鑰匙 .... 12/16/51　**5:12**

　　論寬容精神與政治的出路 .... 12/5/49　**1:2**

　　橫臥在東西羅馬之間的三億回教徒往那裡去？ .... 11/1/51　**5:9**

李仁山

　　共產奴隸典範的塑造──「關於資產階級法權問題討論」的分析 ...... 8/16/59　**21:4**

李元禾

　　浪擲民脂之一例 .... 3/16/58　**18:6**

李公權

　　論中華路違章建築整建後間位分配問題〔合著者：富伯平、梁蕭戎〕 .... 7/16/60　**23:2**

李心田

　　沈痛的呼籲 .... 3/1/54　**10:5**

李文燦

　　所望於軍政當局者(新竹通訊) .... 6/1/50　**2:11**

李月軒

　　爲地理教本審查事質詢教育部 .... 6/16/57　**16:12**

【七劃】(續)

李先良

今日臺灣之市政 .... 4/16/59　**20:8**

李汝楓

加強對菲外交 .... 2/16/55　**12:4**

李佛朗

中國留美學生之聲 .... 1/1/56　**14:1**

李良棟

如此官樣文書 .... 12/16/54　**11:12**

李辰冬

李辰冬先生來函 .... 5/1/57　**16:9**

與潘重規先生談紅樓夢(上) .... 11/1/51　**5:9**

與潘重規先生論紅樓夢(下) .... 11/16/51　**5:10**

與錢穆先生談文化問題 .... 8/1/52　**7:3**

李宗澤

美國政黨之組織與活動 .... 7/1/55　**13:1**

真正民主的議會 [編譯] .... 7/1/58　**19:1**

李念嚴

陳獨秀與陳炯明 .... 6/16/51　**4:12**

李昂斯原作／焦木譯

他們為甚麼招供？ .... 7/1/50　**3:1**

李長空

借箸為美國及聯合國籌一現階段的遠東戰略 .... 11/16/50　**3:10**

李勁秋

臺南農職一位青年教師的控訴 .... 8/16/55　**13:4**

李致一、教育廳、布朗先生

關於師範學院事件的來函三件 .... 9/1/53　**9:5**

李卿之

氫原子彈的煙幕 [節譯，原作者：Richard L. Stokes] .... 6/16/50　**2:12**

【七劃】(續)

李偉

關於教育部的機構和人事 10/16/58 **19:8**

李寄予

留待歷史判斷？ 3/1/56 **14:5**

李敖

從讀「胡適文存」說起 3/1/57 **16:5**

李望梅

中共在西藏的軍事佈署 8/1/54 **11:3**

中共對西藏的控制 10/16/54 **11:8**

李清源

高考及格應考研究院問題之質疑 10/16/56 **15:8**

李祥麟

珍珠港偷襲的決策與實行 10/1/53 **9:7**

基本人權溯源 2/1/54 **10:3**

李循和

東歐社會經濟現況〔譯作，原作者：George Kemney〕...................... 1/1/54 **10:1**

李華

臺灣的花鳥 12/1/50 **3:11**

李超群

何必「逼上梁山」啊！——國民黨爲何開除省議員許世賢等黨籍 2/1/59 **20:3**

李進財

這樣就能推行簡易商業會計制度嗎？ 1/1/57 **16:1**

李鈞

尼克森不虛此行 6/16/58 **18:12**

如何保障基本人權 12/1/58 **19:11**

李雅韻

歌頌咖啡的人 6/1/53 **8:11**

李雲溪

馬化政策下的馬華教育 8/1/53 **9:3**

【七劃】(續)

李慈

論畢業學生分發就業制度 .... 5/1/52　**6:9**

李毓漢

危地馬拉內幕[譯作] .... 7/16/54　**11:2**

李煥

反共義士李煥先生來信 .... 2/1/54　**10:3**

李萬居

李萬居先生在選舉改進座談會委員會議第一次會議中致開會辭全文 .... 7/1/60　**23:1**

選舉改進座談會緊急聲明[合著者：雷震、高玉樹] .... 9/1/60　**23:5**

李經

大學英文系與「英文人材」 .... 8/1/57　**17:3**

文學批評中的「美」 .... 3/16/53　**8:6**

文藝政策的兩重涵義 .... 5/16/59　**20:10**

我們為什麼要大學 .... 12/16/54　**11:12**

哀思錄引(詩) .... 3/16/60　**22:6**

從文藝的應用性談文藝政策 .... 2/1/54　**10:3**

悲劇與英雄[譯作，原作者：Arther Miller] .... 8/1/59　**21:3**

感性的自覺 .... 6/16/58　**18:12**

詩二首 .... 1/1/59　**20:1**

詩三首 .... 1/1/57　**16:1**

詩與詩人 .... 9/16/53　**9:6**

歐遊雜詩二首 .... 1/1/58　**18:1**

戴五星帽的文學批評 .... 2/16/56　**14:4**

聯合國 .... 11/16/58　**19:10**

讀經與讀經的態度 .... 3/1/53　**8:5**

李誠中

公開的集體的作偽 .... 7/16/52　**7:2**

李達生

介紹曼谷關於文化問題的圓桌討論會 .... 4/1/58　**18:7**

克魯克氏談澳洲的移民政策及對中國的外交政策 .... 3/1/58　**18:5**

屠克維爾論民主對社會及家庭關係的影響 .... 1/16/59　**20:2**

【七劃】(續)

李達生[續前]

領袖公僕論 .... 11/1/59　**21:9**

李雍民

如此臺北警察！ .... 4/1/58　**18:7**

李僉

自由與領導 .... 10/16/55　**13:8**

我們需要一個文藝政策嗎？ .... 10/16/54　**11:8**

悲哀 .... 3/1/55　**12:5**

權威及權威統治 5/16/55 **12:10**

李福春

揭穿國民黨所謂安全措施下的選舉舞弊[合著者：李賜卿] .... 3/16/60　**22:6**

李潤智

重整軍備中的日本(東京通訊) .... 9/1/52　**7:5**

李賜卿

唱票員要做到魔術師之重視觀眾 6/16/60 **22:12**

揭穿國民黨所謂安全措施下的選舉舞弊[合著者：李福春] 3/16/60 **22:6**

李磧荚

強迫的志願 .... 7/16/57　**17:2**

李銳華

印尼往何處去？ .... 1/1/54　**10:1**

馬來亞的人種歧視 .... 3/1/53　**8:5**

馬來亞的政黨、紅禍與自治運動 .... 1/16/53　**8:2**

馬來亞華僑統計 .... 5/16/53　**8:10**

華僑讀者爭閱本刊[合著者：江康城] .... 7/1/53　**9:1**

讀者投書 6/16/54 **10:12**

李樺

左舜生不出席國民大會了！ .... 2/1/60　**22:3**

李樹樺等

一群退役戰士的呼籲 .... 1/16/56　**14:2**

【七劃】(續)

李璜

我們對毀憲策動者的警告〔合著者：左舜生、張君勱、張發奎等〕 .... 3/1/60　**22:5**

談反對黨 .... 8/16/57　**17:4**

李靜之

中共開放自由市場的分析 .... 3/16/57　**16:6**

李濟

文化沙漠 .... 11/16/59　**21:10**

值得青年們效法的傅孟真先生 .... 1/1/51　**4:1**

殷墟建築遺存報告序 .... 11/1/59　**21:9**

對於丁文江所提倡的科學研究幾段回憶 .... 9/1/56　**15:5**

臺灣大學現行招生辦法之商榷 .... 5/1/54　**10:9**

關於在中國如何推進科學思想的幾個問題 .... 11/1/53　**9:9**

李聲庭

世界人權宣言十週年 .... 12/1/58　**19:11**

民意代表在議會內的言論對外不負責任問題 .... 2/1/59　**20:3**

各國憲法及其政府 .... 10/1/56　**15:7**

法治是甚麼？ .... 8/16/59　**21:4**

勉新任大法官 .... 10/16/58　**19:8**

恪遵憲法厲行法治 .... 11/16/59　**21:10**

與內政部田部長論警察權 .... 9/16/58　**19:6**

請司法當局立即採取行動 .... 11/1/57　**17:9**

論憲法之修改及其程序 .... 3/16/59　**20:6**

李謇

內政部警政司長李謇先生來函 .... 10/1/56　**15:7**

李覺

大哉！周主席的巡視場面！ .... 5/16/58　**18:10**

李露霞

大陸的人心(香港通訊) .... 9/1/50　**3:5**

杜光塤

美國憲法上的新發展 .... 4/1/51　**4:7**

【七劃】(續)

杜光塤[續前]

論行政與立法之關係 .... 7/1/53　**9:1**

杜呈祥

「山東忠義軍馬」時期的辛棄疾 .... 4/16/50　**2:8**

評介「老子哲學」 .... 5/1/54　**10:9**

杜詩

評「水東流」 .... 10/16/55　**13:8**

杜魯門原作／本刊資料室譯

美國與世界 .... 12/20/49　**1:3**

杜衡之

被浪費了的讀書人 11/16/59 **21:10**

對「革命」的一個看法 .... 8/1/58　**19:3**

求直

如此省立大學——省立法商學院 12/16/58 **19:12**

沙玉華

慈愛的心 6/16/55 **12:12**

蓉子 12/16/55 **13:12**

沙基(Saki)原作／思果譯

鼠 4/16/58 **18:8**

沙清海

約旦政潮之面面觀 5/16/57 **16:10**

敘利亞問題的發生和發展 10/16/57 **17:8**

沙學浚

中國人的氣候適應力 .... 1/16/50　**2:2**

新加坡人民行動黨反對自由中國！——因為他們是偽裝的共產黨 ... 7/1/59　**21:1**

沈秉文

中共「民族政策」之剖視 .... 3/1/54　**10:5**

中共的「新三害」與「新三反」 6/1/55 **12:11**

中共「新五反運動」之透視 .... 12/1/53　**9:11**

【七劃】(續)

沈秉文[續前]

胡風事件的總透視 ....8/16/55　**13:4**

沈建平

對臺灣省政府改組的感想 ....9/5/57　**17:5**

沈若望

中共對大陸天主教會的陰謀 ....4/16/51　**4:8**

沈軍田

我看「甚麼比共產黨更可怕」 ....1/16/50　**2:2**

沈剛伯

五十年來的教育 ....11/16/59　**21:10**

周室果有仁政乎？ ....9/16/59　**21:6**

法家的淵源、演變、及其影響 ....10/1/57　**17:7**

沈晦

身份證的秘密(上) ....1/16/50　**2:2**

身份證的秘密(下) ....2/1/50　**2:3**

從赤色家庭解放出來 ....11/20/49　**1:1**

沈雅利

臺灣省立台中女子中學來函 ....7/16/58　**19:2**

沈雲龍

有關臺省地方選舉的幾個問題 ....4/16/57　**16:8**

記民五黃克強致黃膺白的一封信 ....11/16/59　**21:10**

蔡元培先生對我國教育的貢獻 ....12/16/58　**19:12**

「戴季陶先生編年傳記」評介 ....2/16/59　**20:4**

沈澤清

請問黃市長 ....4/16/60　**22:8**

汪文瑞

看國大幕後活動如此這般！ ....3/16/60　**22:6**

從人權保障談到孫秋源被捕 ....12/1/58　**19:11**

【七劃】(續)

汪仲

　權威與個人(一)〔譯作，原作者：羅素(Bertrand Russell)〕 .... 9/18/55　**13:6**

　權威與個人(二)〔譯作，原作者：羅素(Bertrand Russell)〕 .... 10/1/55　**13:7**

　權威與個人(三)〔譯作，原作者：羅素(Bertrand Russell)〕 .... 11/5/55　**13:9**

　權威與個人(四)〔譯作，原作者：羅素(Bertrand Russell)〕 .... 12/1/55　**13:11**

　權威與個人(五)〔譯作，原作者：羅素(Bertrand Russell)〕 .... 1/1/56　**14:1**

　權威與個人(六)〔譯作，原作者：羅素(Bertrand Russell)〕 .... 1/16/56　**14:2**

汪京金

　雲南邊區紀行 .... 4/1/57　**16:7**

汪度

　醉 .... 12/16/54　**11:12**

汪洪法

　勞動制度論 .... 6/1/50　**2:11**

汪理

　美國的政黨政治 .... 11/1/54　**11:9**

汪新明

　請政府在出版界放條生路 .... 4/16/59　**20:8**

汪道揆

　談談離職軍文人員的身分與待遇 .... 10/1/59　**21:7**

言川

　海外孤兒流乾了辛酸的眼淚！何時才重入自由祖國的懷抱？！(曼谷通信) .... 3/16/50　**2:6**

谷夫

　印度尼西亞怎樣建國(印尼通訊) .... 9/1/50　**3:5**

辛之魯

　G.I.回家去吧！ .... 4/1/55　**12:7**

　一個有重大意義的小東西！ .... 1/1/55　**12:1**

　太平洋上 .... 12/16/57　**17:12**

　兵為貴！ .... 3/1/55　**12:5**

　我可以幫助你嗎？ .... 12/16/54　**11:12**

　我是一個「人」 .... 12/1/54　**11:11**

【七劃】(續)

辛之魯〔續前〕

我看美國人 2/16/55 **12:4**

悉聽尊便！ 2/1/55 **12:3**

傑克不會成個呆孩子！ 1/16/55 **12:2**

辛明

中共迫害學術界的新高潮 2/16/59 **20:4**

邢公俠

中學教師分等考核制應取消 1/1/59 **20:1**

邢公個

推銷員的精神 3/1/60 **22:5**

阮毅成

臺灣省實施地方自治的檢討 6/1/53 **8:11**

佘陽

中共傾覆緬甸的陰謀 11/16/56 **15:10**

我對印度中共邊界糾紛的看法 12/16/59 **21:12**

剖視蘇俄的新整肅行動 9/5/57 **17:5**

馬來亞獨立後的兩大課題 9/16/57 **17:6**

從「國際難民年」看香港區的中國難民 6/1/60 **22:11**

華人力爭出生地公民權 9/1/56 **15:5**

寮國戰局政局剖析 9/1/59 **21:5**

緬甸政變與政黨形勢 11/16/58 **19:10**

獨立一年來的馬來亞 5/16/59 **20:10**

【八劃】

乖崖

中共駐緬「大使」姚仲明二三事(香港通訊) 2/16/51 **4:4**

陳明仁、周震麟合作鈔金(香港通訊) 1/1/51 **4:1**

亞一

你來了(散文詩) 3/16/50 **2:6**

【八劃】(續)

來乙

　一位僑胞理髮師對自由中國的嚮往(印尼通訊).....................6/16/50　**2:12**

　遙念祖國(印尼通訊)..................................9/1/51　**5:5**

周子強

　如相和尙..10/16/55　**13:8**

　鬥..10/16/57　**17:8**

　紅絨鞋..7/1/57　**17:1**

　秧歌..10/16/54　**11:8**

周天健

　論新舊詩的出路..................................8/1/54　**11:3**

周正元

　評「經濟部建立證券市場研究小組報告書」..............8/16/60　**23:4**

周法高

　論簡體字..8/1/55　**13:3**

周南、蕭益思

　讀者來書二則....................................12/1/53　**9:11**

周棄子

　一個低調的批評論................................5/1/57　**16:9**

　多心草..1/1/56　**14:1**

　周棄子先生來函..................................12/1/56　**15:11**

　寂寞的書..3/16/56　**14:6**

　給在日本的梅蘭芳一封公開信......................6/1/56　**14:11**

　腳踏實地說老實話(讀「文學雜誌」創刊號)..............10/1/56　**15:7**

　「綠天」增訂本讀後所感............................12/1/55　**13:11**

　「薏美」及其作者................................1/16/55　**12:2**

　「雞尾酒會及其他」序............................11/16/57　**17:10**

　讀「盲戀」......................................4/16/54　**10:8**

周淑清

　教育計劃中的優先事項〔譯作，原作者：James Ouillen〕......8/16/56　**15:4**

【八劃】(續)

周祥光

　印度民社黨首次掌理省政 .... 5/1/54　**10:9**

　印度的大學教育 12/16/55 **13:12**

　我對「反共救國會議」的意見 .... 12/1/53　**9:11**

　政府召開「反共救國會議」有感 12/1/56 **15:11**

　參加「佛教對藝術文學暨哲學貢獻講習會」 .... 1/1/57　**16:1**

　錫蘭的政黨與政治 .... 1/16/54　**10:2**

周策縱

　心(詩) .... 8/16/59　**21:4**

　月戀及其他(詩) .... 7/1/59　**21:1**

　紐約(詩) .... 4/16/59　**20:8**

　給亡命者及其他 .... 1/16/59　**20:2**

　瀑布(詩) 6/1/60 **22:11**

周道濟

　介紹邱昌渭先生遺著「政治常識」 .... 7/16/57　**17:2**

　介紹美國國務卿杜勒斯 .... 7/1/57　**17:1**

　介紹美國聯邦最高法院的九位法官 .... 2/16/58　**18:4**

　美國憲法所保障之信教自由 .... 4/16/57　**16:8**

周夢蝶

　擺渡船上(詩) 6/16/60 **22:12**

周德偉

　十餘人來金銀外匯及貿易政策 .... 9/5/54　**11:5**

　谷錫五先生事略 .... 7/1/55　**13:1**

　從經濟的分析批判階級鬥爭 .... 6/16/51　**4:12**

　對於海光先生評介「經濟政策與經濟學理」之商榷 .... 9/1/52　**7:5**

周學藩

　立法院太不像樣了！ .... 5/1/56　**14:9**

周鐵

　我國租稅應走之路 .... 4/1/51　**4:7**

【八劃】(續)

孟戈

中共上演的「曹操翻案」鬧劇 8/16/59 **21:4**

我對於改革華僑教育課程底芻議 10/1/59 **21:7**

泛評僑務決策 9/16/58 **19:6**

孟平

伊朗與蘇俄之關係 6/16/56 **14:12**

孟浩

論內閣制的新型態 12/1/53 **9:11**

論日本的直接民權 3/16/55 **12:6**

論質詢權的行使程式(上) 11/5/55 **13:9**

論質詢權的行使程式(下) 11/16/55 **13:10**

論覆議權的行使程式 5/16/56 **14:10**

論議會機關應有的專家機構 5/16/57 **16:10**

孟清流

秋在東京 12/1/54 **11:11**

孟瑤

斜輝(一) 9/1/56 **15:5**

斜暉(二續) 9/16/56 **15:6**

斜暉(三續) 10/1/56 **15:7**

斜暉(四續) 10/16/56 **15:8**

斜暉(五續) 11/16/56 **15:10**

斜暉(六續) 12/1/56 **15:11**

斜暉(七續) 12/16/56 **15:12**

斜暉(八續) 1/1/57 **16:1**

斜暉(九續) 1/16/57 **16:2**

斜暉(十續) 2/1/57 **16:3**

斜暉(十一續) 2/16/57 **16:4**

斜暉(續完) 3/1/57 **16:5**

幾番風雨(一) 7/1/54 **11:1**

幾番風雨(二) 7/16/54 **11:2**

幾番風雨(三) 8/1/54 **11:3**

【八劃】(續)

孟瑤[續前]

幾番風雨(四) 8/16/54 **11:4**

幾番風雨(五) 9/5/54 **11:5**

幾番風雨(六) 9/16/54 **11:6**

幾番風雨(七) 10/1/54 **11:7**

幾番風雨(八) 10/16/54 **11:8**

幾番風雨(九) 11/1/54 **11:9**

幾番風雨(十) 11/16/54 **11:10**

幾番風雨(十一) 12/1/54 **11:11**

幾番風雨(續完) 12/16/54 **11:12**

季農

毛澤東勢力在逐漸孤立了！ 10/16/59 **21:8**

季濟才

一個假退役軍官的呼籲 5/16/58 **18:10**

官家良

官家良申冤的「陳情書」 3/1/59 **20:5**

宛宛

是我殺害了他嗎！？(上) 10/16/52 **7:8**

是我殺害了他嗎！？(中) 11/1/52 **7:9**

是我殺害了他嗎！？(下) 11/16/52 **7:10**

堆草龍 7/16/51 **5:2**

巢湖邊上 10/1/50 **3:7**

屈堯庭

國是問題與出版法——「亞洲畫報」六十四期讀後感 12/16/58 **19:12**

屈萬里

敬悼傅孟真先生 1/1/51 **4:1**

岳中石

從常識看辯證唯物論(上) 5/16/50 **2:10**

從常識看辯證唯物論(下) 6/1/50 **2:11**

【八劃】(續)

岳文彬

和比戰難 .... 2/16/53　**8:4**

馬西西——菲律賓的艾森豪 .... 4/16/53　**8:8**

菲共虎克黨日暮途窮 .... 12/16/52　**7:12**

岳賽夫

從中德復交談蔣總統連任 .... 2/16/60　**22:4**

忠靈

請政府快救救慘遭迫害的印尼華僑！ .... 1/1/59　**20:1**

念枭

武漢近況的一角(台北通信) .... 4/1/50　**2:7**

念鹿

我所知道的日本人 .... 6/16/59　**20:12**

念蕙

海南島在鐵幕裡(海南通訊) .... 11/1/50　**3:9**

念鷗

我參加了三次「控訴美帝罪行大會」(南京通訊) ... 4/1/51　**4:7**

於梨華

也是秋天(一) .... 6/16/58　**18:12**

也是秋天(二續) .... 7/1/58　**19:1**

也是秋天(三續) .... 7/16/58　**19:2**

也是秋天(四續) .... 8/1/58　**19:3**

也是秋天(五續) .... 8/16/58　**19:4**

也是秋天(六續) .... 9/1/58　**19:5**

也是秋天(七續) .... 9/16/58　**19:6**

也是秋天(八續) .... 10/1/58　**19:7**

也是秋天(續完) .... 10/16/58　**19:8**

胃氣和爭氣(海外寄語之一) .... 7/1/57　**17:1**

烏托邦在何處？(海外寄語之二) .... 7/16/57　**17:2**

白色小屋的主人(海外寄語之三) .... 8/1/57　**17:3**

一年的成績(海外寄語之四) .... 8/16/57　**17:4**

【八劃】(續)

於梨華[續前]

尼加拉瀑布(海外寄語之五) 9/5/57 **17:5**

訪康克特(海外寄語之六) 9/16/57 **17:6**

帶淚的百合 6/1/57 **16:11**

紫君的婚禮 2/1/60 **22:3**

易水寒

有感於曹聖芬先生的「看法和作法」 2/16/57 **16:4**

易希陶

巴印紀遊 10/1/57 **17:7**

我的最後航程 12/1/57 **17:11**

南德風光 4/16/58 **18:8**

易浮生

土敍糾紛與中東前途 3/1/58 **18:5**

朱可夫下臺以後 11/16/57 **17:10**

赫魯雪夫恫嚇伎倆的底層 12/1/57 **17:11**

易健吾

應該加強我們的外交活動 8/1/56 **15:3**

易巽

落後地區的工業化問題 5/16/51 **4:10**

易農

耕者有其田實施過程中須得糾正的幾點 11/16/53 **9:10**

易駿

從公論報奪產事件看張祥傳橫行霸道 8/1/60 **23:3**

杭立武

二十多年來的中國教育 3/16/50 **2:6**

自由亞洲的重要性 5/16/55 **12:10**

苦撐待變 12/1/51 **5:11**

從保衛臺灣到反攻大陸 11/16/52 **7:10**

【八劃】(續)

東方既白

介紹張佛泉著：「自由與人權」 12/16/55 **13:12**

文化自由協會與文化自由運動 1/16/55 **12:2**

在陰黯矛盾中演變的大陸文藝(上) 4/1/59 **20:7**

在陰黯矛盾中演變的大陸文藝(中) 4/16/59 **20:8**

在陰黯矛盾中演變的大陸文藝(下) 5/1/59 **20:9**

佛洛伊德學說的背景與其影響 8/1/56 **15:3**

個人主義的觀點與態度 2/1/57 **16:3**

個人主義與英雄主義 6/16/57 **16:12**

曹操的改造 1/1/60 **22:1**

論個人主義 4/16/56 **14:8**

林一新

論自由與國家(上) 5/1/50 **2:9**

林文雄

請制止補習班盜用姓名刊登廣告 10/16/59 **21:8**

林合源

爲永久性的臨時雇員說一句話 1/1/58 **18:1**

林亨

看嘉義大林中學梅山分部妄施黨化教育！ 9/1/60 **23:5**

林希美

今後財經政策的展望 6/1/54 **10:11**

出售公營事業之估價及其股票之流通與保值 8/16/53 **9:4**

林金順

對高普考的幾點改進意見 3/16/57 **16:6**

林炳康

公教人員待遇辦法的檢討與改善芻議 11/1/51 **5:9**

林秋水

日本國會議員個人之特權 7/16/60 **23:2**

林茂心

一個選擇了自由的蘇俄飛行員(上)〔譯作，原作者：W. L. White〕 4/1/50 **2:7**

【八劃】(續)

林茂心［續前］

一個選擇了自由的俄國飛行員(下)［譯作，原作者：W. L. White］ .... 4/16/50　**2:8**

林剛

左右夾縫中的印尼 .... 4/16/54　**10:8**

注視章勳義案的發展 11/16/54 **11:10**

迷途的印尼 6/16/54 **10:12**

林海音

城南舊事(上) 12/1/57 **17:11**

城南舊事(下) 12/16/57 **17:12**

殉 2/16/57 **16:4**

鳥仔卦 5/1/57 **16:9**

綠藻和鹹蛋 7/1/56 **15:1**

林毓生

羅素自述［譯作，原作者：羅素(Bertrand Russell)］ 8/1/56 **15:3**

林僧

星加坡的隱憂 2/1/58 **18:3**

林德泰

請政府重視盜印惡風！ 8/1/59 **21:3**

林慰君

美國必須採取強硬態度(芝加哥通信) 4/16/50 **2:8**

給祖國的一封公開信(芝加哥通訊) 5/16/50 **2:10**

萬事莫如反共急(芝加哥通訊) 10/1/50 **3:7**

臺灣問題在美國(美國通信) 3/1/50 **2:5**

林縝

請監察院慎選大法官！ 9/16/58 **19:6**

林醒

從臺大講師慘死說到警務處李葆初的措置 1/1/60 **22:1**

林靜

共黨對香港的和平攻勢 4/1/56 **14:7**

【八劃】(續)

林觀道

　從臺中縣地方選舉實例談到公平合法 3/16/60 **22:6**

松青

　病 9/16/59 **21:6**

法蘭克原作／陳少廷譯

　多瑪主義與辯證唯物論 3/1/57 **16:5**

　基本科學爲何常使極權者與迫害異端者受窘？ 4/1/56 **14:7**

牧人

　從「中國劇團」訪問西班牙說起 1/16/58 **18:2**

　瑪德里近事 3/1/57 **16:5**

知非

　民命草芥 10/16/51 **5:8**

社論(附)

　立法院第二十一期秘密會通過的出版法條文摘要 7/1/58 **19:1**

社論

　一份祝壽的心儀(爲中國國民黨六十周年紀念作)[夏道平] 12/1/54 **11:11**

　一個博得喝采的決議案[夏道平] 11/16/57 **17:10**

　一項亟待解決的土地問題 3/1/57 **16:5**

　一篇血腥氣的怪論——「中立主義的轉變」[夏道平] 2/16/58 **18:4**

　「九一八」廿週年敬告日本人民 9/16/51 **5:6**

　二十世紀後半期開始時我們應有的決定 1/1/50 **2:1**

　人爲的水災 8/16/60 **23:4**

　人無遠慮、必有近憂——對日本鳩山內閣進一言 7/1/56 **15:1**

　又一個關係憲政的問題[雷震／夏道平] 10/1/54 **11:7**

　三論谷鳳翔對「奉命不上訴」案應負的法律責任——又一證據谷鳳翔難逃教唆罪嫌 .. 12/16/58 **19:12**

　三論青年反共救國團撤銷問題[傅正] 9/1/60 **23:5**

　土耳其政變的教訓——兼論反對黨的正面價值 6/16/60 **22:12**

　大江東流擋不住！[殷海光] 9/1/60 **23:5**

　「大家來」對「一面倒」 2/16/51 **4:4**

　大學聯合招考依系科志願分配新生之不合理 7/16/55 **13:2**

　小地盤、大機構 10/16/57 **17:8**

【八劃】(續)

社論[續前]

小事體，大問題[夏道平] 7/1/55 **13:1**

工商業倒風的對策 8/16/58 **19:4**

已是財經改革的時候了 2/1/58 **18:3**

不要上了圈套！ 3/16/57 **16:6**

不要再玩政治魔術！——告國民黨當局[傅正] 3/1/60 **22:5**

不要怕民主！[殷海光] 1/1/57 **16:1**

不能接受的「籌設中醫學校」案 4/16/56 **14:8**

中央銀行復業問題 8/1/60 **23:3**

中立集團與美國政策 8/16/53 **9:4**

中美交誼的過去和將來 7/16/50 **3:2**

中國人看美國的遠東政策——對美遠東使節的臺北會議提幾點坦率建議 3/16/58 **18:6**

中國文化發展的新取向[殷海光] 7/16/59 **21:2**

五一談工運 5/1/52 **6:9**

「五四」是我們的燈塔！[殷海光] 5/1/60 **22:9**

今天的立法院[雷震] 12/1/57 **17:11**

今日的司法！[雷震] 7/1/57 **17:1**

今日的問題(二)反攻大陸問題[殷海光] 8/1/57 **17:3**

今日的問題(五)我們的經濟 9/16/57 **17:6**

今日的臺灣十年前的英倫 6/1/50 **2:11**

公用事業的價格問題 8/1/53 **9:3**

公教人員的待遇問題 5/16/56 **14:10**

公賣制度必須改革 9/16/54 **11:6**

分析赫魯雪夫的裁軍高調及其用心——兼論北平偽政權軍事首腦的更動 10/1/59 **21:7**

勿陷總統於違憲——駁斥中央日報一月九日社論 1/16/58 **18:2**

反民主的民主 4/16/57 **16:8**

「反共」不是黑暗統治的護符！[殷海光] 5/16/60 **22:10**

反共冷戰中的政治力量與現代的主權觀念 4/1/58 **18:7**

反共的方法問題——從日本此次地選舉看出自由民主的價值 5/16/59 **20:10**

反共與團結——本刊一貫的主張[雷震] 12/16/51 **5:12**

反對黨問題(「今日的問題」之十五)[雷震] 2/16/58 **18:4**

日「中」貿易的嚴重性 4/1/57 **16:7**

日內瓦會議的展望 4/16/54 **10:8**

【八劃】(續)

社論［續前］

日本大選與今後的政局 .... 5/1/53　**8:9**

日本遭蘇俄否決後的出路 .... 1/1/56　**14:1**

日美修約談判與遠東大局 .... 12/16/58　**19:12**

日匪貿易協定與我們的對日外交 .... 4/1/58　**18:7**

毋自壞長城［雷震］ .... 4/16/56　**14:8**

世界上有這種政治制度麼？──「總統有權，內閣有責」 .... 2/1/58　**18:3**

以行動為號召 .... 11/1/57　**17:9**

以沈著與機智應付臺峽緊張局勢 .... 9/1/58　**19:5**

出版法事件的綜合觀［夏道平］ .... 5/16/58　**18:10**

出版法修正案仍以撤回為妥 .... 5/1/58　**18:9**

出版品限制取消以後的責任問題 .... 11/16/54　**11:10**

加強中韓越三國合作 .... 8/1/56　**15:3**

加緊撲滅翻版盜印的惡風 .... 8/1/59　**21:3**

北大首長會議的決定及其影響 .... 1/1/58　**18:1**

古亭國校事件透露的嚴重問題 .... 7/1/59　**21:1**

司法偵查權不容侵越 .... 10/1/56　**15:7**

司法獨立與司法人員的管理 .... 8/1/60　**23:3**

叫我們如何鼓勵「抬不起頭的」稅務人員？［夏道平］ .... 10/1/59　**21:7**

史達林底談話暴露了什麼？ .... 3/1/51　**4:5**

史達林被清算了 .... 3/16/56　**14:6**

四國會議的展望 .... 7/16/55　**13:2**

失言乎？實言乎？ .... 9/16/56　**15:6**

尼赫魯先生當心點！ .... 12/16/55　**13:12**

打開投資之門 .... 6/1/54　**10:11**

斥中立主義 .... 12/16/53　**9:12**

斥所謂「停火」與「兩個中國」之謬說 .... 2/16/55　**12:4**

斥無恥的讕言 .... 11/1/54　**11:9**

本刊的十年回顧［雷震／夏道平］ .... 1/1/59　**20:1**

本刊第三年的開始［雷震］ .... 11/16/51　**5:10**

正告日本朝野認清中共的真相 .... 10/1/54　**11:7**

正義與和平的抉擇 .... 2/1/51　**4:3**

民主自由與經濟制度──經濟社會化應該犧牲政治民主化麼？ .... 4/1/50　**2:7**

【八劃】(續)

社論[續前]

民主國家應提高警覺 ....6/16/51　**4:12**

民主國際才是防共長堤 ....8/16/50　**3:4**

民主憲政的又一試金石[雷震] ....7/16/54　**11:2**

民營事業的使命——勉臺紙公司及其他民營事業[夏道平] ....4/16/55　**12:8**

由地方行政改革談一黨特權 ....7/1/58　**19:1**

由兩件不愉快的事看我們的外交 ....6/16/59　**20:12**

由節育問題說到教條主義之為害 ....6/1/59　**20:11**

由證券市場之設立以覘新內閣行政效率 ....10/16/58　**19:8**

立法院給憲政開一惡例[雷震／夏道平] ....6/16/54　**10:12**

立監兩院加緊自肅運動！[夏道平] ....4/16/58　**18:8**

伊朗往何處去？ ....8/1/52　**7:3**

全球性戰略與民主世界的團結 ....2/1/53　**8:3**

共匪玩弄民主 ....7/1/57　**17:1**

共產統治與人權 ....12/1/58　**19:11**

共產黨怕自由 ....8/1/55　**13:3**

再向日本人民進一言 ....12/1/51　**5:11**

再期望於國民黨者 ....11/1/52　**7:9**

再談今日的司法 ....11/1/57　**17:9**

再談軍公教人員待遇問題 ....7/1/59　**21:1**

再論「君主的民主」[殷海光] ....10/16/56　**15:8**

再論青年反共救國團撤銷問題 ....6/1/58　**18:11**

再論經濟管制的措施 ....6/16/51　**4:12**

吉田內閣總辭與日本政局展望 ....12/16/54　**11:12**

向日本人民進一言 ....6/16/50　**2:12**

向尼克森先生致意 ....11/16/53　**9:10**

向美國政府重申警告 ....4/16/52　**6:8**

「地方黨治」必須立即停止 ....5/1/59　**20:9**

在教育界多事之秋談建教合作 ....9/1/53　**9:5**

多災多難的「冤獄賠償法草案」——未被冤埋，又有被肢解的危險 ....5/16/59　**20:10**

好一個舞文弄法的謬論！——所謂「修改臨時條款並不是修改憲法本身」[夏道平] ....7/16/59　**21:2**

如此司法——「奉命不上訴」[夏道平] ....11/16/58　**19:10**

如何加強自由制度——請自便民始 ....1/1/55　**12:1**

【八劃】(續)

社論[續前]

如何使和諧失掉作用 .... 3/1/57　**16:5**

如何糾正臺灣選舉的弊端 .... 12/16/56　**15:12**

如何應付共匪的和談攻勢？ .... 7/16/56　**15:2**

存亡絕續在此一舉——蔣總統復職後我們的願望 .... 3/16/50　**2:6**

安全室是幹什麼的？ .... 5/1/58　**18:9**

有容乃大 .... 8/16/51　**5:4**

有容乃大・無慾則剛[夏道平] .... 2/16/55　**12:4**

有感於水泥紙業兩公司的股東大會 .... 12/1/54　**11:11**

有感於韓國大選 .... 6/1/56　**14:11**

朱可夫事件引起的感想 .... 11/16/57　**17:10**

「死亡宣告」可以適用於國大代表嗎？[傅正] .... 1/1/60　**22:1**

自由中國之路——十年了！[殷海光] .... 2/16/59　**20:4**

自由中國和聯合國的生命 .... 4/16/50　**2:8**

自由日談真自由 .... 2/1/54　**10:3**

自由民主是反共的活路[殷海光] .... 7/16/58　**19:2**

自由選擇，選擇自由 .... 11/16/55　**13:10**

自清運動要不得 .... 11/5/55　**13:9**

艾森豪主義與中東危機 .... 2/1/57　**16:3**

艾登辭職與責任政治 .... 2/1/57　**16:3**

行政院長應不應到監察院報告備詢[雷震] .... 1/1/58　**18:1**

行憲六年 .... 2/16/54　**10:4**

行憲與民主 .... 3/16/54　**10:6**

行憲與守法 .... 3/1/54　**10:5**

你要不要做人[殷海光] .... 12/1/58　**19:11**

希望於我們的人民代表們 .... 12/1/56　**15:11**

希望政府切實實行陳院長在檢討會的指陳[雷震] .... 4/1/53　**8:7**

我們不要瞎猜 .... 9/1/52　**7:5**

我們不能放棄大陸上據點！ .... 12/20/49　**1:3**

我們反對軍隊黨化[夏道平] .... 3/16/59　**20:6**

我們的中央政制 .... 11/1/57　**17:9**

我們的立場[雷震] .... 7/1/51　**5:1**

我們的地方政制 .... 11/16/57　**17:10**

【八劃】(續)

社論[續前]

我們的軍事[夏道平] ....8/16/57　**17:4**

我們的財政 ....9/5/57　**17:5**

我們的教育(「今日的問題」之十三)[殷海光] ....1/16/58　**18:2**

我們的答辯 ....1/16/57　**16:2**

我們的新聞自由(「今日的問題」之十一) ....12/16/57　**17:12**

我們的檢討與報告 ....11/16/55　**13:10**

我們信賴聯軍統帥的保證 ....10/16/53　**9:8**

我們要有說真話的自由[殷海光] ....7/16/60　**23:2**

我們要求一貫的僑務政策 ....6/1/57　**16:11**

我們要貫徹「五四」精神 ....5/1/55　**12:9**

我們現在已臨一毫不可鬆懈的時候了！ ....5/16/50　**2:10**

我們對字體簡化的意見[夏道平] ....4/16/54　**10:8**

我們對於大專畢業生軍訓的幾句要話 ....7/16/52　**7:2**

我們對於反共救國會議的幾點初步意見 ....10/16/56　**15:8**

我們對於美國新任國防部長馬歇爾的期望 ....10/1/50　**3:7**

我們對於僑務會議的期望 ....10/16/52　**7:8**

我們對於管理外匯貿易新辦法的關懷 ....3/16/55　**12:6**

我們需要怎樣的行政院長[雷震] ....5/16/54　**10:10**

我們應該怎樣來反共 ....8/16/56　**15:4**

抗議與申訴 ....6/16/55　**12:12**

把握、把握、把握住人心！ ....5/1/50　**2:9**

扼殺民營報紙的又一辦法[傅正] ....9/16/58　**19:6**

改組與改革 ....4/1/58　**18:7**

改善投資環境的基本問題 ....2/1/60　**22:3**

改進黨政關係 ....4/16/58　**18:8**

更多的民主與更多的自由 ....5/1/54　**10:9**

求公平、節浪費！——寫在軍公教人員待遇調整之前 ....6/16/52　**6:12**

災區重建計劃與緊急處分命令——開闢財源應從杜絕浪費、整頓稅收著手 ....9/16/59　**21:6**

究竟誰在給共匪利用？ ....3/16/58　**18:6**

言論自由的認識及其基本條件[雷震／殷海光] ....10/1/51　**5:7**

迅速締結太平洋公約 ....9/1/50　**3:5**

亞非會議與中共陰謀 ....5/1/55　**12:9**

【八劃】(續)

社論[續前]

亞盟要把握住反共的有效武器 5/16/55 **12:10**

亞盟會議的流產與亞洲團結反共 6/1/55 **12:11**

供給制爲浪費之源 1/16/58 **18:2**

刷新外交的三大前題 6/16/56 **14:12**

制裁人類底公敵！ 3/16/51 **4:6**

取消一黨專政！——從黨有、黨治、黨享走向民有、民治、民享的大道 1/16/59 **20:2**

呼籲從速召開反共救國會議——並請蔣總統釋疑 11/5/58 **19:9**

「奉命不上訴」爲何「不予起訴」？[夏道平] 1/16/59 **20:2**

所謂「時裝表演」事件的始末與我們的觀感 3/1/55 **12:5**

放寬對匪禁運的危險性 5/16/57 **16:10**

於歡迎蔣廷黻博士以後 4/1/51 **4:7**

欣幸中的疑慮——關於蔣總統反對修憲的聲明 1/1/59 **20:1**

法治乎？黨治乎？ 9/1/56 **15:5**

法律與自由[雷震] 1/1/53 **8:1**

法屬北非問題 9/18/55 **13:6**

治安機關無權查扣書刊——從「祖國週刊」被扣說到書報雜誌審查會報之違法[傅正] ...3/16/59 **20:6**

物價，公教待遇與財政 4/16/60 **22:8**

近年的政治心理與作風(「今日的問題」之十四)[殷海光] 2/1/58 **18:3**

金門事件發展中的期待 9/16/54 **11:6**

青年反共救國團問題(「今日的問題」)之十二[傅正] 1/1/58 **18:1**

亟待拯救的臺灣林業 5/1/56 **14:9**

保護政策的限度 9/18/55 **13:6**

俄共內爭的意義與影響 7/16/57 **17:2**

南美洲教訓了美國什麼？ 6/1/58 **18:11**

南韓新反對黨的誕生 10/1/55 **13:7**

建立反共知識的權威 4/1/56 **14:7**

建立法治[夏道平] 8/16/56 **15:4**

建立現代化的制度 1/16/51 **4:2**

建議中韓日同盟 7/1/54 **11:1**

待遇調整案的檢討 12/1/57 **17:11**

急救臺灣地方政治 9/1/58 **19:5**

急轉直下的中日媾和 2/1/52 **6:3**

【八劃】(續)

社論[續前]

怎樣才使國大的紛爭平息了的！[雷震／夏道平] 3/16/60 **22:6**

怎樣挽救當前的危局？ 6/16/57 **16:12**

政府不可誘民入罪 6/1/51 **4:11**

政府不應用經濟方法打擊民營報紙！[傅正] 12/1/58 **19:11**

政府不應縱容中廣公司違法！ 5/1/60 **22:9**

政府和輿論都應重視這一次的反應！[雷震] 11/16/56 **15:10**

政府豈可趁「災」加價？ 12/5/59 **21:11**

政治改革不容再緩！ 12/16/56 **15:12**

政治的神經衰弱症[殷海光] 6/16/58 **18:12**

政治與道德 1/16/52 **6:2**

是什麼，就說什麼(代緒論)[殷海光] 8/1/57 **17:3**

柏林危機與日內瓦四外長會議 5/1/59 **20:9**

爲中日簽約問題正告日本和我國政府 2/16/52 **6:4**

爲四屆縣市議員選舉婉告國民黨人 12/16/57 **17:12**

爲民主和自由解惑 9/1/55 **13:5**

爲「自治」半月刊橫遭查扣而抗議[雷震／夏道平] 1/1/58 **18:1**

爲李承晚釋俘事件婉告美國 7/1/53 **9:1**

爲政不在於擺排場逞威風——向周至柔主席進一言 10/1/58 **19:7**

爲美國人想——唯有解放政策才能避免原子戰爭 8/16/54 **11:4**

爲軍公教人員叫不平[夏道平] 6/16/60 **22:12**

爲國民黨改造進一言[雷震] 8/1/50 **3:3**

爲教師爭人格[殷海光] 9/16/58 **19:6**

爲菲化案敬告菲國政府 4/1/54 **10:7**

爲學術教育工作者請命 6/1/58 **18:11**

研究貪污問題的第一課 9/16/56 **15:6**

研究敵情不容自我陶醉 4/16/52 **6:8**

科學教育的基本認識 2/1/59 **20:3**

紅白壽慶送往迎來——從臺北市長黃啓瑞娶兒媳「大擺流水席」說到官場風氣...........2/1/60 **22:3**

美日安全新約與太陽旗的重新升起 2/16/60 **22:4**

美國在亞洲要有積極的政策 7/16/54 **11:2**

美國選舉後外交政策的期望 11/16/54 **11:10**

美國應如何領導自由世界 12/1/53 **9:11**

【八劃】(續)

社論 [續前]

美國應有明朗的對日政策 .... 1/1/55　**12:1**

美國輿情與其援外政策新趨向 .... 8/1/59　**21:3**

美援急須擴及文化部門 .... 6/1/56　**14:11**

美援運用問題 .... 10/1/57　**17:7**

美援與友誼 .... 5/16/56　**14:10**

美蘇首長互訪計劃與我們的道路 .... 8/16/59　**21:4**

胡光麃案的教訓 .... 4/1/55　**12:7**

胡適思想爲甚麼遭受中共嫉忌 .... 2/1/55　**12:3**

英國大選的教訓 .... 11/16/51　**5:10**

要談，談什麼？ .... 8/16/55　**13:4**

軍公教人員待遇的調整還可再拖嗎？[雷震] .... 1/1/57　**16:1**

軍公教人員待遇爲何不能合理改善？ .... 2/16/59　**20:4**

軍司法再進一步的革新 [夏道平] .... 11/1/54　**11:9**

軍事改革的起點 .... 4/1/59　**20:7**

軍法與普通司法的劃分 [雷震] .... 11/1/51　**5:9**

重申我們反對修憲的意見 [傅正] .... 12/16/59　**21:12**

重視西藏掀起的抗暴運動 .... 4/1/59　**20:7**

重整五四精神！[殷海光] .... 5/1/57　**16:9**

乘中蘇條約廢除的機會論我國外交的心理基礎 .... 3/1/53　**8:5**

倖進之風不可長 .... 1/16/54　**10:2**

值得重視的華僑教育問題 .... 7/16/56　**15:2**

個人爲國家之本 [殷海光] .... 3/1/56　**14:5**

修辭立其誠(有感於俞院長在立法院的答覆詞) [夏道平] .... 3/16/55　**12:6**

倪路案亟待澄清 .... 12/1/57　**17:11**

冤獄賠償制度之建立不容再緩了——兼評立法院刑事補償草案 [雷震] ...... 3/1/59　**20:5**

剖視人和魔鬼的談判 .... 10/16/51　**5:8**

展望民國四十一年的國際局勢 .... 1/1/52　**6:1**

展望民國四十年 .... 1/1/51　**4:1**

展開啓蒙運動 [殷海光] .... 5/1/59　**20:9**

師克在和不在眾 .... 1/16/50　**2:2**

拿出大氣派來應付敵人政治攻勢 .... 4/1/56　**14:7**

時機不可再失！(向諾蘭先生進一言) .... 9/16/53　**9:6**

【八劃】(續)

社論［續前］

殷臺案必須澈底澄清 .... 5/1/57　**16:9**

消弭中東戰亂與解放東歐 .... 11/16/56　**15:10**

消除國際的現實主義 .... 5/16/51　**4:10**

海埔新生地的開發問題 .... 3/16/59　**20:6**

留學生為甚麼去多回少？ .... 8/16/60　**23:4**

留學生赴美的簽證問題 .... 4/16/59　**20:8**

記者節談穆萬森案件［夏道平］ .... 9/1/59　**21:5**

豈容「御用」大法官濫用解釋權？［傅正］ .... 3/1/60　**22:5**

馬歇爾留給我們的警惕［夏道平］ .... 11/1/59　**21:9**

高階層會議與聯大會議 .... 3/1/58　**18:5**

停止無聊的日內瓦大使談判 .... 7/16/58　**19:2**

國大何故要開臨時會？ .... 12/16/57　**17:12**

國民黨豈可重演違法競選的故技？［傅正］ .... 4/16/60　**22:8**

國民黨當局應負的責任和我們應有的努力［傅正］ .... 7/1/58　**19:1**

國民黨當局還不懸崖勒馬？［傅正］ .... 6/16/58　**18:12**

國民黨應如何領導從政黨員［雷震］ .... 1/16/55　**12:2**

國是會議應該從速召開 .... 4/16/59　**20:8**

國家應為個人利益而存在 .... 2/16/56　**14:4**

國庫不是國民黨的私囊！——從民社黨拒受宣傳補助費說到國民黨把國庫當作黨庫 .... 6/1/60　**22:11**

國校畢業生免試升學方案平議 .... 3/16/56　**14:6**

堵防時代思潮中的一股逆流 .... 5/16/52　**6:10**

寄語大陸同胞 .... 6/1/51　**4:11**

寄語艾森豪！ .... 11/16/52　**7:10**

康隆報告的實質及其根本錯誤 .... 1/1/60　**22:1**

張其昀部長的原子迷［殷海光］ .... 1/1/57　**16:1**

從中日更動大使檢討中日外交關係 .... 4/1/59　**20:7**

從公文程式的革新說到分層負責 .... 8/1/52　**7:3**

從反共義士的行動看出自由民主的真實價值［雷震］ ..... 11/1/53　**9:9**

從毛匪去職事件談共產政權的性格 .... 1/1/59　**20:1**

從王國柱之死談臺灣地方自治 .... 5/16/58　**18:10**

從包啓黃案件論軍法［夏道平］ .... 9/5/54　**11:5**

從本屆美國大選看美國政治及外交動向 .... 11/16/58　**19:10**

【八劃】(續)

社論[續前]

從立委律師鳴槍事件說起 2/16/59 **20:4**

從伊拉克政變看美國的中東政策 8/1/58 **19:3**

從「自由人」被扣說到「自由人」停刊[傅正] 10/16/59 **21:8**

從行政院改組說到陳院長觀念中的經濟建設[夏道平] 6/16/60 **22:12**

從李慕白套匯案談到外匯政策 10/16/54 **11:8**

從兩個故事看公務員的待遇 6/1/59 **20:11**

從官方的報道再論「奉命不上訴」[夏道平] 12/1/58 **19:11**

從波匈抗暴看特務政治的毀滅 12/1/56 **15:11**

從法家拂士談到言論自由 12/16/52 **7:12**

從法國大選得到的教訓 1/16/56 **14:2**

從法理人情說違章建築之處理 3/1/59 **20:5**

從保護政策說起 2/16/56 **14:4**

從待遇調整案的發展與結束展望政局前途 7/1/60 **23:1**

從星加坡的學潮看東南亞的安危 6/16/55 **12:12**

從孫案的反應矚望於調查委員會 9/1/55 **13:5**

從教廳的一件命令談法治前途與政治作風 9/16/53 **9:6**

從氫彈試驗矚望美國改變對蘇政策 6/1/54 **10:11**

從疏散事件說到一個基本的問題[夏道平] 8/16/55 **13:4**

從速救助中國大陸流亡學生![傅正] 9/1/58 **19:5**

從華盛頓椅背上的太陽說起 6/16/56 **14:12**

從當前國際局勢看杜艾會談 12/16/50 **3:12**

從對西德和平契約談起 6/1/52 **6:11**

從滿街蘋果談到外匯管制的弊端 3/1/58 **18:5**

從憲法保障人身體自由說到取締流氓辦法[雷震] 12/16/58 **19:12**

從總預算案的爭執說到公平待遇 6/16/55 **12:12**

從韓國政爭看我國的民主運動 2/1/59 **20:3**

從權力政治說毛去劉來 5/16/59 **20:10**

悼念羅鴻詔先生 4/16/56 **14:8**

探本尋源論財經大計 8/1/56 **15:3**

救國主義與亡國主義的對照[夏道平] 2/1/58 **18:3**

教育文化向那方走？ 12/1/50 **3:11**

教育行政應有示範作用——守法 8/1/53 **9:3**

【八劃】（續）

社論［續前］

教育和政俗 .... 2/1/54　**10:3**

教育的轉機 .... 11/16/58　**19:10**

教育問題引端 .... 2/1/56　**14:3**

教育部長張其昀的民主觀──君主的民主［殷海光］ .... 10/1/56　**15:7**

清算英國的艾德禮 .... 10/16/54　**11:8**

現有軍事機構與員額不可以裁減嗎？ .... 11/1/59　**21:9**

異哉！所謂「臺灣問題」 .... 9/16/50　**3:6**

莫斯科的魔術──從史毛間的所謂「談判」到俄毛偽約 .... 3/1/50　**2:5**

這一年！［夏道平］ .... 1/1/56　**14:1**

這是國民黨反省的時候［雷震／殷海光］ .... 5/16/54　**10:10**

這樣的地方選舉能算「公平合法」嗎？［傅正］ .... 5/1/60　**22:9**

這樣能解決問題嗎？──對於左舜生先生主張與中央日報社論的平議 ... 7/16/59　**21:2**

麥帥之去職 .... 4/16/51　**4:8**

創辦新報的限制該解除了吧！──今天連違法的根據也沒有了 .... 7/16/60　**23:2**

喪鐘乎？警鐘乎？ .... 5/1/56　**14:9**

就地方選舉向國民黨再進一言 .... 4/1/60　**22:7**

就業考試與中等學校教員 .... 9/5/54　**11:5**

期待於國立政治大學 .... 12/1/54　**11:11**

期望中的憂慮──進言於新任行政院長陳誠氏 .... 7/16/58　**19:2**

痛定思痛話水災 .... 9/1/59　**21:5**

痛定思痛談免試升學 .... 2/1/59　**20:3**

給美國政府一個嚴重的警告 .... 3/1/52　**6:5**

評外匯貿易改進方案 .... 5/1/58　**18:9**

評扶植自耕農方案 .... 8/16/52　**7:4**

評星加坡的「教育政策白皮書」 .... 7/16/56　**15:2**

評選舉監察辦法修正案──國民黨黨政當局再不要玩弄手法了！ ...... 8/16/60　**23:4**

評醞釀中的又一次文清運動 .... 8/1/56　**15:3**

越南停戰以後 .... 8/1/54　**11:3**

開城談判的裏面觀 .... 7/16/51　**5:2**

開倒車──走私案移送軍法審判［雷震／夏道平］ .... 12/5/59　**21:11**

雅爾達密約與臺灣海峽停火 .... 4/1/55　**12:7**

黃啓瑞在公車加價案中「玩法弄權」！ .... 11/1/59　**21:9**

【八劃】(續)

社論[續前]

廉潔的公教人員活不下去！ 7/16/57 **17:2**

搶救緬境難胞 3/1/56 **14:5**

敬以諍言慶祝蔣總統當選連任 4/1/54 **10:7**

敬向蔣總統作一最後的忠告[夏道平] 2/1/60 **22:3**

敬告我們的國大代表——團結・法統・政治買賣[雷震／夏道平] 2/16/60 **22:4**

新年的願望——民主與團結 1/1/54 **10:1**

新閣的作風與人事安排 8/1/58 **19:3**

當前台灣警政問題的嚴重性！[傅正] 6/1/59 **20:11**

當前國際形勢與反共聯合戰線 6/1/53 **8:11**

當前管制經濟的措施亟待改進 3/16/53 **8:6**

睜開眼睛看當前世局——不要因愚昧的宣傳害了自己 10/16/59 **21:8**

節約運動必須正本清源 4/1/52 **6:7**

「聖地牙哥宣言」敲響了獨裁者的喪鐘！ 9/1/59 **21:5**

解決中國問題須要以民意為依歸 11/16/59 **21:10**

解決臺灣省政體制的根本辦法——省長必須實行民選！ 8/1/59 **21:3**

解除臺灣中立化應該是全球性戰略的第一步 2/16/53 **8:4**

解救越南危局的根本之圖 11/1/50 **3:9**

跟著五四的腳步前進[殷海光] 5/1/58 **18:9**

違法舞弊的臺南市長選舉應宣告無效 5/16/60 **22:10**

遏止這股反時代的逆流 9/1/56 **15:5**

雷諾判決無罪與臺北騷動事件之檢討[夏道平] 6/1/57 **16:11**

壽總統蔣公 10/31/56 **15:9**

對文化界清潔運動的兩項意見 8/16/54 **11:4**

對日和約與集體安全 5/1/51 **4:9**

對民社黨和國民黨提名競選之爭的看法 12/16/59 **21:12**

對民青兩黨的期望[夏道平] 12/1/55 **13:11**

對共產集團和平攻勢應有的瞭解與對策 4/16/53 **8:8**

對艾森豪總統關於遠東政策咨文的觀感 2/1/55 **12:3**

對亞洲人民反共會議的期望 8/1/54 **11:3**

對於地方選舉的兩點起碼要求[傅正] 3/16/60 **22:6**

對於我們教育的展望 9/16/52 **7:6**

對於杜勒斯外交政策的觀感 2/1/56 **14:3**

【八劃】(續)

社論[續前]

對於監察院總檢討的檢討 12/16/59 **21:12**

對政經半月刊事件的觀感[夏道平] 1/16/60 **22:2**

對國民黨七全大會的期望[雷震] 10/1/52 **7:7**

對梅部長的低調希望[殷海光] 8/16/58 **19:4**

對構陷與誣衊的抗議——從個人自由與國家自由說起[雷震] 2/16/57 **16:4**

撤銷軍人之友社![傅正] 10/1/59 **21:7**

管理國營事業的前提條件——從電力加價想起 12/1/52 **7:11**

臺北市政問題還容忽視嗎?——望黃市長「崇法負責」 8/16/59 **21:4**

臺省府還有整頓林政積弊的決心嗎? 11/16/56 **15:10**

臺灣、香港與大陸 11/16/50 **3:10**

臺灣人與大陸人[夏道平] 7/16/60 **23:2**

臺灣海峽停火談判勢在必行嗎? 5/16/55 **12:10**

與陳兼院長論反對黨[雷震] 7/1/60 **23:1**

認清當前形勢‧展開自新運動[殷海光] 10/16/58 **19:8**

趙品玉案所蘊含的幾個問題 10/16/59 **21:8**

寮國危局與東南亞的政治 9/16/59 **21:6**

寮國政變對自由世界的教訓 9/1/60 **23:5**

寫在反共救國會議之前 10/16/53 **9:8**

寫在本屆地方選舉之前 4/1/57 **16:7**

寫在臺灣全省行政會議之後 4/1/59 **20:7**

寫在舊金山和會的前面 9/1/51 **5:5**

履霜堅冰至! 3/16/52 **6:6**

彈劾案與調查權[雷震／夏道平] 1/1/58 **18:1**

標語有何用處? 5/1/56 **14:9**

確立文人治軍制度[雷震] 6/16/54 **10:12**

蔣總統不會作錯了決定吧?[夏道平] 6/16/59 **20:12**

蔣總統如何向歷史交待?[夏道平] 4/1/60 **22:7**

談考試與任用 8/16/59 **21:4**

談做保[夏道平] 10/1/52 **7:7**

談臺北市政 10/1/55 **13:7**

請投在野黨和無黨無派候選人一票![傅正] 4/16/60 **22:8**

請速停辦「大陸來臺國民調查」![雷震／傅正] 12/5/59 **21:11**

【八劃】(續)

社論[續前]

誰是真正的多數？ 7/1/60 **23:1**

論二分法[殷海光] 8/1/58 **19:3**

論中日合作的前途並再告兩國當局 3/1/52 **6:5**

論中美共同防禦條約 12/16/54 **11:12**

論台海危機 10/1/58 **19:7**

論米價 5/16/53 **8:10**

論言論與新聞的管制 12/1/55 **13:11**

論放棄主動使用武力之承諾 11/5/58 **19:9**

論物價問題 12/16/55 **13:12**

論效忠 4/16/57 **16:8**

論無記名投票——進步的民主制度[雷震] 3/16/60 **22:6**

論進口管制之開放 4/16/59 **20:8**

論團結對於反共抗俄的必要 12/5/49 **1:2**

學人蒙難文化遭殃[雷震] 1/1/52 **6:1**

學術教育應獨立于政治 5/16/58 **18:10**

憑甚麼查扣「自由人」？[傅正] 7/1/59 **21:1**

擁護僑委會的新號召——並建議召開國是會議 7/1/56 **15:1**

「歷史判斷」與「另請高明」[夏道平] 3/1/56 **14:5**

獨立自主與「一邊倒」 2/1/50 **2:3**

積極展開新黨運動！ 6/16/58 **18:12**

諾言貴實踐[雷震／夏道平] 7/1/54 **11:1**

選票與人心[夏道平] 5/16/57 **16:10**

檢討外交的時候 6/1/56 **14:11**

聯大討論阿爾及利亞問題的意義 10/16/55 **13:8**

聯合國不要腐蝕了勝利的果實 10/16/50 **3:8**

聯合國可容中共闖進嗎？ 10/1/53 **9:7**

「臨時條款等於憲法」！——根據第一屆國民大會第二次會議的記載 1/16/60 **22:2**

輿論界的反省(為本刊第五年開始而作)[雷震] 11/16/53 **9:10**

韓政演變的光明啓示——人類理性時代的展開 6/1/60 **22:11**

韓國人民的憤怒驚醒了美國政府！ 5/1/60 **22:9**

韓國的政爭與東方的民主 1/16/59 **20:2**

韓國的流血選舉與反對派的榜樣 4/1/60 **22:7**

【八劃】(續)

社論[續前]

韓國近來的態度是否利於反共 11/1/54 **11:9**

韓國停戰就是實行「解放政策」的第一步麼？ 6/16/53 **8:12**

韓境反共義士必須如期釋放 1/16/54 **10:2**

韓戰一年對於世界的影響 7/1/51 **5:1**

藉團結以打開政治新局面 1/1/60 **22:1**

懷疑與希望 3/16/57 **16:6**

關於「反攻大陸問題」的問題[殷海光] 9/5/57 **17:5**

關於私人投資問題 7/1/52 **7:1**

關於陳懷琪投書事件的簡報[夏道平] 3/1/59 **20:5**

願美國勿再鑄大錯 8/1/51 **5:3**

競選活動應有這樣不合理的限制嗎？ 5/1/54 **10:9**

競選活動應看做政治教育[雷震] 1/16/53 **8:2**

蘇俄的承認「越南共和國」和美國的製造氫原子彈 2/16/50 **2:4**

蘇俄政變與臺灣海峽 3/1/55 **12:5**

蘇俄發射人造衛星以後 10/16/57 **17:8**

議會辯論與政治教育 10/16/55 **13:8**

警備總部不應根據盛世才挾嫌誣告而濫行捕人[雷震] 6/1/60 **22:11**

黨霸教育的真面目──兼論政大教授李聲庭解聘事 8/1/60 **23:3**

鐵幕內亂與西方對策 7/16/53 **9:2**

霹靂聲中的覺醒 7/16/50 **3:2**

歡迎艾森豪總統訪華 6/16/60 **22:12**

歡迎吳廷琰總統並談中、越、韓合作 1/16/60 **22:2**

歡迎我們的代表蔣廷黻博士 3/16/56 **14:6**

讀胡適先生在聯大的演說[殷海光] 10/16/57 **17:8**

觀念的混亂‧理論的破產 1/16/57 **16:2**

祁仁

緊張而興奮的越北(河內通訊) 4/16/52 **6:8**

祁自珍

客從長春來(香港通訊) 11/16/51 **5:10**

香港自由人士看陳內閣(香港通信) 4/1/50 **2:7**

飢餓的大陸(香港通訊) 5/1/50 **2:9**

【八劃】(續)

祁自珍[續前]

愛國華僑走向何處去？(香港通訊) .... 5/16/50　**2:10**

腐蝕墮落中的中共幹部(香港通訊) .... 10/1/50　**3:7**

芬

教會與共產主義之在中國(待續)[譯作，原作者：雷震遠] .... 6/1/50　**2:11**

教會與共產主義之在中國[譯作，原作者：雷震遠] .... 6/16/50　**2:12**

芬萊特(Thomas K. Finletter)原作／金郁彭譯

蘇俄何時能發動大戰？ .... 1/1/55　**12:1**

芥子

爲「自由談」作一次義務廣告 .... 12/16/55　**13:12**

邵德潤

中共統治技術的剖視 .... 8/1/51　**5:3**

邵鏡人

我對反共救國會議之希望 .... 1/1/57　**16:1**

邱平

外匯貿易體系應予一元化 .... 7/1/57　**17:1**

爲僑資進口物資辦法再進一言 .... 1/1/58　**18:1**

答中央信託局 .... 12/1/57　**17:11**

邱昌渭

政治民主才能經濟平等 .... 2/16/54　**10:4**

責任的意義 .... 8/1/54　**11:3**

集權政府中央行政組織形態的剖析[遺著] .... 8/16/56　**15:4**

憲法與行憲 .... 3/16/54　**10:6**

邱南生

論日本人 .... 12/1/52　**7:11**

金一鴻

剖析中共農業互助組織 .... 1/1/53　**8:1**

評蘇俄集團與南共「綱領」之爭 .... 11/5/58　**19:9**

【八劃】(續)

金少光

一個剛到美國的中國青年的來信 .... 12/5/49　**1:2**

金克文

十足的官腔！ .... 10/16/57　**17:8**

金承藝

政府不應再坐視人口的增加 .... 8/1/59　**21:3**

甚麼比共產黨更可怕？ .... 12/20/49　**1:3**

看兩位先哲對於出版自由的意見 .... 6/16/58　**18:12**

紀念人權節應把臺灣建為保障人權模範省 .... 12/1/58　**19:11**

從加拿大僑裔鄭天華當選議員談起 .... 7/1/57　**17:1**

接受過去兩次庚子年的教訓 .... 3/1/60　**22:5**

讓胡適牽著鼻子走是好漢嗎？ .... 11/5/58　**19:9**

金思愷

毛澤東在獨木橋上高呼「躍進」！ .... 2/1/60　**22:3**

毛澤東困獸猶鬥 .... 8/1/60　**23:3**

國際局勢與反攻復國之道 .... 12/5/59　**21:11**

金郁彭

蘇俄何時能發動大戰？[譯作，原作者：芬萊特(Thomas K. Finletter)] ...... 1/1/55　**12:1**

金重

今日小學教育中該糾正的兩件事 .... 6/1/59　**20:11**

金惠民

論國有化在國際法上的幾個問題 .... 1/16/60　**22:2**

金煜

「解放」區中所謂教育！(浙南通訊) .... 5/1/50　**2:9**

金溟若

今日教育的方向 .... 9/16/58　**19:6**

歧路 .... 12/1/50　**3:11**

從學風腐蝕論中等教育 .... 7/16/59　**21:2**

篩(上) .... 5/1/51　**4:9**

篩(下) .... 5/16/51　**4:10**

【八劃】(續)

金鳴

讜論流徽——張知本先生「修改憲法問題」讀後感 7/1/59 **21:1**

金燕君

一次莫名其妙的圍剿戰 4/16/58 **18:8**

金濤

真理的鑰匙 1/1/52 **6:1**

長白

殉馬(上) 2/16/50 **2:4**

殉馬(下) 3/1/50 **2:5**

阿珠

請速改善下級官兵眷屬的生活 11/1/59 **21:9**

雨初

女畫家(一) 7/1/55 **13:1**

女畫家(二) 7/16/55 **13:2**

女畫家(三) 8/1/55 **13:3**

女畫家(四續) 8/16/55 **13:4**

女畫家(五續) 9/1/55 **13:5**

女畫家(六) 9/18/55 **13:6**

女畫家(續完) 10/1/55 **13:7**

宓去病

對臺大錄取新生的兩點意見 9/16/53 **9:6**

【九劃】

侯庭督

質詢和答覆 7/1/54 **11:1**

俞大問

從臺北監(所)看司法 5/16/59 **20:10**

俞朱錢

陽明山公園爲何不開放？ 9/16/58 **19:6**

【九劃】(續)

俞南琛

　戶稅問題的商榷 .... 1/1/55　**12:1**

則鳴

　我所知道的今日軍事之一面 .... 9/16/57　**17:6**

南園

　美國大選前途的展望 .... 4/1/60　**22:7**

南韓聯軍戰俘營

　南韓聯軍戰俘營反共愛國同胞的一封信 .... 9/1/52　**7:5**

南瀛

　如此擁護連任！ .... 4/1/60　**22:7**

厚生

　「人民公社」是怎麼回事？ .... 11/16/58　**19:10**

　中共在香港搞「計劃輿論」 .... 10/1/58　**19:7**

　看中共的最近動態 .... 7/16/59　**21:2**

咸思

　老伴兒 .... 12/1/55　**13:11**

姜懷平

　今日法國政治與經濟之危機 .... 5/1/58　**18:9**

　日內瓦四外長會議與柏林問題 .... 8/1/59　**21:3**

　四巨頭會談以前──試論現階段東西集團的關係及東西方對國際問題的態度 ...... 12/16/59　**21:12**

　匈牙利的革命輿論 .... 3/16/57　**16:6**

　匈牙利報紙給予的啓示 .... 6/16/57　**16:12**

　西德總統的選舉 .... 12/5/59　**21:11**

　法國第五共和的第一屆國會與政府 .... 7/1/59　**21:1**

　英國新軍事政策的分析 .... 7/16/57　**17:2**

　戴高樂將軍與法國新憲法 .... 1/1/59　**20:1**

姚士幼

　一黨執政太久，老百姓要換口味(民主隨筆) .... 8/16/57　**17:4**

　由土耳其總理孟德士訪華談到政治不應干涉司法(民主隨筆之二) ...... 9/5/57　**17:5**

　漫談泰國政變(「民主隨筆」之三) .... 10/1/57　**17:7**

【九劃】(續)

姚和民

　無處訴苦——代請願 .... 5/1/58　**18:9**

姚詠蓴

　坐筵 .... 7/1/60　**23:1**

威廉

　中美合作與世界和平 .... 9/1/50　**3:5**

威廉哈德原作／本刊資料室譯

　美國的收入是怎樣分配的 .... 12/5/49　**1:2**

屏東縣警察局

　屏東縣警察局來函 .... 6/16/58　**18:12**

思果

　文字的命運 .... 8/1/58　**19:3**

　牛皮紙的包裹 .... 1/1/60　**22:1**

　主客 .... 1/1/59　**20:1**

　我要編一本新尺牘 .... 5/16/58　**18:10**

　理髮 .... 7/16/59　**21:2**

　無題 .... 11/16/57　**17:10**

　鼠[譯作，原作者：沙基(Saki)] .... 4/16/58　**18:8**

　遷居 .... 2/16/58　**18:4**

思齊

　為自由中國而戰 .... 1/16/50　**2:2**

思澄

　舊歌新唱 .... 3/16/52　**6:6**

恨生

　哀維也納(維也納通訊) .... 12/16/50　**3:12**

　維也納的陰影(維也納通訊) .... 2/16/51　**4:4**

施仁

　最近中東情勢之分析 .... 6/1/56　**14:11**

【九劃】(續)

施克教

　中梵外交的透視(梵蒂岡通訊) .... 5/1/52　**6:9**

施治華

　分析中美會談結果及「不使用武力」聲明 .... 11/5/58　**19:9**

施信

　馬來亞公民權的規定 .... 9/16/56　**15:6**

　馬華公會對憲制備忘錄之解釋 12/16/56 **15:12**

施勛

　馬來亞華僑當前的三難 .... 8/16/56　**15:4**

　馬華社團大會不同意憲制備忘錄 .... 10/1/56　**15:7**

施濟民

　我們應當查究部編「標準教科書」的盈餘款項 5/16/58 **18:10**

星光

　文明在考驗之中 .... 3/1/50　**2:5**

星島日報

　組政黨何需經過另一政黨承認？ .... 9/1/60　**23:5**

柯一民

　痛話臺中市選舉 5/16/60 **22:10**

柯爾冰(蘇俄)原作／張帆譯

　獄中記 .... 2/1/50　**2:3**

柯德厚

　關於政黨提名問題的商榷 .... 2/1/53　**8:3**

查良釗

　憶一位失去自由的教授 .... 11/1/54　**11:9**

柳甦生

　「四大流寇」與「四大領袖」(香港通訊) .... 1/1/52　**6:1**

　陳毅與饒漱石間的暗鬥(香港通訊) .... 12/1/51　**5:11**

柳樹青

　對當前僑務工作的幾點意見 11/16/59 **21:10**

【九劃】(續)

段永蘭

我的父親 12/16/51 **5:12**

金陵瑣憶 2/16/52 **6:4**

洪北江

臺灣特產香茅油 10/16/51 **5:8**

洪安邦

我支持臺南市選民檢舉辛文炳 5/16/60 **22:10**

評高等法院對臺北市省議員選舉訴訟的判決 7/16/60 **23:2**

洪洋

製漆業原料輸入管制辦法應速改革 7/16/55 **13:2**

洪炳坤

職校畢業生限制報考院系的商榷 8/1/55 **13:3**

津棠

中共對印尼的外交和僑務(椰嘉達通訊) 5/1/52 **6:9**

印尼共產黨(印尼通訊) 9/1/51 **5:5**

如此「大使」！(印尼通訊) 12/16/50 **3:12**

從印尼僑情說到僑務方案 8/16/53 **9:4**

省立復興中學

省立復興中學來函 3/1/57 **16:5**

省教育廳

省教育廳答本刊投書質疑 2/1/60 **22:3**

省教育廳秘書處

省教育廳秘書處來函 2/1/60 **22:3**

看雲樓主

曹丕怎樣在群臣勸進下稱帝的？ 8/1/59 **21:3**

秋水

臺灣人對陳內閣的期望 10/1/58 **19:7**

秋楊

感恩日 9/16/58 **19:6**

【九劃】(續)

紅十字會台灣省分會

紅十字會台灣省分會來函 11/16/59 **21:10**

紀仁(傅正筆名)

駁某畫報「論所謂蔣總統的『連任』問題」 2/16/60 **22:4**

紀夢平

北大西洋公約會議後的西德外交動向 5/1/58 **18:9**

伊拉克政變及其後果 10/1/58 **19:7**

西歐輿論對臺灣海峽事件的反響 11/5/58 **19:9**

英國大選以後 12/5/59 **21:11**

奧地利社會黨的勝利原因 6/1/57 **16:11**

綜析西德第三屆大選 11/16/57 **17:10**

美國之音

直接向史達林報告 12/20/49 **1:3**

維辛斯基在享受自由文化的舒適 12/20/49 **1:3**

美國星期六晚報社論／本刊資料室譯

承認中國赤色政權我們能有甚麼收穫？ 12/20/49 **1:3**

美國國會紀錄／遠思節譯

從參議員麥加賽提交美國國會的文件中看拉鐵摩爾輩的真面目 5/16/50 **2:10**

美國新聞及世界報告原載

一個正在被清算的國家 1/1/50 **2:1**

美新社

美國的教育週 11/20/49 **1:1**

慧眼看中共 12/5/49 **1:2**

胡平

幸福的病 3/1/53 **8:5**

紅裙 5/1/53 **8:9**

愛之譁變 2/1/52 **6:3**

新綠(小說) 10/1/52 **7:7**

覺醒 4/1/52 **6:7**

【九劃】(續)

胡佛原作／陳質如譯

自由的保障 6/1/55 **12:11**

胡秋原

世界人權宣言之淵源及其意義 12/1/58 **19:11**

俄羅斯帝國主義之發展(上) 2/16/51 **4:4**

俄羅斯帝國主義之發展(下) 3/1/51 **4:5**

俄羅斯帝國主義之傳統 7/1/50 **3:1**

胡原道

馬克思政治哲學的錯誤 1/16/51 **4:2**

馬克思經濟學批評(上) 10/1/51 **5:7**

馬克思經濟學批評(下) 10/16/51 **5:8**

馬克思歷史哲學批判 4/16/51 **4:8**

胡舒寒

臺灣森林增產的重要性及其途徑 1/1/59 **20:1**

胡虛一

介紹一本值得當代青年一讀的書 12/16/59 **21:12**

介紹一本「新老殘遊記」 10/16/57 **17:8**

教師與「窮」！──介紹中學教師的待遇及其生活 6/1/59 **20:11**

尊師重道哀教師！──作為一個中學教師的感慨 1/16/59 **20:2**

胡越

國事十問 2/1/60 **22:3**

胡慧

中共在澳洲的勒索(雪梨通訊) 3/1/52 **6:5**

杜威訪澳紀聞(澳洲通訊) 9/1/51 **5:5**

胡適

丁文江留英紀實 9/1/56 **15:5**

丁在君與徐霞客 5/1/56 **14:9**

十年來中美關係急趨惡化的原委 9/1/51 **5:5**

三百年來世界文化的趨勢與中國應採取的方向 2/1/53 **8:3**

中國古代政治思想史的一個看法 4/1/54 **10:7**

【九劃】(續)

胡適[續前]

介紹一本最值得讀的自傳 1/1/55 **12:1**

史達林雄圖下的中國[雲軸譯] 11/16/50 **3:10**

民主與極權的衝突 11/20/49 **1:1**

共產黨統治下決沒有自由 2/1/50 **2:3**

「自由中國」的宗旨 11/20/49 **1:1**

「自由中國」雜誌三週年紀念會上致詞 12/16/52 **7:12**

杜威在中國[演講，翻譯者：夏道平] 8/16/59 **21:4**

明清名賢百家書札真跡序 6/16/54 **10:12**

東亞的命運 1/1/53 **8:1**

林肯一百五十年的生日紀念 2/16/59 **20:4**

胡適之先生的一封信 4/16/56 **14:8**

胡適之先生給本社編輯委員會一封信 4/1/59 **20:7**

致本社的一封信 9/1/51 **5:5**

述艾森豪總統的兩個故事給蔣總統祝壽 10/31/56 **15:9**

容忍與自由 3/16/59 **20:6**

「容忍與自由」──「自由中國」十週年紀念會上講詞[演講，記錄者：楊欣泉] 12/5/59 **21:11**

記美國醫學教育與大學教育的改造者弗勒斯納先生 11/16/59 **21:10**

追念吳稚暉先生 1/1/54 **10:1**

國際形勢與中國前途 12/16/52 **7:12**

從「到奴役之路」說起 3/16/54 **10:6**

從爭取言論自由談到反對黨[演講，記錄者：楊欣泉] 6/1/58 **18:11**

梁任公先生年譜長編初稿序 7/16/58 **19:2**

虛雲和尚年譜討論 12/16/59 **21:12**

「寧鳴而死，不默而生」 4/1/55 **12:7**

赫爾回憶錄序 3/16/60 **22:6**

論初唐盛唐還沒有雕板書 7/1/59 **21:1**

關於言論自由和反共救國會議[演講，記錄者：楊欣泉] 1/1/59 **20:1**

胡學古

談立院對胡案判決質詢的問題 12/1/55 **13:11**

請代向監察委員先生們呼籲 7/16/59 **21:2**

【九劃】(續)

致力

　蘇聯的教育［譯作］...1/16/51　**4:2**

范叔寒

　中東的缺口...11/16/51　**5:10**

范度才

　中華日報鼓吹暴動...1/16/57　**16:2**

　我對「清議與干戈」的看法——敬答中華日報社長曹聖芬先生...........2/16/57　**16:4**

范家樹

　造謠者的果報(香港通訊)..5/16/52　**6:10**

范益生

　與章勳義先生一席譚...7/16/56　**15:2**

苗劍秋

　幼稚的左派為患日本(東京通訊)...11/1/51　**5:9**

　為日本前途憂(東京通訊)...12/16/51　**5:12**

苓

　不能撒謊的記錄［譯作］..8/16/51　**5:4**

　公文旅行［譯作］..6/1/51　**4:11**

　日皇太子的生活..12/1/51　**5:11**

　世界無雙的典禮..12/1/51　**5:11**

　同志！讓我吻你的手...7/1/51　**5:1**

　如此真理報［譯作］..8/16/51　**5:4**

　自由的意義［譯作］..8/1/51　**5:3**

　自由與奴役的分野...9/1/51　**5:5**

　抗俄的祕密武器［譯作］..6/1/51　**4:11**

　和平頌...12/1/51　**5:11**

　邱吉爾的生意經［譯作］..10/16/51　**5:8**

　郵戰［譯作］..6/1/51　**4:11**

　集中寺院...7/1/51　**5:1**

　愛好清潔的尼德魯［譯作］..8/16/51　**5:4**

　憶..6/16/51　**4:12**

　蕭伯納與甘地［譯作］..5/16/51　**4:10**

【九劃】(續)

苓[續前]

蘇俄小女孩的幽怨[譯作] .... 8/16/51　**5:4**

蘇俄理髮師的閒話太多 .... 6/16/51　**4:12**

覺醒 .... 8/1/51　**5:3**

鐵幕中的「新式」計算器 .... 12/1/51　**5:11**

鐵幕拾零[譯作] .... 5/16/51　**4:10**

鐵幕裡的「政治犯」[譯作] .... 6/1/51　**4:11**

鐵幕擋不住音波 .... 6/16/51　**4:12**

驚人的造謠[譯作] .... 8/16/51　**5:4**

軍人之友社

軍人之友社總社來函 .... 7/16/58　**19:2**

韋青

四十元夠租房子？ .... 1/1/57　**16:1**

風雷

布老虎 .... 7/16/53　**9:2**

【十劃】

凌天賜

省立農學院學生的哀鳴[合著者：王有守] .... 12/16/58　**19:12**

凌秀峰

中共怎樣奴化下一代？(蘇北通訊) .... 11/16/50　**3:10**

凌霄

顧維鈞大使訪問記 .... 8/16/50　**3:4**

凌鴻勛

不容忽視的中共與蘇聯築路的勾當 .... 11/1/54　**11:9**

由控蘇案說到中長鐵路 .... 5/1/52　**6:9**

籌建石門水庫的好參考 .... 1/1/56　**14:1**

原之道(雷震筆名)

中國歷史上三大工程——長城、運河和「羅斯福路」 .... 2/16/56　**14:4**

立委三年成法(官)(律)師 .... 6/1/52　**6:11**

【十劃】(續)

原之道(雷震筆名)[續前]

從中共財經立場解剖其三反四反和五反(香港通訊) 3/16/52 **6:6**

唐盛鎬

略論蘇俄與中共的「理論競爭」問題 12/16/59 **21:12**

唐德剛

一個留美學生──望大陸・念臺灣 7/1/58 **19:1**

論「西山會議派」──民國史實試論之一 8/16/60 **23:4**

羅斯福總統究不敢毀憲 11/16/59 **21:10**

唐篤

星洲政府大捕共黨份子 10/16/57 **17:8**

夏佐虞

爲調整待遇闢財源 3/1/57 **16:5**

夏坦

在鐵幕之後 1/1/50 **2:1**

夏承楹

拜年 2/1/57 **16:3**

夏期岳

論鼓勵出口聲中的矛盾現象 8/16/56 **15:4**

夏菁

最後的微笑 7/16/58 **19:2**

新秋 12/1/56 **15:11**

鵝鑾鼻燈塔 8/16/55 **13:4**

夏貴培

一個軍人的話 5/1/58 **18:9**

夏道平

一九五二年的世局[筆名朱啟葆] 2/1/52 **6:3**

一份祝壽的心儀(爲中國國民黨六十周年紀念作)[社論] 12/1/54 **11:11**

一個博得喝采的決議案[社論] 11/16/57 **17:10**

一篇血腥氣的怪論──「中立主義的轉變」[社論] 2/16/58 **18:4**

【十劃】（續）

夏道平［續前］

又一個關係憲政的問題［社論］［雷震］ 10/1/54 **11:7**

小事體，大問題［社論］ 7/1/55 **13:1**

中國之亂與中國文化精神之潛力［筆名朱啟葆］ 5/1/52 **6:9**

反資本主義的心理(一)［譯作，原作者：米塞斯(Ludwig von Mises)］ 1/1/57 **16:1**

反資本主義的心理(二)［譯作，原作者：米塞斯(Ludwig von Mises)］ 1/16/57 **16:2**

反資本主義的心理(三)［譯作，原作者：米塞斯(Ludwig von Mises)］ 2/1/57 **16:3**

反資本主義的心理(四)［譯作，原作者：米塞斯(Ludwig von Mises)］ 2/16/57 **16:4**

出版法事件的綜合觀［社論］ 5/16/58 **18:10**

功乎？罪乎？——從監察院的糾彈案說到國家行局的調整 6/16/50 **2:12**

叫我們如何鼓勵「抬不起頭的」稅務人員？［社論］ 10/1/59 **21:7**

本刊的十年回顧［社論］［雷震］ 1/1/59 **20:1**

本屆立法院面臨考驗［筆名朱啟葆］ 6/16/52 **6:12**

民營事業的使命——勉臺紙公司及其他民營事業［社論］ 4/16/55 **12:8**

立法院給憲政開一惡例［社論］［雷震］ 6/16/54 **10:12**

立監兩院加緊自肅運動！［社論］ 4/16/58 **18:8**

匈牙利作家看匈牙利革命 11/1/57 **17:9**

好一個舞文弄法的謬論！——所謂「修改臨時條款並不是修改憲法本身」［社論］ 7/16/59 **21:2**

如此司法——「奉命不上訴」［社論］ 11/16/58 **19:10**

有容乃大‧無慾則剛［社論］ 2/16/55 **12:4**

有感於臺大教聘會拒聘事件［筆名朱啟葆］ 9/16/54 **11:6**

吳國楨事件發展中的平議［筆名朱啟葆］ 3/16/54 **10:6**

我不贊成選胡適先生做副總統［筆名朱啟葆］ 2/16/54 **10:4**

我們反對軍隊黨化［社論］ 3/16/59 **20:6**

我們的軍事［社論］ 8/16/57 **17:4**

我們對字體簡化的意見［社論］ 4/16/54 **10:8**

我們對李承晚釋俘事件應有的態度 7/1/53 **9:1**

我們需要一個自由中國大運動(香港通訊)［筆名朱啟葆］ 2/16/50 **2:4**

亞洲反共人士在臺北 6/16/55 **12:12**

兩年來本刊內容的分析和檢討 11/16/51 **5:10**

「奉命不上訴」爲何「不予起訴」？［社論］ 1/16/59 **20:2**

林肯新傳 3/16/55 **12:6**

青年節應當改期 4/1/53 **8:7**

【十劃】(續)

夏道平［續前］

哀悼瘦桐管公度先生 ....9/1/59　**21:5**

建立法治［社論］...8/16/56　**15:4**

怎樣才使國大的紛爭平息了的！［社論］［雷震］.........3/16/60　**22:6**

政治作風和人情味 ....7/1/51　**5:1**

爲「自治」半月刊橫遭查扣而抗議［社論］［雷震］.......1/1/58　**18:1**

爲「被誣衊了的資本主義」一書之被擅刪改，向行政院經濟安定委員會工業委員會抗議...3/1/58　**18:5**

爲目的可以不擇手段嗎？［節譯，原作者：T. V. Smith &, Eduard C. Lindeman］.............5/1/54　**10:9**

爲軍公教人員叫不平［社論］...6/16/60　**22:12**

秋思［筆名虞敏平］...11/1/53　**9:9**

美國大選雜感 ....11/16/52　**7:10**

胡適言論集(乙編) ....8/1/53　**9:3**

軍司法再進一步的革新［社論］...11/1/54　**11:9**

修辭立其誠(有感於俞院長在立法院的答覆詞)［社論］....3/16/55　**12:6**

記者節談穆萬森案件［社論］...9/1/59　**21:5**

馬歇爾留給我們的警惕［社論］...11/1/59　**21:9**

國營事業轉投資問題的商榷 ....11/1/54　**11:9**

從包啓黃案件論軍法［社論］...9/5/54　**11:5**

從行政院改組說到陳院長觀念中的經濟建設［社論］........6/16/60　**22:12**

從官方的報道再論「奉命不上訴」［社論］.........................12/1/58　**19:11**

從疏散事件說到一個基本的問題［社論］.........................8/16/55　**13:4**

從「醜陋的美國人」談美國在東南亞的外交──權力觀念淹沒了林肯精神！.............8/1/59　**21:3**

救國主義與亡國主義的對照［社論］.................................2/1/58　**18:3**

這一年！［社論］..1/1/56　**14:1**

開倒車──走私案移送軍法審判［社論］［雷震］.............12/5/59　**21:11**

敬向蔣總統作一最後的忠告［社論］.................................2/1/60　**22:3**

敬告我們的國大代表──團結・法統・政治買賣［社論］［雷震］.........2/16/60　**22:4**

雷諾判決無罪與臺北騷動事件之檢討［社論］.................6/1/57　**16:11**

對民青兩黨的期望［社論］...12/1/55　**13:11**

對政經半月刊事件的觀感［社論］.....................................1/16/60　**22:2**

臺灣人與大陸人［社論］...7/16/60　**23:2**

說給英國人聽 ....12/5/49　**1:2**

彈劾案與調查權［社論］［雷震］...1/1/58　**18:1**

【十劃】(續)

夏道平[續前]

蔣總統不會作錯了決定吧？[社論] 6/16/59 **20:12**

蔣總統如何向歷史交待？[社論] 4/1/60 **22:7**

談做保[社論] 10/1/52 **7:7**

請從今天起有效地保障言論自由 10/31/56 **15:9**

論政治責任 8/1/51 **5:3**

憶烏尤[筆名虞敏平] 5/16/53 **8:10**

「歷史判斷」與「另請高明」[社論] 3/1/56 **14:5**

諾言貴實踐[社論][雷震] 7/1/54 **11:1**

選票與人心[社論] 5/16/57 **16:10**

關於陳懷琪投書事件的簡報[社論] 3/1/59 **20:5**

讀薩孟武先生「關於讀經問題」書後 9/1/52 **7:5**

夏濟安

對於新詩的一點意見 5/1/57 **16:9**

夏濤聲

另一方式的修改憲法 3/1/60 **22:5**

從所謂「康隆報告」談起 11/16/59 **21:10**

姬之尹

我們不能放棄歷史的任務 12/5/49 **1:2**

臺大校長問題 2/16/51 **4:4**

孫多慈

西班牙之行 5/1/54 **10:9**

孫旭辰

應該改變的美國反共戰略 6/16/55 **12:12**

孫至厚

巴格達公約之組成及其現狀 6/16/56 **14:12**

孫宏偉

王載博士譽滿澳洲 3/16/53 **8:6**

北行途中話澳洲 10/1/53 **9:7**

失意政客充「貴賓」(雪梨通訊) 6/16/52 **6:12**

【十劃】(續)

孫宏偉[續前]

「永不分離」在澳京公演記 .... 10/1/52　**7:7**

在東南亞的中國人 .... 10/16/51　**5:8**

展望澳洲未來兩黨外交 .... 12/1/52　**7:11**

麥克吉利克先生的友情 .... 1/16/53　**8:2**

論尼赫魯的外交政策及印度與中共的關係 .... 2/1/52　**6:3**

論美澳紐三國安全公約 .... 8/16/51　**5:4**

論澳洲的外交政策及其對中共的態度 .... 7/16/51　**5:2**

孫洵侯

論兩種保險法規裏有關保險的錯誤 .... 2/1/60　**22:3**

孫國仁

書店老闆談讀書 .... 8/1/54　**11:3**

孫愚

從「金雞獨立式」說起 .... 6/1/52　**6:11**

孫靜琪

聯合國匈牙利問題特別調委會特別報告[譯作] .... 11/5/58　**19:9**

師大學生・季玉

給臺大石翠同學的一封公開信 .... 6/1/60　**22:11**

師範

約會 .... 4/1/53　**8:7**

筆尖 .... 6/16/53　**8:12**

徐佛觀

「計劃教育」質疑 .... 5/1/52　**6:9**

徐里

知識──最有力量的武器[譯作，原作者：Grayso Kirk] .... 6/16/54　**10:12**

徐夜窗

印度的不能接觸階級 .... 8/16/60　**23:4**

徐芸書

中山先生論自由(上) .... 3/1/50　**2:5**

【十劃】(續)

徐芸書[續前]

中山先生論自由(下) .... 3/16/50　**2:6**

中國政治的根本難題 .... 7/16/53　**9:2**

我響應公文改革的建議 .... 1/16/52　**6:2**

對扶植自耕農計劃的一個輔助建議 .... 8/16/52　**7:4**

論中山先生的全面利用外資政策 .... 6/16/54　**10:12**

徐訏

江湖行(一) .... 6/1/59　**20:11**

江湖行(二續) .... 6/16/59　**20:12**

江湖行(三續) .... 7/1/59　**21:1**

江湖行(四續) .... 7/16/59　**21:2**

江湖行(五續) .... 8/1/59　**21:3**

江湖行(六續) .... 8/16/59　**21:4**

江湖行(七續) .... 9/1/59　**21:5**

江湖行(八續) .... 9/16/59　**21:6**

江湖行(九續) .... 10/1/59　**21:7**

江湖行(十續) .... 10/16/59　**21:8**

江湖行(十一續) .... 11/1/59　**21:9**

江湖行(十二續) .... 12/5/59　**21:11**

江湖行(十三續) .... 12/16/59　**21:12**

江湖行(十四續) .... 1/1/60　**22:1**

江湖行(十五續) .... 1/16/60　**22:2**

江湖行(十六續) .... 2/1/60　**22:3**

江湖行(十七續) .... 2/16/60　**22:4**

江湖行(十八續) .... 4/1/60　**22:7**

江湖行(十九續) .... 4/16/60　**22:8**

江湖行(二十續) .... 5/1/60　**22:9**

江湖行(二十一續) .... 5/16/60　**22:10**

江湖行(二十二續) .... 6/1/60　**22:11**

江湖行(二十三續) .... 6/16/60　**22:12**

江湖行(二十四續) .... 7/1/60　**23:1**

江湖行(二十五續) .... 7/16/60　**23:2**

【十劃】(續)

徐訏[續前]

江湖行(續完) .... 8/1/60　**23:3**

夜窗詩草 .... 9/1/58　**19:5**

紅樓夢的藝術價值與小說裏的對白(一)............................... 2/16/58　**18:4**

紅樓夢的藝術價值與小說裏的對白(二續)........................... 3/1/58　**18:5**

紅樓夢的藝術價值與小說裏的對白(續完)........................... 3/16/58　**18:6**

笑容 .... 5/1/58　**18:9**

笑容(補登) .... 6/1/58　**18:11**

詩二首(感覺的糊塗・殘更) .... 2/1/54　**10:3**

關於風蕭蕭的電影 .... 3/1/54　**10:5**

徐堪

徐堪先生來函 .... 3/16/60　**22:6**

徐復觀

我所了解的蔣總統的一面 .... 10/31/56　**15:9**

青年反共救國團的健全發展的商榷 .... 10/16/52　**7:8**

從一個國家來看心、物、與非心非物 .... 10/16/51　**5:8**

徐逸樵

今後的日本政局 .... 4/1/53　**8:7**

「日本和平憲法」和軍備的消長 .... 1/1/54　**10:1**

日本往那裏走？ .... 10/16/53　**9:8**

日本政情和次期政權 .... 9/16/52　**7:6**

日本舊軍人的煩悶(東京通訊) .... 4/16/52　**6:8**

吉田和反吉田大決戰的前夜 .... 12/1/54　**11:11**

吉田第四任內閣及其前途 .... 11/16/52　**7:10**

明仁的婚約在預兆些甚麼？ .... 2/16/59　**20:4**

「東大事件」和日本大學問題(東京通訊).......................... 4/1/52　**6:7**

從日本的已變看日本的未變 .... 2/16/57　**16:4**

從皇姑屯到柳條溝 .... 2/16/55　**12:4**

略談「同文同種」 .... 10/1/59　**21:7**

進展中的日本選民意識 .... 5/16/53　**8:10**

鳩山政權的苦悶 .... 6/1/55　**12:11**

論日本的「保守合同」 .... 11/5/55　**13:9**

【十劃】(續)

徐逸樵[續前]

論日本的「新善鄰」政策 8/1/52 **7:3**

戰後日本大觀 5/16/52 **6:10**

戰後日本右翼論 10/1/54 **11:7**

徐斌

紫娟表妹(上) 10/16/53 **9:8**

紫娟表妹(下) 11/1/53 **9:9**

徐傳禮

言辭與思想及行為的關係 2/16/59 **20:4**

「權」「利」的發展與歸著 5/16/56 **14:10**

徐萬駒

可以強學生去充臨時演員嗎？ 2/1/57 **16:3**

徐蜺

反共救國會議的面面觀 1/1/54 **10:1**

徐道鄰

中共軍隊的士氣在低落(台北通訊) 7/16/50 **3:2**

文化——一個名詞的滄桑 1/1/58 **18:1**

日在發展中的語意學 12/16/55 **13:12**

民主、法治與制度 10/31/56 **15:9**

行為科學中的新概念 5/1/57 **16:9**

我有少數幾句話 10/1/59 **21:7**

福利國家的科學意義 6/1/55 **12:11**

臺北騷動事件的心理分析 6/16/57 **16:12**

徐鍾珮

哀聯合國 5/16/50 **2:10**

懺悔 2/1/52 **6:3**

露莎的姑母 1/1/53 **8:1**

時事述評

一隻雞一塊菜地 5/16/50 **2:10**

人性的存亡 4/16/50 **2:8**

【十劃】(續)

時事述評[續前]

入境與生活 .... 10/1/50　**3:7**

大家都是中華好兒女 .... 10/16/51　**5:8**

大學制度亟需確立 .... 2/16/51　**4:4**

不要再犯錯誤 .... 8/1/50　**3:3**

不要鬆懈鬆懈必敗！ .... 7/16/50　**3:2**

不能再聽它勒索了！ .... 12/16/51　**5:12**

不絕如縷的和談 .... 8/1/51　**5:3**

中共不能例外 .... 12/5/49　**1:2**

公務員的制服 .... 2/1/51　**4:3**

公營事業董監事 .... 3/16/51　**4:6**

反共外交的新頁 .... 10/1/51　**5:7**

巴黎聯合國大會前瞻 .... 12/1/51　**5:11**

日本人眼中的武裝日本 .... 1/16/51　**4:2**

北緯卅八度 .... 10/1/50　**3:7**

北韓究向誰宣戰？ .... 7/1/50　**3:1**

只有自省才是辦法 .... 10/1/51　**5:7**

尼赫魯被提名為一九五一年諾貝爾和平獎金候選人 ... 3/1/51　**4:5**

布萊德雷的天真 .... 6/1/51　**4:11**

打落牙齒和血吞 .... 6/1/50　**2:11**

民主與黨派 .... 12/16/50　**3:12**

皮球可不再踢了！ .... 4/16/50　**2:8**

立法院院長的選舉 .... 11/1/51　**5:9**

「再教育」？ .... 1/16/52　**6:2**

危機四伏的英伊石油事件 .... 4/1/51　**4:7**

向伊朗摩沙德總理進一忠告 .... 6/16/51　**4:12**

向歐洲大陸上的民主領袖進一忠告 .... 9/1/50　**3:5**

收復大陸時所需要的人才 .... 9/1/50　**3:5**

有感於文天祥之被清算 .... 1/1/52　**6:1**

「自作孽」的尼赫魯 .... 12/1/50　**3:11**

自治與負責 .... 10/16/50　**3:8**

艾其遜外交政策難得全體支持 .... 7/1/50　**3:1**

血汗與幸福 .... 5/1/50　**2:9**

【十劃】(續)

時事述評[續前]

行政院籌組設計委員會 1/1/51 **4:1**

我們在等待什麼？ 3/16/51 **4:6**

我們的政府夠民主嗎？ 11/16/50 **3:10**

我們曾經捏了一把汗 5/16/50 **2:10**

我們對於大陸同胞的信任 9/16/50 **3:6**

把握住迴轉中的人心 4/16/50 **2:8**

李宗仁完了！ 12/16/51 **5:12**

杜麥論戰中的兩點 5/16/51 **4:10**

杜魯門與塔虎脫之爭 2/16/51 **4:4**

欣聞杜先生將自遠方來 7/1/51 **5:1**

前線第一、第一前線 5/16/50 **2:10**

南韓戰事勢必拖延 7/16/50 **3:2**

建立聯合陣線正是時候了！ 1/16/51 **4:2**

怎樣實行節約 8/16/51 **5:4**

政治家民主風度的榜樣 9/16/50 **3:6**

是「中國通」還是「通」中共？ 5/1/50 **2:9**

為蘇俄出一奇計 10/1/50 **3:7**

為鹽民請命 8/1/50 **3:3**

胡佛與賴伊 5/16/50 **2:10**

英國不應阻撓西歐煤鐵合營 6/16/50 **2:12**

英國外交的多事之秋 10/16/51 **5:8**

要來的歡迎、要走的請便 6/16/50 **2:12**

軍人魂、文人氣節 6/1/50 **2:11**

軍風紀的新紀元 7/1/50 **3:1**

香蕉共和國的碧瑤會議 6/1/50 **2:11**

消除奢靡、厲行節約 7/1/50 **3:1**

琉球應如何處理 6/16/51 **4:12**

祝北大西洋聯軍統帥部的成立 1/1/51 **4:1**

「秘密」不能當作禮品 5/1/50 **2:9**

荒謬絕倫的託管說 6/1/50 **2:11**

迷途應知返矣 11/1/50 **3:9**

馬立克的和平攻勢 7/1/51 **5:1**

【十劃】（續）

時事述評[續前]

國民黨黨員歸隊 2/1/51 **4:3**

密件 10/16/50 **3:8**

從入境問題談到民主政治 8/1/50 **3:3**

從安理會上印度代表看印度政府 8/16/50 **3:4**

從艾契遜無條件支持英國的武力政策說起 11/16/51 **5:10**

從紀德說起 3/1/51 **4:5**

從美國大選的結果看美國人民反共的態度 11/16/50 **3:10**

從華德事件看出極權國家的作風 12/5/49 **1:2**

悼念史汀生先生 11/1/50 **3:9**

悼塔西尼將軍 1/16/52 **6:2**

教訓的第一課 7/16/51 **5:2**

清除臭腐 5/1/50 **2:9**

現任縣市長競選問題 9/16/50 **3:6**

異哉，請求增發通貨！ 6/1/50 **2:11**

麥帥之於聯合國 12/16/50 **3:12**

麥帥事件與臺灣 4/16/51 **4:8**

麥帥的聲明 4/1/51 **4:7**

勞氏、勞氏、心勞日拙矣！ 2/1/51 **4:3**

華萊士先生還未完全覺醒 11/1/50 **3:9**

評限外發行 7/16/50 **3:2**

評蘇俄副總理馬倫科夫演詞 11/20/49 **1:1**

開城談判會破裂嗎？ 9/1/51 **5:5**

慎防史達林的和平攻勢 8/16/51 **5:4**

當兵與練兵 8/1/51 **5:3**

節約消耗和穩定財政 4/16/51 **4:8**

節能補虧、約以養源 6/16/50 **2:12**

經財的破綻，軍政的污點——走私 5/1/50 **2:9**

電氣與人生 11/16/51 **5:10**

臺灣的軍隊該出動了！ 11/16/50 **3:10**

趕快使用原子彈 7/16/50 **3:2**

談談國民黨改造 8/16/50 **3:4**

談談黨員競選問題 12/1/50 **3:11**

【十劃】(續)

時事述評[續前]

駐外俄軍中的地下反共活動 12/5/49 **1:2**

親愛精誠的狄恩將軍 1/1/52 **6:1**

選舉中的政黨與人民 6/1/51 **4:11**

總統復職一周年 3/1/51 **4:5**

聯合國歷史中最污濁的一頁 10/16/50 **3:8**

韓國戰局縱談 5/1/51 **4:9**

羅素的不主張承認中共政權 11/1/51 **5:9**

關於防諜 5/16/50 **2:10**

關於書刊審查 5/16/51 **4:10**

願天下有情男女都是喜劇中人 9/1/51 **5:5**

蘇俄開始嚴密控制東德 6/16/50 **2:12**

響應美國輿論界的正義之聲 12/16/50 **3:12**

歡迎杜威先生 7/16/51 **5:2**

歡迎美國軍援顧問團 5/1/51 **4:9**

讀行政院長的施政報告 12/1/51 **5:11**

晉文

一個「階級本質」的例證(香港通訊) 9/16/51 **5:6**

晏寒松

逃亡夜 10/1/58 **19:7**

桑明

亨利‧魯斯對於蔣總統連任所暗示的意見 12/5/59 **21:11**

殷海光

一九八四年[筆名海光] 7/16/51 **5:2**

二十世紀哲學[筆名海光] 2/1/51 **4:3**

大江東流擋不住![社論] 9/1/60 **23:5**

不要怕民主![社論] 1/1/57 **16:1**

中國文化發展的新取向[社論] 7/16/59 **21:2**

「五四」是我們的燈塔![社論] 5/1/60 **22:9**

今日的問題(二)反攻大陸問題[社論] 8/1/57 **17:3**

「反共」不是黑暗統治的護符![社論] 5/16/60 **22:10**

【十劃】(續)

殷海光[續前]

文明是怎樣創造的？[筆名海光] .... 10/1/51　**5:7**

世界之新希望[筆名海光] .... 7/16/52　**7:2**

民主政治[筆名海光] .... 1/1/51　**4:1**

民族戰爭呢？還是社會戰爭？ .... 1/1/50　**2:1**

共黨爲什麼清算「胡適思想」？ .... 5/16/58　**18:10**

共黨語言可以襲用嗎？ .... 8/16/51　**5:4**

再論「君主的民主」[社論] .... 10/16/56　**15:8**

守護我們底堡壘(上) .... 4/1/56　**14:7**

守護我們的堡壘(下) .... 4/16/56　**14:8**

安全與自由[譯作，原作者：海耶克(H. A. Hayek)] .... 7/1/54　**11:1**

自由人(美國出版)[筆名海光] .... 12/1/51　**5:11**

自由中國之路──十年了！[社論] .... 2/16/59　**20:4**

自由主義底蘊涵(上) .... 8/1/50　**3:3**

自由主義底蘊涵(下) .... 8/16/50　**3:4**

自由民主是反共的活路[社論] .... 7/16/58　**19:2**

自然思想與人文思想[譯作，原作者：菲格] .... 3/16/55　**12:6**

自然思想與人文思想(下)[譯作，原作者：菲格] .... 4/1/55　**12:7**

西行漫記 .... 4/16/55　**12:8**

你要不要做人[社論] .... 12/1/58　**19:11**

我所認識之「真正的自由人」[筆名梅蘊理] .... 1/16/52　**6:2**

我爲什麼反共？ .... 6/16/52　**6:12**

我們的教育(「今日的問題」之十三)[社論] .... 1/16/58　**18:2**

我們要有說真話的自由[社論] .... 7/16/60　**23:2**

我對于三民主義的看法和建議 .... 6/16/60　**22:12**

我對於在野黨的基本建議 .... 7/16/60　**23:2**

我憶孟真先生[筆名海光] .... 1/16/51　**4:2**

言論自由的認識及其基本條件[社論][雷震] .... 10/1/51　**5:7**

放棄了的道路[譯作，原作者：海耶克(H. A. Hayek)] .... 9/1/53　**9:5**

法治底要旨[譯作，原作者：海耶克(H. A. Hayek)] .... 12/16/53　**9:12**

治亂底關鍵 .... 6/16/53　**8:12**

近年的政治心理與作風(「今日的問題」之十四)[社論] .... 2/1/58　**18:3**

後設歷史學試論 .... 11/16/58　**19:10**

【十劃】(續)

殷海光[續前]

思想自由與自由思想......................................11/20/49 **1:1**

怎樣擊敗俄國[筆名海光]..................................6/16/51 **4:12**

政治的神經衰弱症[社論]..................................6/16/58 **18:12**

政治組織與個人自由......................................1/16/54 **10:2**

是什麼，就說什麼(代緒論)[社論]..........................8/1/57 **17:3**

為害於人類的觀念[譯作，原作者：羅素(Bertrand Russell)]......12/16/52 **7:12**

為教師爭人格[社論]......................................9/16/58 **19:6**

相對論——一個較豐富的真理(上)............................8/16/55 **13:4**

相對論——一個較豐富的真理(下)............................9/1/55 **13:5**

科學定律與倫理定律[譯作，原作者：愛因斯坦(Albert Einstein)]..5/1/55 **12:9**

科學與社會[筆名海光]....................................11/1/51 **5:9**

美國八位偉人[筆名海光]..................................5/16/51 **4:10**

美國去來..3/16/53 **8:6**

美國政治制度..3/16/54 **10:6**

胡適與國運..5/1/59 **20:9**

胡適論「容忍與自由」讀後................................4/1/59 **20:7**

重整五四精神！[社論]....................................5/1/57 **16:9**

個人為國家之本[社論]....................................3/1/56 **14:5**

個體主義與民主政治[譯作，原作者：海耶克(H. A. Hayek)]......11/16/53 **9:10**

展開啓蒙運動[社論]......................................5/1/59 **20:9**

恐怖征服..6/1/54 **10:11**

烏煙瘴氣的政治活動在臺大！[筆名極光]....................3/1/60 **22:5**

迷妄的平等[譯作，原作者：海耶克(H. A. Hayek)]............4/16/54 **10:8**

追求與幻滅[筆名海光]....................................3/1/51 **4:5**

偉大的烏托邦[譯作，原作者：海耶克(H. A. Hayek)]..........9/16/53 **9:6**

張其昀部長的原子迷[社論]................................1/1/57 **16:1**

從一點邏輯問題說起......................................6/16/54 **10:12**

從衛星放射到彌賽亞精神..................................11/1/57 **17:9**

教育部長張其昀的民主觀——君主的民主[社論]................10/1/56 **15:7**

第二十世紀[筆名海光]....................................11/1/50 **3:9**

第三次世界大戰寫真[筆名海光]............................1/1/52 **6:1**

統制經濟底種種危害[譯作，原作者：海耶克(H. A. Hayek)]......2/1/54 **10:3**

【十劃】(續)

殷海光[續前]

莫斯科的寒夜 3/1/53 **8:5**

這是國民黨反省的時候[社論][雷震] 5/16/54 **10:10**

麥帥解職底教訓 5/1/51 **4:9**

創設講理俱樂部 7/16/58 **19:2**

給雷震先生的一封公開信 5/16/60 **22:10**

雅舍小品[筆名海光] 2/16/52 **6:4**

新蘇維埃帝國 5/16/53 **8:10**

極權對民主自由的威脅[筆名海光] 9/1/51 **5:5**

經濟政策與經濟學理[筆名海光] 8/16/52 **7:4**

跟著五四的腳步前進[社論] 5/1/58 **18:9**

對梅部長的低調希望[社論] 8/16/58 **19:4**

管制計劃是無可避免的嗎？[譯作，原作者：海耶克(H. A. Hayek)] 11/1/53 **9:9**

管制計劃與自由計劃[譯作，原作者：海耶克(H. A. Hayek)] 10/1/53 **9:7**

認清當前形勢‧展開自新運動[社論] 10/16/58 **19:8**

請勿濫用「學術研究」之名 4/16/58 **18:8**

論二分法[社論] 8/1/58 **19:3**

論思想國有[譯作，原作者：海耶克(H. A. Hayek)] 10/1/54 **11:7**

戰爭與自由 2/1/50 **2:3**

獨裁怕自由 4/1/54 **10:7**

壞人為何得勢？[譯作，原作者：海耶克(H. A. Hayek)] 7/16/54 **11:2**

羅素論權力[筆名海光] 4/1/52 **6:7**

羅斯福夫人回憶錄[筆名海光] 11/1/52 **7:9**

關於「反攻大陸問題」的問題[社論] 9/5/57 **17:5**

關於「統一思想」底問題 5/1/50 **2:9**

蘇維亞怎樣管制思想[筆名海光] 12/1/50 **3:11**

讀胡適先生在聯大的演說[社論] 10/16/57 **17:8**

殷勤

愛國詩人陸放翁 1/16/50 **2:2**

駱駝(上) 9/1/50 **3:5**

駱駝(下) 9/16/50 **3:6**

【十劃】(續)

海光(殷海光筆名)

一九八四年 .... 7/16/51　**5:2**

二十世紀哲學 .... 2/1/51　**4:3**

文明是怎樣創造的？ .... 10/1/51　**5:7**

世界之新希望 .... 7/16/52　**7:2**

民主政治 .... 1/1/51　**4:1**

自由人(美國出版) .... 12/1/51　**5:11**

我憶孟真先生 .... 1/16/51　**4:2**

怎樣擊敗俄國 .... 6/16/51　**4:12**

科學與社會 .... 11/1/51　**5:9**

美國八位偉人 .... 5/16/51　**4:10**

追求與幻滅 .... 3/1/51　**4:5**

第二十世紀 .... 11/1/50　**3:9**

第三次世界大戰寫真 .... 1/1/52　**6:1**

雅舍小品 .... 2/16/52　**6:4**

極權對民主自由的威脅 .... 9/1/51　**5:5**

經濟政策與經濟學理 .... 8/16/52　**7:4**

羅素論權力 .... 4/1/52　**6:7**

羅斯福夫人回憶錄 .... 11/1/52　**7:9**

蘇維亞怎樣管制思想 .... 12/1/50　**3:11**

海星

大可注意的「一九五二」 .... 4/1/50　**2:7**

英雄又跳起來了 .... 3/1/50　**2:5**

誰是斯大林的繼承人 .... 11/20/49　**1:1**

海耶克(H. A. Hayek)原作／殷海光譯

安全與自由 .... 7/1/54　**11:1**

放棄了的道路 .... 9/1/53　**9:5**

法治底要旨 .... 12/16/53　**9:12**

個體主義與民主政治 .... 11/16/53　**9:10**

迷妄的平等 .... 4/16/54　**10:8**

偉大的烏托邦 .... 9/16/53　**9:6**

統制經濟底種種危害 .... 2/1/54　**10:3**

【十劃】(續)

海耶克(H. A. Hayek)原作／殷海光譯[續前]

　管制計劃是無可避免的嗎？ .... 11/1/53　　**9:9**

　管制計劃與自由計劃 .... 10/1/53　　**9:7**

　論思想國有 .... 10/1/54　　**11:7**

　壞人爲何得勢？ .... 7/16/54　　**11:2**

海鷗

　自由與解放 .... 11/20/49　　**1:1**

浩然

　我們希望立刻改善的三件事(台北通訊) .... 7/1/50　　**3:1**

　鐵幕醜劇(香港通訊) .... 6/1/51　　**4:11**

烏逸人

　陷後北平教授群(香港通信) .... 3/1/50　　**2:5**

　鐵幕高空的寒星(香港通訊) .... 1/16/52　　**6:2**

特載[傅正]

　選舉改進座談會鄭重要求內政部長連震東公開答覆 .... 7/1/60　　**23:1**

祝秀俠

　憶高劍父先生 .... 8/1/51　　**5:3**

祝封

　中西交通史第一冊 .... 6/16/53　　**8:12**

秦維明

　在德國俄國共產黨最怕的人[譯作，原作者：O. K. Armstrong] .... 3/16/50　　**2:6**

索爾甫

　鐵幕對抗自由 .... 1/1/50　　**2:1**

翁之鏞

　現行經濟機構怎可不再改革？ .... 10/31/56　　**15:9**

翁澤生

　從一個機關的名稱說起 .... 2/1/55　　**12:3**

翁錦棻

　高普考限額錄取之不合理 .... 8/1/55　　**13:3**

【十劃】(續)

耿汝冰、田功震

田功震、耿汝冰先生來函 6/1/60 **22:11**

耿瀑志

介紹國際新聞學會對臺灣新聞自由的報告 7/16/60 **23:2**

荊凡

新官僚政治文獻的代表作 5/16/56 **14:10**

荀詩

在十字路口的高棉王國 5/16/56 **14:10**

東南亞聯防公約軍事會議在星開幕 8/1/56 **15:3**

南洋大學開學了！ 4/16/56 **14:8**

星加坡工潮學潮的經過和分析 6/16/55 **12:12**

星加坡的新閣登場 7/1/56 **15:1**

星加坡獨立談判之分析 6/1/56 **14:11**

馬來亞明年獨立了！ 3/16/56 **14:6**

關於哥倫坡計劃 10/16/55 **13:8**

荃蓀

逃出鐵幕的各種妙法[譯作] 2/1/53 **8:3**

鐵幕話數則[編譯] 3/16/53 **8:6**

袁世駿

准假四月與另有任用 6/1/56 **14:11**

袁良驊

冤獄賠償與民主政治 11/16/53 **9:10**

袁固

國民黨立委齊世英被開除了黨籍嗎？ 1/1/55 **12:1**

解除整肅與右傾危機(東京通訊) 8/16/51 **5:4**

袁始

大學教育的悲哀 3/1/57 **16:5**

袁治本

看國民大會的明爭暗鬥！ 3/1/60 **22:5**

從日本矢野馬戲團開鑼說到張祥傳濫權 7/16/60 **23:2**

【十劃】(續)

袁臨風

趕快取消戶稅 .... 10/1/54　**11:7**

起淪

論空軍確保臺灣 .... 3/1/50　**2:5**

郝根原作／劉世超節譯

馬克思與社會科學者 .... 9/1/51　**5:5**

馬丁依本原作／本刊資料室譯

共產國際的七種戰略 .... 12/5/49　**1:2**

馬存坤

亡矣大陸！百萬俄虜入中原！ .... 6/1/50　**2:11**

東北變色的鐵證(香港通訊) .... 5/1/50　**2:9**

馬成龍

請釋明「軍官服役條例」之疑義 .... 8/16/59　**21:4**

馬東象

論中共對大學教授的「思想改造」 .... 2/16/52　**6:4**

馬振基

正字標記乎？歪字標記乎？ .... 9/1/55　**13:5**

馬真吾

對初中地理教本第三冊的商榷 .... 10/1/57　**17:7**

馬逢華

郝希曼論平衡發展 .... 5/1/60　**22:9**

發展臺灣經濟的方向：幾點商榷 .... 9/5/57　**17:5**

懷念沈從文教授 .... 2/1/57　**16:3**

關於「留學生問題」——謹以此文紀念已故崔書琴教授 .... 3/16/58　**18:6**

馬識途

傳訊華僑事件的始末 .... 5/1/56　**14:9**

高心平

怪哉！所謂葉廷珪政見「語句刺激」！ .... 4/16/60　**22:8**

【十劃】(續)

高玉樹

選舉改進座談會緊急聲明[合著者：雷震、李萬居] 9/1/60 **23:5**

高亞偉

二千年前的自由意義 11/1/52 **7:9**

高叔康

落後國家的資本形成問題 4/1/58 **18:7**

高飛影

由中影片廠被焚說起 9/1/59 **21:5**

高莫野

鬻血 5/1/52 **6:9**

高壽昌

經濟的自由主義 2/1/51 **4:3**

高臨渡

日本社會黨左派之剖析(東京通訊) 11/1/51 **5:9**

涂允綏

史達林與毛「主席」[譯作] 9/1/51 **5:5**

涂浩如

阿根廷的政制及政治 8/1/54 **11:3**

與薩孟武先生論立法權的運用(上) 9/1/50 **3:5**

與薩孟武先生論立法權的運用(下) 9/16/50 **3:6**

論立法權配合行政權的運用 5/16/51 **4:10**

荇子

旁聽第十六屆亞洲遠東經濟委員會年會偶拾 7/1/60 **23:1**

【十一劃】

健人

對減輕學生課業負擔的檢討 5/16/55 **12:10**

曼君

漢口在低氣壓的氛圍中(漢口通訊) 2/1/51 **4:3**

【十一劃】(續)

曼青

「抗美援朝」下的南京(南京通訊) .... 1/1/51　**4:1**

淮南山區義旗處處(蚌埠通訊) .... 4/16/51　**4:8**

游擊英雄馳閩江(福建通訊) .... 8/1/51　**5:3**

曼卿

活躍三湘的反共游擊英雄(湖南通訊) .... 4/1/51　**4:7**

基夫

大鼻子在「北京」(北平通訊) .... 10/16/50　**3:8**

基督教箴言報原作

奴隸的歌頌 .... 4/1/51　**4:7**

聯合國大會素描 .... 5/1/51　**4:9**

密色斯原作／資友仁譯

社會主義與專制 .... 1/1/50　**2:1**

專載

中國自由黨組織綱要草案 .... 1/1/50　**2:1**

中國自由黨組織綱要草案(續完) .... 1/16/50　**2:2**

崇仁

「今檮杌傳」片感 .... 7/16/58　**19:2**

崔文若

部編標準教科書爲何加價？ .... 3/16/58　**18:6**

崔霖

出版法修正草案程序之爭 .... 5/16/58　**18:10**

崔寶瑛

自由與人權 .... 2/16/56　**14:4**

美國的民主政治 .... 7/16/54　**11:2**

常思琰

從胡適之陳獨秀談起(華府通訊)〔合著者：王約翰〕 .... 11/16/51　**5:10**

康俠

可憂的東南亞文化 .... 9/1/55　**13:5**

【十一劃】(續)

康俠[續前]

白熱的海洋 4/1/55 **12:7**

康梅

怎樣糾正不良學風？ 7/16/57 **17:2**

張九如

工業面臨十重關 7/16/56 **15:2**

如何使國是不再成問題 11/16/59 **21:10**

物價問題與行政技術問題 2/1/56 **14:3**

僑資條例准許輸入其他物資的弊害及對策 9/18/55 **13:6**

張力行

兩點補充意見 8/16/52 **7:4**

教育界的壞現象 11/5/55 **13:9**

「解放區」、香港、自由中國(上) 1/1/51 **4:1**

「解放區」、香港、自由中國(下) 1/16/51 **4:2**

張士棻

祝望造成一個現代化的民主憲政國家 10/31/56 **15:9**

張子良

銀行放款制度與出口貿易之關係 1/1/55 **12:1**

張中文

我們需要一種健全的政治教育 2/1/50 **2:3**

張之萍

晚餐 1/16/54 **10:2**

張天增

民主與自由的來源 11/16/59 **21:10**

社會學的幾個變遷 3/16/59 **20:6**

節育與教條之我見 8/1/59 **21:3**

張心剛

請國民黨國大代表切記谷正綱之言 2/1/60 **22:3**

【十一劃】(續)

張文

「自由中國」在華府 7/16/50 **3:2**

「解放」歌謠集(華府通訊) 7/16/50 **3:2**

隔重洋遠眺群醜有感五首(華府通訊) 6/1/50 **2:11**

張丕介

論「化佃農為自耕農」 11/1/51 **5:9**

張白汀

晚清宮庭實紀 4/1/53 **8:7**

張仲仁

提前反攻中國大陸與世界反共戰爭 10/1/50 **3:7**

張仲凱

在美國‧念臺灣 3/1/59 **20:5**

張任飛

泰國政變與東南亞局勢 12/16/51 **5:12**

張帆

獄中記[譯作,原作者:柯爾冰(蘇俄)] 2/1/50 **2:3**

張佛泉

自由之確鑿意義 5/16/53 **8:10**

自由與文化 1/16/54 **10:2**

自由與國際和平 5/1/53 **8:9**

言論自由與「百家爭鳴」 10/1/56 **15:7**

亞洲人民反共的最終目的 7/16/54 **11:2**

從民權初步論精誠團結 12/1/51 **5:11**

論美國大選的意義 10/16/52 **7:8**

聯合招考入學志願問題 8/1/55 **13:3**

讀徐著「語意學概要」 6/1/57 **16:11**

張君勱

玄奘留學時之印度與西方關於玄奘著作目錄 6/1/56 **14:11**

我們對毀憲策動者的警告[合著者:左舜生、張發奎、李璜等] 3/1/60 **22:5**

社會主義之方向轉變 11/16/59 **21:10**

【十一劃】(續)

張君藍

　我和老周 .... 11/16/54　**11:10**

張希文等

　張希文等來函 .... 7/16/58　**19:2**

張志楷

　有人說：國民政府是被公營事業拖垮的！(香港通訊) .... 5/1/50　**2:9**

張沅長

　「桑格里(角)」與華僑 .... 2/1/56　**14:3**

　莎士比亞的秘密 .... 5/16/54　**10:10**

張秀亞

　日記抄 .... 10/1/54　**11:7**

　冬夜 .... 1/1/53　**8:1**

　白夜 .... 1/1/57　**16:1**

　栗色馬 .... 7/16/55　**13:2**

　「情感的花朵」前記 .... 12/16/55　**13:12**

　莎弗致法昂書 .... 3/16/56　**14:6**

　湖上的小詩 .... 4/1/57　**16:7**

　短簡 .... 11/16/52　**7:10**

　等待 .... 2/1/55　**12:3**

　絮語 .... 8/1/53　**9:3**

　愛與死 .... 8/1/57　**17:3**

　詩二首 .... 6/16/57　**16:12**

　暮春漫筆 .... 5/1/53　**8:9**

　舊箋 .... 2/16/53　**8:4**

　懷念 .... 1/1/54　**10:1**

張秀明

　華僑中學易長糾紛 .... 8/16/57　**17:4**

張其昀

　中國憲法之重要涵義 .... 12/20/49　**1:3**

【十一劃】(續)

【十一劃】(續)

張尚德

邏輯解析的哲學[譯作，原作者：羅素(Bertrand Russell)] .... 9/5/57　**17:5**

張延康

字體簡化勢在必行 .... 5/1/54　**10:9**

張昌正

一位華僑青年徵求祖國朋友 .... 5/16/52　**6:10**

張初暘

台灣地方自治的技術問題 .... 1/1/50　**2:1**

張金鑑

個人自由底社會價值 .... 4/1/50　**2:7**

張冠英

開發臺東與加路蘭築港 .... 9/16/53　**9:6**

張思海

有感於雲林縣長候選人黃文斗登記受阻撓 .... 4/16/60　**22:8**

張致遠

史家的靈感 .... 12/1/56　**15:11**

回教文化與近東問題(上) .... 5/16/52　**6:10**

回教文化與近東問題(下) .... 6/1/52　**6:11**

泛談現代文化 .... 9/16/54　**11:6**

美國外交政策的檢討 .... 10/1/53　**9:7**

國際政治的理想與現實 .... 2/16/53　**8:4**

論美國的外交 .... 3/1/52　**6:5**

歷史的教育價值 .... 9/1/52　**7:5**

蘭克的生平與著作(為紀念傅孟真先生而作) .... 12/16/52　**7:12**

張益弘

看大陸念反攻 .... 3/1/58　**18:5**

張起鈞

關於「胡適與白話文」 .... 7/16/53　**9:2**

【十一劃】(續)

張健生

　從郭雨新當選看人心 6/1/60 **22:11**

張清徽

　毛筆與國文 9/16/56 **15:6**

張祥傳、蔡水勝

　張祥傳、蔡水勝先生來函 8/16/60 **23:4**

張發奎

　我們對毀憲策動者的警告[合著者：左舜生、張君勱、李璜等] 3/1/60 **22:5**

張敬

　胡適言論集甲編 4/16/53 **8:8**

張敬原

　論行政院與立法院之關係 4/1/54 **10:7**

張瑚玉

　有感於「搶救教育危機」 1/16/55 **12:2**

張葆真

　關於省立大學教師送審問題 11/5/58 **19:9**

張壽民

　祝壽也要攤派麼？ 7/16/56 **15:2**

張慶楨

　立法院能控制行政院麼？ 4/16/50 **2:8**

張瑾

　中東防衛問題剖視[譯作] 12/16/53 **9:12**

張震

　學術審議委員人選 8/16/57 **17:4**

張靜

　萍蹤雲影 8/16/52 **7:4**

張靜軒

　共產主義的落後性與反動性 3/16/51 **4:6**

【十一劃】(續)

恬琴

　　請用具體的方法搶救青年 .... 12/5/49　　**1:2**

惜光

　　越北華僑回國觀光(河內通訊) .... 6/1/52　　**6:11**

惜夢

　　自由的謳歌 .... 10/16/51　　**5:8**

悼萍

　　紅旗下的大學生活 .... 6/16/52　　**6:12**

教育部

　　教育部來函 .... 8/16/53　　**9:4**

教育部中學標準教科書編印委員會

　　教育部中學標準教科書編印委員會來函 .... 6/1/58　**18:11**

教育部高教司

　　教育部高教司來函 .... 10/1/54　**11:7**

　　教育部高教司來函 .... 12/16/54　**11:12**

教育廳、布朗先生、李致一

　　關於師範學院事件的來函三件 .... 9/1/53　　**9:5**

斜陽

　　泰國內政和共產黨活動 .... 2/1/53　　**8:3**

曹大我

　　國民黨興衰之關鍵在選舉！——為國民黨建黨六十五週年紀念而作 .... 2/16/60　**22:4**

曹浪平等

　　給司法院大法官會議的一封請願書 .... 3/1/58　**18:5**

曹德宣

　　當前國策之商榷 .... 11/16/59　**21:10**

　　擁護蔣總統繼續領導而不贊同連任——希望國大代表要負起歷史之責任！ .... 1/16/60　**22:2**

望楚

　　「特等功臣」縱火犯(重慶通訊) .... 9/1/51　　**5:5**

　　彭水沈冤(四川通訊) .... 6/16/51　**4:12**

【十一劃】(續)

梁守中

　　五星旗下的北平(香港通信) .... 4/1/50　**2:7**

　　清華園的苦悶(香港通信) .... 4/16/50　**2:8**

梁叔文

　　論政黨政治 .... 2/16/58　**18:4**

梁容若

　　日本文字的改革運動 .... 10/1/51　**5:7**

梁振超

　　日匪貿易問題 .... 6/1/57　**16:11**

梁財源、蘇朝清

　　梁財源蘇朝清先生來函 .... 4/16/60　**22:8**

梁肅戎

　　論中華路違章建築整建後間位分配問題**〔合著者：富伯平、李公權〕** .... 7/16/60　**23:2**

梁雲坡

　　自由的寓言(詩) .... 10/1/52　**7:7**

　　蛇卵及其他 .... 3/1/53　**8:5**

梁鉅榮

　　臺灣土壤概況與農林利用 .... 10/1/51　**5:7**

梁嘉彬

　　論琉球歸屬問題 .... 10/16/53　**9:8**

梁實秋

　　「五四」與文藝 .... 5/1/57　**16:9**

　　「百獸圖」與諷刺文學 .... 1/1/57　**16:1**

　　舟子的悲歌 .... 4/16/52　**6:8**

　　杜甫與佛 .... 1/1/50　**2:1**

　　欣賞與了解 .... 8/16/58　**19:4**

　　教國文的一點經驗 .... 3/1/52　**6:5**

　　莎士比亞之謎 .... 3/1/55　**12:5**

　　談話的藝術 .... 3/16/59　**20:6**

【十一劃】(續)

梅川克

　　義和團幽靈復活(香港通訊) .... 10/16/51　**5:8**

梅欣蓀

　　警察國家匈牙利[譯作] .... 9/1/53　**9:5**

梅雨

　　文壇巨星的隕落(巴黎通訊) .... 3/16/51　**4:6**

　　奴隸的歌頌(巴黎通訊) .... 3/16/51　**4:6**

梅興

　　戰後芬蘭[譯作] .... 11/16/53　**9:10**

梅蘊理(殷海光筆名)

　　我所認識之「真正的自由人」 .... 1/16/52　**6:2**

淦克超

　　埃敘合併與伊約合併 .... 4/1/58　**18:7**

　　墨西哥最近的政治發展 .... 7/1/58　**19:1**

盛孝玲

　　我所見及的美國中學教育的特點 .... 9/16/54　**11:6**

　　耶路撒冷遊記 .... 5/16/55　**12:10**

第二光盛輪難屬代表

　　「陳情書」 .... 4/1/60　**22:7**

紹輔

　　介紹「鸚鵡螺號的故事」 .... 5/16/59　**20:10**

莊心在

　　華僑與泰國經濟 .... 3/1/54　**10:5**

　　韓境停戰在泰國的反響 .... 9/1/53　**9:5**

荻秋

　　日本與聯合國合作的一著棋(東京通訊) .... 9/16/50　**3:6**

許冠三

　　不屈服的海峽 .... 12/20/49　**1:3**

　　中共怎樣「清算」農村 .... 6/1/50　**2:11**

【十一劃】(續)

許冠三[續前]

民主中國的障礙在那裡？ 5/1/51 **4:9**

民主與權威 5/16/52 **6:10**

西方文明的挑戰 3/16/50 **2:6**

我所了解的自由 1/16/53 **8:2**

政府權力與公民自由 7/1/57 **17:1**

政府權威與公民自由 1/16/54 **10:2**

美國要在亞洲做些什麼？ 3/1/56 **14:5**

誰能擊敗共產主義？ 1/16/50 **2:2**

論布爾希維克氣質 2/16/50 **2:4**

關於個體自由與群體自由 7/16/53 **9:2**

許屏齋

馬共二次和談之真相 12/16/55 **13:12**

馬共和談內幕 11/16/55 **13:10**

馬共和談續訊 2/1/56 **14:3**

許思澄

大夢誰先覺？(華府通訊) 12/16/50 **3:12**

大選閑話 11/1/52 **7:9**

山雨已來風滿樓(華府通訊) 9/1/50 **3:5**

他山之石(華府通訊) 10/1/50 **3:7**

打打談談打(華府通訊) 1/16/51 **4:2**

民主制度的基礎 12/16/52 **7:12**

共和黨全國大會的前前後後(美國通訊) 8/1/52 **7:3**

共產黨如何左右了美國的輿論(華府通訊) 11/1/51 **5:9**

自毀汝萬里長城？(華府通訊) 5/1/51 **4:9**

何必庸人自擾？ 4/1/54 **10:7**

冷戰、溫戰與熱戰之間(華府通訊) 11/1/50 **3:9**

美國大選的意義(華府通訊) 12/1/50 **3:11**

從蛛絲馬跡看匪劍帷燈 8/16/53 **9:4**

提議徵召胡適之先生為中華民國副總統 2/16/54 **10:4**

檢討韓國之戰(華府通訊) 8/16/50 **3:4**

礎潤而雨(華府通訊) 2/16/52 **6:4**

【十一劃】(續)

郭友梅

　萬里風浪 .... 4/1/53　**8:7**

郭衣洞

　幸運的石頭 .... 4/1/54　**10:7**

　被猛烈踢過的狗 .... 12/1/54　**11:11**

郭廷以

　歷史的臺灣——歷史上的臺灣與中國(一) .... 7/1/50　**3:1**

　歷史的臺灣——荷蘭侵入與臺灣之初次淪陷(二) .... 7/16/50　**3:2**

　歷史的臺灣——初次光復(三) .... 8/1/50　**3:3**

　歷史的臺灣——歷史的臺灣與中國(四) .... 8/16/50　**3:4**

　歷史的臺灣——歷史的臺灣與中國(五) .... 9/1/50　**3:5**

　歷史的臺灣——歷史的臺灣與中國(六) .... 9/16/50　**3:6**

　歷史的臺灣——歷史的臺灣與中國(七) .... 10/1/50　**3:7**

　歷史的臺灣——歷史的臺灣與中國(八) .... 10/16/50　**3:8**

　歷史的臺灣——歷史的臺灣與中國(九) .... 11/1/50　**3:9**

　歷史的臺灣——歷史的臺灣與中國(十) .... 11/16/50　**3:10**

　歷史的臺灣——歷史的臺灣與中國(十一) .... 12/1/50　**3:11**

　歷史的台灣——歷史的台灣與中國(十二) .... 12/16/50　**3:12**

郭良蕙

　錯誤的抉擇(上) .... 4/16/54　**10:8**

　錯誤的抉擇(中) .... 5/1/54　**10:9**

　錯誤的抉擇(下) .... 5/16/54　**10:10**

郭雨新

　民選省長此其時矣！ .... 1/1/60　**22:1**

　臺灣省議會第二屆第一次大會總詢問發言要點 .... 9/1/60　**23:5**

郭垣

　戰後法國新經濟政策 .... 11/16/51　**5:10**

郭恒鈺

　日本在摸索中(「日本的今天與明天」之一) .... 2/1/59　**20:3**

　永遠的模倣者(「日本的今天與明天」之二) .... 3/1/59　**20:5**

　日本的文化人(「日本的今天與明天」之三) .... 4/16/59　**20:8**

【十一劃】(續)

郭恒鈺[續前]

日本人的「路」(「日本的今天與明天」之四) 7/16/59 **21:2**

自由社會基於出版自由[譯作,原作者:小野秀雄] 9/16/59 **21:6**

暴力國會與日本人 12/16/58 **19:12**

郭海浪

請問戰時海外特別匯款何時解凍? 6/16/60 **22:12**

郭湘章

友情的悵惘 3/16/54 **10:6**

郭嗣汾

山中書簡 9/5/54 **11:5**

老人星 12/16/56 **15:12**

拾夢(上) 2/1/55 **12:3**

拾夢(下) 2/16/55 **12:4**

康伯蘭的秋天 11/16/55 **13:10**

尋夢曲 8/16/53 **9:4**

霧裏獻花人 1/1/54 **10:1**

郭慕泰

獻玉乎?獻寶乎? 4/1/57 **16:7**

野萍

蕭條苦難話杭州(杭州通訊) 10/16/50 **3:8**

陳一士

確立院士的標準與榮譽 5/16/57 **16:10**

陳力行

我掏出良心說話! 5/1/57 **16:9**

陳之道

日本總選舉前各黨政見之剖視 4/16/53 **8:8**

陳之藩

山水與人物 11/5/55 **13:9**

月是故鄉明 3/1/55 **12:5**

出國與出家 4/1/55 **12:7**

【十一劃】(續)

陳之藩[續前]

失根的蘭花 7/1/55 **13:1**

印字小工二百五十年誕祭 3/1/56 **14:5**

成功的哲學 6/16/55 **12:12**

並不是悲觀 5/1/55 **12:9**

到什麼地方去？ 6/1/55 **12:11**

泥土的芬芳 1/16/56 **14:2**

河邊的故事 2/1/57 **16:3**

哈德遜劇院 1/16/57 **16:2**

哲人的微笑 3/16/55 **12:6**

哲學家皇帝 8/1/55 **13:3**

祖宗的遺產 9/1/55 **13:5**

寂寞的畫廊 11/1/57 **17:9**

悠揚的山歌 2/16/57 **16:4**

惆悵的夕陽 12/16/56 **15:12**

覓回自己 11/16/55 **13:10**

釣勝於魚 10/16/55 **13:8**

幾度夕陽紅 7/1/58 **19:1**

智者的旅棧 10/16/56 **15:8**

智慧的火花 5/16/55 **12:10**

童子操刀 4/16/55 **12:8**

愛因斯坦的苦悶 7/16/55 **13:2**

鐘聲的召喚 8/16/55 **13:4**

陳少廷

多瑪主義與辯證唯物論[譯作，原作者：法蘭克] 3/1/57 **16:5**

基本科學為何常使極權者與迫害異端者受窘？[譯作，原作者：法蘭克] 4/1/56 **14:7**

陳文峰

俞鴻鈞真的不是拒絕調查嗎？ 3/1/58 **18:5**

陳世璨

臺灣之農業 7/1/51 **5:1**

【十一劃】(續)

陳正文

有感於南韓新反對黨的誕生 10/16/55 **13:8**

陳玉章

大法官人選問題 3/1/58 **18:5**

陳石孚

從多惱河到鴨綠江 9/16/54 **11:6**

藍斯瓦拉卜著：「甘地主義與共產主義」 7/1/55 **13:1**

陳立人

觀「永恒之島」後 7/1/55 **13:1**

陳光夏

刑事案件可以和解了事嗎？ 12/1/54 **11:11**

陳名

請看如此兼職！〔合著者：楊生〕 10/16/58 **19:8**

陳式銳

中東及東南亞之經濟戰 4/16/56 **14:8**

父道政治歟？民主政治歟？ 12/16/56 **15:12**

正視第五次電力加價問題 12/5/59 **21:11**

由倒風看經濟的改善 8/16/58 **19:4**

臺電不需再加價 12/1/54 **11:11**

臺灣棉布問題面面觀 7/1/52 **7:1**

臺灣經濟革新芻議 5/1/53 **8:9**

論政治的干涉經濟 2/1/58 **18:3**

論「進出口商管理辦法」 8/1/59 **21:3**

論臺灣外匯貿易管制的改變 4/16/55 **12:8**

關於「為節省外匯而保護紡織業」 8/1/52 **7:3**

陳伯莊

有關中共命運的兩件大事 8/1/57 **17:3**

黃尊生詩序 4/1/58 **18:7**

陳克文

印尼華僑教育問題(印尼通訊) 9/1/52 **7:5**

【十一劃】(續)

陳克文[續前]

地方自治與民主政治 3/16/52 **6:6**

政治力量的分析研究[譯作，原作者：F. L. Neumann] 2/16/53 **8:4**

陳克誠

臺灣之水利 7/1/51 **5:1**

職業教育的檢討與展望 1/1/53 **8:1**

陳孜

預訓班與大專學生的軍訓問題 3/1/58 **18:5**

陳固亭

日本國會制度 9/16/56 **15:6**

日本戰敗秘史 5/1/53 **8:9**

尾崎行雄自傳[譯作] 10/1/52 **7:7**

尾崎行雄自傳(中)[譯作] 2/16/53 **8:4**

尾崎行雄自傳(下)[譯作] 3/1/53 **8:5**

敬悼尾崎行雄先生 11/1/54 **11:9**

陳定一

一個柏林，兩個世界！(柏林通訊) 2/1/51 **4:3**

陳定山

養雞場在臺北 6/16/50 **2:12**

陳居仁

勢利眼的灑水車 8/16/54 **11:4**

陳咸森

主義與政治 3/1/60 **22:5**

臺灣的選舉為甚麼辦不好？ 4/16/60 **22:8**

陳威伯

中國的革命與美國的革命(上) 8/1/50 **3:3**

中國的革命與美國的革命(下) 9/1/50 **3:5**

官僚政治別論 1/16/51 **4:2**

陳紀瀅

內在的敵人 10/1/53 **9:7**

【十一劃】(續)

陳紀瀅[續前]

「世界永久沒戰爭」的「推薦者」蘇雪林趙友培陳紀瀅三先生

聲明撤銷推薦[合著者：蘇雪林、趙友培]..................................11/16/53　**9:10**

孤鳳孤雛..12/20/49　**1:3**

荻村傳(一)..4/1/50　**2:7**

荻村傳(二)..4/16/50　**2:8**

荻村傳(三)..5/1/50　**2:9**

荻村傳(四)..5/16/50　**2:10**

荻村傳(五)..6/1/50　**2:11**

荻村傳(六)..6/16/50　**2:12**

荻村傳(七)..7/1/50　**3:1**

荻村傳(八)..7/16/50　**3:2**

荻村傳(九)..8/1/50　**3:3**

荻村傳(十)..8/16/50　**3:4**

荻村傳(十一)..9/1/50　**3:5**

荻村傳(十二)..9/16/50　**3:6**

荻村傳(十三)..10/1/50　**3:7**

荻村傳(續完)..10/16/50　**3:8**

陳紀瀅先生來函..12/1/54　**11:11**

評介「大火炬的愛」..8/1/52　**7:3**

評「我的父親」..2/16/52　**6:4**

蕭軍之死..10/16/51　**5:8**

陳致平

答王木公先生談自由..2/1/57　**16:3**

陳若谷

談紡織品外銷的幾個問題..10/16/57　**17:8**

陳香梅

談明年美國大選..12/1/51　**5:11**

陳哲春

「公共場所，莫談國事！」....................................5/1/57　**16:9**

【十一劃】(續)

陳恩成

民主與法治..5/16/51 **4:10**

拉斯基教授之死..5/16/50 **2:10**

美國國會選舉勝負因素的綜析.....................................11/16/54 **11:10**

從韓國戰事檢討第三次大戰是否爆發？..............................7/16/50 **3:2**

陳振中

緬甸華僑堅決反共(仰光通訊).....................................4/1/52 **6:7**

陳祖蔭

還可以簡化..9/16/52 **7:6**

陳衷言

請問政府用意何在？..4/1/60 **22:7**

陳偉士

為甚麼要教員強銷書刊？..6/16/58 **18:12**

陳國礎

東南亞當前的危機..10/16/50 **3:8**

陳康

今日的小學教育..3/1/59 **20:5**

恢復固有道德的問題..10/16/55 **13:8**

評李辰冬的評詩標準(上)..8/1/57 **17:3**

評李辰冬的評詩標準(下)..8/16/57 **17:4**

論思想統一問題..5/1/55 **12:9**

陳啟天

今後反共抗俄的三大方略..5/16/55 **12:10**

太平洋新局勢與中國前途..7/16/50 **3:2**

民主與反民主的鬥爭..12/20/49 **1:3**

改革政治、團結人心..10/31/56 **15:9**

陳啟天先生來函..9/1/56 **15:5**

陳梅隱

風箏..2/1/55 **12:3**

【十一劃】(續)

陳紹基

　　爲縣市長省議員候選人提名向國民黨進一言 11/16/56 **15:10**

陳陶淑明

　　讀李辰冬評先翁詩後的感言 4/16/57 **16:8**

陳斐玲

　　請廢止師大專修科 8/16/58 **19:4**

陳登嶽

　　從香港看反共救國會議 11/1/53 **9:9**

陳雅宵

　　護理工作在美國 3/1/53 **8:5**

陳敬仁

　　張菊生(元濟)靠攏的前前後後(上海通訊) 8/16/50 **3:4**

陳誠

　　陳院長致胡適之先生函 9/16/51 **5:6**

陳維民

　　請勿濫用多數決！ 7/1/58 **19:1**

陳賢友

　　患難朋友西班牙 3/16/53 **8:6**

陳賢文

　　與法國大將談兵 6/1/54 **10:11**

陳賢如

　　自由的保障[譯作，原作者：胡佛] 6/1/55 **12:11**

陳養吾

　　教師節爲教師請命 10/1/55 **13:7**

陳懷琪

　　革命軍人爲何要以「狗」自居？ 1/16/59 **20:2**

陳繼平

　　關於防衛捐的決議 12/16/57 **17:12**

【十一劃】(續)

陸大順

國民黨可以不守選舉法規嗎？ 4/16/57 **16:8**

陸之琳

園藝事業在臺灣 8/1/51 **5:3**

陸民仁

評洪譯「凱因斯指南」 11/16/55 **13:10**

陸廷賢

從一個書目看中共的出版物 1/1/55 **12:1**

陸崇仁

日本極右翼團體的復活 8/16/54 **11:4**

臺灣報紙篇幅利用之商榷 2/1/56 **14:3**

陸漸

西洋通史 5/1/53 **8:9**

美國對蘇政策[譯作，原作者：犬養健] 2/16/52 **6:4**

國父與歐美之友好 4/1/53 **8:7**

陶之本

虛矯和自我陶醉 4/1/58 **18:7**

陶心和

望國大代表勿爲國民黨所收買 3/1/60 **22:5**

陶冬心

一個站在鏡子前面的人[譯作，原作者：Lannia] 8/16/52 **7:4**

民主與極權的再認識[譯作] 10/1/52 **7:7**

如此莫斯科！[譯作，原作者：Dorothy Emmerson] 12/1/52 **7:11**

柴卻羅夫上校[譯作，原作者：Stephen Kelen] 4/1/53 **8:7**

陶百川

一本萬利案奇觀 4/16/57 **16:8**

一個監察委員的狗生哲學 7/1/56 **15:1**

官商勾結的背信罪 5/1/55 **12:9**

從雷正琪案談到官吏圖利問題 3/1/56 **14:5**

貫徹法治壽世慰親 10/31/56 **15:9**

【十一劃】(續)

陶百川 [續前]

評內政部新頒出版品禁限事項 11/16/54 **11:10**

當局對付批評的新作風 2/1/55 **12:3**

電力必須加價嗎？ 10/1/54 **11:7**

關於民主法治的四項建議 11/16/59 **21:10**

陶希聖

兩個戰略的交綏 7/16/50 **3:2**

聯合國的威望轉入低潮 12/1/50 **3:11**

陶志俠

如何加強華僑聯繫、團結反共人士 7/16/55 **13:2**

陶英貝原作／聶華苓譯

歷史的治亂 5/1/52 **6:9**

陶實之

適時調整文武公教人員待遇平議 10/16/56 **15:8**

陶潤之

谷鳳翔還不該撤換嗎？ 8/16/58 **19:4**

陶震宇

俄帝外交的戰略 5/1/55 **12:9**

陶藍

海外心影 12/1/51 **5:11**

雪人

陸小曼的房子與匪區貪污(香港通訊) 8/16/51 **5:4**

章子鈞

評師範生代職實習的試辦 9/16/56 **15:6**

章生道

蘇俄囚營十一年記(上)[譯作，原作者：Elinor Lipper] 7/16/51 **5:2**

蘇俄囚營十一年記(中)[譯作，原作者：Elinor Lipper] 8/1/51 **5:3**

蘇俄囚營十一年記(下)[譯作，原作者：Elinor Lipper] 8/16/51 **5:4**

【十一劃】(續)

章若虛

望不要張冠李戴！ 2/1/60 **22:3**

章船

奇怪不奇怪？ 3/16/59 **20:6**

章雅谷

亞洲協會的工作[譯作，原作者：羅勃・布侖姆] 10/16/56 **15:8**

美國和波多黎哥[譯作] 4/16/55 **12:8**

章勳義

章勳義先生來函 8/1/56 **15:3**

竟千

西班牙未來的王位問題 11/5/55 **13:9**

【十二劃】

傅一勤

鐵幕漏隙[譯選] 2/1/51 **4:3**

傅中梅

個人自由乎？國家自由乎？ 9/16/53 **9:6**

傅正

一個免試升學學校教員對免試升學的意見 7/1/58 **19:1**

三論青年反共救國團撤銷問題[社論] 9/1/60 **23:5**

不要再玩政治魔術！——告國民黨當局[社論] 3/1/60 **22:5**

地方自治乎？省府官治乎？——對省府所擬地方自治法規七種修正草案的總評 3/1/59 **20:5**

「死亡宣告」可以適用於國大代表嗎？[社論] 1/1/60 **22:1**

我國不是內閣制嗎？ 6/16/59 **20:12**

扼殺民營報紙的又一辦法[社論] 9/16/58 **19:6**

所謂「勿蹈民盟路線的覆轍」 4/1/58 **18:7**

治安機關無權查扣書刊——從「祖國周刊」被扣說到書報雜誌審查會報之違法[社論] ...3/16/59 **20:6**

青年反共救國團問題(「今日的問題」)之十二[社論] 1/1/58 **18:1**

政府不應用經濟方法打擊民營報紙！[社論] 12/1/58 **19:11**

重申我們反對修憲的意見[社論] 12/16/59 **21:12**

【十二劃】(續)

傅正[續前]

修憲已沒有「合法途徑」了！ 9/1/59 **21:5**

豈容「御用」大法官濫用解釋權？[社論] 3/1/60 **22:5**

國民黨豈可重演違法競選的故技？[社論] 4/16/60 **22:8**

國民黨當局應負的責任和我們應有的努力[社論] 7/1/58 **19:1**

國民黨當局還不懸崖勒馬？[社論] 6/16/58 **18:12**

國家主義與世界主義(下) 10/1/55 **13:7**

國家主義與世界主義(上) 9/18/55 **13:6**

國家要把人當人 10/1/56 **15:7**

從本刊的「讀者投書」說到國是問題 11/16/59 **21:10**

從「自由人」被扣說到「自由人」停刊[社論] 10/16/59 **21:8**

從責任政治說到反對黨 10/1/57 **17:7**

從速救助中國大陸流亡學生！[社論] 9/1/58 **19:5**

這樣的地方選舉能算「公平合法」嗎？[社論] 5/1/60 **22:9**

評「工商日報」對南韓政治風暴的看法 5/16/60 **22:10**

黃啓瑞能向臺北市民交代嗎？ 4/16/60 **22:8**

當前台灣警政問題的嚴重性！[社論] 6/1/59 **20:11**

對本屆地方選舉的檢討 5/1/57 **16:9**

對於地方選舉的兩點起碼要求[社論] 3/16/60 **22:6**

撤銷軍人之友社！[社論] 10/1/59 **21:7**

駁某畫報「論所謂蔣總統的『連任』問題」[筆名紀仁] 2/16/60 **22:4**

劉自然案帶來的血的教訓 ！ 6/1/57 **16:11**

請投在野黨和無黨無派候選人一票！[社論] 4/16/60 **22:8**

請政府切實保障人權！[筆名王建邦] 12/1/58 **19:11**

請速停辦「大陸來臺國民調查」！[社論][雷震] 12/5/59 **21:11**

憑甚麼查扣「自由人」？[社論] 7/1/59 **21:1**

選舉改進座談會的聲明 6/16/60 **22:12**

選舉改進座談會鄭重要求內政部長連震東公開答覆[特載] 7/1/60 **23:1**

關於反共團結運動 12/16/56 **15:12**

護憲乎？毀憲乎？——望國大代表作明智的抉擇！ 2/16/60 **22:4**

傅孟真

我對蕭伯納的看法 11/16/50 **3:10**

【十二劃】(續)

傅宗懋

逢新年算舊賬 .... 1/1/50　**2:1**

傅添榮

論組黨與反共復國的契機 .... 9/1/60　**23:5**

傅斯年

共產黨的吸引力 .... 4/16/50　**2:8**

自由與平等 .... 11/20/49　**1:1**

我們為甚麼要抗俄反共？ .... 2/16/50　**2:4**

蘇聯究竟是一個甚麼國家？[演講，記錄者：許冠三] .... 12/20/49　**1:3**

勞仲瓊

談反共與助共 .... 4/1/50　**2:7**

勞思光

一點邏輯問題的討論(答殷海光先生) .... 7/1/54　**11:1**

勞榦

勞榦先生來函 .... 7/16/57　**17:2**

勞影

發薪日 .... 11/5/58　**19:9**

喻血輪

今日家庭教育的沒落 .... 9/1/58　**19:5**

喻伯凱

籲請立監兩院澈查司法黑暗 .... 4/16/58　**18:8**

補正「籲請立監兩院澈查司法黑暗」一文 .... 6/1/58　**18:11**

喻嘉濱

包袱 .... 5/16/50　**2:10**

褪色的晚霞(上) .... 12/1/52　**7:11**

褪色的晚霞(下) .... 12/16/52　**7:12**

喬志高

人生如球戲——美語新詮之一 .... 2/16/60　**22:4**

「跛鴨」與「拉夫」 .... 6/16/60　**22:12**

【十二劃】(續)

喬志高[續前]

「黑馬」與「寵兒」 .... 4/1/60　**22:7**

喬念祖

國慶日在墨京(墨京通訊) .... 12/1/50　**3:11**

喬治原作

亞洲赤禍的外在原因[聶華苓譯] .... 11/16/50　**3:10**

亞洲赤禍的外在原因(中)[聶華苓譯] .... 12/1/53　**3:11**

亞洲赤禍的外在原因(下)[聶華苓譯] .... 12/16/50　**3:12**

亞洲當赤禍之衝[聶華苓譯] .... 5/1/50　**2:9**

麥帥被黜後的共黨世界戰略[聶華苓譯] .... 6/1/51　**4:11**

給杜魯門總統的一封公開信 .... 1/16/51　**4:2**

論民主國際與反共抗俄[趙文海譯] .... 8/16/50　**3:4**

喬迺南

固步自封的僑務 .... 5/16/58　**18:10**

當前僑務的檢討與策進 .... 10/16/58　**19:8**

喬鵬書

狀元及第 .... 9/1/60　**23:5**

富伯平

論中華路違章建築整建後間位分配問題[合著者：梁肅戎、李公權] ..... 7/16/60　**23:2**

彭定公

反共戰爭的精神條件 .... 12/20/49　**1:3**

彭思衍

美國「克里姆林宮」的秘密[譯作] .... 2/1/51　**4:3**

彭郎

所望於臺省審計處者 .... 11/5/55　**13:9**

彭歌

美國文學之瑰寶——白鯨記 .... 11/16/56　**15:10**

訪畫記 .... 11/16/54　**11:10**

落月(一) .... 1/16/56　**14:2**

落月(二續) .... 2/1/56　**14:3**

【十二劃】(續)

彭歌 [續前]

落月(三續) 2/16/56 **14:4**

落月(四續) 3/1/56 **14:5**

落月(五續) 3/16/56 **14:6**

落月(六續) 4/1/56 **14:7**

落月(七續) 4/16/56 **14:8**

落月(八續) 5/1/56 **14:9**

落月(九續) 5/16/56 **14:10**

落月(續完) 6/1/56 **14:11**

「落月」後記 8/1/56 **15:3**

憂鬱的靈魂 12/16/53 **9:12**

彭翰

中國生產力中心的工作和使命 4/16/56 **14:8**

立法院會議人數常不足問題 10/1/52 **7:7**

彭觀清

談軍人待遇與生活實況——兼論其對於士氣和建軍的影響 5/1/60 **22:9**

惠盧

原子彈的前途和可能性 2/16/51 **4:4**

揚正民

一個大學生的信念與看法 10/1/57 **17:7**

曾子友

西方「國家」概念的演變 7/1/54 **11:1**

學術思想的自由創進及其演變 5/1/57 **16:9**

曾英奇

今日的美國人需要甚麼樣的總統?(紐約通訊) 3/1/52 **6:5**

西歐的防線(紐約通訊) 6/16/51 **4:12**

哀王孫(紐約通訊) 6/1/51 **4:11**

候選人提名之謎(紐約通訊) 2/1/52 **6:3**

閒話的閒話(紐約通訊) 1/16/52 **6:2**

與劫後王孫話將來(紐約通訊) 7/1/51 **5:1**

【十二劃】(續)

曾虛白

「自由」「民主」「社會」三主義合論 3/16/50 **2:6**

曾寶蓀

去年世界女權運動的觀感 1/16/56 **14:2**

英遊雜感 10/1/52 **7:7**

談世界婦女地位 12/1/53 **9:11**

游紹虞

不要「領導」！ 12/16/56 **15:12**

有感於地理教本審查之事 7/1/57 **17:1**

過則勿憚改！ 10/1/56 **15:7**

湯比原作／葉雨象譯

俄國與西方的對壘 6/16/53 **8:12**

湯因比原作／鍾玄靈輯譯

印度遊記 9/16/57 **17:6**

湯恩伯

遠東消滅赤禍之關鍵 7/16/50 **3:2**

湯絢章

機關首長應該澄清的幾個觀念 3/1/54 **10:5**

焦木

他們為甚麼招供？[譯作，原作者：李昂斯] 7/1/50 **3:1**

史達林企圖征服世界[譯作] 2/16/51 **4:4**

印度共產黨的前途[譯作，原作者：Chester Bowles] 3/1/54 **10:5**

美國原子能研究的發展(紐約通訊) 9/16/50 **3:6**

從中國大陸歸來(上)[譯作，原作者：鄧納奎主教] 10/1/55 **13:7**

從中國大陸歸來(下)[譯作，原作者：鄧納奎主教] 11/5/55 **13:9**

斯諾筆下之維辛斯基的臉譜[譯作] 1/1/51 **4:1**

蘇俄內部的反叛運動[譯作] 3/16/53 **8:6**

蘇俄在美國的陰謀[譯作，原作者：L. F. Budenz] 4/16/52 **6:8**

焦言田

一本誤謬不堪的農職教科書 12/16/53 **9:12**

【十二劃】（續）

焦增煜

　加拿大的移民政策與華僑 12/1/55 **13:11**

琴流溪

　駐歐外交使節近況簡述 1/16/55 **12:2**

琦君

　冷月 4/1/57 **16:7**

　涼棚下 6/16/57 **16:12**

　喜宴 8/1/60 **23:3**

　楊梅 8/16/54 **11:4**

　黎明 1/1/56 **14:1**

　鮮牛奶的故事 3/16/55 **12:6**

　難忘的人物——三劃阿王 10/16/54 **11:8**

短評

　七十歲 11/16/58 **19:10**

　二十世紀的「酷刑」 2/1/59 **20:3**

　人民代表與新聞自由 4/1/59 **20:7**

　三叉路口 12/1/58 **19:11**

　三輪車的管理與就業 2/16/59 **20:4**

　公款「私」用 4/16/59 **20:8**

　反共歟？效共歟？ 3/1/59 **20:5**

　弔唁大陸上受迫害的文化工作者！ 8/16/52 **7:4**

　支票請在臺灣兌現 2/1/59 **20:3**

　以「法」違法 2/1/59 **20:3**

　加「乾」薪 11/16/58 **19:10**

　加價和加薪 1/1/59 **20:1**

　召開國是會議 4/1/59 **20:7**

　只准警官罵人？ 12/1/58 **19:11**

　外交需要人才 4/1/59 **20:7**

　市長不懂得「法人」這個名詞 11/5/58 **19:9**

　打人的是警察！ 12/1/58 **19:11**

　立法院要「自立」了！ 3/1/59 **20:5**

　伍藻池闖下「言禍」 12/16/58 **19:12**

【十二劃】(續)

短評[續前]

共產黨也談「人道主義」！ .... 10/16/58　**19:8**

如何根除「四書」？ .... 10/1/58　**19:7**

早該取消慶典！ .... 10/16/58　**19:8**

羊毛出在羊身上 .... 2/16/59　**20:4**

考察熱 .... 11/5/58　**19:9**

「行易知難」？ .... 4/16/59　**20:8**

克拉克的新猷——摧毀水豐發電廠 .... 7/1/52　**7:1**

「免試升學」如何了？ .... 10/1/58　**19:7**

兵不在多而在精 .... 3/16/59　**20:6**

志願軍與志願遣俘 .... 8/16/52　**7:4**

我國不是「一黨專政」麼？ .... 1/1/59　**20:1**

谷鳳翔何時撤職查辦？ .... 1/1/59　**20:1**

谷鳳翔逍遙法外！ .... 2/1/59　**20:3**

車禍！車禍！ .... 2/16/59　**20:4**

防空洞與公共廁所之間 .... 10/16/58　**19:8**

兒童玩具 .... 3/1/59　**20:5**

兩「口」才可交流 .... 11/5/58　**19:9**

取消「黨化司法」 .... 2/1/59　**20:3**

和約談判的癥結在那裡？ .... 4/16/52　**6:8**

周主席進步了？ .... 1/16/59　**20:2**

「肥水」不落外人田 .... 4/1/59　**20:7**

非不能也，是不為也！ .... 1/16/59　**20:2**

「便民」口號重實踐 .... 5/1/52　**6:9**

保安處分執行法 .... 4/1/59　**20:7**

保障人權還在「研究」中 .... 11/16/58　**19:10**

保障出版自由 .... 12/1/58　**19:11**

政治花瓶推行花瓶政治 .... 11/5/58　**19:9**

政治相聲 .... 12/1/58　**19:11**

政治廣告 .... 1/16/59　**20:2**

為調景嶺難胞呼籲 .... 1/16/53　**8:2**

看人家‧想自己 .... 11/5/58　**19:9**

看陳院長的「勇氣」和「決心」 .... 3/1/59　**20:5**

【十二劃】（續）

短評［續前］

看監察院的！..12/1/58 **19:11**

苛捐雜稅..3/1/59 **20:5**

英商自中國大陸撤退..6/1/52 **6:11**

負責與法治..5/16/52 **6:10**

軍法與司法劃分的進步..5/16/52 **6:10**

軍訓已到「武裝睡覺」階段..11/16/58 **19:10**

冤獄如何了？..12/16/58 **19:12**

旁觀者清..3/16/59 **20:6**

海關為什麼還要使用英文？..4/16/52 **6:8**

祝中日和約告成..5/1/52 **6:9**

豈獨南美為然？..1/16/59 **20:2**

國民黨眼中的「共產黨同路人」..12/16/58 **19:12**

國慶與偽國慶之在香港..11/5/58 **19:9**

執法者違法..10/16/58 **19:8**

專家政治..4/16/59 **20:8**

貪污與待遇..4/16/59 **20:8**

這就是大家的需要..12/16/58 **19:12**

「通信週」和「通信自由」..10/16/58 **19:8**

閉門造車..4/16/59 **20:8**

就「法」言法..1/16/59 **20:2**

「惡性補習」的原因何在？..10/16/58 **19:8**

惡性補習與教室荒..11/16/58 **19:10**

黃市長「巧辯」..1/1/59 **20:1**

「黃禍」何處來？..3/16/59 **20:6**

新「官場現形記」..4/16/59 **20:8**

節約歟？浪費歟？..11/5/58 **19:9**

團結才能反共..3/16/59 **20:6**

撤銷警備總司令部！..1/1/59 **20:1**

監察院明察秋毫不見輿薪..2/16/59 **20:4**

臺北市一年白淌了多少水？..2/16/59 **20:4**

廢止總動員法..3/16/59 **20:6**

標準警察..4/1/59 **20:7**

【十二劃】(續)

短評[續前]

調查乎？疏通乎？ 2/16/59 **20:4**

誰在「胡說」？ 11/16/58 **19:10**

誰在「強銷書刊」！ 10/1/58 **19:7**

誰來監察人民代表？ 7/1/52 **7:1**

誰奢誰儉？ 10/16/58 **19:8**

誰該負責？ 12/16/58 **19:12**

學術與廣告 3/1/59 **20:5**

戰俘營中竟有私刑 6/1/52 **6:11**

錢！錢！錢！ 2/1/59 **20:3**

輿論制裁與法律責任 11/16/58 **19:10**

輿論的力量！ 1/16/59 **20:2**

議員好威風！ 3/16/59 **20:6**

黨國元老的「革命」手段 10/1/58 **19:7**

魔術政治 1/1/59 **20:1**

程之行

狄托叛離了蘇俄嗎？(上)[譯作，原作者：M. S. Handler] 11/16/52 **7:10**

狄托叛離了蘇俄嗎？(下)[譯作，原作者：M. S. Handler] 12/1/52 **7:11**

程天牧

赫魯雪夫法國之行 5/16/60 **22:10**

程玉

籲請政府澈查基隆中正堂案 8/16/58 **19:4**

程和

為師大費副教授呼籲社會正義！ 8/16/60 **23:4**

程海公

籲請國民黨切勿再打擊立法院聲望 6/1/58 **18:11**

程滄波

灰色的英國 7/1/54 **11:1**

拉斯基教授最後兩本書 2/1/53 **8:3**

英國兩黨政治的歷史背景(上) 11/16/57 **17:10**

英國兩黨政治的歷史背景(下) 12/1/57 **17:11**

【十二劃】(續)

程滄波[續前]

英國政黨史上一位偉大的鬥士——福克思查理(Charles James Fox) 1/16/58 **18:2**

開放的社會及其敵人 12/1/52 **7:11**

論中立主義 5/1/51 **4:9**

童真

手(小說) 10/16/59 **21:8**

春回 3/1/57 **16:5**

梅老師 11/5/58 **19:9**

熄滅了的星火 5/16/57 **16:10**

翠鳥湖(一) 9/16/57 **17:6**

翠鳥湖(二) 10/1/57 **17:7**

翠鳥湖(三) 10/16/57 **17:8**

翠鳥湖(四) 11/1/57 **17:9**

翠鳥湖(續完) 11/16/57 **17:10**

紫宸

奮鬥中的突尼斯(北非通訊) 5/16/52 **6:10**

舒文

法國政黨政治的動向(巴黎通訊) 6/16/52 **6:12**

華明

西方的島國：西印度群島聯邦[譯作] 8/16/58 **19:4**

兩個英國間諜使美國在韓戰中受挫[譯作] 11/16/55 **13:10**

擴張不已的殖民帝國——俄羅斯[譯作] 9/16/56 **15:6**

華苓

不願做奴隸的人們[譯作] 5/16/51 **4:10**

華國

何著「貨幣學」評介 7/1/59 **21:1**

菲格原作／殷海光譯

自然思想與人文思想 3/16/55 **12:6**

自然思想與人文思想(下) 4/1/55 **12:7**

【十二劃】(續)

費威克

　承認中共政府問題 .... 2/1/54　**10:3**

費極光

　學術界看布爾希維克主義 .... 4/16/50　**2:8**

費翰

　美國短篇小說與美國生活 .... 8/1/55　**13:3**

賀肇苹

　理髮篇 .... 5/1/55　**12:9**

貴仁

　請勿製造少年犯 .... 12/16/58　**19:12**

閔石麟

　美軍在南韓失利之原因 .... 7/16/50　**3:2**

閔航

　琉球美國教師訪臺記 .... 4/1/56　**14:7**

雲蓀

　魔窟塑像 .... 11/1/50　**3:9**

馮文正

　我關心免試升學的前途 .... 1/1/57　**16:1**

馮溫炳

　交通部前總務司長被控變相敲詐豈可無下文！ .... 8/1/60　**23:3**

黃大受

　中西交通史第四、五冊 .... 3/1/55　**12:5**

黃中

　歷史的坦途只有一條 .... 1/1/50　**2:1**

黃天健

　論史太林造成「權化」的策略 .... 3/1/55　**12:5**

黃孔武

　由「內舉不避親」做到「外舉不避仇」[合著者：戴經] ...... 9/16/54　**11:6**

【十二劃】(續)

黃少友

　「仍有商討餘地」的「三民主義學術獎金」 .... 1/1/60　**22:1**

黃正銘

　神聖同盟與聯合國組織 .... 4/16/52　**6:8**

　對日和約中國參加問題 .... 8/16/51　**5:4**

黃安

　反對黨與反共 .... 4/1/58　**18:7**

黃希春

　不該管的去管，該管又不管！ .... 10/1/53　**9:7**

黃沙

　一個喬治亞的廚子[譯作，原作者：Robert Spencer Carr] .... 2/1/53　**8:3**

黃念台

　一點建議 .... 1/16/55　**12:2**

黃河清

　調景嶺上話義民(香港通訊) .... 6/1/51　**4:11**

黃思村

　一個煙盒的故事 .... 9/16/56　**15:6**

　酒瘋 .... 4/1/56　**14:7**

黃思聘

　夕陽(一) .... 4/1/58　**18:7**

　夕陽(續完) .... 4/16/58　**18:8**

　真實的啓示(上) .... 4/16/55　**12:8**

　真實的啓示(下) .... 5/1/55　**12:9**

　畢業酒 .... 1/1/55　**12:1**

　鄉村醫生(上) .... 9/18/55　**13:6**

　鄉村醫生(下) .... 10/1/55　**13:7**

　牆 .... 11/1/54　**11:9**

黃洋

　日美條約閃電式通過引起的日本政治風暴 .... 6/16/60　**22:12**

　新成立的日本民主社會黨 .... 3/16/60　**22:6**

【十二劃】(續)

黃洋［續前］

歷盡艱辛的日美安全保障條約 8/16/60 **23:4**

黃健生

高考及格者應考研究院所問題之商榷 9/16/56 **15:6**

黃啟瑞

黃啓瑞來函 11/16/59 **21:10**

黃紹祖

中共的苦果 6/1/51 **4:11**

論唯物辯證法的變形 3/1/50 **2:5**

黃雪村

美國應如何爭取主動遏止侵略 9/1/51 **5:5**

黃漢昇

一腔孤憤話醫療 5/1/60 **22:9**

黃廣

地中海防務與美西基地使用協定 5/1/53 **8:9**

黃錫和

韓國問題解決了之後 10/16/50 **3:8**

黃錫照

談美國的總統預選 5/1/60 **22:9**

黃賽婉

蘇俄帝國所望於「歐洲內亂」者 6/1/50 **2:11**

黃鐘

公教得其養 4/16/53 **8:8**

黃巖

透視周恩來印緬之行 9/5/54 **11:5**

甯遠

「大家來」對「一面倒」讀後感(臺北通訊) 3/1/51 **4:5**

【十三劃】

圓照

自由人的難題 .... 12/5/49　**1:2**

奧挺

殺害東德人民的特務頭子 .... 6/16/53　**8:12**

廉齋

李辰多著「陶淵明評論」 .... 2/1/57　**16:3**

微言

如此婦聯會！ .... 11/1/59　**21:9**

愛因斯坦(Albert Einstein)原作

科學定律與倫理定律[殷海光譯] .... 5/1/55　**12:9**

愛因斯坦的人生哲學[劉世超譯] .... 1/1/53　**8:1**

慎和

給公費留學倡議諸公的幾點建議 .... 6/16/60　**22:12**

敬禮

何以沒有讀「自由中國」的自由？ .... 11/16/56　**15:10**

新書介紹

躍向自由──蘇俄嘉森金納夫人著 .... 12/5/49　**1:2**

新臺灣紡織公司

新臺灣紡織公司來函 .... 11/16/56　**15:10**

極光(殷海光筆名)

烏煙瘴氣的政治活動在臺大！ .... 3/1/60　**22:5**

椰廠

旅行的陰暗面 .... 10/16/50　**3:8**

楊一樵

社會主義乎？辯證唯物神學乎？(上) .... 10/16/50　**3:8**

社會主義乎？辯證唯物神學乎？(下) .... 11/1/50　**3:9**

楊公望

教育改革兩案果真沒有變更現行學制麼？ .... 4/1/56　**14:7**

【十三劃】(續)

楊天驥

留學獎學金應一律由政府考選嗎？ .... 4/16/52　**6:8**

楊少珍

回到自由祖國的觀感 .... 2/16/56　**14:4**

楊文璞

龍娃和玉梅子 .... 4/16/53　**8:8**

楊日旭

法國政局何以動盪不安？ .... 10/16/53　**9:8**

楊正之

「西遊記與中國古代政治」 .... 6/16/60　**22:12**

楊正義

爲在野黨的遭遇說幾句話 .... 9/5/57　**17:5**

楊生

請看如此兼職！[合著者：陳名] .... 10/16/58　**19:8**

楊宏光

八德血案十七點質疑 .... 10/1/57　**17:7**

楊志希

一九六〇年美國經濟展望[譯作] .... 6/16/55　**12:12**

美國的社會安全制度 .... 10/16/55　**13:8**

美國的勞工組織 .... 1/1/56　**14:1**

美國的農業問題 .... 5/1/56　**14:9**

美國的鋼鐵工業糾紛(華府通訊) .... 6/16/52　**6:12**

美國是否走向另一經濟恐慌？[譯作，原作者：Sumner Slichter] .... 4/1/53　**8:7**

儲蓄與儲蓄存款 .... 12/16/58　**19:12**

響應字體簡化運動 .... 5/16/54　**10:10**

楊志固

美國證券市場的管理(上) .... 9/1/58　**19:5**

美國證券市場的管理(中) .... 9/16/58　**19:6**

美國證券市場的管理(下) .... 10/1/58　**19:7**

【十三劃】(續)

楊念慈

　雪除夕 .... 4/16/52　**6:8**

楊承厚

　六年來新臺幣制度之檢討 12/16/55 **13:12**

楊昆明

　請速制止農藥漲價！ .... 9/1/58　**19:5**

楊金虎

　一個臺灣人對建設臺灣成模範省的看法 6/1/58 **18:11**

　民主罪言 11/16/59 **21:10**

　有感於設置選舉投票觀察員 .... 10/1/59　**21:7**

　我們衷心期待的反對黨 .... 8/1/60　**23:3**

　倡導護憲運動 .... 1/16/58　**18:2**

　從把握時機促進團結說到地方選舉 .... 4/1/60　**22:7**

　對省府處置高雄市長罷免案平議 .... 11/1/59　**21:9**

　擁護蔣總統繼續領導的我見 .... 2/16/60　**22:4**

楊剛毅

　對貨幣數量說之探討 .... 7/1/60　**23:1**

楊海宴

　小乖驢 .... 2/16/59　**20:4**

　兩截壓憋了的黃瓜(小說) .... 10/1/59　**21:7**

楊基振

　民主與世界安全 .... 1/16/60　**22:2**

　我從競選失敗中得到的知識 12/16/57 **17:12**

　爭取臺灣地方選舉的重點 .... 3/16/60　**22:6**

　對本屆地方選舉應有的認識和態度 .... 4/16/60　**22:8**

楊誠

　偽藥與車禍 6/1/56 **14:11**

楊德本

　大學教育與學術環境 .... 4/16/58　**18:8**

【十三劃】(續)

楊錫福

　臺灣的地理 .... 4/16/52　**6:8**

楊懋春

　試談文化問題 6/16/60 **22:12**

楊灝

　日本復興經濟發展貿易方法之研究 .... 10/16/59　**21:8**

榆林

　自由中國與亞洲的前途(舊金山通訊) .... 11/16/50　**3:10**

　美國民意趨於援華(舊金山通訊) .... 9/1/50　**3:5**

源夫

　請看軍人之「友」社！ 6/16/59 **20:12**

滇君

　昆明——一個寂靜的死谷(昆明通訊) .... 1/1/51　**4:1**

溫甦

　希臘普選的透視 .... 1/1/53　**8:1**

溫新徽

　高速電腦計算機簡介 .... 2/1/58　**18:3**

滄波

　美國政治與政黨制度 .... 8/1/54　**11:3**

　評「美國的總統」 .... 10/16/52　**7:8**

瑞士世界一週原載／本六譯

　史太林——彼得大帝遺囑的執行人 .... 3/1/50　**2:5**

萬子霖

　敬覆李月軒先生 .... 8/1/57　**17:3**

萬夫雄

　西藏反共革命的長成與發展 .... 4/1/59　**20:7**

萬如鎔

　給教育廳劉廳長的一封公開信[合著者：王曦、譚謙] .... 9/1/59　**21:5**

【十三劃】(續)

萬香堂

　寫給司法行政會議 .... 8/1/57　**17:3**

萬森

　西德共產黨之解散 .... 10/16/56　**15:8**

萬遜

　丹麥大選以後 .... 7/1/57　**17:1**

　英國財長的辭職 .... 3/16/58　**18:6**

　從艾登辭職說起 .... 3/16/57　**16:6**

經濟部中央標準局

　經濟部中央標準局來函 .... 9/18/55　**13:6**

葉宏琛

　何謂「標準」教科書？ .... 9/5/54　**11:5**

葉泛

　馬共的「和平攻勢」 .... 7/16/55　**13:2**

　馬來亞大選的經過 .... 9/1/55　**13:5**

葉雨泉

　未來八十年［譯作，原作者：羅素(Bertrand Russell)］ .... 4/16/53　**8:8**

　俄國與西方的對壘［譯作，原作者：湯比］ .... 6/16/53　**8:12**

葉家梧

　不公平的就業考試成績計算法［合著者：瞿宗泉］ .... 7/16/55　**13:2**

葉時修

　反對黨不能組織起來嗎？ .... 7/1/60　**23:1**

　我建議以提名代替選舉 .... 4/1/56　**14:7**

　論民主文化的培養 .... 10/1/58　**19:7**

葉維理

　應該慚愧的！ .... 11/16/57　**17:10**

葛文侯

　洪憲帝制期間各方申討之文獻 .... 2/16/60　**22:4**

【十三劃】(續)

葛泰山

從內幕雜誌停刊說起 9/16/54 **11:6**

葛偕吾

中共對東南亞及當地華僑的陰謀 3/16/59 **20:6**

印尼徵收外僑稅的分析 10/1/57 **17:7**

蘇嘉諾、哈達能合作嗎？ 1/1/58 **18:1**

葛寶戡

免試升學和延長義務教育 3/1/56 **14:5**

董時進

共產黨是要耕者有其田麼？ 3/16/51 **4:6**

如何打開韓戰僵局 11/16/52 **7:10**

告大陸農民書 6/16/57 **16:12**

我對反共救國會議的看法 11/16/53 **9:10**

我對副總統選舉的意見 2/1/54 **10:3**

致全體國大代表書——關於修改憲法及總統連任問題 3/16/60 **22:6**

拿出抗日的決心和勇氣來反共！ 3/1/54 **10:5**

論所謂東方狄托 4/1/51 **4:7**

董鼎山

介紹明年美國新總統 5/1/60 **22:9**

火箭・飛彈・衛星・行星 5/16/59 **20:10**

以現實態度論美蘇五個問題 10/16/59 **21:8**

要者居先！——美國民主黨領袖史蒂文生的看法[節譯，原作者：Adlai E. Stevenson] 2/1/60 **22:3**

展開民主政治討論的風氣 7/16/58 **19:2**

高階層會議不會解決基本問題 5/16/60 **22:10**

從日內瓦會議論蘇俄政策的基本目標 7/16/59 **21:2**

從艾赫互訪論美蘇「實力平衡」問題 9/1/59 **21:5**

從艾赫會談的目標說到美國民間反應 9/16/59 **21:6**

從「齊瓦哥醫生」論蘇俄知識份子 12/16/58 **19:12**

新年初論美國總統競選 1/1/60 **22:1**

赫魯雪夫治下的蘇俄(上)[摘譯，原作者：Harrison E. Salisbury] 11/1/59 **21:9**

赫魯雪夫治下的蘇俄(下)[摘譯，原作者：Harrison E. Salisbury] 12/5/59 **21:11**

【十三劃】(續)

董鼎山[續前]

　　談杜勒斯(1888～1959) .... 7/1/59　**21:1**

　　論赫魯雪夫其人及其爲政 .... 10/16/58　**19:8**

虞承唐

　　我爲港澳知識份子呼籲 .... 7/16/56　**15:2**

虞敏平(夏道平筆名)

　　秋思 .... 11/1/53　**9:9**

　　憶烏尤 .... 5/16/53　**8:10**

虞經華

　　行政與司法似未配合 .... 12/1/54　**11:11**

裕隆公司

　　對蘇甦先生之聲明 .... 10/16/59　**21:8**

詹同章

　　所謂「精神講話」 .... 2/1/59　**20:3**

資友仁

　　由政治民主到經濟平等 .... 2/16/50　**2:4**

　　自由經濟的成就[譯作] .... 3/1/52　**6:5**

　　社會主義與專制[譯作，原作者：密色斯] .... 1/1/50　**2:1**

　　蘇俄集團的購買力[譯作] .... 9/16/52　**7:6**

賈長卿

　　請國民黨放棄「革命」 .... 4/16/57　**16:8**

路狄

　　青年救國團害國害青年 .... 6/16/58　**18:12**

路狄君

　　青年團破壞法制與浪費國帑 .... 1/16/58　**18:2**

路誠

　　天理良心──對交通部更正函的駁正 .... 7/16/60　**23:2**

　　再看交通部的疏建德政 .... 6/1/60　**22:11**

【十三劃】(續)

道統

泰國僑社的風波(曼谷通訊) .... 8/1/52　**7:3**

透視共黨在泰陰謀(曼谷通訊) .... 7/16/52　**7:2**

達爾林(蘇俄)原作／摩洛譯

蘇聯的新社會(上) .... 1/16/50　**2:2**

蘇聯的新社會(下) .... 2/1/50　**2:3**

鄒文海

自由、平等與民主 .... 4/1/56　**14:7**

自由的意義 .... 3/1/55　**12:5**

俄帝的新動向及民主國家應有的對策 .... 9/1/53　**9:5**

政治家與專家 .... 2/16/53　**8:4**

美國的新軍事預算 .... 1/16/54　**10:2**

英國的解剖 .... 7/1/53　**9:1**

從冷戰談到自由世界的經濟合作 .... 4/1/52　**6:7**

鄒景蘇

蘇俄的幕後戰術和聯合國應有的和平計劃 .... 12/1/50　**3:11**

雷崧生

美國與聯合國 .... 9/1/52　**7:5**

許曼計劃與布勒溫計劃 .... 11/1/52　**7:9**

雷震

人心！人心！人心！
　——從臺中縣、臺南市、雲林縣事例說到唐秘書長和田部長的談話 .... 4/16/60　**22:8**

八高三年和中京景物 .... 3/1/59　**20:5**

八高三年和中京景物(二續) .... 3/16/59　**20:6**

八高三年和中京景物(三續) .... 4/1/59　**20:7**

八高三年和中京景物(四續) .... 4/16/59　**20:8**

八高三年和中京景物(五續) .... 5/1/59　**20:9**

八高三年和中京景物(六續) .... 5/16/59　**20:10**

八高三年和中京景物(七續) .... 6/1/59　**20:11**

八高三年與中京景物(續完) .... 6/16/59　**20:12**

又一個關係憲政的問題[社論][夏道平] .... 10/1/54　**11:7**

【十三劃】(續)

雷震[續前]

三年來的回顧與自省 11/16/52 **7:10**

中國歷史上三大工程——長城、運河和「羅斯福路」[筆名原之道] 2/16/56 **14:4**

今天的立法院[社論] 12/1/57 **17:11**

今日的司法！[社論] 7/1/57 **17:1**

反共與團結——本刊一貫的主張[社論] 12/16/51 **5:12**

反對黨之自由及如何確保 4/1/50 **2:7**

反對黨問題(「今日的問題」之十五)[社論] 2/16/58 **18:4**

毋自壞長城[社論] 4/16/56 **14:8**

以暴易暴乎？ 2/16/50 **2:4**

本刊一週年 11/16/50 **3:10**

本刊的十年回顧[社論][夏道平] 1/1/59 **20:1**

本刊第三年的開始[社論] 11/16/51 **5:10**

民主政治就是民意政治 11/16/51 **5:10**

民主政治就是輿論政治 12/16/51 **5:12**

民主國家應該怎樣面對現局？ 8/1/50 **3:3**

民主憲政的又一試金石[社論] 7/16/54 **11:2**

民意機關「議事資格」之比較的研究——為立法院和國民大會的議事資格進一言 9/1/53 **9:5**

立委三年成法(官)(律)師[筆名原之道] 6/1/52 **6:11**

立法委員的「民主風度」觀 6/1/56 **14:11**

立法院給憲政開一惡例[社論][夏道平] 6/16/54 **10:12**

「共黨語言可以襲用嗎？」書後 9/1/51 **5:5**

各級法院應不應該隸屬於司法院？

    ——依據憲法第七十七條之「正」解，司法院究竟是個什麼性質的機關？ 2/1/59 **20:3**

在國民大會反對修改憲法和臨時條款的書面意見 3/16/60 **22:6**

在野黨及無黨無派人士對於本屆地方選舉向國民黨及政府提出的十五點要求(來件) 4/1/60 **22:7**

自由對抗奴役(對大陸廣播) 1/16/55 **12:2**

行政院長應不應到監察院報告備詢[社論] 1/1/58 **18:1**

希望政府切實實行陳院長在檢討會的指陳[社論] 4/1/53 **8:7**

形式主義與官僚政治 10/16/50 **3:8**

我的母親(一) 9/1/60 **23:5**

我們五年來工作的重點 11/16/54 **11:10**

我們的立場[社論] 7/1/51 **5:1**

【十三劃】(續)

雷震[續前]

我們的態度 11/16/56 **15:10**

我們為什麼迫切需要一個強有力的反對黨 5/16/60 **22:10**

我們要以工作對付工作 7/1/50 **3:1**

我們需要怎樣的行政院長[社論] 5/16/54 **10:10**

我替領導反共鬥爭的美國著想 11/16/55 **13:10**

言論自由的認識及其基本條件[社論][殷海光] 10/1/51 **5:7**

明寮一年 1/1/58 **18:1**

法律與自由[社論] 1/1/53 **8:1**

怎樣才使國大的紛爭平息了的![社論][夏道平] 3/16/60 **22:6**

政府和輿論都應重視這一次的反應![社論] 11/16/56 **15:10**

為「自治」半月刊橫遭查扣而抗議[社論][夏道平] 1/1/58 **18:1**

為國民黨改造進一言[社論] 8/1/50 **3:3**

軍公教人員待遇的調整還可再拖嗎?[社論] 1/1/57 **16:1**

軍法與普通司法的劃分[社論] 11/1/51 **5:9**

重申我們說話的態度 11/16/59 **21:10**

冤獄賠償制度之建立不容再緩了——兼評立法院刑事補償草案[社論] 3/1/59 **20:5**

貢獻給立法院幾點意見(上) 4/1/52 **6:7**

貢獻給立法院幾點意見(下) 4/16/52 **6:8**

健全輿論形成之要件 1/16/52 **6:2**

國民大會要走到那裏去?(上) 5/16/53 **8:10**

國民大會要走到那裏去?(下) 6/1/53 **8:11**

國民黨應如何領導從政黨員[社論] 1/16/55 **12:2**

從中共財經立場解剖其三反四反和五反(香港通訊)[筆名原之道] 3/16/52 **6:6**

從反共義士的行動看出自由民主的真實價值[社論] 11/1/53 **9:9**

從近代文化批判共產黨 1/1/50 **2:1**

從憲法保障人身體自由說到取締流氓辦法[社論] 12/16/58 **19:12**

現任與現役一字之差(苗栗縣長選舉糾紛) 5/16/51 **4:10**

這是國民黨反省的時候[社論][殷海光] 5/16/54 **10:10**

創刊「自由中國」的意旨 3/16/57 **16:6**

發刊詞 11/20/49 **1:1**

開倒車——走私案移送軍法審判[社論][夏道平] 12/5/59 **21:11**

傳統與革新 7/16/51 **5:2**

【十三劃】(續)

雷震[續前]

敬向國大代表同仁說幾句話 3/1/60 **22:5**

敬告我們的國大代表——團結·法統·政治買賣[社論][夏道平] 2/16/60 **22:4**

對國民黨七全大會的期望[社論] 10/1/52 **7:7**

對搆陷與誣衊的抗議——從個人自由與國家自由說起[社論] 2/16/57 **16:4**

監察院之將來(一) 11/1/52 **7:9**

監察院之將來(二) 11/16/52 **7:10**

監察院之將來(三) 12/1/52 **7:11**

監察院之將來(四) 1/1/53 **8:1**

監察院之將來(五) 1/16/53 **8:2**

監察院之將來(六) 2/1/53 **8:3**

臺灣省雜誌協會成立宣言 6/1/50 **2:11**

與陳兼院長論反對黨[社論] 7/1/60 **23:1**

駁斥黨報官報的謬論和誣衊——所謂「政黨的承認」和「共匪支持新黨」 8/16/60 **23:4**

寫在「臺灣地方自治與選舉的檢討」之前——代序 4/1/60 **22:7**

彈劾案與調查權[社論][夏道平] 1/1/58 **18:1**

確立文人治軍制度[社論] 6/16/54 **10:12**

請速停辦「大陸來臺國民調查」![社論][傅正] 12/5/59 **21:11**

論無記名投票——進步的民主制度[社論] 3/16/60 **22:6**

論輿論之本質(上) 7/16/55 **13:2**

論輿論之本質(下) 8/1/55 **13:3**

誹謗之意義及與言論自由之界線(上) 2/16/52 **6:4**

誹謗之意義及與言論自由之界線(下) 3/1/52 **6:5**

學人蒙難文化遭殃[社論] 1/1/52 **6:1**

學生時代救國活動的回憶 11/16/58 **19:10**

獨裁，殘暴，反人性的共產黨 11/20/49 **1:1**

諾言貴實踐[社論][夏道平] 7/1/54 **11:1**

選舉改進座談會緊急聲明[合著者：李萬居、高玉樹] 9/1/60 **23:5**

輿論界的反省(為本刊第五年開始而作)[社論] 11/16/53 **9:10**

輿論與民主政治(一) 10/1/51 **5:7**

謹獻對於國防制度之意見 10/31/56 **15:9**

鎌倉三週與「三文判」印章 5/16/58 **18:10**

願望與怨望 5/1/51 **4:9**

【十三劃】(續)

雷震[續前]

競選活動應看做政治教育[社論] .... 1/16/53　**8:2**

警備總部不應根據盛世才挾嫌誣告而濫行捕人[社論] .... 6/1/60　**22:11**

雷震遠

吳廷琰其人其事 .... 9/1/56　**15:5**

致為自由而戰的胡適博士(比利時通信) .... 3/1/50　**2:5**

教會與共產主義之在中國(待續)[芬譯] .... 6/1/50　**2:11**

教會與共產主義之在中國[芬譯] .... 6/16/50　**2:12**

頌三

清除和脫黨(里昂通訊) .... 3/1/51　**4:5**

鼎山

一九五八年度的普列茲文藝獎金 .... 6/16/58　**18:12**

杜勒斯對中東問題的幾個錯誤觀念 .... 9/1/58　**19:5**

從政治與軍事因素看大戰爆發的可能性 .... 6/1/58　**18:11**

【十四劃】

僑委會鄭委員長

僑委會鄭委員長來函 .... 8/16/56　**15:4**

僑務委員會秘書室

僑務委員會秘書室來函 .... 7/1/58　**19:1**

嘉森金納夫人原作／文波節譯

躍向自由(上) .... 10/16/50　**3:8**

躍向自由(中) .... 11/1/50　**3:9**

躍向自由(下) .... 11/16/50　**3:10**

寧遠

嚮應自由中國大運動(台中通信) .... 3/16/50　**2:6**

寧靜遠

從「政在便民」說到日光節約 .... 3/16/52　**6:6**

廖水土

公務與黨務 .... 12/16/56　**15:12**

【十四劃】(續)

廖勤

北非與北非問題焦點——阿爾及尼亞 6/16/56 **14:12**

廖樞

考驗人心向背的準繩 11/16/53 **9:10**

漢瑞

省議會的風波！ 7/1/59 **21:1**

漢爾登原作／一鴞譯

為自由而戰 2/16/51 **4:4**

漢聲

古巴往何處去？ 5/1/59 **20:9**

華僑與古巴獨立[譯作，原作者：Gonzalo de Quesado] 3/1/57 **16:5**

熊望權

西班牙的政經狀況及其戰略價值[譯作，原作者：Andre Visson] 6/16/53 **8:12**

精希

萬般感慨卸征衫！——從一份「保證書」說起 1/16/60 **22:2**

維諒

阿拉伯聯盟之組織及其背景 6/16/56 **14:12**

翟宗泉

不公平的就業考試成績計算法[合著者：葉家梧] 7/16/55 **13:2**

翟國瑾

憶艾理遜(美軍生活散記) 1/16/53 **8:2**

聞甦

檢討我駐外使節與華僑的關係 5/16/54 **10:10**

臺北市警察局第五分局

臺北市警察局第五分局來函 4/16/58 **18:8**

臺北地方法院檢察處

臺北地方法院檢察處來函 5/1/58 **18:9**

臺南農職教員

臺南農職教員來函 7/1/55 **13:1**

【十四劃】(續)

臺南農職教員

臺南農職教員來函二件 7/16/55 **13:2**

臺南農職讀者

如此「圖書審查」！ 6/16/55 **12:12**

臺灣省立台北師範學校

臺灣省立台北師範學校附屬學來函 8/1/58 **19:3**

臺灣省政府公路局

臺灣省政府公路局來函 4/16/57 **16:8**

臺灣省政府教育廳

臺灣省政府教育廳來函 10/16/56 **15:8**

臺灣省教育廳

臺灣省教育廳來函 12/1/56 **15:11**

臺灣省雜誌協會

臺灣省雜誌協會成立宣言[雷震] 6/1/50 **2:11**

臺灣省鐵路警察局

臺灣省鐵路警察局來函 4/16/58 **18:8**

臺灣高等法院

臺灣高等法院對於「今日的司法」之聲明 8/1/57 **17:3**

蒙藏委員會

蒙藏委員會來函 9/1/60 **23:5**

蓀

共產國家裏的家庭生活實況[譯作] 10/1/53 **9:7**

赫胥黎原作／劉世超譯

勇敢的新世界中的科學(寓言小說) 5/1/59 **20:9**

趙小培

俞院長的兼職問題 10/1/54 **11:7**

趙友培

「世界永久沒戰爭」的「推薦者」蘇雪林趙友培陳紀瀅三先生

聲明撤銷推薦[合著者：蘇雪林、陳紀瀅] 11/16/53 **9:10**

【十四劃】(續)

趙世洵

寫在反共救國會議之前 3/1/57 **16:5**

談今日英國的大學 8/16/55 **13:4**

談戴樂美 12/1/56 **15:11**

論蕭伯納 11/5/55 **13:9**

趙正誠

這是什麼作風？ 4/1/57 **16:7**

趙岡

大陸人口問題與馬克斯經濟學 12/16/57 **17:12**

中共對外貿易額之研究 11/1/57 **17:9**

巧姐的年齡問題——敬答嚴明先生 2/16/60 **22:4**

立法院應設立資料部門 1/1/58 **18:1**

再談財經政策 4/1/58 **18:7**

俄毛貸款之謎 5/1/57 **16:9**

怎樣以凱因斯的理論來研究臺灣經濟 4/1/57 **16:7**

現行租稅政策之商榷 2/1/58 **18:3**

發展臺灣經濟的方向 6/1/57 **16:11**

對於臺灣金融政策的一點建議 7/16/59 **21:2**

臺灣的利率問題 8/1/58 **19:3**

論今本紅樓夢的後四十回(上) 3/16/60 **22:6**

論今本紅樓夢的後四十回(下) 4/1/60 **22:7**

營利事業所得稅應該廢止 11/5/58 **19:9**

趙英若

修訂國民學校課程標準問題商榷 3/16/59 **20:6**

論國民教育及其課業的加重與減輕 1/1/60 **22:1**

關於改進初中入學考試問題 6/16/59 **20:12**

趙家將

越南排華的遠因近果 6/16/57 **16:12**

趙曼君

從李楊獲獎說到科學教育 12/16/57 **17:12**

從「限用毛筆」說起 7/16/57 **17:2**

【十四劃】(續)

趙得寶

一個小攤販的呼聲 6/16/58 **18:12**

趙清之

車禍猖獗，人命草芥！ 10/1/53 **9:7**

趙虛吾

我們要在甚麼時候反攻和怎樣反攻？ 4/16/50 **2:8**

論考試權 11/1/50 **3:9**

遠思

以俄制俄[譯作，原作者：Wallace Carroll] 5/1/50 **2:9**

史達林帝國的致命傷[譯作，原作者：Willam I. Nichols] 3/16/51 **4:6**

民主的巴西總統費爾約[摘譯] 1/16/55 **12:2**

自由是不可分的[譯作，原作者：Bruce Winton Knight] 4/1/52 **6:7**

我們如何爭取世界[譯作，原作者：J. F. Morse] 2/16/50 **2:4**

沒有史達林的第一個十一月[譯作，原作者：Bertram D. Wolfe] 12/16/53 **9:12**

美奸希斯叛國原委(一)[節譯，原作者：R. D. Toledano &, V. Lasky] 7/1/50 **3:1**

美奸希斯叛國原委(二)[節譯，原作者：R. D. Toledano &, V. Lasky] 7/16/50 **3:2**

美奸希斯叛國原委(三)[節譯，原作者：R. D. Toledano &, V. Lasky] 8/1/50 **3:3**

美奸希斯叛國原委(續完)[節譯，原作者：R. D. Toledano &, V. Lasky] 8/16/50 **3:4**

從參議員麥加賽提交美國國會的文件中看拉鐵摩爾輩的真面目[節譯，

　　原作者：美國國會紀錄] 5/16/50 **2:10**

蘇俄的話算數嗎？[譯作，原作者：Jacob Epstein] 10/1/50 **3:7**

遙聲

從中東現勢看戰略性的石油供應[譯作，原作者：Gustav Egloff] 4/1/51 **4:7**

銓敘部

銓敘部來函 9/16/57 **17:6**

齊世英

精兵‧除害‧團結(附錄) 3/16/59 **20:6**

齊佑之

今日之英國共產黨 12/16/56 **15:12**

今日法國的激進社會黨 12/16/54 **11:12**

【十四劃】(續)

齊佑之[續前]

法國大選之分析 3/1/56 **14:5**

法國國會的解散 1/1/56 **14:1**

突尼斯問題及其解決 9/18/55 **13:6**

從孟德斯到佛爾 5/1/55 **12:9**

清算史達林後的法義共黨 10/1/56 **15:7**

越南政局及其展望(上) 1/16/56 **14:2**

越南政局及其展望(下) 2/1/56 **14:3**

摩洛哥問題 10/16/55 **13:8**

論現階段法國第四共和的政治 10/16/56 **15:8**

齊萬森

法國孟德斯法朗士內閣 9/5/54 **11:5**

法國與歐洲聯防 11/1/54 **11:9**

的里雅斯德港問題的解決 11/16/54 **11:10**

的港問題的演變 12/1/53 **9:11**

奠邊府之戰 6/16/54 **10:12**

齊魯道

不合理的免費乘車證 9/16/52 **7:6**

齊霞

李四光靠攏初觸霉頭(香港通訊) 11/1/50 **3:9**

俄國大鼻子在上海(上海通訊) 10/1/50 **3:7**

【十五劃】

劉一樵

蘇俄消費品增產計劃下的人民生活 7/16/54 **11:2**

劉世超

心理戰與客觀道德 12/16/54 **11:12**

我們的時代是開場還是收場？[譯作，原作者：羅素(Bertrand Russell)] 2/1/55 **12:3**

勇敢的新世界中的科學(寓言小說)[譯作，原作者：赫胥黎] 5/1/59 **20:9**

思想家能做些什麼？ 4/16/54 **10:8**

神話與魔術[譯作，原作者：羅素(Bertrand Russell)] 2/1/59 **20:3**

【十五劃】(續)

劉世超[續前]

　馬克思與社會科學者(節譯，原作者：郝根] ....9/1/51　**5:5**

　唯物辯證法與必然性 ....8/16/53　**9:4**

　從常識論政黨制度的功用——在於建立自由社會的秩序 ....8/1/59　**21:3**

　從蘇俄發射人造衛星談到自由世界的科學組織 11/16/57 **17:10**

　慨乎蔣梅二先生之言！ 11/16/57 **17:10**

　愛因斯坦的人生哲學[譯作，原作者：愛因斯坦(Albert Einstein)] ....1/1/53　**8:1**

　語文的功用 ....7/1/56　**15:1**

　價值判斷與民主政治 ....6/1/52　**6:11**

　羅素的人生哲學[譯作，原作者：羅素(Bertrand Russell)] ....3/1/53　**8:5**

劉生

　南越北越行走 ....8/1/55　**13:3**

劉申

　星加坡的工商貿易考察團 ....8/1/56　**15:3**

劉伉武

　重行擬訂俘虜政策 ....1/1/50　**2:1**

劉光炎

　遠東局面徹底澄清前的幾片暗雲 ....10/1/50　**3:7**

劉百閔

　辯證法是玄學底論理學 ....6/16/50　**2:12**

劉志英

　到臺灣後的觀感(臺北通訊) ....6/16/50　**2:12**

劉明遠

　中立國之戰(一) ....8/1/54　**11:3**

　中立國之戰(二) ....8/16/54　**11:4**

　中立國之戰(三) ....9/16/54　**11:6**

　中立國之戰(四) ....10/1/54　**11:7**

　中立國之戰(五) ....10/16/54　**11:8**

劉治郁

　風流才子話田漢 ....11/1/50　**3:9**

【十五劃】(續)

劉治郁[續前]

郭沫若的過去與現在(上) .... 8/1/50　**3:3**

郭沫若的過去與現在(下) .... 8/16/50　**3:4**

劉金輝

卡文逃稅闖關案之檢討 .... 3/16/59　**20:6**

劉剛

冷眼看「新婚姻法」 .... 4/1/53　**8:7**

劉家璧

討論「大膽假設、小心求證」之我見 .... 11/16/58　**19:10**

劉書傳

大陸上大學教育的毀滅 .... 4/1/53　**8:7**

大陸上中學教育的惡變(上) .... 7/1/53　**9:1**

大陸上中學教育的惡變(下) .... 7/16/53　**9:2**

大陸小學教育的剖視 .... 10/16/53　**9:8**

劉真

答覆萬如鎔王曦譚謙三位先生的一封公開信 .... 9/16/59　**21:6**

劉祖年

「懷念沈從文教授」讀後 .... 2/16/57　**16:4**

劉國瑞

入境證問題 .... 11/1/52　**7:9**

劉國增

美國是否不景氣之研究 .... 6/1/54　**10:11**

英美自由金融政策之分析 .... 8/16/54　**11:4**

英國預算的分析 .... 11/1/53　**9:9**

現代自由經濟國家貨幣政策之檢討 .... 2/16/54　**10:4**

論美元銀行承兌匯票及其與自由世界金融貿易之關係(上) ... 1/1/57　**16:1**

論美元銀行承兌匯票及其與自由世界金融貿易之關係(下) ... 1/16/57　**16:2**

論英鎊之將來(上) .... 1/16/55　**12:2**

論英鎊之將來(下) .... 2/1/55　**12:3**

論現代國際收支及貿易平衡(上) .... 8/1/53　**9:3**

【十五劃】(續)

劉國增[續前]

論現代國際收支及貿易平衡(下) .... 8/16/53　**9:4**

蘇俄物價體系及盧布外匯匯率之檢討 .... 12/16/52　**7:12**

劉博崑

清議與干戈 .... 10/31/56　**15:9**

劉富蘭

中共對中國傳統思想的綏靖政策 .... 7/16/58　**19:2**

如此的「偉大試驗」！ .... 1/1/60　**22:1**

跌斷了腿的大躍進！ .... 9/16/59　**21:6**

懂了，原來「帽子」是扣上去的！ .... 12/16/59　**21:12**

劉復之

藝術創造與自由 .... 5/1/56　**14:9**

劉無欲

公路局不應停售學生月票 .... 4/1/57　**16:7**

劉圓明

報導客觀事實是報紙的責任 .... 7/1/56　**15:1**

劉道元

本年美國經濟的兩大問題 .... 6/1/59　**20:11**

再論新資本主義 .... 7/16/57　**17:2**

論新資本主義 .... 6/16/57　**16:12**

劉道孟

解除留學生出國的難關 .... 9/1/60　**23:5**

劉鳴

待遇還不調整嗎？ .... 2/1/57　**16:3**

劉慶瑞

一個符合美國立國精神的判決 .... 7/16/54　**11:2**

西德聯邦憲法法院與自由民主 .... 6/1/60　**22:11**

最近年來的美國最高法院 .... 1/1/60　**22:1**

答李聲庭君評「各國憲法及其政府」 .... 10/16/56　**15:8**

論美國憲法上的種族平等 .... 4/16/58　**18:8**

【十五劃】(續)

劉慶瑞 [續前]

　論議會議員的言論不負責權 .... 1/1/59　**20:1**

劉濟華

　大學應是通才教育麼？ .... 9/1/56　**15:5**

　戶稅計稅標準憑什麼？ .... 3/16/55　**12:6**

劍聲

　從開發蘭嶼檢討省政建設 .... 11/1/59　**21:9**

厲元生

　加拿大政黨組織及其現況 .... 2/16/56　**14:4**

慰慈

　俄帝對中近東的威脅 .... 6/16/56　**14:12**

摩洛

　蘇聯的新社會(上)[譯作，原作者：達爾林(蘇俄)] .... 1/16/50　**2:2**

　蘇聯的新社會(下)[譯作，原作者：達爾林(蘇俄)] .... 2/1/50　**2:3**

樊凡夫

　香港電影圈的透視 .... 2/16/53　**8:4**

　誰是縱火者？ .... 12/1/52　**7:11**

樊努材

　不可栽誣前賢！ .... 3/1/57　**16:5**

　樊努材先生按語 .... 8/16/57　**17:4**

樊際昌原作／王德昭譯

　論美國外交政策的目的(上) .... 9/16/53　**9:6**

　論美國外交政策的目的(下) .... 10/1/53　**9:7**

樂志誠

　國家和個人 .... 5/1/57　**16:9**

樂季生

　火(小說) .... 9/1/52　**7:5**

歐陽賓

　五月的葵村 .... 7/1/51　**5:1**

【十五劃】(續)

歐陽賓［續前］

伊凡 ....2/1/54　**10:3**

血的洗禮 ....10/1/51　**5:7**

社會主義的虛妄 ....4/1/51　**4:7**

金七公公的期待 ....4/16/53　**8:8**

論愛倫堡「給西方作家的一封公開信」 ....8/16/50　**3:4**

潘人木

烏魯木齊之憶 ....5/1/56　**14:9**

潘郁良

至高的理性——科學哲學的研究 ....7/16/59　**21:2**

潘毓剛

科學是甚麼？ ....4/16/59　**20:8**

國際統一科學百科全書 ....10/1/59　**21:7**

潘壘

血旗(上) ....5/16/55　**12:10**

血旗(中) ....6/1/55　**12:11**

血旗(下) ....6/16/55　**12:12**

牖民

張桂卻死得冤枉！ ....8/16/59　**21:4**

瑩星

北方學人的悲劇(香港通訊) ....12/16/51　**5:12**

編者

本刊開闢「青年號角」的前言 ....11/20/49　**1:1**

蔭君

我是毛澤東的女秘書 ....4/16/51　**4:8**

蔣勻田

人心重要！ ....4/16/57　**16:8**

不讓毛澤東遁藏原形 ....11/1/57　**17:9**

民主政治的實例 ....12/1/56　**15:11**

立法院的試金石 ....11/16/54　**11:10**

【十五劃】(續)

蔣勻田[續前]

如何利用反對黨？ 9/5/54 **11:5**

百慕達會議應有的認識 6/16/53 **8:12**

自由觀念的制度化與組織化 2/1/54 **10:3**

艾森豪總統解放政策的試金石 7/1/53 **9:1**

我對解決蘇彝士運河爭端的看法 8/16/56 **15:4**

制憲與行憲 3/16/54 **10:6**

忠誠的反應 10/31/56 **15:9**

爭自由為革命的動因 1/1/57 **16:1**

美國兩黨政策變遷的理論基礎 4/1/55 **12:7**

「美國的亞洲政策」書後 7/16/56 **15:2**

美國對遠東的基本態度改變了麼？ 7/16/50 **3:2**

重行考慮「中國問題」[譯作，原作者：Chester Bowles] 8/1/60 **23:3**

海軍在戰略上之地位與中國海軍之使命 6/16/51 **4:12**

馬林可夫政權與狄托主義 4/16/53 **8:8**

唯物辯證法與階級鬥爭 11/16/52 **7:10**

國家與個人 3/16/56 **14:6**

從周恩來口中看美國的外交 6/16/56 **14:12**

教育與文化‧科學與黨化 6/16/59 **20:12**

創造新的價值取向 11/16/59 **21:10**

剩餘價值與國民生產力 12/5/49 **1:2**

意在對外的毛澤東「處理人民內部矛盾」 7/16/57 **17:2**

緊握收拾人心的機會 5/16/57 **16:10**

與毛澤東董必武談話的回憶 1/1/50 **2:1**

銓釋中立主義 7/1/56 **15:1**

蔣勻田先生來函 10/16/56 **15:8**

蔣勻田先生來函(附蔣氏覆巴格諾考斯基信) 3/16/50 **2:6**

韓國選民已奠定了光明的民主前途 6/1/56 **14:11**

蔣君章

中國政治改革的癥結 1/1/50 **2:1**

蔣廷黻

大戰後美國對遠東與對近東政策的差別 3/16/56 **14:6**

【十五劃】(續)

蔣廷黻 [續前]

巴黎聯合國大會 3/16/52 **6:6**

「和平共存」? 2/16/58 **18:4**

高等教育的一方面——對臺大的一項建議 8/16/53 **9:4**

從聯合國看世界前途 4/1/51 **4:7**

聯合國憲章與鐵幕內人民的解放 3/16/55 **12:6**

蔣建白

減輕學生課業負擔問題(來函) 6/16/55 **12:12**

蔣夢麟

歷史的使命 2/1/52 **6:3**

蔡文甫

解凍的時候 2/1/59 **20:3**

蔡水勝

張祥傳、蔡水勝先生來函 8/16/60 **23:4**

蔡正倫

中東北非現勢圖——衝突頻起之邊界 6/16/56 **14:12**

蔡保勳

論臺灣獄政(上) 3/1/56 **14:5**

論臺灣獄政(下) 3/16/56 **14:6**

衛惠林

臺灣的土著族 5/1/52 **6:9**

諸星雲

對於所謂蘇俄政變的另一種看法 3/1/55 **12:5**

鄭知三

評新公務人員任用法 5/16/54 **10:10**

讓人民可以「告法」 2/16/55 **12:4**

鄭崇儒

讀胡朱兩先生文有感 4/1/54 **10:7**

【十五劃】(續)

鄭斜陽

在夾縫中的緬甸——緬北和李彌的游擊隊 .... 9/16/52　**7:6**

鄭誠

這樣的辦法怎可不再修正？ .... 6/1/57　**16:11**

鄭壽麟

西德工業生產近況 .... 5/16/55　**12:10**

西德新內閣 .... 2/1/58　**18:3**

東德六月抗暴事件之回顧(上) .... 4/1/54　**10:7**

東德六月抗暴事件之回顧(下) .... 4/16/54　**10:8**

紀念哲學大師康德 .... 2/16/54　**10:4**

鄭學稼

論馬克思式社會主義的現實性 .... 4/1/50　**2:7**

鄧納奎主教原作／焦木譯

從中國大陸歸來(上) .... 10/1/55　**13:7**

從中國大陸歸來(下) .... 11/5/55　**13:9**

鄧啟

杜魯門與羅斯福 .... 2/1/51　**4:3**

試論我國憲法的利弊得失 .... 7/16/53　**9:2**

鄧逸先

土耳其和凱末爾[譯作] .... 4/1/54　**10:7**

鄧激濤

這樣做法，是否官僚作風？ .... 9/5/54　**11:5**

檢察官對少年竊盜贓物犯的處理問題 .... 11/16/56　**15:10**

魯凡夫

勞山峰下冤魂淚 .... 10/16/52　**7:8**

魯愚

這個樣子的訓導主任！ .... 11/16/54　**11:10**

魯冀

從開羅會議看蘇俄對中近東的陰謀 .... 3/16/58　**18:6**

【十五劃】(續)

魯冀[續前]

從義大利大選說起 .... 7/16/58　**19:2**

意大利的左派勢力 .... 8/1/57　**17:3**

意大利閣潮的前因後果 .... 8/16/57　**17:4**

蘇丹政變面面觀 .... 5/1/59　**20:9**

黎中天

死的自由 .... 5/16/54　**10:10**

雨過天青(上) .... 11/16/53　**9:10**

黎庶

動盪中的香港(香港通訊) .... 5/1/50　**2:9**

黎連

美國立法程序研究(上) .... 2/16/53　**8:4**

美國立法程序研究(下) .... 3/1/53　**8:5**

黎復

反對黨勢在必組 .... 8/16/58　**19:4**

墨人

人類的宣言 .... 3/16/50　**2:6**

【十六劃】

冀樵

大陸上反共武力的實力及其分佈情形(香港通訊) .... 8/1/50　**3:3**

曉星

國際聖體大會中國朝聖團(巴塞羅納通訊) .... 7/1/52　**7:1**

燕君

半世紀來誰擁有世界上最偉大的陸海空軍？ .... 1/1/50　**2:1**

燕林

燕林先生來信 .... 3/1/50　**2:5**

燕然

毛澤東的好學生(北平通訊) .... 5/1/51　**4:9**

【十六劃】(續)

燕歸來

   敵友之間 .... 2/16/54　**10:4**

獨家時論社

   中國的出路 .... 1/1/50　**2:1**

盧一釗

   所謂「人民電影」的形形色色(香港通訊) .... 2/1/52　**6:3**

盧華英

   看官方的違章建築！ .... 10/1/58　**19:7**

盧楚白

   一個警察人員籲請重視警察界的危機 .... 6/1/59　**20:11**

穆寧

   美國風‧美國人 .... 1/16/60　**22:2**

蕭人鑑

   我們懂得「軍」與「家」 .... 12/16/59　**21:12**

蕭立坤

   林語堂與周恩來 .... 5/16/55　**12:10**

   阿根廷的革命 .... 8/1/55　**13:3**

   阿根廷的教育 .... 8/16/55　**13:4**

   海員的故事 .... 7/16/55　**13:2**

蕭仲泉、楊欣泉記錄

   在維護「人民自由」與「政治民主」之原則下，中國對經濟措施，應採何種辦法，

      以實現「經濟社會化」或「經濟平等」(第二次座談會記錄) .... 4/1/50　**2:7**

   我們為何而戰？我們如何而戰？ .... 2/16/50　**2:4**

蕭展

   一個僑生的意見 .... 4/1/58　**18:7**

蕭益思、周南

   讀者來書二則 .... 12/1/53　**9:11**

蕭輝楷

   論集體主義 .... 6/16/50　**2:12**

【十六劃】(續)

賴家球

危險的時代[譯作]..10/16/54　**11:8**

賴淵平

賴淵平先生來函..5/16/57 **16:10**

選舉檢討

在野黨及無黨無派人士舉行本屆地方選舉檢討會紀錄摘要.......6/1/60 **22:11**

錢穆

中山思想之新綜析..9/16/51　**5:6**

中國民族之克難精神..1/1/51　**4:1**

文化三階層..3/16/51　**4:6**

錚鏘

美國人也不講公道..6/16/55 **12:12**

隨如庵

對於思想的幾點看法..3/1/50　**2:5**

龍一諤

民主必需有個人自由..7/16/55　**13:2**

民主為中庸之道..5/1/55　**12:9**

如何建立民主制度..2/1/55　**12:3**

自由日談言論自由..2/16/55　**12:4**

政治批評之我見..8/16/54　**11:4**

「邏輯新引」讀後感..5/1/56　**14:9**

龍平甫

土耳其的今昔..7/1/58　**19:1**

中東危機與世界局勢..12/1/57 **17:11**

巴黎協定批准後的國際局勢..7/1/55　**13:1**

巴黎協定的批准..3/1/55　**12:5**

日內瓦四國會議前後..9/1/55　**13:5**

日內瓦停火協定及今後世局..9/5/54　**11:5**

日內瓦會議的國際政治背景..5/16/54 **10:10**

日內瓦會議與東南亞防禦問題(上)...7/1/54　**11:1**

【十六劃】(續)

龍平甫[續前]

日內瓦會議與東南亞防禦問題(下) .... 7/16/54　**11:2**

史大林之死與西歐輿論 .... 4/16/53　**8:8**

由北大西洋公約國家首長會議說起 .... 2/16/58　**18:4**

由西歐看蘇俄的「和平」運用 .... 6/1/53　**8:11**

由邱吉爾和平演說談到東德暴動 .... 7/16/53　**9:2**

匈牙利人的革命運動 .... 12/16/56　**15:12**

回教世界之冷戰 .... 4/16/56　**14:8**

西德參加歐洲防禦及恢復主權問題 .... 12/1/54　**11:11**

伽納的獨立 .... 6/1/57　**16:11**

克里姆林宮的政變 .... 4/1/55　**12:7**

冷戰前線的柏林 .... 10/16/52　**7:8**

希臘與希臘人 .... 1/16/55　**12:2**

貝利亞被捕後的蘇俄內政與外交 .... 9/16/53　**9:6**

東德人民揭竿而起 .... 8/1/53　**9:3**

波蘭人的反共怒潮 .... 9/1/56　**15:5**

波蘭的「二次革命」 .... 4/1/57　**16:7**

俄共內鬨的分析 .... 8/16/57　**17:4**

柏林會議 .... 3/16/54　**10:6**

美國與中共的日內瓦會談 .... 10/16/55　**13:8**

英國對中共放寬禁運 .... 7/16/57　**17:2**

馬林可夫政權的內政 .... 2/1/54　**10:3**

馬林可夫政權的對外政策 .... 10/16/54　**11:8**

從史大林的死後清算說起 .... 7/16/56　**15:2**

德國的政黨與大選 .... 11/1/53　**9:9**

德國問題 .... 1/16/56　**14:2**

德意志聯邦建軍計劃 .... 3/16/53　**8:6**

歐洲的防禦 .... 2/1/53　**8:3**

歐洲聯防條約與對德臨時和約 .... 1/1/53　**8:1**

黎巴嫩問題 .... 9/16/58　**19:6**

蘇俄內部的反抗運動 .... 2/16/56　**14:4**

蘇俄的奴隸勞工制度 .... 8/16/52　**7:4**

蘇彝士運河問題的前因後果 .... 12/1/56　**15:11**

【十六劃】(續)

龍平甫[續前]

鐵幕下的東德 .... 5/1/53　**8:9**

龍在天

異哉！所謂國大代表總額問題！ .... 3/16/60　**22:6**

論修正考試院組織法 .... 6/16/60　**22:12**

論設置「憲政研討委員會」的法律根據 .... 6/1/60　**22:11**

龍倦飛

大戰、韓戰與台灣 .... 9/16/50　**3:6**

第三次大戰何時爆發？ .... 5/16/50　**2:10**

龍運鈞

公私之分 .... 3/16/53　**8:6**

如何建立法治的社會基礎？ .... 12/16/53　**9:12**

從公務員待遇談到政治革新 .... 3/1/53　**8:5**

歡迎胡適之先生返國 .... 2/16/54　**10:4**

龍遠銘

由「中醫學校」想起 .... 5/16/56　**14:10**

【十七劃】

應沉吟

從大安農會改選流血說到縣長何金生枉妄措置 .... 8/1/60　**23:3**

應浩文

檢討臺灣地方選舉的缺失 .... 2/16/55　**12:4**

戴生

起「帶頭作用」的華西大學(成都通訊) .... 2/1/51　**4:3**

戴杜衡

世界霸權與軍國主義 .... 2/16/50　**2:4**

國內紛爭與國際組織(上) .... 9/16/50　**3:6**

國內紛爭與國際組織(下) .... 10/1/50　**3:7**

國民經濟論與戰爭(上) .... 6/1/51　**4:11**

國民經濟論與戰爭(下) .... 6/16/51　**4:12**

【十七劃】(續)

戴杜衡[續前]

國家權力的界限 .... 3/1/51　**4:5**

從間接民主到直接民主(上) .... 6/16/52　**6:12**

從間接民主到直接民主(下) .... 7/1/52　**7:1**

從經濟平等說起 .... 10/16/52　**7:8**

凱恩斯的投資理論(上) .... 5/16/54　**10:10**

凱恩斯的投資理論(下) .... 6/1/54　**10:11**

凱恩斯的乘數原理(上) .... 11/16/53　**9:10**

凱恩斯的乘數原理(下) .... 12/1/53　**9:11**

論信用政策 .... 2/1/56　**14:3**

論經濟的國權主義 .... 3/16/50　**2:6**

權力欲與民主政治 .... 2/16/52　**6:4**

戴經

由「內舉不避親」做到「外舉不避仇」[合著者：黃孔武] .... 9/16/54　**11:6**

戴濟民

銀行抄送存戶名單問題評議 .... 7/1/56　**15:1**

濟民

評存款戶使用本名及行使支票管理辦法 ...... 10/1/55　**13:7**

謝文孫

戕害「五四精神」的幽靈──現代中國社會心理的分析 .... 5/1/60　**22:9**

謝永炎

戰鬥中成長的中國新海軍 .... 2/1/50　**2:3**

謝冰瑩

謝冰瑩先生的來信──簽名難 .... 12/1/53　**9:11**

謝扶雅

康德及黑格爾論自由 .... 11/16/59　**21:10**

謝琇如

異哉所謂安全室主任 .... 1/1/58　**18:1**

謝漢儒

選舉監察工作研究 .... 12/1/57　**17:11**

【十七劃】(續)

謝鍵友

我掙脫了魔掌 3/16/53 **8:6**

邁雲

有感於大學課程 4/1/53 **8:7**

鍾正梅

對大陸知識份子「大鳴大放」的分析 11/1/57 **17:9**

鍾玄靈

印度遊記[輯譯，原作者：湯因比] 9/16/57 **17:6**

鍾梅音

我看傻常順兒 7/1/51 **5:1**

湯餅會 4/16/57 **16:8**

隱輝

美國外交之謎[譯作，原作者：Sumner Wells] 5/16/51 **4:10**

韓戰餘生記[譯作，原作者：Robert L. Sharpe] 4/16/51 **4:8**

韓再生

謝海籌殉難之謎(香港通訊) 1/1/51 **4:1**

【十八劃】

叢甦

西雅圖的秋天 12/5/59 **21:11**

黃昏在唐人街 3/16/60 **22:6**

蝸居和漂鳥 5/16/60 **22:10**

歸人

小天地 11/5/55 **13:9**

「文學與生活」第一輯 6/16/55 **12:12**

我讀「山洪暴發的時候」 9/5/54 **11:5**

瞿荊洲

人口增加與資本累積 10/16/58 **19:8**

工業化的實際問題 10/1/52 **7:7**

中小工業金融之重要性 1/16/53 **8:2**

【十八劃】(續)

瞿荊洲[續前]

日本貿易之進步及其趨向 10/1/55 **13:7**

作爲工業金融市場的證券交易所之主要業務──臺灣證交易所應否緩設之探討 3/16/53 **8:6**

英國經濟復興與英鎊自由兌換 9/16/54 **11:6**

從物價談到資本 1/16/56 **14:2**

從金融觀點看日本經濟 4/16/55 **12:8**

從貨幣的兩個主義說到自由中國的貨幣 1/1/52 **6:1**

貨幣供給理論概述(上) 9/16/56 **15:6**

貨幣供給理論概述(下) 10/1/56 **15:7**

貿易對於和約的影響 3/1/52 **6:5**

經濟政策之技術的觀點 6/16/52 **6:12**

臺灣的金融與美援 4/16/51 **4:8**

續論經濟政策之技術的觀點 7/16/52 **7:2**

簡會元

評僑務教育函授學校 8/16/56 **15:4**

簡暢

我所知道的司法 6/16/58 **18:12**

法治與武斷 11/16/58 **19:10**

聶華苓

一顆孤星 8/1/53 **9:3**

山居 6/16/54 **10:12**

太平洋學會如何幫助史達林赤化中國(下)[譯作，原作者：James Burnhan] 8/1/52 **7:3**

太平洋學會如何幫助史達林赤化中國(上)[譯作，原作者：James Burnhan] 7/16/52 **7:2**

母與女 1/1/55 **12:1**

生・死・哀・樂[譯作，原作者：A. E. Hotchner] 6/1/52 **6:11**

灰衣人 9/16/54 **11:6**

卑微的人 7/16/57 **17:2**

青春戀(小說)[譯作，原作者：Lesley Conger] 9/16/52 **7:6**

格蘭斯頓與列寧[譯作，原作者：羅素(Bertrand Russell)] 4/1/51 **4:7**

晚餐 3/16/57 **16:6**

窗 5/16/59 **20:10**

黃昏的故事 1/16/52 **6:2**

【十八劃】(續)

聶華苓[續前]

愛國獎券 1/16/59 **20:2**

爺爺的寶貝 8/16/60 **23:4**

葛藤(一) 6/1/56 **14:11**

葛藤(二續) 7/1/56 **15:1**

葛藤(三續) 7/16/56 **15:2**

葛藤(四續) 8/1/56 **15:3**

葛藤(五續) 8/16/56 **15:4**

葛藤(續完) 9/1/56 **15:5**

綠窗漫筆 1/16/58 **18:2**

綠窗隨筆 11/1/53 **9:9**

綠藤 5/16/53 **8:10**

賣麵茶的哨子 10/16/58 **19:8**

歷史的治亂[譯作,原作者:陶英貝] 5/1/52 **6:9**

霍夫曼論自由[譯作] 12/16/51 **5:12**

謝謝你們:雲、海、山! 11/16/52 **7:10**

薩孟武

公職候選人的考試問題 6/16/53 **8:12**

民意機關的議事公開 2/16/56 **14:4**

由出版法談到委任命令及自由裁量 7/16/58 **19:2**

如何判斷一個政策的價值 4/1/55 **12:7**

閒談政治 1/1/59 **20:1**

論中國政治問題的癥結 12/16/50 **3:12**

論立法權的運用 6/16/50 **2:12**

論修改憲法與解釋憲法 7/16/52 **7:2**

薩滿

日記一頁 8/1/54 **11:3**

如此結局 4/1/54 **10:7**

有回音的房屋[譯作,原作者:T. F. Powys] 10/16/54 **11:8**

從幾部中國影片談起 3/16/54 **10:6**

薩摩訶

從「亞非作家會議」談起 1/16/59 **20:2**

【十八劃】(續)

祖國周刊(轉載)

對盲目檢扣書報的抗議 8/1/57 **17:3**

顏彥

中立主義的苦果 7/16/56 **15:2**

緬甸政情 7/16/56 **15:2**

魏正明

民主政治的基本精神——合法的反對 10/31/56 **15:9**

魏書翰

由「一窩風」現象談到新聞自由 12/1/55 **13:11**

魏學仁

聯合國裁軍交涉僵局的癥結 10/1/52 **7:7**

鄺大志

大專聯考四大惑 10/16/57 **17:8**

【十九劃】

攀星

臺大青年的心聲 7/1/60 **23:1**

羅大年

建立自由教育必須剔除的兩大弊害 10/31/56 **15:9**

羅孟浩

美國政治學的發展趨勢 3/16/54 **10:6**

羅勃‧布侖姆原作／章雅谷譯

亞洲協會的工作 10/16/56 **15:8**

羅家倫

中印間關於西藏問題的幕內證件 1/16/51 **4:2**

值得印度反省值得世界知道 8/1/50 **3:3**

悲憤話新疆 2/16/50 **2:4**

揭開中印間有關西藏的幕 10/1/50 **3:7**

羅家倫先生的來信——並代于右任先生申明撤銷推薦 12/1/53 **9:11**

蘇俄的國策和動向 6/1/50 **2:11**

【十九劃】(續)

羅家倫[續前]

蘇俄侵略的技術 9/1/50 **3:5**

羅素(Bertrand Russell)原作

未來八十年[葉雨象譯] 4/16/53 **8:8**

我們的時代是開場還是收場?[劉世超譯] 2/1/55 **12:3**

為害於人類的觀念[殷海光譯] 12/16/52 **7:12**

格蘭斯頓與列寧[聶華苓譯] 4/1/51 **4:7**

神話與魔術[劉世超譯] 2/1/59 **20:3**

羅素自述[林毓生譯] 8/1/56 **15:3**

羅素的人生哲學[劉世超譯] 3/1/53 **8:5**

權威與個人(一)[汪仲譯] 9/18/55 **13:6**

權威與個人(二)[汪仲譯] 10/1/55 **13:7**

權威與個人(三)[汪仲譯] 11/5/55 **13:9**

權威與個人(四)[汪仲譯] 12/1/55 **13:11**

權威與個人(五)[汪仲譯] 1/1/56 **14:1**

權威與個人(六)[汪仲譯] 1/16/56 **14:2**

邏輯解析的哲學[張尚德譯] 9/5/57 **17:5**

羅堅白

看我國所漠視的可倫坡計劃如何被日本利用 1/16/60 **22:2**

羅敦偉

工業民主與金融改造 12/16/50 **3:12**

公營企業的民主化 6/16/50 **2:12**

羅敦偉先生來函 8/16/57 **17:4**

羅業宏

個性・獨立思考・與今後的世界[譯作] 9/16/58 **19:6**

羅盤

美國何以急需對日議訂和約 7/16/50 **3:2**

羅鴻詔

大學教育應如何改進發展? 9/1/53 **9:5**

日本會不會再事侵略? 3/16/51 **4:6**

史大林對民族主義之苦鬥 6/1/50 **2:11**

【十九劃】(續)

羅鴻詔[續前]

民主主義也有新舊嗎？ .... 1/16/50　**2:2**

民主政治與多數同意 .... 6/1/51　**4:11**

民本主義與民主主義 .... 11/16/51　**5:10**

民族主義之理論的檢討——盧騷與黑格爾兩家思想之比較 .... 8/1/50　**3:3**

民族主義與國家主義 .... 11/1/50　**3:9**

再論民族主義與國家主義 .... 2/1/51　**4:3**

自由主義之今昔 .... 8/16/52　**7:4**

作之君作之師？ .... 3/16/52　**6:6**

知與行之概念的分析 .... 11/1/53　**9:9**

思想上的自由主義與統制主義 .... 3/16/53　**8:6**

科學與道德 .... 2/1/55　**12:3**

個體主義與全體主義 .... 5/1/54　**10:9**

國家自由與個人自由 .... 1/1/53　**8:1**

陽明學說述評(上) .... 12/1/55　**13:11**

陽明學說述評(下) .... 12/16/55　**13:12**

駁斥閻錫山氏的「大同之路」(上) .... 7/1/52　**7:1**

駁斥閻錫山氏的「大同之路」(下) .... 7/16/52　**7:2**

論中共之統制思想 .... 1/1/52　**6:1**

論和平 .... 9/16/51　**5:6**

論宣傳 .... 6/16/55　**12:12**

論革命 .... 7/1/51　**5:1**

蘇俄為甚麼嗾使中共參加韓戰？ .... 11/16/50　**3:10**

蘇俄與西方 .... 8/1/53　**9:3**

辯證法的唯物論三大法則批判 .... 3/1/50　**2:5**

譚益齋

再向教育廳劉廳長請教 .... 5/16/60　**22:10**

敬向教育廳劉廳長請教 .... 4/1/60　**22:7**

譚謙

給教育廳劉廳長的一封公開信[合著者：萬如鎔、王曦] .... 9/1/59　**21:5**

關迪潛

亞拉伯人為甚麼反對美國[譯作，原作者：Stephen B. L. Penrose] .... 9/1/52　**7:5**

【十九劃】(續)

關浪帆

新作風在古巴(古巴通訊) ....1/16/51　**4:2**

關皖同

克里姆林宮中的貓[譯作] ....9/1/50　**3:5**

譑齋

波濤洶湧的湖南(長沙通訊) ....3/16/51　**4:6**

【二十劃】

嚴明

「百家爭鳴」與「思想擂臺」 ....8/16/57　**17:4**

紅樓夢後四十回的考證問題(下) ....1/1/59　**20:1**

紅樓夢後四十回的考證問題(上)——對林語堂先生的翻案提出商榷 ....12/16/58　**19:12**

從「鳴放」到「反右派鬥爭」 ....12/16/57　**17:12**

評中廣小說選播「紅樓夢」 ....11/1/59　**21:9**

試談新詩形式上的問題 ....6/16/57　**16:12**

鳳姐的結局——「一從二令三人木」 ....1/16/60　**22:2**

嚴肅

還我自由(香港通訊) ....4/1/52　**6:7**

嚴賜賀

邁進中的南洋大學 ....12/16/54　**11:12**

嚴聲華

一封戰友的回信(臺中通訊) ....6/16/50　**2:12**

蘇子

正視越南壓迫華僑改變國籍事件 ....1/1/57　**16:1**

蘇子飛

國大代表不該為自己「名」「利」打算！ ....1/1/60　**22:1**

蘇平

泰馬邊防會議記詳 ....12/1/56　**15:11**

【二十劃】(續)

蘇益生

印尼軍人政變記詳 1/16/57 **16:2**

印尼軍人政變續訊 1/16/57 **16:2**

朱安達——印尼的新總理 5/16/57 **16:10**

蘇迦諾的救國方案 4/1/57 **16:7**

蘇雪林

一位馳譽法國藝壇的中國畫家 8/1/51 **5:3**

女畫家方君璧馳譽東瀛 4/16/55 **12:8**

「世界永久沒戰爭」的「推薦者」蘇雪林趙友培陳紀瀅三先生

　聲明撤銷推薦[合著者：趙友培、陳紀瀅] 11/16/53 **9:10**

蘇景坡

中華文物集成 6/16/54 **10:12**

蘇朝清、梁財源

梁財源蘇朝清先生來函 4/16/60 **22:8**

蘇甦

立法院有不可寬恕之錯失 9/16/59 **21:6**

蘇榴生

中共攻擊緬甸之經過 9/16/56 **15:6**

緬甸社會黨的新內閣 7/16/56 **15:2**

警雷

行將揭幕的中國書院 1/16/54 **10:2**

西班牙近事(馬德里通訊) 8/16/51 **5:4**

西班牙怎樣反共(馬德里通訊) 7/1/51 **5:1**

西班牙是否要參加第三次大戰(瑪德里通訊) 5/16/51 **4:10**

西班牙藍衫黨 8/16/53 **9:4**

西班牙歡迎中國留學生(馬德里通訊) 7/16/52 **7:2**

西歐輿論對韓局的反響 7/1/53 **9:1**

我們何時與西班牙通使？(瑪德里通訊) 3/16/51 **4:6**

法共動態(巴黎通訊) 12/1/51 **5:11**

法共控制了工聯(西歐通訊) 4/1/52 **6:7**

法國整軍問題(巴黎通訊) 9/16/51 **5:6**

【二十劃】(續)

警雷[續前]

馬德里近事 .... 7/16/53　　**9:2**

葡萄牙近事 .... 6/1/53　　**8:11**

解除臺灣中立後西班牙輿論的反響 .... 3/1/53　　**8:5**

鐘靈

毛澤東生死之謎 .... 4/1/54　　**10:7**

饒大衛

如何瞭解美國外交政策 .... 7/1/55　　**13:1**

饒碧松

「自由中國」在棉蘭(印尼通訊) .... 8/1/50　　**3:3**

【二十一劃】

顧一樵

「埋沙集」書前 .... 8/16/60　　**23:4**

顧文中

介紹一間優良的空軍官校 .... 2/1/57　　**16:3**

顧問搏

也談「惡性」補習 .... 4/1/59　　**20:7**

顧梅生

「不在其位，不謀其政」？ .... 5/16/52　　**6:10**

顧達德

籌安會的醜劇 .... 7/1/59　　**21:1**

【二十二劃】

龔一中

誘買試題案裡的人權問題 .... 9/1/60　　**23:5**

篇名索引

篇名	譯作者	日期	卷期
【G】			
G.I.回家去吧！	辛之魯	4/1/55	**12:7**
【一劃】			
一九八四年	海光(殷海光筆名)	7/16/51	**5:2**
一九五七年世局試測	伴耘	1/16/57	**16:2**
一九五二年的世局	朱啟葆(夏道平筆名)	2/1/52	**6:3**
一九五八年度的普列茲文藝獎金	鼎山	6/16/58	**18:12**
一九六〇年美國經濟展望	楊志希譯	6/16/55	**12:12**
一切殖民政策的理論均應銷盡廢絕	吳鐵山	1/1/51	**4:1**
一切當從團結做起！	余家菊	2/1/50	**2:3**
一本萬利案奇觀	陶百川	4/16/57	**16:8**
一本誤謬不堪的農職教科書	焦言田	12/16/53	**9:12**
一件不容忽視的小事	王大川	10/16/56	**15:8**
一份祝壽的心儀(爲中國國民黨六十周年紀念作)	社論(夏道平)	12/1/54	**11:11**
一年的成績(海外寄語之四)	於梨華	8/16/57	**17:4**
一次莫名其妙的圍剿戰	金燕君	4/16/58	**18:8**
一位華僑青年徵求祖國朋友	張昌正	5/16/52	**6:10**
一位馳譽法國藝壇的中國畫家	蘇雪林	8/1/51	**5:3**
一位僑胞理髮師對自由中國的嚮往(印尼通訊)	來乙	6/16/50	**2:12**
一封沒寄出的信	天南	3/1/50	**2:5**
一封戰友的回信(臺中通訊)	嚴聲華	6/16/50	**2:12**
一個「階級本質」的例證(香港通訊)	晉文	9/16/51	**5:6**
一個大學生的信念與看法	揚正民	10/1/57	**17:7**
一個小攤販的呼聲	趙得寶	6/16/58	**18:12**
一個正在被清算的國家	美國新聞及世界報告原載	1/1/50	**2:1**
一個有重大意義的小東西！	辛之魯	1/1/55	**12:1**

【一劃】(續)

一個自由人的最後一剎那	卡爾葛德文原作／本刊資料室譯	12/5/49	**1:2**
一個自由經濟制度的成就	王聿修	1/1/50	**2:1**
一個低調的批評論	周棄子	5/1/57	**16:9**
一個免試升學學校教員對免試升學的意見	傅正	7/1/58	**19:1**
一個俄國空軍上校初到美國	William White 原作／本刊資料室特譯	11/20/49	**1:1**
一個柏林，兩個世界！(柏林通訊)	陳定一	2/1/51	**4:3**
一個美國人眼中的孫中山先生與自由中國	毛樹清譯	5/16/59	**20:10**
一個美國記者眼中的南斯拉夫	召中譯	1/1/52	**6:1**
一個要求‧一條大道──盼國民黨當局慎重考慮問題	王嵐僧	3/16/60	**22:6**
一個軍人的話	夏貴培	5/1/58	**18:9**
一個軍人對「以軍為家運動」的看法	丘仲言	1/1/60	**22:1**
一個剛到美國的中國青年的來信	金少光	12/5/49	**1:2**
一個留美學生──望大陸‧念臺灣	唐德剛	7/1/58	**19:1**
一個站在鏡子前面的人	Lannia 原作／陶冬心譯	8/16/52	**7:4**
一個假退役軍官的呼籲	季濟才	5/16/58	**18:10**
一個教育人員子弟給劉廳長的信	「自由中國」一讀者	1/1/60	**22:1**
一個符合美國立國精神的判決	劉慶瑞	7/16/54	**11:2**
一個博得喝采的決議案	社論(夏道平)	11/16/57	**17:10**
一個喬治亞的廚子	Robert Spencer Carr 原作／黃沙譯	2/1/53	**8:3**
一個煙盒的故事	黃思村	9/16/56	**15:6**
一個僑生的意見	蕭展	4/1/58	**18:7**
一個監察委員的狗生哲學	陶百川	7/1/56	**15:1**
一個臺灣人對建設臺灣成模範省的看法	楊金虎	6/1/58	**18:11**
一個選擇了自由的蘇俄飛行員(上)	W. L. White 原作／林茂心譯	4/1/50	**2:7**
一個選擇了自由的俄國飛行員(下)	W. L. White 原作／林茂心譯	4/16/50	**2:8**
一個嚴重的青年教育問題	成雨田	2/1/52	**6:3**
一個警察人員籲請重視警察界的危機	盧楚白	6/1/59	**20:11**
一隻雞一塊菜地	時事述評	5/16/50	**2:10**
一粒灰塵	司馬中原	3/1/60	**22:5**
一部份臺灣大專教授的來函	一部份臺灣大專教授	6/16/58	**18:12**
一幅亡命圖	Uicolas Baciu 原作／子介節譯	9/16/50	**3:6**
一腔孤憤話醫療	黃漢昇	5/1/60	**22:9**
一項亟待解決的土地問題	社論	3/1/57	**16:5**

【一劃】(續)

一群士兵的幾個疑問	刁免戈	6/16/60	**22:12**
一群退役戰士的呼籲	李樹樺等	1/16/56	**14:2**
一篇血腥氣的怪論——「中立主義的轉變」	社論(夏道平)	2/16/58	**18:4**
一篇來自月球的世局分析	朱伴耘	1/1/56	**14:1**
一顆孤星	聶華苓	8/1/53	**9:3**
一點建議	黃念台	1/16/55	**12:2**
一點邏輯問題的討論(答殷海光先生)	勞思光	7/1/54	**11:1**
一黨執政太久，老百姓要換口味(民主隨筆)	姚士幼	8/16/57	**17:4**

【二劃】

丁文江留英紀實	胡適	9/1/56	**15:5**
丁在君與徐霞客	胡適	5/1/56	**14:9**
七十歲	短評	11/16/58	**19:10**
七星寮(上)	王敬義	3/1/54	**10:5**
七星寮(下)	王敬義	3/16/54	**10:6**
七論反對黨——代結論	朱伴耘	9/1/60	**23:5**
「九一八」廿週年敬告日本人民	社論	9/16/51	**5:6**
二十世紀的「酷刑」	短評	2/1/59	**20:3**
二十世紀後半期開始時我們應有的決定	社論	1/1/50	**2:1**
二十世紀哲學	海光(殷海光筆名)	2/1/51	**4:3**
二十多年來的中國教育	杭立武	3/16/50	**2:6**
二千年前的自由意義	高亞偉	11/1/52	**7:9**
二月之夜	光中	3/16/57	**16:6**
人口增加與資本累積	瞿荊洲	10/16/58	**19:8**
人心！人心！人心！ ——從臺中縣、臺南市、雲林縣事例說到唐秘書長和田部長的談話	雷震	4/16/60	**22:8**
人心重要！	蔣勻田	4/16/57	**16:8**
「人民公社」是怎麼回事？	厚生	11/16/58	**19:10**
人民代表與新聞自由	短評	4/1/59	**20:7**
人生如球戲——美語新詮之一	喬志高	2/16/60	**22:4**
人性的存亡	時事述評	4/16/50	**2:8**
人為的水災	社論	8/16/60	**23:4**
人造衛星與社會制度	王厚生	1/16/58	**18:2**

【二劃】(續)

人無遠慮、必有近憂——對日本鳩山內閣進一言	社論	7/1/56	**15:1**
人間到處有青山	司馬桑敦	7/1/53	**9:1**
人類的宣言	墨人	3/16/50	**2:6**
人類乘太空船進入太空問題	方子衛	5/16/60	**22:10**
「人權保障」與「言論自由」	成舍我	3/16/55	**12:6**
人權與聯合國憲章之修訂	Quincy Wright 原作／呂光譯	5/16/56	**14:10**
人變鬼的故事(香港通訊)	羊叔子	7/16/51	**5:2**
入境與生活	時事述評	10/1/50	**3:7**
入境證問題	劉國瑞	11/1/52	**7:9**
入學考試不及格怎麼辦？	毛子水	9/1/51	**5:5**
八月的天空	王敬義	9/16/54	**11:6**
八股論調的悲哀	朱佛心	6/1/58	**18:11**
八高三年和中京景物	雷震	3/1/59	**20:5**
八高三年和中京景物(二續)	雷震	3/16/59	**20:6**
八高三年和中京景物(三續)	雷震	4/1/59	**20:7**
八高三年和中京景物(四續)	雷震	4/16/59	**20:8**
八高三年和中京景物(五續)	雷震	5/1/59	**20:9**
八高三年和中京景物(六續)	雷震	5/16/59	**20:10**
八高三年和中京景物(七續)	雷震	6/1/59	**20:11**
八高三年與中京景物(續完)	雷震	6/16/59	**20:12**
八德血案十七點質疑	楊宏光	10/1/57	**17:7**
十四行	吳螯	4/1/50	**2:7**
十年來中美關係急趨惡化的原委	胡適	9/1/51	**5:5**
十足的官腔！	金克文	10/16/57	**17:8**
十餘人來金銀外匯及貿易政策	周德偉	9/5/54	**11:5**
又一個關係憲政的問題	社論(雷震／夏道平)	10/1/54	**11:7**

【三劃】

三叉路口	短評	12/1/58	**19:11**
三年來的回顧與自省	雷震	11/16/52	**7:10**
三百年來世界文化的趨勢與中國應採取的方向	胡適	2/1/53	**8:3**
三論反對黨	朱伴耘	2/16/58	**18:4**

【三劃】(續)

三論谷鳳翔對「奉命不上訴」案應負的法律責任

　　——又一證據谷鳳翔難逃教唆罪嫌　　　　　　　　　社論　12/16/58　**19:12**

三論青年反共救國團撤銷問題　　　　　　　　　　社論(傅正)　9/1/60　**23:5**

三輪車的管理與就業　　　　　　　　　　　　　　　短評　2/16/59　**20:4**

下輩子　　　　　　　　　　　　　　　　　　　　　丘邑　11/16/52　**7:10**

也有感於臺大聘委會拒聘事件　　　　　　　　　丁劍霞　10/16/54　**11:8**

也是秋天(一)　　　　　　　　　　　　　　　　於梨華　6/16/58　**18:12**

也是秋天(二續)　　　　　　　　　　　　　　　於梨華　7/1/58　**19:1**

也是秋天(三續)　　　　　　　　　　　　　　　於梨華　7/16/58　**19:2**

也是秋天(四續)　　　　　　　　　　　　　　　於梨華　8/1/58　**19:3**

也是秋天(五續)　　　　　　　　　　　　　　　於梨華　8/16/58　**19:4**

也是秋天(六續)　　　　　　　　　　　　　　　於梨華　9/1/58　**19:5**

也是秋天(七續)　　　　　　　　　　　　　　　於梨華　9/16/58　**19:6**

也是秋天(八續)　　　　　　　　　　　　　　　於梨華　10/1/58　**19:7**

也是秋天(續完)　　　　　　　　　　　　　　　於梨華　10/16/58　**19:8**

也談「人才下鄉」　　　　　　　　　　　　　　一群讀者　10/1/58　**19:7**

也談「惡性」補習　　　　　　　　　　　　　　顧問摶　4/1/59　**20:7**

也談談政黨的承認問題　　　　　　　　　　　　公論報　9/1/60　**23:5**

亡矣大陸！百萬俄虜入中原！　　　　　　　　　馬存坤　6/1/50　**2:11**

土耳其和凱末爾　　　　　　　　　　　　　　　鄧逸先譯　4/1/54　**10:7**

土耳其的今昔　　　　　　　　　　　　　　　　龍平甫　7/1/58　**19:1**

土耳其政變的教訓——兼論反對黨的正面價值　　社論　6/16/60　**22:12**

土敘糾紛與中東前途　　　　　　　　　　　　　易浮生　3/1/58　**18:5**

夕陽(一)　　　　　　　　　　　　　　　　　　黃思騁　4/1/58　**18:7**

夕陽(續完)　　　　　　　　　　　　　　　　　黃思騁　4/16/58　**18:8**

大可注意的「一九五二」　　　　　　　　　　　海星　4/1/50　**2:7**

大江東去(上)　　　　　　　　　　　　　　　　田麟　4/16/51　**4:8**

大江東去(下)　　　　　　　　　　　　　　　　田麟　5/1/51　**4:9**

大江東流擋不住！　　　　　　　　　　　　社論(殷海光)　9/1/60　**23:5**

大法官人選問題　　　　　　　　　　　　　　　陳玉章　3/1/58　**18:5**

大哉！周主席的巡視場面！　　　　　　　　　　李覺　5/16/58　**18:10**

「大家來」對「一面倒」　　　　　　　　　　　社論　2/16/51　**4:4**

「大家來」對「一面倒」讀後感(臺北通訊)　　　宵遠　3/1/51　**4:5**

【三劃】(續)

大家都是中華好兒女	時事述評	10/16/51	**5:8**
大專聯考四大惑	鄺大志	10/16/57	**17:8**
大陸人口問題與馬克斯經濟學	趙岡	12/16/57	**17:12**
大陸上大學教育的毀滅	劉書傳	4/1/53	**8:7**
大陸上中學教育的惡變(上)	劉書傳	7/1/53	**9:1**
大陸上中學教育的惡變(下)	劉書傳	7/16/53	**9:2**
大陸上反共武力的實力及其分佈情形(香港通訊)	冀樵	8/1/50	**3:3**
大陸小學教育的剖視	劉書傳	10/16/53	**9:8**
大陸的人心(香港通訊)	李露霞	9/1/50	**3:5**
大陸學人自白書之借鑑	司徒謙益	3/16/52	**6:6**
大陸學人的面面觀(香港通訊)	王國復	7/16/51	**5:2**
大夢誰先覺?(華府通訊)	許思澄	12/16/50	**3:12**
大鼻子在「北京」(北平通訊)	基夫	10/16/50	**3:8**
大學生談大學生的領導問題	宏毅	12/1/56	**15:11**
大學制度亟需確立	時事述評	2/16/51	**4:4**
大學英文系與「英文人材」	李經	8/1/57	**17:3**
大學教育的悲哀	袁始	3/1/57	**16:5**
大學教育與學術環境	楊德本	4/16/58	**18:8**
大學教育應如何改進發展?	羅鴻詔	9/1/53	**9:5**
大學畢業生為甚麼不能再讀書?	江志平	9/1/56	**15:5**
大學應是通才教育麼?	劉濟華	9/1/56	**15:5**
大學聯合招考依系科志願分配新生之不合理	社論	7/16/55	**13:2**
大戰、韓戰與台灣	龍倦飛	9/16/50	**3:6**
大戰後美國對遠東與對近東政策的差別	蔣廷黻	3/16/56	**14:6**
大選年美國朝野在國防問題上之爭論	朱心恆	6/16/60	**22:12**
大選閑話	許思澄	11/1/52	**7:9**
女畫家(一)	雨初	7/1/55	**13:1**
女畫家(二)	雨初	7/16/55	**13:2**
女畫家(三)	雨初	8/1/55	**13:3**
女畫家(四續)	雨初	8/16/55	**13:4**
女畫家(五續)	雨初	9/1/55	**13:5**
女畫家(六)	雨初	9/18/55	**13:6**
女畫家(續完)	雨初	10/1/55	**13:7**

【三劃】（續）

女畫家方君璧馳譽東瀛	蘇雪林	4/16/55	**12:8**
小天地	歸人	11/5/55	**13:9**
小地盤、大機構	社論	10/16/57	**17:8**
小乖驢	楊海宴	2/16/59	**20:4**
小事體，大問題	社論(夏道平)	7/1/55	**13:1**
小室之春	何琤	7/1/54	**11:1**
小襟人物	吳魯芹	1/16/54	**10:2**
山中書簡	郭嗣汾	9/5/54	**11:5**
山水與人物	陳之藩	11/5/55	**13:9**
山居	聶華苓	6/16/54	**10:12**
「山東忠義軍馬」時期的辛棄疾	杜呈祥	4/16/50	**2:8**
山雨已來風滿樓(華府通訊)	許思澄	9/1/50	**3:5**
山洪暴發的時候	司馬桑敦	10/1/53	**9:7**
工商業倒風的對策	社論	8/16/58	**19:4**
工業化的實際問題	瞿荊洲	10/1/52	**7:7**
工業民主與金融改造	羅敦偉	12/16/50	**3:12**
工業面臨十重關	張九如	7/16/56	**15:2**
已是財經改革的時候了	社論	2/1/58	**18:3**

【四劃】

不公平的就業考試成績計算法	瞿宗泉、葉家梧	7/16/55	**13:2**
不可栽誣前賢！	樊努材	3/1/57	**16:5**
不平之鳴	王達人	10/16/53	**9:8**
不必害怕	H. C. Lodge 原作／王召中譯	6/1/51	**4:11**
不合理的免費乘車證	齊魯道	9/16/52	**7:6**
「不在其位，不謀其政」？	顧梅生	5/16/52	**6:10**
不屈服的海峽	許冠三	12/20/49	**1:3**
不要「領導」！	游紹虞	12/16/56	**15:12**
不要上了圈套！	社論	3/16/57	**16:6**
不要再犯錯誤	時事述評	8/1/50	**3:3**
不要再玩政治魔術！——告國民黨當局	社論(傅正)	3/1/60	**22:5**
不要怕民主！	社論(殷海光)	1/1/57	**16:1**
不要鬆懈鬆懈必敗！	時事述評	7/16/50	**3:2**

【四劃】(續)

不容忽視的中共與蘇聯築路的勾當	凌鴻勛	11/1/54	**11:9**
不能再聽它勒索了！	時事述評	12/16/51	**5:12**
不能接受的「籌設中醫學校」案	社論	4/16/56	**14:8**
不能撒謊的記錄		8/16/51	**5:4**
不絕如縷的和談	時事述評	8/1/51	**5:3**
不該管的去管，該管又不管！	黃希春	10/1/53	**9:7**
不願做奴隸的人們	華苓譯	5/16/51	**4:10**
不讓毛澤東遁藏原形	蔣勻田	11/1/57	**17:9**
中小工業金融之重要性	瞿荊洲	1/16/53	**8:2**
中山先生論自由(上)	徐芸書	3/1/50	**2:5**
中山先生論自由(下)	徐芸書	3/16/50	**2:6**
中山思想之新綜析	錢穆	9/16/51	**5:6**
中央信託局來函	中央信託局	9/5/57	**17:5**
中央銀行復業問題	社論	8/1/60	**23:3**
中立主義的苦果	顏彥	7/16/56	**15:2**
中立國之戰(一)	劉明遠	8/1/54	**11:3**
中立國之戰(二)	劉明遠	8/16/54	**11:4**
中立國之戰(三)	劉明遠	9/16/54	**11:6**
中立國之戰(四)	劉明遠	10/1/54	**11:7**
中立國之戰(五)	劉明遠	10/16/54	**11:8**
中立集團與美國政策	社論	8/16/53	**9:4**
中共「民族政策」之剖視	沈秉文	3/1/54	**10:5**
中共「新五反運動」之透視	沈秉文	12/1/53	**9:11**
中共上演的「曹操翻案」鬧劇	孟戈	8/16/59	**21:4**
中共不能例外	時事述評	12/5/49	**1:2**
中共在西藏的軍事佈署	李望梅	8/1/54	**11:3**
中共在香港搞「計劃輿論」	厚生	10/1/58	**19:7**
中共在澳洲的勒索(雪梨通訊)	胡慧	3/1/52	**6:5**
中共攻擊緬甸之經過	蘇榴生	9/16/56	**15:6**
中共的「新三害」與「新三反」	沈秉文	6/1/55	**12:11**
中共的苦果	黃紹祖	6/1/51	**4:11**
中共怎樣「清算」農村	許冠三	6/1/50	**2:11**
中共怎樣奴化下一代？(蘇北通訊)	凌秀峰	11/16/50	**3:10**

【四劃】(續)

中共怎樣奴役工人階級(香港通訊) 丹心 8/16/51 **5:4**

中共軍隊的士氣在低落(台北通訊) 徐道鄰 7/16/50 **3:2**

中共迫害學術界的新高潮 辛明 2/16/59 **20:4**

中共將亡於「宣傳」 成舍我 10/16/51 **5:8**

中共統治下的長沙(長沙通訊) 再生 10/16/50 **3:8**

中共統治技術的剖視 邵德潤 8/1/51 **5:3**

中共開放自由市場的分析 李靜之 3/16/57 **16:6**

中共傾覆緬甸的陰謀 佘陽 11/16/56 **15:10**

中共對大陸天主教會的陰謀 沈若望 4/16/51 **4:8**

中共對中國傳統思想的綏靖政策 劉富蘭 7/16/58 **19:2**

中共對外貿易額之研究 趙岡 11/1/57 **17:9**

中共對印尼的外交和僑務(椰嘉達通訊) 津棠 5/1/52 **6:9**

中共對西藏的控制 李望梅 10/16/54 **11:8**

中共對東南亞及當地華僑的陰謀 萬偕吾 3/16/59 **20:6**

中共駐緬「大使」姚仲明二三事(香港通訊) 乖崖 2/16/51 **4:4**

中印間關於西藏問題的幕內證件 羅家倫 1/16/51 **4:2**

中西文化交通小史 方豪 4/16/54 **10:8**

中西交通史第一冊 祝封 6/16/53 **8:12**

中西交通史第四、五冊 黃大受 3/1/55 **12:5**

中東及東南亞之經濟戰 陳式銳 4/16/56 **14:8**

中東北非現勢圖——衝突頻起之邊界 蔡正倫 6/16/56 **14:12**

中東危機、納塞主義、與高階層會議 丁堅 8/16/58 **19:4**

中東危機與世界局勢 龍平甫 12/1/57 **17:11**

中東危機與其前途 王雲五 5/16/58 **18:10**

中東防衛問題剖視 張瑾譯 12/16/53 **9:12**

中東的危機 方及 1/1/56 **14:1**

中東的缺口 范叔寒 11/16/51 **5:10**

中近東問題座談會 本社 6/16/56 **14:12**

中美交誼的過去和將來 社論 7/16/50 **3:2**

中美合作與世界和平 威廉 9/1/50 **3:5**

中國人的氣候適應力 沙學浚 1/16/50 **2:2**

中國人看美國的遠東政策——對美遠東使節的臺北會議提幾點坦率建議 社論 3/16/58 **18:6**

中國之亂與中國文化精神之潛力 朱啟葆(夏道平筆名) 5/1/52 **6:9**

【四劃】(續)

中國文化發展的新取向	社論(殷海光)	7/16/59	**21:2**
中國古代政治思想史的一個看法	胡適	4/1/54	**10:7**
中國民主社會黨第二屆全國黨員代表大會宣言(來件)		9/1/59	**21:5**
中國民主社會黨對臺灣省本屆地方選舉的聲明	中國民主社會黨	4/16/60	**22:8**
中國民族之克難精神	錢穆	1/1/51	**4:1**
中國生產力中心的工作和使命	彭翰	4/16/56	**14:8**
中國自由黨組織綱要草案(續完)	專載	1/16/50	**2:2**
中國自由黨組織綱要草案	專載	1/1/50	**2:1**
中國法制史論略	牟潤孫	1/1/54	**10:1**
中國的出路	獨家時論社	1/1/50	**2:1**
中國的革命與美國的革命(上)	陳威伯	8/1/50	**3:3**
中國的革命與美國的革命(下)	陳威伯	9/1/50	**3:5**
中國近代史	吳士偉	7/16/53	**9:2**
中國門戶開放政策探源	吳相湘	9/16/52	**7:6**
中國政治改革的癥結	蔣君章	1/1/50	**2:1**
中國政治的根本難題	徐芸書	7/16/53	**9:2**
中國留美學生之聲	李佛朗	1/1/56	**14:1**
中國留學生的號角響了！	方望思	1/16/60	**22:2**
中國能抄襲蘇聯嗎？	左舜生	1/16/50	**2:2**
中國國民黨中央委員會秘書處來函	中國國民黨中央委員會秘書處	3/16/58	**18:6**
中國憲法之重要涵義	張其昀	12/20/49	**1:3**
中國歷史上三大工程——長城、運河和「羅斯福路」	原之道(雷震筆名)	2/16/56	**14:4**
中國歷史參考圖譜	毛子水	6/1/53	**8:11**
中梵外交的透視(梵蒂岡通訊)	施克教	5/1/52	**6:9**
中華文物集成	蘇景坡	6/16/54	**10:12**
中華日報鼓吹暴動	范度才	1/16/57	**16:2**
中華標準教科書地理科編輯委員會來函	中華標準教科書地理科編輯委員會	11/16/57	**17:10**
中學教師分等考核制應取消	邢公俠	1/1/59	**20:1**
丹麥大選以後	萬遜	7/1/57	**17:1**
五一談工運	社論	5/1/52	**6:9**
五十年來的教育	沈剛伯	11/16/59	**21:10**
五月的葵村	歐陽賓	7/1/51	**5:1**
「五四」是我們的燈塔！	社論(殷海光)	5/1/60	**22:9**

【四劃】(續)

「五四」與文藝	梁實秋	5/1/57	**16:9**
五星旗下的北平(香港通信)	梁守中	4/1/50	**2:7**
五論反對黨	朱伴耘	9/1/58	**19:5**
「仍有商討餘地」的「三民主義學術獎金」	黃少友	1/1/60	**22:1**
今天的立法院	社論(雷震)	12/1/57	**17:11**
今日小學教育中該糾正的兩件事	金重	6/1/59	**20:11**
今日之英國共產黨	齊佑之	12/16/56	**15:12**
今日印尼	史信	6/1/55	**12:11**
今日印尼(二)	史信	6/16/55	**12:12**
今日印尼(三)	史信	7/16/55	**13:2**
今日法國的激進社會黨	齊佑之	12/16/54	**11:12**
今日法國政治與經濟之危機	姜懷平	5/1/58	**18:9**
今日的小學教育	陳康	3/1/59	**20:5**
今日的司法！	社論(雷震)	7/1/57	**17:1**
今日的美國人需要甚麼樣的總統？(紐約通訊)	曾英奇	3/1/52	**6:5**
今日的問題(二)反攻大陸問題	社論(殷海光)	8/1/57	**17:3**
今日的問題(五)我們的經濟	社論	9/16/57	**17:6**
今日的臺灣十年前的英倫	社論	6/1/50	**2:11**
今日家庭教育的沒落	喻血輪	9/1/58	**19:5**
今日婦女的時代使命！	宋英	9/16/50	**3:6**
今日教育的方向	金溟若	9/16/58	**19:6**
今日福建(福州通訊)	江風	5/1/51	**4:9**
今日臺灣之市政	李先良	4/16/59	**20:8**
今後反共抗俄的三大方略	陳啟天	5/16/55	**12:10**
今後的日本政局	徐逸樵	4/1/53	**8:7**
今後財經政策的展望	林希美	6/1/54	**10:11**
「今檮杌傳」片感	崇仁	7/16/58	**19:2**
介紹「人文現象的理解(第一輯)」	子水	1/1/55	**12:1**
介紹「鸚鵡螺號的故事」	紹輔	5/16/59	**20:10**
介紹一本「新老殘遊記」	胡虛一	10/16/57	**17:8**
介紹一本值得當代青年一讀的書	胡虛一	12/16/59	**21:12**
介紹一本最值得讀的自傳	胡適	1/1/55	**12:1**
介紹一間優良的空軍官校	顧文中	2/1/57	**16:3**

【四劃】(續)

介紹明年美國新總統	董鼎山	5/1/60	**22:9**
介紹邱昌渭先生遺著「政治常識」	周道濟	7/16/57	**17:2**
介紹美國國務卿杜勒斯	周道濟	7/1/57	**17:1**
介紹美國聯邦最高法院的九位法官	周道濟	2/16/58	**18:4**
介紹曼谷關於文化問題的圓桌討論會	李達生	4/1/58	**18:7**
介紹國際新聞學會對臺灣新聞自由的報告	耿瀑志	7/16/60	**23:2**
介紹張佛泉著:「自由與人權」	東方既白	12/16/55	**13:12**
內在的敵人	陳紀瀅	10/1/53	**9:7**
內政部警政司長李謇先生來函	李謇	10/1/56	**15:7**
六年來新臺幣制度之檢討	楊承厚	12/16/55	**13:12**
六論反對黨	朱伴耘	5/16/59	**20:10**
公文旅行	苓譯	6/1/51	**4:11**
公用事業的價格問題	社論	8/1/53	**9:3**
公共汽車應部份開放民營	史丹青	12/1/56	**15:11**
「公共場所,莫談國事!」	陳哲春	5/1/57	**16:9**
公私之分	龍運鈞	3/16/53	**8:6**
公務員的制服	時事述評	2/1/51	**4:3**
公務與黨務	廖水土	12/16/56	**15:12**
公教人員的待遇問題	社論	5/16/56	**14:10**
公教人員待遇辦法的檢討與改善芻議	林炳康	11/1/51	**5:9**
公教得其養	黃鐘	4/16/53	**8:8**
公款「私」用	短評	4/16/59	**20:8**
公開的集體的作偽	李誠中	7/16/52	**7:2**
公路局不應停售學生月票	劉無欲	4/1/57	**16:7**
公賣制度必須改革	社論	9/16/54	**11:6**
公營企業的民主化	羅敦偉	6/16/50	**2:12**
公營事業董監事	時事述評	3/16/51	**4:6**
公職候選人的考試問題	薩孟武	6/16/53	**8:12**
分析中美會談結果及「不使用武力」聲明	施治華	11/5/58	**19:9**
分析赫魯雪夫的裁軍高調及其用心——兼論北平偽政權軍事首腦的更動	社論	10/1/59	**21:7**
勿陷總統於違憲——駁斥中央日報一月九日社論	社論	1/16/58	**18:2**
友情的悵惘	郭湘章	3/16/54	**10:6**
反民主的民主	社論	4/16/57	**16:8**

【四劃】(續)

「反共」不是黑暗統治的護符！	社論(殷海光)	5/16/60	**22:10**
反共外交的新頁	時事述評	10/1/51	**5:7**
反共如救火(新竹通訊)	余大海	7/1/50	**3:1**
反共冷戰中的政治力量與現代的主權觀念	社論	4/1/58	**18:7**
反共的方法問題——從日本此次地選舉看出自由民主的價值	社論	5/16/59	**20:10**
反共鬥爭中之台灣	王世杰	12/5/49	**1:2**
反共救國會議的面面觀	徐蛻	1/1/54	**10:1**
反共義士李煥先生來信	李煥	2/1/54	**10:3**
反共與團結——本刊一貫的主張	社論(雷震)	12/16/51	**5:12**
反共戰爭的本質——傅斯年先生的談片	本刊	12/5/49	**1:2**
反共戰爭的精神條件	彭定公	12/20/49	**1:3**
反共歟？效共歟？	短評	3/1/59	**20:5**
反理性主義與戰爭	田灌夫	2/16/51	**4:4**
反資本主義的心理(一)	米塞斯原作／夏道平譯	1/1/57	**16:1**
反資本主義的心理(二)	米塞斯原作／夏道平譯	1/16/57	**16:2**
反資本主義的心理(三)	米塞斯原作／夏道平譯	2/1/57	**16:3**
反資本主義的心理(四)	米塞斯原作／夏道平譯	2/16/57	**16:4**
反對黨！反對黨！反對黨！	朱伴耘	4/1/57	**16:7**
反對黨不能組織起來嗎？	葉時修	7/1/60	**23:1**
反對黨之自由及如何確保	雷震	4/1/50	**2:7**
反對黨問題(「今日的問題」之十五)	社論(雷震)	2/16/58	**18:4**
反對黨勢在必組	黎復	8/16/58	**19:4**
反對黨與反共	黃安	4/1/58	**18:7**
天主教在蘇俄	安道	1/16/53	**8:2**
天理良心——對交通部更正函的駁正	路誠	7/16/60	**23:2**
太平洋上	辛之魯	12/16/57	**17:12**
太平洋新局勢與中國前途	陳啟天	7/16/50	**3:2**
太平洋學會如何幫助史達林赤化中國(上)	James Burnhan 原作／聶華苓譯	7/16/52	**7:2**
太平洋學會如何幫助史達林赤化中國(下)	James Burnhan 原作／聶華苓譯	8/1/52	**7:3**
巴印紀遊	易希陶	10/1/57	**17:7**
巴格達公約之組成及其現狀	孫至厚	6/16/56	**14:12**
巴格達公約會議	孔治	3/1/58	**18:5**
巴爾幹軍事聯防簽字	方及	10/1/54	**11:7**

【四劃】(續)

巴黎協定批准後的國際局勢	龍平甫	7/1/55	**13:1**
巴黎協定的批准	龍平甫	3/1/55	**12:5**
巴黎聯合國大會	蔣廷黻	3/16/52	**6:6**
巴黎聯合國大會前瞻	時事述評	12/1/51	**5:11**
巴黎麟爪(巴黎通訊)	一鶚	2/16/51	**4:4**
弔唁大陸上受迫害的文化工作者！	短評	8/16/52	**7:4**
心(詩)	周策縱	8/16/59	**21:4**
心理戰與客觀道德	劉世超	12/16/54	**11:12**
戈慕卡主義的本質及將來	宋文明	5/16/57	**16:10**
戶稅要不得	王志和	8/16/54	**11:4**
戶稅計稅標準憑什麼？	劉濟華	3/16/55	**12:6**
戶稅問題的商榷	俞南琛	1/1/55	**12:1**
手(小說)	童真	10/16/59	**21:8**
支票請在臺灣兌現	短評	2/1/59	**20:3**
文人與無行	吳魯芹	5/1/54	**10:9**
文化──一個名詞的滄桑	徐道鄰	1/1/58	**18:1**
文化三階層	錢穆	3/16/51	**4:6**
文化自由協會與文化自由運動	東方既白	1/16/55	**12:2**
文化沙漠	李濟	11/16/59	**21:10**
文字的命運	思果	8/1/58	**19:3**
文明在考驗之中	星光	3/1/50	**2:5**
文明是怎樣創造的？	海光(殷海光筆名)	10/1/51	**5:7**
文壇巨星的隕落(巴黎通訊)	梅雨	3/16/51	**4:6**
文學批評中的「美」	李經	3/16/53	**8:6**
「文學與生活」第一輯	歸人	6/16/55	**12:12**
文藝政策的兩重涵義	李經	5/16/59	**20:10**
日「中」貿易的嚴重性	社論	4/1/57	**16:7**
日內瓦四外長會議與柏林問題	姜懷平	8/1/59	**21:3**
日內瓦四國會議前後	龍平甫	9/1/55	**13:5**
日內瓦停火協定及今後世局	龍平甫	9/5/54	**11:5**
日內瓦會外散記	方及	9/1/55	**13:5**
日內瓦會議的展望	社論	4/16/54	**10:8**
日內瓦會議的國際政治背景	龍平甫	5/16/54	**10:10**

【四劃】(續)

日內瓦會議與東南亞防禦問題(上)	龍平甫	7/1/54	**11:1**
日內瓦會議與東南亞防禦問題(下)	龍平甫	7/16/54	**11:2**
日本「和平憲法」和軍備的消長	徐逸樵	1/1/54	**10:1**
日本二大政黨對立觀	余蒼柏	2/16/56	**14:4**
日本人民目前的平正大道	毛子水	2/1/51	**4:3**
日本人的「路」(「日本的今天與明天」之四)	郭恒鈺	7/16/59	**21:2**
日本人眼中的武裝日本	時事述評	1/16/51	**4:2**
日本大選與今後的政局	社論	5/1/53	**8:9**
日本文字的改革運動	梁容若	10/1/51	**5:7**
日本再軍備觀(東京通訊)	余蒼白	2/1/52	**6:3**
日本在摸索中(「日本的今天與明天」之一)	郭恒鈺	2/1/59	**20:3**
日本往那裏走?	徐逸樵	10/16/53	**9:8**
日本東南亞經濟開發基金問題的檢討	王沿津	6/16/58	**18:12**
日本的「欲樂沒氣外交」	余蒼柏	8/16/58	**19:4**
日本的文化人(「日本的今天與明天」之三)	郭恒鈺	4/16/59	**20:8**
日本的和約問題和加入聯合國問題	毛子水	3/1/51	**4:5**
日本社會黨左派之剖析(東京通訊)	高臨渡	11/1/51	**5:9**
日本政情和次期政權	徐逸樵	9/16/52	**7:6**
日本爲政者的老獪性	余蒼柏	3/16/58	**18:6**
日本重建之途徑	宋希尚	6/1/54	**10:11**
日本國會制度	陳固亭	9/16/56	**15:6**
日本國會議員個人之特權	林秋水	7/16/60	**23:2**
日本復興經濟發展貿易方法之研究	楊灝	10/16/59	**21:8**
日本貿易之進步及其趨向	瞿荊洲	10/1/55	**13:7**
日本會不會再事侵略?	羅鴻詔	3/16/51	**4:6**
日本極右翼團體的復活	陸崇仁	8/16/54	**11:4**
日本與聯合國合作的一著棋(東京通訊)	荻秋	9/16/50	**3:6**
日本遭蘇俄否決後的出路	社論	1/1/56	**14:1**
日本戰敗秘史	陳固亭	5/1/53	**8:9**
日本總選舉前各黨政見之剖視	陳之道	4/16/53	**8:8**
日本簡化漢字之經過(東京通訊)	余蒼白	7/16/51	**5:2**
日本舊軍人的煩悶(東京通訊)	徐逸樵	4/16/52	**6:8**
日在發展中的語意學	徐道鄰	12/16/55	**13:12**

【四劃】(續)

日皇太子的生活	苓	12/1/51	**5:11**
日美修約談判與遠東大局	社論	12/16/58	**19:12**
日美條約閃電式通過引起的日本政治風暴	黃洋	6/16/60	**22:12**
日美經濟關係十年(上)	余蒼白譯	8/16/55	**13:4**
日美經濟關係十年(下)	余蒼白譯	9/1/55	**13:5**
日匪貿易之死結	王沿津	1/1/58	**18:1**
日匪貿易協定與我們的對日外交	社論	4/1/58	**18:7**
日匪貿易問題	梁振超	6/1/57	**16:11**
日記一頁	薩滿	8/1/54	**11:3**
日記抄	張秀亞	10/1/54	**11:7**
月是故鄉明	陳之藩	3/1/55	**12:5**
月戀及其他(詩)	周策縱	7/1/59	**21:1**
毋自壞長城	社論(雷震)	4/16/56	**14:8**
毛筆與國文	張清徽	9/16/56	**15:6**
毛澤東生死之謎	鐘靈	4/1/54	**10:7**
毛澤東在獨木橋上高呼「躍進」！	金思愷	2/1/60	**22:3**
毛澤東即或成為狄托，難道我們就不反對嗎？	王仁泉	3/1/50	**2:5**
毛澤東困獸猶鬥	金思愷	8/1/60	**23:3**
毛澤東的好學生(北平通訊)	燕然	5/1/51	**4:9**
毛澤東勢力在逐漸孤立了！	季農	10/16/59	**21:8**
水泥的配售與價管	王大川	6/1/56	**14:11**
火(小說)	樂季生	9/1/52	**7:5**
火炬的愛	朱西寧	3/1/52	**6:5**
火箭‧飛彈‧衛星‧行星	董鼎山	5/16/59	**20:10**
父道政治歟？民主政治歟？	陳式銳	12/16/56	**15:12**
牛皮紙的包裹	思果	1/1/60	**22:1**
王益崖先生來函	王益崖	7/1/57	**17:1**
王超群先生來函	王超群	5/16/57	**16:10**
王載博士譽滿澳洲	孫宏偉	3/16/53	**8:6**

【五劃】

世界人權宣言(附錄)		12/1/58	**19:11**
世界人權宣言十週年	李聲庭	12/1/58	**19:11**

【五劃】(續)

世界人權宣言之淵源及其意義　　　　　　　　　　　　　　　胡秋原　　12/1/58　**19:11**

世界上有這種政治制度麼？──「總統有權，內閣有責」　　　　社論　　　2/1/58　**18:3**

世界之新希望　　　　　　　　　　　　　　　海光(殷海光筆名)　　7/16/52　**7:2**

世界未來局勢與中國前途　　　　　　　　　　　　　　　　　　朱伴耘　　9/16/53　**9:6**

「世界永久沒戰爭」的「推薦者」蘇雪林趙友培陳紀瀅三先生

　聲明撤銷推薦　　　　　　　　　　　蘇雪林、趙友培、陳紀瀅　11/16/53　**9:10**

世界無雙的典禮　　　　　　　　　　　　　　　　　　　　　　苓　　　　12/1/51　**5:11**

世界霸權與軍國主義　　　　　　　　　　　　　　　　　　　　戴杜衡　　2/16/50　**2:4**

且看鹿死誰手(倫敦通訊)　　　　　　　　　　　　　　　　　　石達生　　10/1/51　**5:7**

主客　　　　　　　　　　　　　　　　　　　　　　　　　　　思果　　　1/1/59　**20:1**

主義與政治　　　　　　　　　　　　　　　　　　　　　　　　陳咸森　　3/1/60　**22:5**

以「法」違法　　　　　　　　　　　　　　　　　　　　　　　短評　　　2/1/59　**20:3**

以行動爲號召　　　　　　　　　　　　　　　　　　　　　　　社論　　　11/1/57　**17:9**

以沈著與機智應付臺峽緊張局勢　　　　　　　　　　　　　　　社論　　　9/1/58　**19:5**

以俄制俄　　　　　　　　　　　　　Wallace Carroll 原作／遠思譯　5/1/50　**2:9**

以現實態度論美蘇五個問題　　　　　　　　　　　　　　　　　董鼎山　　10/16/59　**21:8**

以暴易暴乎？　　　　　　　　　　　　　　　　　　　　　　　雷震　　　2/16/50　**2:4**

以黨治礦！　　　　　　　　　　　　　　　　　　　　　　　　石靈　　　12/16/56　**15:12**

他山之石(華府通訊)　　　　　　　　　　　　　　　　　　　　許思澄　　10/1/50　**3:7**

他們爲甚麼招供？　　　　　　　　　　　　　　李昂斯原作／焦木譯　7/1/50　**3:1**

多心草　　　　　　　　　　　　　　　　　　　　　　　　　　周棄子　　1/1/56　**14:1**

多夜　　　　　　　　　　　　　　　　　　　　　　　　　　　張秀亞　　1/1/53　**8:1**

出版法事件的綜合觀　　　　　　　　　　　　　　　　社論(夏道平)　5/16/58　**18:10**

出版法修正案仍以撤回爲妥　　　　　　　　　　　　　　　　　社論　　　5/1/58　**18:9**

出版法修正草案程序之爭　　　　　　　　　　　　　　　　　　崔霖　　　5/16/58　**18:10**

出版品限制取消以後的責任問題　　　　　　　　　　　　　　　社論　　　11/16/54　**11:10**

出售公營事業之估價及其股票之流通與保值　　　　　　　　　　林希美　　8/16/53　**9:4**

出國與出家　　　　　　　　　　　　　　　　　　　　　　　　陳之藩　　4/1/55　**12:7**

加「乾」薪　　　　　　　　　　　　　　　　　　　　　　　　短評　　　11/16/58　**19:10**

加拿大自由黨之政策及其成就　　　　　　　　　　　　　　　　力元生　　4/16/57　**16:8**

加拿大的移民政策與華僑　　　　　　　　　　　　　　　　　　焦增煜　　12/1/55　**13:11**

加拿大政黨組織及其現況　　　　　　　　　　　　　　　　　　厲元生　　2/16/56　**14:4**

加強中韓越三國合作　　　　　　　　　　　　　　　　　　　　社論　　　8/1/56　**15:3**

【五劃】(續)

加強海外宣傳　　　　　　　　　　　　　　　　　　史美玉　5/16/52　**6:10**

加強對菲外交　　　　　　　　　　　　　　　　　　李汝楓　2/16/55　**12:4**

加緊撲滅翻版盜印的惡風　　　　　　　　　　　　　社論　8/1/59　**21:3**

加價和加薪　　　　　　　　　　　　　　　　　　　短評　1/1/59　**20:1**

功乎？罪乎？——從監察院的糾彈案說到國家行局的調整　夏道平　6/16/50　**2:12**

包袱　　　　　　　　　　　　　　　　　　　　　　喻嘉濱　5/16/50　**2:10**

北大西洋公約會議後的西德外交動向　　　　　　　　紀夢平　5/1/58　**18:9**

北大首長會議的決定及其影響　　　　　　　　　　　社論　1/1/58　**18:1**

北方學人的悲劇(香港通訊)　　　　　　　　　　　　瑩星　12/16/51　**5:12**

北行途中話澳洲　　　　　　　　　　　　　　　　　孫宏偉　10/1/53　**9:7**

北非與北非問題焦點——阿爾及尼亞　　　　　　　　廖勤　6/16/56　**14:12**

北緯卅八度　　　　　　　　　　　　　　　　　　　時事述評　10/1/50　**3:7**

北韓究向誰宣戰？　　　　　　　　　　　　　　　　時事述評　7/1/50　**3:1**

半世紀來誰擁有世界上最偉大的陸海空軍？　　　　　燕君　1/1/50　**2:1**

卡文逃稅闖關案之檢討　　　　　　　　　　　　　　劉金輝　3/16/59　**20:6**

卡斯特羅其人與古巴　　　　　　　　　　　　　　　巴布島　10/16/59　**21:8**

卡斯特羅的革命及其新人道主義　　　　　　　　　　宋文明　9/16/59　**21:6**

去年世界女權運動的觀感　　　　　　　　　　　　　曾寶蓀　1/16/56　**14:2**

可以強學生去充臨時演員嗎？　　　　　　　　　　　徐萬駒　2/1/57　**16:3**

可憂的東南亞文化　　　　　　　　　　　　　　　　康俠　9/1/55　**13:5**

古巴往何處去？　　　　　　　　　　　　　　　　　漢聲　5/1/59　**20:9**

古亭國校事件透露的嚴重問題　　　　　　　　　　　社論　7/1/59　**21:1**

古城春色(金門通訊)　　　　　　　　　　　　　　　方亦文　6/16/50　**2:12**

召開國是會議　　　　　　　　　　　　　　　　　　短評　4/1/59　**20:7**

司法行政秘書室來函　　　　　　　　　　　　司法行政秘書室　3/16/58　**18:6**

司法偵查權不容侵越　　　　　　　　　　　　　　　社論　10/1/56　**15:7**

司法獨立與司法人員的管理　　　　　　　　　　　　社論　8/1/60　**23:3**

叫我們如何鼓勵「抬不起頭的」稅務人員？　　　　社論(夏道平)　10/1/59　**21:7**

另一方式的修改憲法　　　　　　　　　　　　　　　夏濤聲　3/1/60　**22:5**

只有自省才是辦法　　　　　　　　　　　　　　　　時事述評　10/1/51　**5:7**

只准警官罵人？　　　　　　　　　　　　　　　　　短評　12/1/58　**19:11**

史大林之死與西歐輿論　　　　　　　　　　　　　　龍平甫　4/16/53　**8:8**

史大林死後的蘇俄(上)　　　　　　　　　　　　　　史信摘譯　1/1/56　**14:1**

【五劃】(續)

史大林死後的蘇俄(下)	史信摘譯	2/1/56	**14:3**
史大林對民族主義之苦鬥	羅鴻詔	6/1/50	**2:11**
史太林主義者必將被征服、推翻、和廢除！(美國通信)	巴格諾考斯基原作	3/1/50	**2:5**
史太林——彼得大帝遺囑的執行人	瑞士世界一週原載／本六譯	3/1/50	**2:5**
史家的靈感	張致遠	12/1/56	**15:11**
史達林企圖征服世界	焦木譯	2/16/51	**4:4**
史達林底談話暴露了什麼？	社論	3/1/51	**4:5**
史達林帝國的致命傷	Willam I. Nichols 原作／遠思譯	3/16/51	**4:6**
史達林怎樣攫取中國的大陸國土？	毛子水	11/1/50	**3:9**
史達林被清算了	社論	3/16/56	**14:6**
史達林陰謀攫取中國的鐵證	吳桐湘	9/16/51	**5:6**
史達林雄圖下的中國	胡適原作／雲軸譯	11/16/50	**3:10**
史達林對日本的新陰謀	王正路	1/16/52	**6:2**
史達林與毛「主席」	涂允綏譯	9/1/51	**5:5**
台北市警察局來函	台北市警察局	5/16/60	**22:10**
台灣地方自治的技術問題	張初暘	1/1/50	**2:1**
台灣省政府教育廳秘書處來函	台灣省政府教育廳秘書處	7/16/58	**19:2**
台灣省雜誌協會各會員刊物對建立戰時生活體制的共同呼籲	台灣省雜誌協會	7/1/50	**3:1**
台灣高等法院來函	台灣高等法院書記室	1/16/59	**20:2**
四十元夠租房子？	韋青	1/1/57	**16:1**
「四大流寇」與「四大領袖」(香港通訊)	柳甦生	1/1/52	**6:1**
四巨頭會談以前——試論現階段東西集團的關係及東西方對國際問題的態度	姜懷平	12/16/59	**21:12**
四國會議的展望	社論	7/16/55	**13:2**
四論反對黨	朱伴耘	5/1/58	**18:9**
外交需要人才	短評	4/1/59	**20:7**
外匯貿易體系應予一元化	邱平	7/1/57	**17:1**
失言乎？實言乎？	社論	9/16/56	**15:6**
失根的蘭花	陳之藩	7/1/55	**13:1**
失意政客充「貴賓」(雪梨通訊)	孫宏偉	6/16/52	**6:12**
奴隸的歌頌(巴黎通訊)	梅雨	3/16/51	**4:6**
奴隸的歌頌	譯自基督教箴言報	4/1/51	**4:7**
尼加拉瀑布(海外寄語之五)	於梨華	9/5/57	**17:5**
尼克森不虛此行	李鈞	6/16/58	**18:12**

【五劃】(續)

尼克森在南美受辱的前因後果	丁堅	6/16/58	**18:12**
尼赫魯先生當心點！	社論	12/16/55	**13:12**
尼赫魯被提名爲一九五一年諾貝爾和平獎金候選人	時事述評	3/1/51	**4:5**
巨濟島風雲(釜山通訊)	朴日成	6/1/52	**6:11**
巧姐的年齡問題——敬答嚴明先生	趙岡	2/16/60	**22:4**
左右夾縫中的印尼	林剛	4/16/54	**10:8**
左舜生不出席國民大會了！	李樺	2/1/60	**22:3**
左舜生先生的答辯	方望思	8/16/59	**21:4**
市長不懂得「法人」這個名詞	短評	11/5/58	**19:9**
布老虎	風雷	7/16/53	**9:2**
布萊德雷的天真	時事述評	6/1/51	**4:11**
布爾雪維克對民主的曲解	Hans Kelsen 原作／王正路 譯	11/16/51	**5:10**
平等概念的檢討	余英時	3/1/54	**10:5**
幼稚的左派爲患日本(東京通訊)	苗劍秋	11/1/51	**5:9**
打人的是警察！	短評	12/1/58	**19:11**
打打談談打(華府通訊)	許思澄	1/16/51	**4:2**
打開投資之門	社論	6/1/54	**10:11**
打落牙齒和血吞	時事述評	6/1/50	**2:11**
斥中立主義	社論	12/16/53	**9:12**
斥所謂「停火」與「兩個中國」之謬說	社論	2/16/55	**12:4**
斥無恥的讕言	社論	11/1/54	**11:9**
本刊一週年	雷震	11/16/50	**3:10**
本刊的十年回顧	社論(雷震／夏道平)	1/1/59	**20:1**
本刊第三年的開始	社論(雷震)	11/16/51	**5:10**
本刊開闢「青年號角」的前言	編者	11/20/49	**1:1**
本刊對臺南市「萬人簽署請願書」代表蔡炎炭、吳旺根、蔡德邨、林再傳、翁余森櫻等的答覆	自由中國	6/1/60	**22:11**
本年美國經濟的兩大問題	劉道元	6/1/59	**20:11**
本屆立法院面臨考驗	朱啟葆(夏道平筆名)	6/16/52	**6:12**
未來八十年	羅素原作／葉雨象譯	4/16/53	**8:8**
未來的李楊沒有教室！	田曉	11/16/57	**17:10**
正字標記乎？歪字標記乎？	馬振基	9/1/55	**13:5**
正告日本朝野認淸中共的真相	社論	10/1/54	**11:7**

【五劃】(續)

正視教師待遇	田萇	10/1/54	**11:7**
正視現實與解決問題——有感於退除役軍人變賣「戰士授田證」	文信國	2/16/60	**22:4**
正視第五次電力加價問題	陳式銳	12/5/59	**21:11**
正視越南壓迫華僑改變國籍事件	蘇子	1/1/57	**16:1**
正義與和平的抉擇	社論	2/1/51	**4:3**
母與女	聶華苓	1/1/55	**12:1**
民主、法治與制度	徐道鄰	10/31/56	**15:9**
民主中國的障礙在那裡？	許冠三	5/1/51	**4:9**
民主主義也有新舊嗎？	羅鴻詔	1/16/50	**2:2**
民主必需有個人自由	龍一諤	7/16/55	**13:2**
民主自由與經濟制度——經濟社會化應該犧牲政治民主化麼？	社論	4/1/50	**2:7**
民主制度的基礎	許思澄	12/16/52	**7:12**
民主的巴西總統費爾約	遠思摘譯	1/16/55	**12:2**
民主政治	海光(殷海光筆名)	1/1/51	**4:1**
民主政治的起腳點	申思聰	11/16/51	**5:10**
民主政治的基本精神——合法的反對	魏正明	10/31/56	**15:9**
民主政治的實例	蔣勻田	12/1/56	**15:11**
民主政治就是民意政治	雷震	11/16/51	**5:10**
民主政治就是輿論政治	雷震	12/16/51	**5:12**
民主政治與多數同意	羅鴻詔	6/1/51	**4:11**
民主為中庸之道	龍一諤	5/1/55	**12:9**
民主真詮(上)	A. Powell Davies 原作／何欣譯	11/16/54	**11:10**
民主真詮(下)	A. Powell Davies 原作／何欣譯	12/16/54	**11:12**
民主國家應提高警覺	社論	6/16/51	**4:12**
民主國家應該怎樣面對現局？	雷震	8/1/50	**3:3**
民主國際才是防共長堤	社論	8/16/50	**3:4**
民主罪言	楊金虎	11/16/59	**21:10**
民主與反民主的鬥爭	陳啟天	12/20/49	**1:3**
民主與世界安全	楊基振	1/16/60	**22:2**
民主與自由	王雲五	1/1/50	**2:1**
民主與自由的來源	張天增	11/16/59	**21:10**
民主與法治	陳恩成	5/16/51	**4:10**
民主與極權的再認識	陶冬心譯	10/1/52	**7:7**

【五劃】(續)

民主與極權的衝突	胡適	11/20/49	**1:1**
民主與黨派	時事述評	12/16/50	**3:12**
民主與權威	許冠三	5/16/52	**6:10**
民主憲政的又一試金石	社論(雷震)	7/16/54	**11:2**
民本主義與民主主義	羅鴻詔	11/16/51	**5:10**
民命草芥	知非	10/16/51	**5:8**
民族主義之理論的檢討——盧騷與黑格爾兩家思想之比較	羅鴻詔	8/1/50	**3:3**
民族主義與國家主義	羅鴻詔	11/1/50	**3:9**
民族晚報的「斯人獨榮耀」讀後感	何瀾	1/16/60	**22:2**
民族戰爭呢？還是社會戰爭？	殷海光	1/1/50	**2:1**
民意代表在議會內的言論對外不負責任問題	李聲庭	2/1/59	**20:3**
民意是不是在立法院？	丁堅	7/16/58	**19:2**
民意機關「議事資格」之比較的研究 ——爲立法院和國民大會的議事資格進一言	雷震	9/1/53	**9:5**
民意機關的議事公開	薩孟武	2/16/56	**14:4**
民選省長此其時矣！	郭雨新	1/1/60	**22:1**
民營事業的使命——勉臺紙公司及其他民營事業	社論(夏道平)	4/16/55	**12:8**
「永不分離」在澳京公演記	孫宏偉	10/1/52	**7:7**
永誌不忘的佩斐爾特號	W. J. Lederer 原作／朱雲浪譯	6/1/55	**12:11**
永遠的模傚者(「日本的今天與明天」之二)	郭恒鈺	3/1/59	**20:5**
玄奘留學時之印度與西方關於玄奘著作目錄	張君勱	6/1/56	**14:11**
生‧死‧哀‧樂	A. E. Hotchner 原作／聶華苓譯	6/1/52	**6:11**
田功震、耿汝冰先生來函	田功震、耿汝冰	6/1/60	**22:11**
田炯錦委員長的「駕重就熟」	汪之孫	7/1/60	**23:1**
由「一窩風」現象談到新聞自由	魏書翰	12/1/55	**13:11**
由「中醫學校」想起	龍遠銘	5/16/56	**14:10**
由「內舉不避親」做到「外舉不避仇」	黃孔武、戴經	9/16/54	**11:6**
由土耳其總理孟德士訪華談到政治不應干涉司法(民主隨筆之二)	姚士幼	9/5/57	**17:5**
由中影片廠被焚說起	高飛影	9/1/59	**21:5**
由出版法談到委任命令及自由裁量	薩孟武	7/16/58	**19:2**
由北大西洋公約國家首長會議說起	龍平甫	2/16/58	**18:4**
由印尼事件談杜勒斯外交的矛盾與錯誤	艾國勳	5/1/58	**18:9**
由地方行政改革談一黨特權	社論	7/1/58	**19:1**

【五劃】(續)

由地方選舉看民主政治的前途	王嵐僧	4/1/60	**22:7**
由西歐看蘇俄的「和平」運用	龍平甫	6/1/53	**8:11**
由兩件不愉快的事看我們的外交	社論	6/16/59	**20:12**
由邱吉爾和平演說談到東德暴動	龍平甫	7/16/53	**9:2**
由政治民主到經濟平等	資友仁	2/16/50	**2:4**
由英國近年對外政策談英國民族性	王雲五	9/16/52	**7:6**
由倒風看經濟的改善	陳式銳	8/16/58	**19:4**
由控蘇案說到中長鐵路	凌鴻勛	5/1/52	**6:9**
由節育問題說到教條主義之為害	社論	6/1/59	**20:11**
由蔡金塗被捕談法治	文漢瑞	4/16/60	**22:8**
由證券市場之設立以覘新內閣行政效率	社論	10/16/58	**19:8**
白色小屋的主人(海外寄語之三)	於梨華	8/1/57	**17:3**
白夜	張秀亞	1/1/57	**16:1**
白熱的海洋	康俠	4/1/55	**12:7**
皮球可不再踢了！	時事述評	4/16/50	**2:8**
目的何在？憤慨呢？還是恐怖？	王大川	2/1/56	**14:3**
立委三年成法(官)(律)師	原之道(雷震筆名)	6/1/52	**6:11**
立法委員一百六十一人對於總統未依憲法規定將行政院長提請同意之質詢	立法委員	6/16/60	**22:12**
立法委員的「民主風度」觀	雷震	6/1/56	**14:11**
立法委員唐嗣堯對行政院五十年度總預算之質詢	李子	5/16/60	**22:10**
立法院太不像樣了！	周學藩	5/1/56	**14:9**
立法院有不可寬恕之錯失	蘇甦	9/16/59	**21:6**
立法院的試金石	蔣勻田	11/16/54	**11:10**
立法院要「自立」了！	短評	3/1/59	**20:5**
立法院能控制行政院麼？	張慶楨	4/16/50	**2:8**
立法院院長的選舉	時事述評	11/1/51	**5:9**
立法院第二十一期秘密會通過的出版法條文摘要	社論(附)	7/1/58	**19:1**
立法院給憲政開一惡例	社論(雷震／夏道平)	6/16/54	**10:12**
立法院會議人數常不足問題	彭翰	10/1/52	**7:7**
立法院應設立資料部門	趙岡	1/1/58	**18:1**
立監兩院加緊自肅運動！	社論(夏道平)	4/16/58	**18:8**

【六劃】

交通部前總務司長被控變相敲詐豈可無下文！　　　　　　　　馮溫炳　8/1/60　**23:3**

交通部祕書室來函　　　　　　　　　　　　　　　　　　交通部祕書室　6/16/60　**22:12**

交通部臺北電信局來函　　　　　　　　　　　　　　交通部臺北電信局　4/1/56　**14:7**

伊凡　　　　　　　　　　　　　　　　　　　　　　　　　　歐陽賓　2/1/54　**10:3**

伊拉克政變及其後果　　　　　　　　　　　　　　　　　　　紀夢平　10/1/58　**19:7**

伊朗往何處去？　　　　　　　　　　　　　　　　　　　　　社論　8/1/52　**7:3**

伊朗與蘇俄之關係　　　　　　　　　　　　　　　　　　　　孟平　6/16/56　**14:12**

伍藻池闖下「言禍」　　　　　　　　　　　　　　　　　　　短評　12/16/58　**19:12**

仰光一讀者的來信　　　　　　　　　　　　　　　　　　仰光一讀者　4/16/56　**14:8**

仰望　　　　　　　　　　　　　　　　　　　　　　　　　　光中　4/16/57　**16:8**

「全家福」及「三月十五日」　　　　　　　　　　　　　　　白眉　1/16/50　**2:2**

全球性戰略與民主世界的團結　　　　　　　　　　　　　　　社論　2/1/53　**8:3**

共和黨全國大會的前前後後(美國通訊)　　　　　　　　　　　許思澄　8/1/52　**7:3**

共匪玩弄民主　　　　　　　　　　　　　　　　　　　　　　社論　7/1/57　**17:1**

共匪最近在巴黎的活動　　　　　　　　　　　　　　　　　　田雨耕　3/16/56　**14:6**

共產主義的落後性與反動性　　　　　　　　　　　　　　　　張靜軒　3/16/51　**4:6**

共產奴隸典範的塑造——「關於資產階級法權問題討論」的分析　　李仁山　8/16/59　**21:4**

共產國家裏的家庭生活實況　　　　　　　　　　　　　　　　蓀譯　10/1/53　**9:7**

共產國際的七種戰略　　　　　　　　　　馬丁依本原作／本刊資料室譯　12/5/49　**1:2**

共產統治與人權　　　　　　　　　　　　　　　　　　　　　社論　12/1/58　**19:11**

共產黨也談「人道主義」！　　　　　　　　　　　　　　　　短評　10/16/58　**19:8**

共產黨如何左右了美國的輿論(華府通訊)　　　　　　　　　　許思澄　11/1/51　**5:9**

共產黨怕自由　　　　　　　　　　　　　　　　　　　　　　社論　8/1/55　**13:3**

共產黨的吸引力　　　　　　　　　　　　　　　　　　　　　傅斯年　4/16/50　**2:8**

共產黨是要耕者有其田麼？　　　　　　　　　　　　　　　　董時進　3/16/51　**4:6**

共產黨統治下決沒有自由　　　　　　　　　　　　　　　　　胡適　2/1/50　**2:3**

共黨如何歡迎「民主人士」(香港通訊)　　　　　　　　　　　宇安　6/1/50　**2:11**

共黨為什麼清算「胡適思想」？　　　　　　　　　　　　　　殷海光　5/16/58　**18:10**

共黨對香港的和平攻勢　　　　　　　　　　　　　　　　　　林靜　4/1/56　**14:7**

共黨語言可以襲用嗎？　　　　　　　　　　　　　　　　　　殷海光　8/16/51　**5:4**

「共黨語言可以襲用嗎？」書後　　　　　　　　　　　　　　雷震　9/1/51　**5:5**

共黨覬覦下的泰國　　　　　　　　　　　　　　　　　　　　王魯　6/16/54　**10:12**

再向日本人民進一言　　　　　　　　　　　　　　　　　　　社論　12/1/51　**5:11**

【六劃】(續)

再向教育廳劉廳長請教 　　　　　　　　　　　　譚益齋　5/16/60　**22:10**

再見，火車的輪聲！ 　　　　　　　　　　　　　朱西甯　4/1/59　**20:7**

再看交通部的疏建德政 　　　　　　　　　　　　路誠　6/1/60　**22:11**

「再教育」？ 　　　　　　　　　　　　　　　　時事述評　1/16/52　**6:2**

再期望於國民黨者 　　　　　　　　　　　　　　社論　11/1/52　**7:9**

再駁徐福即神武天皇說 　　　　　　　　　　　　宋岑　6/1/58　**18:11**

再談今日的司法 　　　　　　　　　　　　　　　社論　11/1/57　**17:9**

再談軍公教人員待遇問題 　　　　　　　　　　　社論　7/1/59　**21:1**

再談財經政策 　　　　　　　　　　　　　　　　趙岡　4/1/58　**18:7**

再談誰是包庇臺北市城東供銷場大違建的幕後人物？ 　甘火文　3/1/60　**22:5**

再論「君主的民主」 　　　　　　　　　　社論(殷海光)　10/16/56　**15:8**

再論反對黨 　　　　　　　　　　　　　　　　　朱伴耘　9/16/57　**17:6**

再論民族主義與國家主義 　　　　　　　　　　　羅鴻詔　2/1/51　**4:3**

再論青年反共救國團撤銷問題 　　　　　　　　　社論　6/1/58　**18:11**

再論新資本主義 　　　　　　　　　　　　　　　劉道元　7/16/57　**17:2**

再論經濟管制的措施 　　　　　　　　　　　　　社論　6/16/51　**4:12**

刑事案件可以和解了事嗎？ 　　　　　　　　　　陳光夏　12/1/54　**11:11**

匈牙利人的革命運動 　　　　　　　　　　　　　龍平甫　12/16/56　**15:12**

匈牙利中產階級在慢性死亡中 　　　　　　　　　一鶚　9/1/52　**7:5**

匈牙利作家看匈牙利革命 　　　　　　　　　　　夏道平　11/1/57　**17:9**

匈牙利的革命輿論 　　　　　　　　　　　　　　姜懷平　3/16/57　**16:6**

匈牙利報紙給予的啓示 　　　　　　　　　　　　姜懷平　6/16/57　**16:12**

印支華僑教育問題 　　　　　　　　　　　　　　一鳴　10/16/52　**7:8**

印尼一瞥 　　　　　　　　　　　　　　　　　　王天民　2/1/60　**22:3**

印尼大選真相 　　　　　　　　　　　　　　　　史信　11/16/55　**13:10**

印尼內在的危機 　　　　　　　　　　　　　　　史信　4/1/56　**14:7**

印尼共產黨(印尼通訊) 　　　　　　　　　　　　津棠　9/1/51　**5:5**

印尼往何處去？ 　　　　　　　　　　　　　　　李銳華　1/1/54　**10:1**

印尼軍人政變記詳 　　　　　　　　　　　　　　蘇益生　1/16/57　**16:2**

印尼軍人政變續訊 　　　　　　　　　　　　　　蘇益生　1/16/57　**16:2**

印尼華僑教育問題(印尼通訊) 　　　　　　　　　陳克文　9/1/52　**7:5**

印尼徵收外僑稅的分析 　　　　　　　　　　　　萬偕吾　10/1/57　**17:7**

印字小工二百五十年誕祭 　　　　　　　　　　　陳之藩　3/1/56　**14:5**

【六劃】(續)

印度支那的華僑(河內通訊)	丁匡華	7/1/52	**7:1**
印度尼西亞怎樣建國(印尼通訊)	谷夫	9/1/50	**3:5**
印度民社黨首次掌理省政	周祥光	5/1/54	**10:9**
印度共產黨的前途	Chester Bowles 原作／焦木譯	3/1/54	**10:5**
印度各大學研究中國歷史與語文概況	吳秀雲	11/16/57	**17:10**
印度的大學教育	周祥光	12/16/55	**13:12**
印度的不能接觸階級	徐夜窗	8/16/60	**23:4**
印度遊記	湯因比原作／鍾玄靈輯譯	9/16/57	**17:6**
危地馬拉內幕	李毓漢譯	7/16/54	**11:2**
危機四伏的英伊石油事件	時事述評	4/1/51	**4:7**
危險的時代	賴家球譯	10/16/54	**11:8**
吉田內閣總辭與日本政局展望	社論	12/16/54	**11:12**
吉田和反吉田大決戰的前夜	徐逸樵	12/1/54	**11:11**
吉田書簡與「吉田哲學」(東京通訊)	余蒼白	3/1/52	**6:5**
吉田第四任內閣及其前途	徐逸樵	11/16/52	**7:10**
同床異夢的亞非會議	史信	5/1/55	**12:9**
同志！讓我吻你的手	苓	7/1/51	**5:1**
同是後備軍人，何以厚彼薄此？	丁開誠	12/16/56	**15:12**
各級法院應不應該隸屬於司法院？			
——依據憲法第七十七條之「正」解，司法院究竟是個什麼性質的機關？	雷震	2/1/59	**20:3**
各國憲法及其政府	李聲庭	10/1/56	**15:7**
向日本人民進一言	社論	6/16/50	**2:12**
向尼克森先生致意	社論	11/16/53	**9:10**
向伊朗摩沙德總理進一忠告	時事述評	6/16/51	**4:12**
向美國政府重申警告	社論	4/16/52	**6:8**
向美國政府進一言	朱伴耘	6/16/53	**8:12**
向臺北市長黃啓瑞進一言	王夢熊	2/16/59	**20:4**
向蒙藏委員會委員長請教！	汪之孫	8/16/60	**23:4**
向歐洲大陸上的民主領袖進一忠告	時事述評	9/1/50	**3:5**
回到自由祖國的觀感	楊少珍	2/16/56	**14:4**
回教文化與近東問題(上)	張致遠	5/16/52	**6:10**
回教文化與近東問題(下)	張致遠	6/1/52	**6:11**
回教世界中的巴基斯坦	王魯	10/1/55	**13:7**

【六劃】(續)

回教世界之冷戰	龍平甫	4/16/56	**14:8**
地中海防務與美西基地使用協定	黃廣	5/1/53	**8:9**
地方自治乎？省府官治乎？——對省府所擬地方自治法規七種修正草案的總評	傅正	3/1/59	**20:5**
地方自治與民主政治	陳克文	3/16/52	**6:6**
「地方黨治」必須立即停止	社論	5/1/59	**20:9**
在十字路口的高棉王國	苟詩	5/16/56	**14:10**
在夾縫中的緬甸——緬北和李彌的游擊隊	鄭斜陽	9/16/52	**7:6**
在東南亞的中國人	孫宏偉	10/16/51	**5:8**
在美國‧念臺灣	張仲凱	3/1/59	**20:5**
在國民大會反對修改憲法和臨時條款的書面意見	雷震	3/16/60	**22:6**
在教育界多事之秋談建教合作	社論	9/1/53	**9:5**
在野黨及無黨無派人士對於本屆地方選舉向國民黨及政府提出的十五點要求(來件)	雷震	4/1/60	**22:7**
在野黨及無黨無派人士舉行本屆地方選舉檢討會紀錄摘要	選舉檢討	6/1/60	**22:11**
在陰黯矛盾中演變的大陸文藝(上)	東方既白	4/1/59	**20:7**
在陰黯矛盾中演變的大陸文藝(中)	東方既白	4/16/59	**20:8**
在陰黯矛盾中演變的大陸文藝(下)	東方既白	5/1/59	**20:9**
在寒冷的絕崖上	司馬桑敦	2/16/54	**10:4**
在維護「人民自由」與「政治民主」之原則下，中國對經濟措施，應採何種辦法，以實現「經濟社會化」或「經濟平等」(第二次座談會記錄)	蕭仲泉、楊欣泉記錄	4/1/50	**2:7**
在德國俄國共產黨最怕的人	O. K. Armstrong 原作／秦維明譯	3/16/50	**2:6**
在鐵幕之後	夏坦	1/1/50	**2:1**
多目標的水庫之發軔——石門水庫	宋希尚	1/1/58	**18:1**
多災多難的「冤獄賠償法草案」——未被冤埋，又有被肢解的危險	社論	5/16/59	**20:10**
多瑪主義與辯證唯物論	法蘭克原作／陳少廷譯	3/1/57	**16:5**
好一個舞文弄法的謬論！——所謂「修改臨時條款並不是修改憲法本身」	社論(夏道平)	7/16/59	**21:2**
如此「大使」！(印尼通訊)	津棠	12/16/50	**3:12**
如此「圖書審查」！	臺南農職讀者	6/16/55	**12:12**
如此中央日報玉里分銷處主任！	白鵬	11/16/58	**19:10**
如此司法——「奉命不上訴」	社論(夏道平)	11/16/58	**19:10**
如此官樣文書	李良棟	12/16/54	**11:12**
如此的「偉大試驗」！	劉富蘭	1/1/60	**22:1**
如此省立大學——省立法商學院	求直	12/16/58	**19:12**
如此真理報	苓譯	8/16/51	**5:4**

【六劃】(續)

如此婦聯會！	微言	11/1/59	**21:9**
如此莫斯科！	Dorothy Emmerson 原作／陶冬心譯	12/1/52	**7:11**
如此結局	薩滿	4/1/54	**10:7**
如此臺北警察！	李雍民	4/1/58	**18:7**
如此擁護連任！	南瀛	4/1/60	**22:7**
如何加強自由制度——請自便民始	社論	1/1/55	**12:1**
如何加強華僑聯繫、團結反共人士	陶志俠	7/16/55	**13:2**
如何打開韓戰僵局	董時進	11/16/52	**7:10**
如何判斷一個政策的價值	薩孟武	4/1/55	**12:7**
如何利用反對黨？	蔣勻田	9/5/54	**11:5**
如何使和謠失掉作用	社論	3/1/57	**16:5**
如何使國是不再成問題	張九如	11/16/59	**21:10**
如何糾正臺灣選舉的弊端	社論	12/16/56	**15:12**
如何保障基本人權	李鈞	12/1/58	**19:11**
如何建立民主制度	龍一諤	2/1/55	**12:3**
如何建立法治的社會基礎？	龍運鈞	12/16/53	**9:12**
如何根除「四害」？	短評	10/1/58	**19:7**
如何應付共匪的和談攻勢？	社論	7/16/56	**15:2**
如何瞭解美國外交政策	饒大衛	7/1/55	**13:1**
如何邁入民主政治的坦途	吳大宇	4/16/51	**4:8**
如相和尚	周子強	10/16/55	**13:8**
字體簡化勢在必行	張延康	5/1/54	**10:9**
存亡絕續在此一舉——蔣總統復職後我們的願望	社論	3/16/50	**2:6**
守護我們底堡壘(上)	殷海光	4/1/56	**14:7**
守護我們的堡壘(下)	殷海光	4/16/56	**14:8**
安全室是幹什麼的？	社論	5/1/58	**18:9**
安全與自由	海耶克原作／殷海光譯	7/1/54	**11:1**
年終檢討會上	石柱	1/16/58	**18:2**
成功的哲學	陳之藩	6/16/55	**12:12**
收復大陸時所需要的人才	時事述評	9/1/50	**3:5**
早該取消慶典！	短評	10/16/58	**19:8**
有人說：國民政府是被公營事業拖垮的！(香港通訊)	張志楷	5/1/50	**2:9**
有回音的房屋	T. F. Powys 原作／薩滿譯	10/16/54	**11:8**

【六劃】(續)

有容乃大	社論	8/16/51	**5:4**
有容乃大‧無慾則剛	社論(夏道平)	2/16/55	**12:4**
有感於「搶救教育危機」	張瑚玉	1/16/55	**12:2**
有感於大學課程	邁雲	4/1/53	**8:7**
有感於文天祥之被清算	時事述評	1/1/52	**6:1**
有感於水泥紙業兩公司的股東大會	社論	12/1/54	**11:11**
有感於地理教本審查之事	游紹虞	7/1/57	**17:1**
有感於南韓新反對黨的誕生	陳正文	10/16/55	**13:8**
有感於曹聖芬先生的「看法和作法」	易水寒	2/16/57	**16:4**
有感於設置選舉投票觀察員	楊金虎	10/1/59	**21:7**
有感於雲林縣長候選人黃文斗登記受阻撓	張思海	4/16/60	**22:8**
有感於臺大教聘會拒聘事件	朱啟葆(夏道平筆名)	9/16/54	**11:6**
有感於韓國大選	社論	6/1/56	**14:11**
有關中共命運的兩件大事	陳伯莊	8/1/57	**17:3**
有關臺省地方選舉的幾個問題	沈雲龍	4/16/57	**16:8**
朱可夫下臺以後	易浮生	11/16/57	**17:10**
朱可夫事件引起的感想	社論	11/16/57	**17:10**
朱安達──印尼的新總理	蘇益生	5/16/57	**16:10**
「死亡宣告」可以適用於國大代表嗎？	社論(傅正)	1/1/60	**22:1**
死的自由	黎中天	5/16/54	**10:10**
江湖行(一)	徐訏	6/1/59	**20:11**
江湖行(二續)	徐訏	6/16/59	**20:12**
江湖行(三續)	徐訏	7/1/59	**21:1**
江湖行(四續)	徐訏	7/16/59	**21:2**
江湖行(五續)	徐訏	8/1/59	**21:3**
江湖行(六續)	徐訏	8/16/59	**21:4**
江湖行(七續)	徐訏	9/1/59	**21:5**
江湖行(八續)	徐訏	9/16/59	**21:6**
江湖行(九續)	徐訏	10/1/59	**21:7**
江湖行(十續)	徐訏	10/16/59	**21:8**
江湖行(十一續)	徐訏	11/1/59	**21:9**
江湖行(十二續)	徐訏	12/5/59	**21:11**
江湖行(十三續)	徐訏	12/16/59	**21:12**

【六劃】(續)

江湖行(十四續)	徐訏	1/1/60	**22:1**
江湖行(十五續)	徐訏	1/16/60	**22:2**
江湖行(十六續)	徐訏	2/1/60	**22:3**
江湖行(十七續)	徐訏	2/16/60	**22:4**
江湖行(十八續)	徐訏	4/1/60	**22:7**
江湖行(十九續)	徐訏	4/16/60	**22:8**
江湖行(二十續)	徐訏	5/1/60	**22:9**
江湖行(二十一續)	徐訏	5/16/60	**22:10**
江湖行(二十二續)	徐訏	6/1/60	**22:11**
江湖行(二十三續)	徐訏	6/16/60	**22:12**
江湖行(二十四續)	徐訏	7/1/60	**23:1**
江湖行(二十五續)	徐訏	7/16/60	**23:2**
江湖行(續完)	徐訏	8/1/60	**23:3**
灰色的英國	程滄波	7/1/54	**11:1**
灰衣人	聶華苓	9/16/54	**11:6**
百年罪惡	仲岑譯	7/1/51	**5:1**
百科全書的故事	吳魯芹	8/16/51	**5:4**
「百家爭鳴」與「思想擂臺」	嚴明	8/16/57	**17:4**
百慕達會議應有的認識	蔣勻田	6/16/53	**8:12**
「百獸圖」與諷刺文學	梁實秋	1/1/57	**16:1**
羊毛出在羊身上	短評	2/16/59	**20:4**
老人星	郭嗣汾	12/16/56	**15:12**
老伴兒	咸思	12/1/55	**13:11**
老兵的悲哀！——對退除役政策的檢討	余布衣	9/1/59	**21:5**
老碶頭的風情畫	公孫嬿	8/1/54	**11:3**
考察熱	短評	11/5/58	**19:9**
考驗人心向背的準繩	廖樞	11/16/53	**9:10**
自由、平等與民主	鄒文海	4/1/56	**14:7**
「自由」「民主」「社會」三主義合論	曾虛白	3/16/50	**2:6**
自由人(美國出版)	海光(殷海光筆名)	12/1/51	**5:11**
自由人的難題	圓照	12/5/49	**1:2**
「自由中國」十週年感言	毛子水	11/16/59	**21:10**
「自由中國」在棉蘭(印尼通訊)	饒碧松	8/1/50	**3:3**

【六劃】(續)

「自由中國」在華府	張文	7/16/50	**3:2**
「自由中國」的宗旨	胡適	11/20/49	**1:1**
「自由中國」雜誌三週年紀念會上致詞	胡適	12/16/52	**7:12**
自由中國之路——十年了！	社論(殷海光)	2/16/59	**20:4**
自由中國四幕劇(一)	王平陵	2/16/51	**4:4**
自由中國四幕劇(二)	王平陵	3/1/51	**4:5**
自由中國四幕劇(三)	王平陵	3/16/51	**4:6**
自由中國四幕劇(四)	王平陵	4/1/51	**4:7**
自由中國和聯合國的生命	社論	4/16/50	**2:8**
自由中國東西橫貫公路的建設	文農	10/1/58	**19:7**
自由中國與亞洲的前途(舊金山通訊)	榆林	11/16/50	**3:10**
自由之歌	上官予	2/1/53	**8:3**
自由之確鑿意義	張佛泉	5/16/53	**8:10**
自由日談言論自由	龍一諤	2/16/55	**12:4**
自由日談真自由	社論	2/1/54	**10:3**
自由世界十病	李中直	3/16/58	**18:6**
自由主義之今昔	羅鴻詔	8/16/52	**7:4**
自由主義底蘊涵(上)	殷海光	8/1/50	**3:3**
自由主義底蘊涵(下)	殷海光	8/16/50	**3:4**
自由民主是反共的活路	社論(殷海光)	7/16/58	**19:2**
自由亞洲的重要性	杭立武	5/16/55	**12:10**
自由的保障	胡佛原作／陳質如譯	6/1/55	**12:11**
自由的寓言(詩)	梁雲坡	10/1/52	**7:7**
自由的意義	苳譯	8/1/51	**5:3**
自由的意義	鄒文海	3/1/55	**12:5**
自由的謳歌	惜夢	10/16/51	**5:8**
自由社會基於出版自由	小野秀雄原作／郭恒鈺譯	9/16/59	**21:6**
自由是不可分的	Bruce Winton Knight 原作／遠思譯	4/1/52	**6:7**
自由經濟必然平等	王聿修	6/1/54	**10:11**
自由經濟的成就	資友仁譯	3/1/52	**6:5**
自由經濟與開發貸款	Vance Brand 講／毛樹清譯	12/16/59	**21:12**
自由對抗奴役(對大陸廣播)	雷震	1/16/55	**12:2**
自由與人權	崔書琴	2/16/56	**14:4**

【六劃】(續)

自由與文化	張佛泉	1/16/54	**10:2**
自由與奴役的分野	岑	9/1/51	**5:5**
自由與平等	傅斯年	11/20/49	**1:1**
自由與國際和平	張佛泉	5/1/53	**8:9**
自由與解放	海鷗	11/20/49	**1:1**
自由與領導	李僉	10/16/55	**13:8**
自由選擇，選擇自由	社論	11/16/55	**13:10**
自由鐘聲	北均	1/1/50	**2:1**
自由觀念的制度化與組織化	蔣勻田	2/1/54	**10:3**
「自作孽」的尼赫魯	時事述評	12/1/50	**3:11**
自治捐與防衛捐及其紛爭與解決途徑	白瑜	3/1/58	**18:5**
自治與負責	時事述評	10/16/50	**3:8**
自清運動要不得	社論	11/5/55	**13:9**
自然思想與人文思想	菲格原作／殷海光著	3/16/55	**12:6**
自然思想與人文思想(下)	菲格原作／殷海光譯	4/1/55	**12:7**
自毀汝萬里長城？(華府通訊)	許思澄	5/1/51	**4:9**
至高的理性——科學哲學的研究	潘郁良	7/16/59	**21:2**
舟子的悲歌	梁實秋	4/16/52	**6:8**
艾其遜外交政策難得全體支持	時事述評	7/1/50	**3:1**
艾帥返美前夕的西歐防務(西歐通訊)	安道	5/16/52	**6:10**
艾森豪主義與中東危機	社論	2/1/57	**16:3**
艾森豪的思想路線	宋文明	9/16/57	**17:6**
艾森豪威爾與西歐(西歐通訊)	安道	8/1/51	**5:3**
艾森豪總統解放政策的試金石	蔣勻田	7/1/53	**9:1**
艾登辭職與責任政治	社論	2/1/57	**16:3**
血汗與幸福	時事述評	5/1/50	**2:9**
血的洗禮	歐陽賓	10/1/51	**5:7**
血染皖南(皖南通訊)	君健	7/1/51	**5:1**
血旗(上)	潘壘	5/16/55	**12:10**
血旗(中)	潘壘	6/1/55	**12:11**
血旗(下)	潘壘	6/16/55	**12:12**
血證(北平通訊)	王生生	4/1/51	**4:7**
「行易知難」？	短評	4/16/59	**20:8**

【六劃】(續)

行政院主計處來函	行政院主計處	2/16/57	**16:4**
行政院來函	行政院	1/16/57	**16:2**
行政院長應不應到監察院報告備詢	社論(雷震)	1/1/58	**18:1**
行政院籌組設計委員會	時事述評	1/1/51	**4:1**
行政與司法似未配合	虞經華	12/1/54	**11:11**
行為科學中的新概念	徐道鄰	5/1/57	**16:9**
行將揭幕的中國書院	警雷	1/16/54	**10:2**
行憲六年	社論	2/16/54	**10:4**
行憲與民主	社論	3/16/54	**10:6**
行憲與守法	社論	3/1/54	**10:5**
西方「國家」概念的演變	曾子友	7/1/54	**11:1**
西方文明的挑戰	許冠三	3/16/50	**2:6**
西方的抉擇(上)	S. Bernard 原作／一思譯	7/1/53	**9:1**
西方的抉擇(下)	S. Bernard 原作／一思譯	7/16/53	**9:2**
西方的島國：西印度群島聯邦	華明譯	8/16/58	**19:4**
西行漫記	殷海光	4/16/55	**12:8**
西洋通史	陸漸	5/1/53	**8:9**
西班牙之行	孫多慈	5/1/54	**10:9**
西班牙未來的王位問題	竟千	11/5/55	**13:9**
西班牙的政經狀況及其戰略價值	Andre Visson 原作／熊望權譯	6/16/53	**8:12**
西班牙近事(馬德里通訊)	警雷	8/16/51	**5:4**
西班牙怎樣反共(馬德里通訊)	警雷	7/1/51	**5:1**
西班牙是否要參加第三次大戰(瑪德里通訊)	警雷	5/16/51	**4:10**
西班牙留學生的憤怒(瑪德里通訊)	不文	8/1/51	**5:3**
西班牙藍衫黨	警雷	8/16/53	**9:4**
西班牙歡迎中國留學生(馬德里通訊)	警雷	7/16/52	**7:2**
西湖鬼哭(杭州通訊)	伯卿	5/16/51	**4:10**
西雅圖的秋天	叢甦	12/5/59	**21:11**
「西遊記與中國古代政治」	楊正之	6/16/60	**22:12**
西德大選之分析	吳為	10/16/57	**17:8**
西德工業生產近況	鄭壽麟	5/16/55	**12:10**
西德共產黨之解散	萬森	10/16/56	**15:8**
西德參加歐洲防禦及恢復主權問題	龍平甫	12/1/54	**11:11**

【六劃】(續)

西德新內閣	鄭壽麟	2/1/58	**18:3**
西德整軍問題(西歐通訊)	安道	12/1/51	**5:11**
西德總理阿德諾	安道	3/1/54	**10:5**
西德總統的選舉	姜懷平	12/5/59	**21:11**
西德聯邦憲法法院與自由民主	劉慶瑞	6/1/60	**22:11**
西歐的防線(紐約通訊)	曾英奇	6/16/51	**4:12**
西歐輿論對臺灣海峽事件的反響	紀夢平	11/5/58	**19:9**
西歐輿論對韓局的反響	警雷	7/1/53	**9:1**
西藏反共革命的長成與發展	萬夫雄	4/1/59	**20:7**
西藏抗暴的經過與影響	王厚生	4/16/59	**20:8**
西藏戰火的火種——前共產國際情報局的「解放亞洲」方案	吳彥傑	6/1/59	**20:11**

【七劃】

亨利・魯斯對於蔣總統連任所暗示的意見	桑明	12/5/59	**21:11**
佛洛伊德學說的背景與其影響	東方既白	8/1/56	**15:3**
何以沒有讀「自由中國」的自由？	敬禮	11/16/56	**15:10**
何必「逼上梁山」啊！——國民黨爲何開除省議員許世賢等黨籍	李超群	2/1/59	**20:3**
何必庸人自擾？	許思澄	4/1/54	**10:7**
何處是歸宿	朱西甯	5/16/52	**6:10**
何著「貨幣學」評介	華國	7/1/59	**21:1**
何貴乎有銀行？	白瑜	4/1/56	**14:7**
何謂「標準」教科書？	葉宏琛	9/5/54	**11:5**
伽納的獨立	龍平甫	6/1/57	**16:11**
作之君作之師？	羅鴻詔	3/16/52	**6:6**
作爲工業金融市場的證券交易所之主要業務——臺灣證交易所應否緩設之探討	瞿荊洲	3/16/53	**8:6**
你來了(散文詩)	亞一	3/16/50	**2:6**
你要不要做人	社論(殷海光)	12/1/58	**19:11**
余建中先生來函	余建中	3/16/60	**22:6**
克里姆林宮中的貓	關皖同譯	9/1/50	**3:5**
克里姆林宮的政變	龍平甫	4/1/55	**12:7**
克拉克的新猷——摧毀水豐發電廠	短評	7/1/52	**7:1**
克魯克氏談澳洲的移民政策及對中國的外交政策	李達生	3/1/58	**18:5**
「免試升學」如何了？	短評	10/1/58	**19:7**

【七劃】(續)

免試升學和延長義務教育	萬寶戡	3/1/56	**14:5**
兵不在多而在精	短評	3/16/59	**20:6**
兵爲貴！	辛之魯	3/1/55	**12:5**
冷月	琦君	4/1/57	**16:7**
冷眼看「新婚姻法」	劉剛	4/1/53	**8:7**
冷戰、溫戰與熱戰之間(華府通訊)	許思澄	11/1/50	**3:9**
冷戰前線的柏林	龍平甫	10/16/52	**7:8**
吳廷琰其人其事	雷震遠	9/1/56	**15:5**
吳國楨事件發展中的平議	朱啟葆(夏道平筆名)	3/16/54	**10:6**
告大陸農民書	董時進	6/16/57	**16:12**
吻	王敬羲	8/16/54	**11:4**
坐筵	姚詠蕚	7/1/60	**23:1**
尾崎行雄自傳	陳固亭譯	10/1/52	**7:7**
尾崎行雄自傳(中)	陳固亭譯	2/16/53	**8:4**
尾崎行雄自傳(下)	陳固亭譯	3/1/53	**8:5**
希望公佈調整待遇案明細表	刁聯珊	7/16/60	**23:2**
希望於我們的人民代表們	社論	12/1/56	**15:11**
希望政府切實實行陳院長在檢討會的指陳	社論(雷震)	4/1/53	**8:7**
希望能得到公平！——談我這次參加臺中市長競選的觀感	何春木	4/16/60	**22:8**
希斯奇案	吳炳鍾	10/16/53	**9:8**
希臘如何對共產主義作戰？	Spyros Skouras 原作／本刊資料室譯	3/1/50	**2:5**
希臘普選的透視	溫甦	1/1/53	**8:1**
希臘與希臘人	龍平甫	1/16/55	**12:2**
形式主義與官僚政治	雷震	10/16/50	**3:8**
志願軍與志願遣俘	短評	8/16/52	**7:4**
我不贊成選胡適先生做副總統	朱啟葆(夏道平筆名)	2/16/54	**10:4**
我支持臺南市選民檢舉辛文炳	洪安邦	5/16/60	**22:10**
我可以幫助你嗎？	辛之魯	12/16/54	**11:12**
我在紅軍的生活	Fred Virski 原作／冰生譯	2/16/50	**2:4**
我有少數幾句話	徐道鄰	10/1/59	**21:7**
我和老周	張君藍	11/16/54	**11:10**
我所了解的自由	許冠三	1/16/53	**8:2**
我所了解的蔣總統的一面	徐復觀	10/31/56	**15:9**

【七劃】(續)

我所見及的美國中學教育的特點	盛孝玲	9/16/54	**11:6**
我所知道的今日軍事之一面	則鳴	9/16/57	**17:6**
我所知道的日本人	念鹿	6/16/59	**20:12**
我所知道的司法	簡暢	6/16/58	**18:12**
我所認識之「真正的自由人」	梅蘊理(殷海光筆名)	1/16/52	**6:2**
我的小屋	王敬義	11/1/54	**11:9**
我的父親	段永蘭	12/16/51	**5:12**
我的母親(一)	雷震	9/1/60	**23:5**
我的最後航程	易希陶	12/1/57	**17:11**
我的解釋	王鈞	5/16/57	**16:10**
我建議以提名代替選舉	葉時修	4/1/56	**14:7**
我是一個「人」	辛之魯	12/1/54	**11:11**
我是毛澤東的女秘書	蔭君	4/16/51	**4:8**
我為什麼反共？	殷海光	6/16/52	**6:12**
我為港澳知識份子呼籲	虞承唐	7/16/56	**15:2**
我看「甚麼比共產黨更可怕」	沈軍田	1/16/50	**2:2**
我看「選賢與能、節約守法」	朱文伯	4/16/57	**16:8**
我看美國人	辛之魯	2/16/55	**12:4**
我看傻常順兒	鍾梅音	7/1/51	**5:1**
我要追問「標準教科書」盈餘款項問題	孔祥之	7/1/58	**19:1**
我要編一本新尺牘	思果	5/16/58	**18:10**
我們不要瞎猜	社論	9/1/52	**7:5**
我們不能放棄大陸上據點！	社論	12/20/49	**1:3**
我們不能放棄歷史的任務	姬之尹	12/5/49	**1:2**
我們五年來工作的重點	雷震	11/16/54	**11:10**
我們反對軍隊黨化	社論(夏道平)	3/16/59	**20:6**
我們在等待什麼？	時事述評	3/16/51	**4:6**
我們如何爭取世界	J. F. Morse 原作／遠思譯	2/16/50	**2:4**
我們何時與西班牙通使？(瑪德里通訊)	警雷	3/16/51	**4:6**
我們希望立刻改善的三件事(台北通訊)	浩然	7/1/50	**3:1**
我們的中央政制	社論	11/1/57	**17:9**
我們的立場	社論(雷震)	7/1/51	**5:1**
我們的地方政制	社論	11/16/57	**17:10**

【七劃】(續)

我們的呼聲——給臺灣及海外中國同胞的一封公開信	一群中國大陸流亡學生	9/1/58	**19:5**
我們的政府夠民主嗎？	時事述評	11/16/50	**3:10**
我們的軍事	社論(夏道平)	8/16/57	**17:4**
我們的時代是開場還是收場？	羅素原作／劉世超譯	2/1/55	**12:3**
我們的財政	社論	9/5/57	**17:5**
我們的教育(「今日的問題」之十三)	社論(殷海光)	1/16/58	**18:2**
我們的答辯	社論	1/16/57	**16:2**
我們的新聞自由(「今日的問題」之十一)	社論	12/16/57	**17:12**
我們的態度	雷震	11/16/56	**15:10**
我們的檢討與報告	社論	11/16/55	**13:10**
我們的薪餉到那裏去了？	一群第七期海軍預備軍官	2/16/59	**20:4**
我們信賴聯軍統帥的保證	社論	10/16/53	**9:8**
我們為什麼要大學	李經	12/16/54	**11:12**
我們為什麼迫切需要一個強有力的反對黨	雷震	5/16/60	**22:10**
我們為何而戰？我們如何而戰？	蕭仲泉、楊欣泉記錄	2/16/50	**2:4**
我們為甚麼要抗俄反共？	傅斯年	2/16/50	**2:4**
我們要以工作對付工作	雷震	7/1/50	**3:1**
我們要在甚麼時候反攻和怎樣反攻？	趙虛吾	4/16/50	**2:8**
我們要有說真話的自由	社論(殷海光)	7/16/60	**23:2**
我們要求一貫的僑務政策	社論	6/1/57	**16:11**
我們要貫徹「五四」精神	社論	5/1/55	**12:9**
我們衷心期待的反對黨	楊金虎	8/1/60	**23:3**
我們現在已臨一毫不可鬆懈的時候了！	社論	5/16/50	**2:10**
我們曾經捏了一把汗	時事述評	5/16/50	**2:10**
我們對字體簡化的意見	社論(夏道平)	4/16/54	**10:8**
我們對李承晚釋俘事件應有的態度	夏道平	7/1/53	**9:1**
我們對於大專畢業生軍訓的幾句要話	社論	7/16/52	**7:2**
我們對於大陸同胞的信任	時事述評	9/16/50	**3:6**
我們對於反共救國會議的幾點初步意見	社論	10/16/56	**15:8**
我們對於美國新任國防部長馬歇爾的期望	社論	10/1/50	**3:7**
我們對於僑務會議的期望	社論	10/16/52	**7:8**
我們對於管理外匯貿易新辦法的關懷	社論	3/16/55	**12:6**
我們對於調整待遇案的抗議	一群陸軍中下級軍官	7/16/60	**23:2**

【七劃】(續)

我們對海軍總部的期望	一群第七期海軍預備軍官	3/1/59	**20:5**
我們對毀憲策動者的警告	左舜生、張君勘、張發奎、李璜等	3/1/60	**22:5**
我們需要一個文藝政策嗎？	李金	10/16/54	**11:8**
我們需要一個自由中國大運動(香港通訊)	朱啟葆(夏道平筆名)	2/16/50	**2:4**
我們需要一個新的運動！	朱明	5/16/52	**6:10**
我們需要一種健全的政治教育	張中文	2/1/50	**2:3**
我們需要怎樣的行政院長	社論(雷震)	5/16/54	**10:10**
我們應當查究部編「標準教科書」的盈餘款項	施濟民	5/16/58	**18:10**
我們應該怎樣來反共	社論	8/16/56	**15:4**
我們懂得「軍」與「家」	蕭人鑑	12/16/59	**21:12**
我做了「人民代表」(香港通訊)	江天	3/16/52	**6:6**
我參加了三次「控訴美帝罪行大會」(南京通訊)	念鷗	4/1/51	**4:7**
我國不是「一黨專政」麼？	短評	1/1/59	**20:1**
我國不是內閣制嗎？	傅正	6/16/59	**20:12**
我國租稅應走之路	周鐵	4/1/51	**4:7**
我從競選失敗中得到的知識	楊基振	12/16/57	**17:12**
我掙脫了魔掌	謝鍵友	3/16/53	**8:6**
我掏出良心說話！	陳力行	5/1/57	**16:9**
我替領導反共鬥爭的美國著想	雷震	11/16/55	**13:10**
我對「反共救國會議」的意見	周祥光	12/1/53	**9:11**
我對「清議與干戈」的看法——敬答中華日報社長曹聖芬先生	范度才	2/16/57	**16:4**
我對于三民主義的看法和建議	殷海光	6/16/60	**22:12**
我對公文改革的意見	吳守璞	1/1/52	**6:1**
我對反共救國會議之希望	邵鏡人	1/1/57	**16:1**
我對反共救國會議的希望	朱伴耘	12/16/53	**9:12**
我對反共救國會議的看法	董時進	11/16/53	**9:10**
我對印度中共邊界糾紛的看法	佘陽	12/16/59	**21:12**
我對於在野黨的基本建議	殷海光	7/16/60	**23:2**
我對於改革華僑教育課程底芻議	孟戈	10/1/59	**21:7**
我對於知識分子大結合的看法和寄望	牟力非	8/1/58	**19:3**
我對副總統選舉的意見	董時進	2/1/54	**10:3**
我對清算史達林的看法	王新衡	5/16/56	**14:10**
我對解決蘇彝士運河爭端的看法	蔣勻田	8/16/56	**15:4**

【七劃】(續)

我對僑教前途的信心	吳德耀	1/1/53	**8:1**
我對蕭伯納的看法	傅孟真	11/16/50	**3:10**
我憶孟真先生	海光(殷海光筆名)	1/16/51	**4:2**
我關心免試升學的前途	馮文正	1/1/57	**16:1**
我響應公文改革的建議	徐芸書	1/16/52	**6:2**
我讀「山洪暴發的時候」	歸人	9/5/54	**11:5**
抗俄的祕密武器	苓譯	6/1/51	**4:11**
抗俄聲中的西歐(巴黎通訊)	一鴉譯	3/1/51	**4:5**
「抗美援朝」下的南京(南京通訊)	曼青	1/1/51	**4:1**
「抗美援朝」聲中的北平(北平通訊)	王其祿	1/16/51	**4:2**
抗議印尼政府非法捕僑	史丹青	10/16/54	**11:8**
抗議與申訴	社論	6/16/55	**12:12**
「技術革命」如此云乎？	何可	10/1/59	**21:7**
把握、把握、把握住人心！	社論	5/1/50	**2:9**
把握住迴轉中的人心	時事述評	4/16/50	**2:8**
扼殺民營報紙的又一辦法	社論(傅正)	9/16/58	**19:6**
改革政治、團結人心	陳啟天	10/31/56	**15:9**
改組與改革	社論	4/1/58	**18:7**
改善投資環境的基本問題	社論	2/1/60	**22:3**
改進黨政關係	社論	4/16/58	**18:8**
改幣以來台灣的貨幣與金融	何千里	2/1/51	**4:3**
更多的民主與更多的自由	社論	5/1/54	**10:9**
李四光靠攏初觸霉頭(香港通訊)	齊霞	11/1/50	**3:9**
李辰冬先生來函	李辰冬	5/1/57	**16:9**
李辰冬著「陶淵明評論」	廉齋	2/1/57	**16:3**
李宗仁完了！	時事述評	12/16/51	**5:12**
李隆老店	司馬中原	2/1/58	**18:3**
李萬居先生在選舉改進座談會委員會議第一次會議中致開會辭全文	李萬居	7/1/60	**23:1**
杜甫與佛	梁實秋	1/1/50	**2:1**
杜邱會談與世界局勢的發展(華府通訊)	伴耘	2/16/52	**6:4**
杜威在中國	胡適講／夏道平譯	8/16/59	**21:4**
杜威訪澳紀聞(澳洲通訊)	胡慧	9/1/51	**5:5**
杜勒斯對中東問題的幾個錯誤觀念	鼎山	9/1/58	**19:5**

【七劃】（續）

杜麥論戰中的兩點	時事述評	5/16/51	**4:10**
杜魯門與塔虎脫之爭	時事述評	2/16/51	**4:4**
杜魯門與羅斯福	鄧啟	2/1/51	**4:3**
求公平、節浪費！——寫在軍公教人員待遇調整之前	社論	6/16/52	**6:12**
沙坪土貝風光黯淡(重慶通訊)	丘宛如	9/16/51	**5:6**
沈痛的呼籲	李心田	3/1/54	**10:5**
沒有史達林的第一個十一月	Bertram D. Wolfe 原作／遠思譯	12/16/53	**9:12**
灼子	司馬中原	9/5/57	**17:5**
災區重建計劃與緊急處分命令——開闢財源應從杜絕浪費、整頓稅收著手	社論	9/16/59	**21:6**
狄托叛離了蘇俄嗎？(下)	M. S. Handler 原作／程之行譯	12/1/52	**7:11**
狄托叛離了蘇俄嗎？(上)	M. S. Handler 原作／程之行譯	11/16/52	**7:10**
狄托與莫斯科爭執內情與影響	丁堅	6/1/58	**18:11**
究竟誰在給共匪利用？	社論	3/16/58	**18:6**
言論自由的認識及其基本條件	社論(雷震／殷海光)	10/1/51	**5:7**
言論自由與「百家爭鳴」	張佛泉	10/1/56	**15:7**
言辭與思想及行為的關係	徐傳禮	2/16/59	**20:4**
谷鳳翔何時撤職查辦？	短評	1/1/59	**20:1**
谷鳳翔逍遙法外！	短評	2/1/59	**20:3**
谷鳳翔還不該撤換嗎？	陶潤之	8/16/58	**19:4**
谷錫五先生事略	周德偉	7/1/55	**13:1**
貝利亞被捕後的蘇俄內政與外交	龍平甫	9/16/53	**9:6**
「赤地」——良心論	朱介凡	8/1/55	**13:3**
赤魔掌下的東歐天主教	安道	11/16/52	**7:10**
走向虎口的印度	王魯	8/16/54	**11:4**
身份證的秘密(下)	沈晦	2/1/50	**2:3**
身份證的秘密(上)	沈晦	1/16/50	**2:2**
車禍！車禍！	短評	2/16/59	**20:4**
車禍猖獗，人命草芥！	趙清之	10/1/53	**9:7**
迅速締結太平洋公約	社論	9/1/50	**3:5**
防空洞與公共廁所之間	短評	10/16/58	**19:8**

【八劃】

並不是悲觀	陳之藩	5/1/55	**12:9**

【八劃】(續)

亞拉伯人爲甚麼反對美國	Stephen B. L. Penrose 原作／關迪潛譯	9/1/52	**7:5**
亞非會議素描	史信	5/16/55	**12:10**
亞非會議與中共陰謀	社論	5/1/55	**12:9**
亞非學生會議之初貌	史信	7/1/56	**15:1**
亞非學生會議公報全文	史信	7/1/56	**15:1**
亞洲人民反共的最終目的	張佛泉	7/16/54	**11:2**
亞洲反共人士在臺北	夏道平	6/16/55	**12:12**
亞洲反共人民的團結問題	包時學	7/16/55	**13:2**
亞洲赤禍的外在原因	喬治原作／聶華苓譯	11/16/50	**3:10**
亞洲赤禍的外在原因(中)	喬治原作／聶華苓譯	12/1/53	**3:11**
亞洲赤禍的外在原因(下)	喬治原作／聶華苓譯	12/16/50	**3:12**
亞洲協會的工作	羅勃・布侖姆原作／章雅谷譯	10/16/56	**15:8**
亞洲當赤禍之衝	喬治原作／聶華苓譯	5/1/50	**2:9**
亞盟要把握住反共的有效武器	社論	5/16/55	**12:10**
亞盟會議的流產與亞洲團結反共	社論	6/1/55	**12:11**
供給制爲浪費之源	社論	1/16/58	**18:2**
兒童玩具	短評	3/1/59	**20:5**
兩　點補充意見	張力行	8/16/52	**7:4**
兩「口」才可交流	短評	11/5/58	**19:9**
兩年來本刊內容的分析和檢討	夏道平	11/16/51	**5:10**
兩個英國間諜使美國在韓戰中受挫	華明譯	11/16/55	**13:10**
兩個戰略的交綏	陶希聖	7/16/50	**3:2**
兩截壓憋了的黃瓜(小說)	楊海宴	10/1/59	**21:7**
刷新外交的三大前題	社論	6/16/56	**14:12**
到什麼地方去？	陳之藩	6/1/55	**12:11**
到世界和平之路！	王國璋	10/1/59	**21:7**
到臺灣後的觀感(臺北通訊)	劉志英	6/16/50	**2:12**
制裁人類底公敵！	社論	3/16/51	**4:6**
制憲與行憲	蔣勻田	3/16/54	**10:6**
卑微的人	聶華苓	7/16/57	**17:2**
卷頭語	本社	7/1/50	**3:1**
取消「黨化司法」	短評	2/1/59	**20:3**
取消一黨專政！──從黨有、黨治、黨享走向民有、民治、民享的大道	社論	1/16/59	**20:2**

【八劃】(續)

呼籲從速召開反共救國會議——並請蔣總統釋疑	社論	11/5/58	19:9
和比戰難	岳文彬	2/16/53	8:4
「和平共存」？	蔣廷黻	2/16/58	18:4
和平頌	苓	12/1/51	5:11
和約談判的癥結在那裡？	短評	4/16/52	6:8
周主席進步了？	短評	1/16/59	20:2
周室果有仁政乎？	沈剛伯	9/16/59	21:6
周棄子先生來函	周棄子	12/1/56	15:11
固步自封的僑務	喬迺南	5/16/58	18:10
夜奔	王敬義	2/1/59	20:3
夜窗詩草	徐訏	9/1/58	19:5
「奉命不上訴」的新論證	史濟人	12/1/58	19:11
「奉命不上訴」爲何「不予起訴」？	社論(夏道平)	1/16/59	20:2
奇怪不奇怪？	章船	3/16/59	20:6
妻以夫貴	王明龍	7/1/56	15:1
孟買大暴動寫真	吳東	3/1/56	14:5
孤鳳孤雛	陳紀瀅	12/20/49	1:3
官家良申冤的「陳情書」	官家良	3/1/59	20:5
官商勾結的背信罪	陶百川	5/1/55	12:9
官僚政治別論	陳威伯	1/16/51	4:2
幸運的石頭	郭衣洞	4/1/54	10:7
幸福的病	胡平	3/1/53	8:5
忠誠的反應	蔣勻田	10/31/56	15:9
念重慶	田麟	1/1/50	2:1
怪哉！所謂葉廷珪政見「語句刺激」！	高心平	4/16/60	22:8
所望於軍政當局者(新竹通訊)	李文燦	6/1/50	2:11
所望於教育當局者	水元	11/16/57	17:10
所望於臺省審計處者	彭郎	11/5/55	13:9
所謂「人民電影」的形形色色(香港通訊)	盧一劍	2/1/52	6:3
所謂「勿蹈民盟路線的覆轍」	傅正	4/1/58	18:7
所謂「時裝表演」事件的始末與我們的觀感	社論	3/1/55	12:5
所謂「精神講話」	詹同章	2/1/59	20:3
承認中共政府問題	費威克	2/1/54	10:3

【八劃】(續)

承認中國赤色政權我們能有甚麼收穫？	美國星期六晚報社論／本刊資料室譯	12/20/49	**1:3**
拉斯基教授之死	陳恩成	5/16/50	**2:10**
拉斯基教授最後兩本書	程滄波	2/1/53	**8:3**
放棄了的道路	海耶克原作／殷海光譯	9/1/53	**9:5**
放寬對匪禁運的危險性	社論	5/16/57	**16:10**
於歡迎蔣廷黻博士以後	社論	4/1/51	**4:7**
昆明——一個寂靜的死谷(昆明通訊)	滇君	1/1/51	**4:1**
明仁的婚約在預兆些甚麼？	徐逸樵	2/16/59	**20:4**
明清名賢百家書札真跡序	胡適	6/16/54	**10:12**
明寮一年	雷震	1/1/58	**18:1**
「東大事件」和日本大學問題(東京通訊)	徐逸樵	4/1/52	**6:7**
東北變色的鐵證(香港通訊)	馬存坤	5/1/50	**2:9**
東亞的命運	胡適	1/1/53	**8:1**
東南亞當前的危機	陳國礎	10/16/50	**3:8**
東南亞聯防公約軍事會議在星開幕	荀詩	8/1/56	**15:3**
東德人民在過著什麼樣子的生活？	宋念慈譯	8/1/53	**9:3**
東德人民揭竿而起	龍平甫	8/1/53	**9:3**
東德六月抗暴事件之回顧(上)	鄭壽麟	4/1/54	**10:7**
東德六月抗暴事件之回顧(下)	鄭壽麟	4/16/54	**10:8**
東歐社會經濟現況	Dr. George Kemney 原作／李循和譯	1/1/54	**10:1**
東歐鐵幕背後(維也納通訊)	安道	1/1/52	**6:1**
林何皮三案判後感	余致力	4/1/57	**16:7**
林肯一百五十年的生日紀念	胡適	2/16/59	**20:4**
林肯新傳	夏道平	3/16/55	**12:6**
林語堂與周恩來	蕭立坤	5/16/55	**12:10**
欣幸中的疑慮——關於蔣總統反對修憲的聲明	社論	1/1/59	**20:1**
欣聞杜先生將自遠方來	時事述評	7/1/51	**5:1**
欣賞與了解	梁實秋	8/16/58	**19:4**
武裝共存的面面觀	朱伴耘	1/1/55	**12:1**
武漢近況的一角(台北通信)	念枭	4/1/50	**2:7**
歧路	金溟若	12/1/50	**3:11**
注視章勳義案的發展	林剛	11/16/54	**11:10**
泥土的芬芳	陳之藩	1/16/56	**14:2**

【八劃】(續)

河邊的故事	陳之藩	2/1/57	**16:3**
波濤洶湧的湖南(長沙通訊)	譎齋	3/16/51	**4:6**
波蘭人的反共怒潮	龍平甫	9/1/56	**15:5**
波蘭的「二次革命」	龍平甫	4/1/57	**16:7**
法共動態(巴黎通訊)	警雷	12/1/51	**5:11**
法共控制了工聯(西歐通訊)	警雷	4/1/52	**6:7**
法治乎？黨治乎？	社論	9/1/56	**15:5**
法治底要旨	海耶克原作／殷海光譯	12/16/53	**9:12**
法治是甚麼？	李聲庭	8/16/59	**21:4**
法治與武斷	簡暢	11/16/58	**19:10**
法律與自由	社論(雷震)	1/1/53	**8:1**
法家的淵源、演變、及其影響	沈剛伯	10/1/57	**17:7**
法國大選之分析	齊佑之	3/1/56	**14:5**
法國孟德斯法朗士內閣	齊萬森	9/5/54	**11:5**
法國政局何以動盪不安？	楊日旭	10/16/53	**9:8**
法國政黨政治的動向(巴黎通訊)	舒文	6/16/52	**6:12**
法國原子政策及其對國際局勢的影響	孔治	9/16/59	**21:6**
法國國會的解散	齊佑之	1/1/56	**14:1**
法國第五共和的第一屆國會與政府	姜懷平	7/1/59	**21:1**
法國最近會承認中共嗎？	田雨耕	5/16/56	**14:10**
法國新閣的政治及其瞻望	孔治	9/16/57	**17:6**
法國與歐洲聯防	齊萬森	11/1/54	**11:9**
法國整軍問題(巴黎通訊)	警雷	9/16/51	**5:6**
法屬北非問題	社論	9/18/55	**13:6**
治安機關無權查扣書刊			
——從「祖國周刊」被扣說到書報雜誌審查會報之違法	社論(傅正)	3/16/59	**20:6**
治安機關應知所警惕	李士龍	1/16/58	**18:2**
治亂底關鍵	殷海光	6/16/53	**8:12**
泡沫	子強	3/16/50	**2:6**
泛評僑務決策	孟戈	9/16/58	**19:6**
泛談現代文化	張致遠	9/16/54	**11:6**
爭自由為革命的動因	蔣勻田	1/1/57	**16:1**
爭取人民	王雲五	1/1/51	**4:1**

【八劃】(續)

「爭取人民」讀後感	士璋	2/1/51	**4:3**
爭取臺灣地方選舉的重點	楊基振	3/16/60	**22:6**
物價，公教待遇與財政	社論	4/16/60	**22:8**
物價問題與行政技術問題	張九如	2/1/56	**14:3**
狀元及第	喬鵬書	9/1/60	**23:5**
的里雅斯德港問題的解決	齊萬森	11/16/54	**11:10**
的港問題的演變	齊萬森	12/1/53	**9:11**
直接向史達林報告	美國之音	12/20/49	**1:3**
知與行之概念的分析	羅鴻詔	11/1/53	**9:9**
知識——最有力量的武器	Grayso Kirk 原作／徐里譯	6/16/54	**10:12**
社會主義之方向轉變	張君勱	11/16/59	**21:10**
社會主義乎？辯證唯物神學乎？(上)	楊一樵	10/16/50	**3:8**
社會主義乎？辯證唯物神學乎？(下)	楊一樵	11/1/50	**3:9**
社會主義未能改進生活	王聿修	1/1/54	**10:1**
社會主義的虛妄	歐陽賓	4/1/51	**4:7**
社會主義與專制	密色斯原作／資友仁譯	1/1/50	**2:1**
社會學的幾個變遷	張天增	3/16/59	**20:6**
糾正世人對共產主義的錯覺	W. H. Chamberlin 原作／召中譯	12/1/51	**5:11**
「肥水」不落外人田	短評	4/1/59	**20:7**
芬蘭在熊爪下的掙扎(芬京通訊)	白盧	5/16/51	**4:10**
近年的政治心理與作風(「今日的問題」之十四)	社論(殷海光)	2/1/58	**18:3**
邱吉爾的生意經	苓譯	10/16/51	**5:8**
邱吉爾導演的東西巨頭會議	朱伴耘	12/1/53	**9:11**
金七公公的期待	歐陽賓	4/16/53	**8:8**
金日成會見記(香港通訊)	何子修	7/1/52	**7:1**
金門事件發展中的期待	社論	9/16/54	**11:6**
金陵瑣憶	段永蘭	2/16/52	**6:4**
長江水災之探討	宋希尚	10/1/54	**11:7**
門	周子強	10/16/57	**17:8**
阿拉伯聯盟之組織及其背景	維諒	6/16/56	**14:12**
阿根廷的政制及政治	涂浩如	8/1/54	**11:3**
阿根廷的革命	蕭立坤	8/1/55	**13:3**
阿根廷的教育	蕭立坤	8/16/55	**13:4**

【八劃】(續)

阿根廷獨裁者裴倫的倒臺	田心	10/1/55	**13:7**
雨過天青(上)	黎中天	11/16/53	**9:10**
青年反共救國團的健全發展的商榷	徐復觀	10/16/52	**7:8**
青年反共救國團問題(「今日的問題」)之十二	社論(傅正)	1/1/58	**18:1**
青年救國團害國害青年	路狄	6/16/58	**18:12**
青年節應當改期	夏道平	4/1/53	**8:7**
青年團破壞法制與浪費國帑	路狄君	1/16/58	**18:2**
青春戀(小說)	Lesley Conger 原作／聶華苓譯	9/16/52	**7:6**
非不能也，是不為也！	短評	1/16/59	**20:2**
非洲世紀的開端與東西冷戰	宋文明	8/1/58	**19:3**

【九劃】

亟待拯救的臺灣林業	社論	5/1/56	**14:9**
「便民」口號重實踐	短評	5/1/52	**6:9**
保安處分執行法	短評	4/1/59	**20:7**
保障人權還在「研究」中	短評	11/16/58	**19:10**
保障出版自由	短評	12/1/58	**19:11**
保護政策的限度	社論	9/18/55	**13:6**
俄毛貸款之謎	趙岡	5/1/57	**16:9**
俄共內爭的意義與影響	社論	7/16/57	**17:2**
俄共內鬨的分析	龍平甫	8/16/57	**17:4**
俄帝外交的戰略	陶震宇	5/1/55	**12:9**
俄帝的新動向及民主國家應有的對策	鄒文海	9/1/53	**9:5**
俄帝對中近東的威脅	慰慈	6/16/56	**14:12**
俄國大鼻子在上海(上海通訊)	齊霞	10/1/50	**3:7**
俄國與西方的對壘	湯比原作／葉雨槀譯	6/16/53	**8:12**
俄羅斯帝國主義之發展(上)	胡秋原	2/16/51	**4:4**
俄羅斯帝國主義之發展(下)	胡秋原	3/1/51	**4:5**
俄羅斯帝國主義之傳統	胡秋原	7/1/50	**3:1**
俞院長的兼職問題	趙小培	10/1/54	**11:7**
俞鴻鈞真的不是拒絕調查嗎？	陳文峰	3/1/58	**18:5**
前線第一、第一前線	時事述評	5/16/50	**2:10**
勇敢的新世界中的科學(寓言小說)	赫胥黎原作／劉世超譯	5/1/59	**20:9**

【九劃】(續)

勉新任大法官	李聲庭	10/16/58	**19:8**
南洋大學開學了！	荀詩	4/16/56	**14:8**
南美洲教訓了美國什麼？	社論	6/1/58	**18:11**
南越北越行走	劉生	8/1/55	**13:3**
南漪湖上的反共英雄(宣城通訊)	江風	10/1/51	**5:7**
南德風光	易希陶	4/16/58	**18:8**
南韓新反對黨的誕生	社論	10/1/55	**13:7**
南韓戰事勢必拖延	時事述評	7/16/50	**3:2**
南韓聯軍戰俘營反共愛國同胞的一封信	南韓聯軍戰俘營	9/1/52	**7:5**
哀王孫(紐約通訊)	曾英奇	6/1/51	**4:11**
哀思錄引(詩)	李經	3/16/60	**22:6**
哀悼瘦桐管公度先生	夏道平	9/1/59	**21:5**
哀維也納(維也納通訊)	恨生	12/16/50	**3:12**
哀聯合國	徐鍾珮	5/16/50	**2:10**
哈德遜劇院	陳之藩	1/16/57	**16:2**
城南舊事(上)	林海音	12/1/57	**17:11**
城南舊事(下)	林海音	12/16/57	**17:12**
客從長春來(香港通訊)	祁自珍	11/16/51	**5:10**
封建式的現行公文程式應予改革	余崇華	12/16/51	**5:12**
屏東縣警察局來函	屏東縣警察局	6/16/58	**18:12**
建立反共知識的權威	社論	4/1/56	**14:7**
建立自由教育必須剔除的兩大弊害	羅大年	10/31/56	**15:9**
建立我們的法律觀念	王聿修	9/5/57	**17:5**
建立法治	社論(夏道平)	8/16/56	**15:4**
建立現代化的制度	社論	1/16/51	**4:2**
建立聯合陣線正是時候了！	時事述評	1/16/51	**4:2**
建議中韓日同盟	社論	7/1/54	**11:1**
建議推胡適先生為諾貝爾文學獎金候選人	余光中等	2/1/57	**16:3**
待遇調整案的檢討	社論	12/1/57	**17:11**
待遇還不調整嗎？	劉鳴	2/1/57	**16:3**
後設歷史學試論	殷海光	11/16/58	**19:10**
怒吼(上)	田麟	8/1/50	**3:3**
怒吼(下)	田麟	8/16/50	**3:4**

【九劃】(續)

思想上的自由主義與統制主義	羅鴻詔	3/16/53	**8:6**
思想自由與自由思想	殷海光	11/20/49	**1:1**
思想家能做些什麼？	劉世超	4/16/54	**10:8**
思想真能改造嗎？	吳康	8/1/52	**7:3**
急救臺灣地方政治	社論	9/1/58	**19:5**
急轉直下的中日媾和	社論	2/1/52	**6:3**
怎樣才使國大的紛爭平息了的！	社論(雷震／夏道平)	3/16/60	**22:6**
怎樣以凱因斯的理論來研究臺灣經濟	趙岡	4/1/57	**16:7**
怎樣申請留美獎學金？	王若愚	8/1/54	**11:3**
怎樣糾正不良學風？	康梅	7/16/57	**17:2**
怎樣挽救當前的危局？	社論	6/16/57	**16:12**
怎樣發揚我們的力量！	余家菊	5/16/50	**2:10**
怎樣實行節約	時事述評	8/16/51	**5:4**
怎樣擊敗俄國	海光(殷海光筆名)	6/16/51	**4:12**
恢復固有道德的問題	陳康	10/16/55	**13:8**
恪遵憲法厲行法治	李聲庭	11/16/59	**21:10**
拜年	夏承楹	2/1/57	**16:3**
拾起屠刀	朱西寧	6/1/51	**4:11**
拾夢(上)	郭嗣汾	2/1/55	**12:3**
拾夢(下)	郭嗣汾	2/16/55	**12:4**
政府不可誘民入罪	社論	6/1/51	**4:11**
政府不應用經濟方法打擊民營報紙！	社論(傅正)	12/1/58	**19:11**
政府不應再坐視人口的增加	金承藝	8/1/59	**21:3**
政府不應縱容中廣公司違法！	社論	5/1/60	**22:9**
政府召開「反共救國會議」有感	周祥光	12/1/56	**15:11**
政府和輿論都應重視這一次的反應！	社論(雷震)	11/16/56	**15:10**
政府豈可趁「災」加價？	社論	12/5/59	**21:11**
政府權力與公民自由	許冠三	7/1/57	**17:1**
政府權威與公民自由	許冠三	1/16/54	**10:2**
政治力量的分析研究	F. L. Neumann 原作／陳克文譯	2/16/53	**8:4**
政治民主才能經濟平等	邱昌渭	2/16/54	**10:4**
政治作風和人情味	夏道平	7/1/51	**5:1**
政治批評之我見	龍一諤	8/16/54	**11:4**

【九劃】(續)

政治改革不容再緩！	社論	12/16/56	**15:12**
政治的神經衰弱症	社論(殷海光)	6/16/58	**18:12**
政治花瓶推行花瓶政治	短評	11/5/58	**19:9**
政治建設的根本問題	王師曾	10/31/56	**15:9**
政治相聲	短評	12/1/58	**19:11**
政治家民主風度的榜樣	時事述評	9/16/50	**3:6**
政治家與專家	鄒文海	2/16/53	**8:4**
政治常識	佛泉	8/16/54	**11:4**
政治組織與個人自由	殷海光	1/16/54	**10:2**
政治與自私	朱伴耘	12/1/52	**7:11**
政治與道德	社論	1/16/52	**6:2**
政治廣告	短評	1/16/59	**20:2**
政潮起伏的意大利	方及	5/1/54	**10:9**
政黨的承認問題	中央日報	9/1/60	**23:5**
春回	童真	3/1/57	**16:5**
春風綠來話和平	朱伴耘	6/1/53	**8:11**
是「中國通」還是「通」中共？	時事述評	5/1/50	**2:9**
是什麼，就說什麼(代緒論)	社論(殷海光)	8/1/57	**17:3**
是我殺害了他嗎！？(上)	宛宛	10/16/52	**7:8**
是我殺害了他嗎！？(中)	宛宛	11/1/52	**7:9**
是我殺害了他嗎！？(下)	宛宛	11/16/52	**7:10**
星加坡大暴動的始末	史信	11/16/56	**15:10**
星加坡工潮學潮的經過和分析	荀詩	6/16/55	**12:12**
星加坡在轉變中	司馬夫	10/16/56	**15:8**
星加坡的工商貿易考察團	劉申	8/1/56	**15:3**
星加坡的新閣登場	荀詩	7/1/56	**15:1**
星加坡的隱憂	林僧	2/1/58	**18:3**
星加坡獨立談判之分析	荀詩	6/1/56	**14:11**
星洲政府大捕共黨份子	唐篤	10/16/57	**17:8**
柏林危機與日內瓦四外長會議	社論	5/1/59	**20:9**
柏林會議	龍平甫	3/16/54	**10:6**
「洪承疇」致前駐緬大使涂允檀書(曼谷通訊)	王安石	2/16/50	**2:4**
洪憲帝制期間各方申討之文獻	葛文侯	2/16/60	**22:4**

【九劃】(續)

活躍三湘的反共游擊英雄(湖南通訊)	曼卿	4/1/51	**4:7**
爲「自由談」作一次義務廣告	芥子	12/16/55	**13:12**
爲「自治」半月刊橫遭查扣而抗議	社論(雷震／夏道平)	1/1/58	**18:1**
爲「被誣衊了的資本主義」一書之被擅刪改，向行政院經濟安定委員會工業委員會抗議	夏道平	3/1/58	**18:5**
爲一本「文藝名著」的出版與推薦而抗議	余錚	11/1/53	**9:9**
爲中日簽約問題正告日本和我國政府	社論	2/16/52	**6:4**
爲中國地方自治研究會再說幾句話	朱文伯	1/16/59	**20:2**
爲日本前途憂(東京通訊)	苗劍秋	12/16/51	**5:12**
爲四屆縣市議員選舉婉告國民黨人	社論	12/16/57	**17:12**
爲民主和自由解惑	社論	9/1/55	**13:5**
爲永久性的臨時雇員說一句話	林合源	1/1/58	**18:1**
爲目的可以不擇手段嗎？	T. V. Smith & Eduard C. Lindeman 原作／夏道平節譯	5/1/54	**10:9**
爲地理教本審查事質詢教育部	李月軒	6/16/57	**16:12**
爲在野黨的遭遇說幾句話	楊正義	9/5/57	**17:5**
爲自由中國而戰	思齊	1/16/50	**2:2**
爲自由而戰	漢爾登原作／一鴞譯	2/16/51	**4:4**
爲李承晚釋俘事件婉告美國	社論	7/1/53	**9:1**
爲政不在於擺排場逞威風——向周至柔主席進一言	社論	10/1/58	**19:7**
爲甚麼要教員強銷書刊？	陳偉士	6/16/58	**18:12**
爲美國人想——唯有解放政策才能避免原子戰爭	社論	8/16/54	**11:4**
爲胡適之先生有關文藝的談話進一解	子強	1/1/53	**8:1**
爲軍公教人員叫不平	社論(夏道平)	6/16/60	**22:12**
爲害於人類的觀念	羅素原作／殷海光譯	12/16/52	**7:12**
爲師大費副教授呼籲社會正義！	程和	8/16/60	**23:4**
爲國民黨改造進一言	社論(雷震)	8/1/50	**3:3**
爲教師爭人格	社論(殷海光)	9/16/58	**19:6**
爲菲化案敬告菲國政府	社論	4/1/54	**10:7**
爲僑資進口物資辦法再進一言	邱平	1/1/58	**18:1**
爲調景嶺難胞呼籲	短評	1/16/53	**8:2**
爲調整待遇闢財源	夏佐虞	3/1/57	**16:5**
爲學術教育工作者請命	社論	6/1/58	**18:11**
爲縣市長省議員候選人提名向國民黨進一言	陳紹基	11/16/56	**15:10**

【九劃】(續)

爲蘇俄出一奇計	時事述評	10/1/50	**3:7**
爲鹽民請命	時事述評	8/1/50	**3:3**
珍珠港偷襲的決策與實行	李祥麟	10/1/53	**9:7**
甚麼比共產黨更可怕？	金承藝	12/20/49	**1:3**
甚麼是民主政治的真諦？	江宗一	11/16/56	**15:10**
省立復興中學來函	省立復興中學	3/1/57	**16:5**
省立農學院學生的哀鳴	王有守、凌天賜	12/16/58	**19:12**
省教育廳秘書處來函	省教育廳秘書處	2/1/60	**22:3**
省教育廳答本刊投書質疑	省教育廳	2/1/60	**22:3**
省議會的風波！	漢瑞	7/1/59	**21:1**
相對論——一個較豐富的真理(上)	殷海光	8/16/55	**13:4**
相對論——一個較豐富的真理(下)	殷海光	9/1/55	**13:5**
看人家・想自己	短評	11/5/58	**19:9**
看大陸念反攻	張益弘	3/1/58	**18:5**
看中共的最近動態	厚生	7/16/59	**21:2**
看中共統治下的工農(香港通訊)	吳一并	9/16/50	**3:6**
看中共與蘇共之間的關係	王厚生	2/1/60	**22:3**
看交通部的疏遷德政！	一鳴	5/16/60	**22:10**
看我國所漠視的可倫坡計劃如何被日本利用	羅堅白	1/16/60	**22:2**
看兩位先哲對於出版自由的意見	金承藝	6/16/58	**18:12**
看官方的違章建築！	盧華英	10/1/58	**19:7**
看法商學院之前途	宋宗憲	7/16/59	**21:2**
看國大幕後活動如此這般！	汪文瑞	3/16/60	**22:6**
看國民大會的明爭暗鬥！	袁治本	3/1/60	**22:5**
看陳院長的「勇氣」和「決心」	短評	3/1/59	**20:5**
看陸軍射擊比賽大會(鳳山通訊)	文靜	3/16/51	**4:6**
看嘉義大林中學梅山分部妄施黨化教育！	林亨	9/1/60	**23:5**
看監察院的！	短評	12/1/58	**19:11**
看臺灣各縣市群雄角逐！——關於全省二十一縣市選局報導	本刊資料室	4/16/60	**22:8**
研究貪污問題的第一課	社論	9/16/56	**15:6**
研究敵情不容自我陶醉	社論	4/16/52	**6:8**
科學定律與倫理定律	愛因斯坦原作／殷海光譯	5/1/55	**12:9**
科學是甚麼？	潘毓剛	4/16/59	**20:8**

【九劃】(續)

科學教育的基本認識	社論	2/1/59	**20:3**
科學與社會	海光(殷海光筆名)	11/1/51	**5:9**
科學與裁軍	方子衛	8/1/60	**23:3**
科學與道德	羅鴻詔	2/1/55	**12:3**
秋在東京	孟清流	12/1/54	**11:11**
秋思	虞敏平(夏道平筆名)	11/1/53	**9:9**
突尼斯問題及其解決	齊佑之	9/18/55	**13:6**
紅十字會台灣省分會來函	紅十字會台灣省分會	11/16/59	**21:10**
紅白壽慶送往迎來——從臺北市長黃啓瑞娶兒媳「大擺流水席」說到官場風氣	社論	2/1/60	**22:3**
紅色中國的叛徒	之尹	3/16/51	**4:6**
紅絨鞋	周子強	7/1/57	**17:1**
紅裙	胡平	5/1/53	**8:9**
紅旗下的大學生活	悼萍	6/16/52	**6:12**
紅樓夢的藝術價值與小說裏的對白(一)	徐訏	2/16/58	**18:4**
紅樓夢的藝術價值與小說裏的對白(二續)	徐訏	3/1/58	**18:5**
紅樓夢的藝術價值與小說裏的對白(續完)	徐訏	3/16/58	**18:6**
紅樓夢後四十回的考證問題(上)——對林語堂先生的翻案提出商榷	嚴明	12/16/58	**19:12**
紅樓夢後四十回的考證問題(下)	嚴明	1/1/59	**20:1**
紀念人權節應把臺灣建爲保障人權模範省	金承藝	12/1/58	**19:11**
紀念哲學大師康德	鄭壽麟	2/16/54	**10:4**
約旦政潮之面面觀	沙清海	5/16/57	**16:10**
約會	師範	4/1/53	**8:7**
美巴簽訂軍事協定	王曾善	7/1/54	**11:1**
美日安全新約與太陽旗的重新升起	社論	2/16/60	**22:4**
美奸希斯叛國原委(一)	R. D. Toledano & V. Lasky 原作／遠思節譯	7/1/50	**3:1**
美奸希斯叛國原委(二)	R. D. Toledano & V. Lasky 原作／遠思節譯	7/16/50	**3:2**
美奸希斯叛國原委(三)	R. D. Toledano & V. Lasky 原作／遠思節譯	8/1/50	**3:3**
美奸希斯叛國原委(續完)	R. D. Toledano & V. Lasky 原作／遠思節譯	8/16/50	**3:4**
美西協定簽字以後	何西	10/16/53	**9:8**
美軍在南韓失利之原因	閔石麟	7/16/50	**3:2**
美國「克里姆林宮」的秘密	彭思衍譯	2/1/51	**4:3**
美國人也不講公道	錚鏘	6/16/55	**12:12**
美國八位偉人	海光(殷海光筆名)	5/16/51	**4:10**

【九劃】(續)

美國大選的意義(華府通訊)	許思澄	12/1/50	**3:11**
美國大選前途的展望	南園	4/1/60	**22:7**
美國大選雜感	夏道平	11/16/52	**7:10**
美國文學之瑰寶——白鯨記	彭歌	11/16/56	**15:10**
美國去來	殷海光	3/16/53	**8:6**
美國外交之謎	Sumner Wells 原作／隱輝譯	5/16/51	**4:10**
美國外交政策的檢討	張致遠	10/1/53	**9:7**
美國必須採取強硬態度(芝加哥通信)	林慰君	4/16/50	**2:8**
美國民意趨於援華(舊金山通訊)	榆林	9/1/50	**3:5**
美國立法程序研究(上)	黎連	2/16/53	**8:4**
美國立法程序研究(下)	黎連	3/1/53	**8:5**
美國全面外交的新展望	朱伴耘	1/16/53	**8:2**
美國在亞洲要有積極的政策	社論	7/16/54	**11:2**
美國何以急需對日議訂和約	羅盤	7/16/50	**3:2**
美國兩黨政策變遷的理論基礎	蔣勻田	4/1/55	**12:7**
美國和波多黎哥	章雅谷譯	4/16/55	**12:8**
美國的民主政治	崔寶瑛	7/16/54	**11:2**
美國的收入是怎樣分配的	威廉哈德原作／本刊資料室譯	12/5/49	**1:2**
「美國的亞洲政策」書後	蔣勻田	7/16/56	**15:2**
美國的社會安全制度	楊志希	10/16/55	**13:8**
美國的政黨政治	汪理	11/1/54	**11:9**
美國的教育週	美新社	11/20/49	**1:1**
美國的勞工組織	楊志希	1/1/56	**14:1**
美國的新軍事預算	鄒文海	1/16/54	**10:2**
美國的農業問題	楊志希	5/1/56	**14:9**
美國的鋼鐵工業糾紛(華府通訊)	楊志希	6/16/52	**6:12**
美國政治制度	殷海光	3/16/54	**10:6**
美國政治與政黨制度	滄波	8/1/54	**11:3**
美國政治學的發展趨勢	羅孟浩	3/16/54	**10:6**
美國政黨之組織與活動	李宗澤	7/1/55	**13:1**
美國是否不景氣之研究	劉國增	6/1/54	**10:11**
美國是否走向另一經濟恐慌？	Sumner Slichter 原作／楊志希譯	4/1/53	**8:7**
美國要在亞洲做些什麼？	許冠三	3/1/56	**14:5**

【九劃】(續)

美國風・美國人	穆寧	1/16/60	**22:2**
美國原子能研究的發展(紐約通訊)	焦木	9/16/50	**3:6**
美國能再徬徨觀望嗎？	朱伴耘	9/16/54	**11:6**
美國記者眼中的赤色上海	Robert Doyle 原作／本刊資料室譯	1/1/50	**2:1**
美國國情的透視	丘漢平	1/16/57	**16:2**
美國國會選舉勝負因素的綜析	陳恩成	11/16/54	**11:10**
美國短篇小說與美國生活	費翰	8/1/55	**13:3**
美國對遠東的基本態度改變了麼？	蔣勻田	7/16/50	**3:2**
美國對蘇政策	犬養健原作／陸漸譯	2/16/52	**6:4**
美國與中共的日內瓦會談	龍平甫	10/16/55	**13:8**
美國與世界	杜魯門原作／本刊資料室譯	12/20/49	**1:3**
美國與聯合國	雷崧生	9/1/52	**7:5**
美國憲法上的新發展	杜光塤	4/1/51	**4:7**
美國憲法所保障之信教自由	周道濟	4/16/57	**16:8**
美國積極外交的面面觀	朱伴耘	4/16/53	**8:8**
美國選舉前後	王紀五	12/1/50	**3:11**
美國選舉後外交政策的期望	社論	11/16/54	**11:10**
美國應如何爭取主動遏止侵略	黃雪村	9/1/51	**5:5**
美國應如何領導自由世界	社論	12/1/53	**9:11**
美國應有明朗的對日政策	社論	1/1/55	**12:1**
美國輿情與其援外政策新趨向	社論	8/1/59	**21:3**
美國證券市場的管理(上)	楊志固	9/1/58	**19:5**
美國證券市場的管理(中)	楊志固	9/16/58	**19:6**
美國證券市場的管理(下)	楊志固	10/1/58	**19:7**
美援急須擴及文化部門	社論	6/1/56	**14:11**
美援運用問題	社論	10/1/57	**17:7**
美援與友誼	社論	5/16/56	**14:10**
美蘇首長互訪計劃與我們的道路	社論	8/16/59	**21:4**
耶路撒冷遊記	盛孝玲	5/16/55	**12:10**
胃氣和爭氣(海外寄語之一)	於梨華	7/1/57	**17:1**
胡光麃案的教訓	社論	4/1/55	**12:7**
胡佛與賴伊	時事述評	5/16/50	**2:10**
胡風事件的總透視	沈秉文	8/16/55	**13:4**

【九劃】(續)

胡適之先生的一封信	胡適	4/16/56	**14:8**
胡適之先生給本社編輯委員會一封信	胡適	4/1/59	**20:7**
胡適言論集(乙編)	夏道平	8/1/53	**9:3**
胡適言論集甲編	張敬	4/16/53	**8:8**
胡適思想爲甚麼遭受中共嫉忌	社論	2/1/55	**12:3**
胡適與國運	殷海光	5/1/59	**20:9**
胡適論「容忍與自由」讀後	殷海光	4/1/59	**20:7**
胎死腹中的臺中議長王地答辯書	王正言	6/16/59	**20:12**
致本社的一封信	胡適	9/1/51	**5:5**
致全體國大代表書——關於修改憲法及總統連任問題	董時進	3/16/60	**22:6**
致爲自由而戰的胡適博士(比利時通信)	雷震遠	3/1/50	**2:5**
致聯合國秘書長賴伊函	王德箴	5/1/50	**2:9**
苛捐雜稅	短評	3/1/59	**20:5**
苦撐待變	杭立武	12/1/51	**5:11**
「苦撐待變」與反共抗俄必勝信念	吳相湘	12/1/51	**5:11**
英美自由金融政策之分析	劉國增	8/16/54	**11:4**
英馬獨立談判之前瞻	史信	1/1/57	**16:1**
英商自中國大陸撤退	短評	6/1/52	**6:11**
英國大選以後	紀夢平	12/5/59	**21:11**
英國大選的教訓	社論	11/16/51	**5:10**
英國不應阻撓西歐煤鐵合營	時事述評	6/16/50	**2:12**
英國外交的多事之秋	時事述評	10/16/51	**5:8**
英國在馬來的窘態	王勳	10/1/52	**7:7**
英國兩黨政治的歷史背景(上)	程滄波	11/16/57	**17:10**
英國兩黨政治的歷史背景(下)	程滄波	12/1/57	**17:11**
英國的解剖	鄒文海	7/1/53	**9:1**
英國政黨史上一位偉大的鬥士——福克思查理(Charles James Fox)	程滄波	1/16/58	**18:2**
英國財長的辭職	萬遜	3/16/58	**18:6**
英國最近對臺灣的態度	田雨耕	3/16/55	**12:6**
英國新軍事政策的分析	姜懷平	7/16/57	**17:2**
英國經濟復興與英鎊自由兌換	瞿荊洲	9/16/54	**11:6**
英國預算的分析	劉國增	11/1/53	**9:9**
英國對中共放寬禁運	龍平甫	7/16/57	**17:2**

【九劃】(續)

英雄又跳起來了	海星	3/1/50	**2:5**
英遊雜感	曾寶蓀	10/1/52	**7:7**
要來的歡迎、要走的請便	時事述評	6/16/50	**2:12**
要者居先！			
——美國民主黨領袖史蒂文生的看法	Adlai E. Stevenson 原作／董鼎山節譯	2/1/60	**22:3**
要談，談什麼？	社論	8/16/55	**13:4**
「計劃教育」質疑	徐佛觀	5/1/52	**6:9**
負責與法治	短評	5/16/52	**6:10**
軍人也贊成反對黨	老兵	1/16/59	**20:2**
軍人之友社總社來函	軍人之友社	7/16/58	**19:2**
軍人魂、文人氣節	時事述評	6/1/50	**2:11**
軍人應該任「冤」嗎？	牛不凡	9/16/59	**21:6**
軍公教人員待遇的調整還可再拖嗎？	社論(雷震)	1/1/57	**16:1**
軍公教人員待遇爲何不能合理改善？	社論	2/16/59	**20:4**
軍司法再進一步的革新	社論(夏道平)	11/1/54	**11:9**
軍事改革的起點	社論	4/1/59	**20:7**
軍法與司法劃分的進步	短評	5/16/52	**6:10**
軍法與普通司法的劃分	社論(雷震)	11/1/51	**5:9**
軍風紀的新紀元	時事述評	7/1/50	**3:1**
軍訓已到「武裝睡覺」階段	短評	11/16/58	**19:10**
述艾森豪總統的兩個故事給蔣總統祝壽	胡適	10/31/56	**15:9**
重申我們反對修憲的意見	社論(傅正)	12/16/59	**21:12**
重申我們說話的態度	雷震	11/16/59	**21:10**
重行考慮「中國問題」	Chester Bowles 原作／蔣勻田譯	8/1/60	**23:3**
重行擬訂俘虜政策	劉仉武	1/1/50	**2:1**
重視西藏掀起的抗暴運動	社論	4/1/59	**20:7**
重整五四精神！	社論(殷海光)	5/1/57	**16:9**
重整軍備中的日本(東京通訊)	李潤智	9/1/52	**7:5**
「革命性」的逃稅	司徒舜	3/1/59	**20:5**
革命軍人爲何要以「狗」自居？	陳懷琪	1/16/59	**20:2**
風波	田麟	4/1/50	**2:7**
風流才子話田漢	劉治郁	11/1/50	**3:9**
風雲變幻中的的港	方及	12/16/53	**9:12**

【九劃】(續)

風箏	陳梅隱	2/1/55	**12:3**
香港自由人士看陳內閣(香港通信)	祁自珍	4/1/50	**2:7**
香港政府審判中國人竟改用中共法律	文忠	10/16/54	**11:8**
香港電影圈的透視	樊凡夫	2/16/53	**8:4**
香蕉共和國的碧瑤會議	時事述評	6/1/50	**2:11**

【十劃】

乘中蘇條約廢除的機會論我國外交的心理基礎	社論	3/1/53	**8:5**
倖進之風不可長	社論	1/16/54	**10:2**
值得印度反省值得世界知道	羅家倫	8/1/50	**3:3**
值得青年們效法的傅孟真先生	李濟	1/1/51	**4:1**
值得重視的華僑教育問題	社論	7/16/56	**15:2**
借箸爲美國及聯合國籌一現階段的遠東戰略	李長空	11/16/50	**3:10**
倡導護憲運動	楊金虎	1/16/58	**18:2**
個人主義的觀點與態度	東方既白	2/1/57	**16:3**
個人主義與英雄主義	東方既白	6/16/57	**16:12**
個人自由乎？國家自由乎？	傅中梅	9/16/53	**9:6**
個人自由底社會價值	張金鑑	4/1/50	**2:7**
個人爲國家之本	社論(殷海光)	3/1/56	**14:5**
個人與國家	李中直	9/16/51	**5:6**
個別審訊，強迫樂捐	王有信	12/1/57	**17:11**
個性‧獨立思考‧與今後的世界	羅業宏譯	9/16/58	**19:6**
個體主義與民主政治	海耶克原作／殷海光譯	11/16/53	**9:10**
個體主義與全體主義	羅鴻詔	5/1/54	**10:9**
候選人提名之謎(紐約通訊)	曾英奇	2/1/52	**6:3**
修訂國民學校課程標準問題商榷	趙英若	3/16/59	**20:6**
修憲、毀憲與責任	朱文伯	3/1/60	**22:5**
修憲已沒有「合法途徑」了！	傅正	9/1/59	**21:5**
修辭立其誠(有感於俞院長在立法院的答覆詞)	社論(夏道平)	3/16/55	**12:6**
倪路案亟待澄清	社論	12/1/57	**17:11**
冤獄如何了？	短評	12/16/58	**19:12**
冤獄賠償制度之建立不容再緩了——兼評立法院刑事補償草案	社論(雷震)	3/1/59	**20:5**
冤獄賠償與民主政治	袁良驊	11/16/53	**9:10**

【十劃】（續）

准假四月與另有任用	袁世駿	6/1/56	**14:11**
剖析中共農業互助組織	金一鴻	1/1/53	**8:1**
剖視人和魔鬼的談判	社論	10/16/51	**5:8**
剖視蘇俄的新整肅行動	佘陽	9/5/57	**17:5**
剖解中共「經建公債」	丁匡華	3/16/54	**10:6**
原子彈的前途和可能性	惠盧	2/16/51	**4:4**
原野之憶	半葦	2/16/50	**2:4**
哲人的微笑	陳之藩	3/16/55	**12:6**
哲學家皇帝	陳之藩	8/1/55	**13:3**
「埋沙集」書前	顧一樵	8/16/60	**23:4**
埃及爲何走向蘇俄？	方及	3/16/56	**14:6**
埃敘合併與伊約合併	淦克超	4/1/58	**18:7**
容忍與自由	胡適	3/16/59	**20:6**
「容忍與自由」——「自由中國」十週年紀念會上講詞	胡適講／楊欣泉記	12/5/59	**21:11**
「容忍與自由」書後	毛子水	4/1/59	**20:7**
展望民國四十一年的國際局勢	社論	1/1/52	**6:1**
展望民國四十年	社論	1/1/51	**4:1**
展望澳洲未來兩黨外交	孫宏偉	12/1/52	**7:11**
展開民主政治討論的風氣	董鼎山	7/16/58	**19:2**
展開啓蒙運動	社論(殷海光)	5/1/59	**20:9**
師克在和不在眾	社論	1/16/50	**2:2**
徐堪先生來函	徐堪	3/16/60	**22:6**
恐怖征服	殷海光	6/1/54	**10:11**
拿出大氣派來應付敵人政治攻勢	社論	4/1/56	**14:7**
拿出抗日的決心和勇氣來反共！	董時進	3/1/54	**10:5**
挪威站起來了(西歐通訊)	安道	2/16/52	**6:4**
旁聽第十六屆亞洲遠東經濟委員會年會偶拾	荇子	7/1/60	**23:1**
旁觀者淸	短評	3/16/59	**20:6**
旅行的陰暗面	椰厂	10/16/50	**3:8**
時機不可再失！(向諾蘭先生進一言)	社論	9/16/53	**9:6**
書店老闆談讀書	孫國仁	8/1/54	**11:3**
栗色馬	張秀亞	7/16/55	**13:2**
「桑格里(角)」與華僑	張沅長	2/1/56	**14:3**

【十劃】(續)

柴卻羅夫上校	Stephen Kelen 原作／陶冬心譯	4/1/53	**8:7**
格蘭斯頓與列寧	羅素原作／聶華苓譯	4/1/51	**4:7**
殉	林海音	2/16/57	**16:4**
殉馬(上)	長白	2/16/50	**2:4**
殉馬(下)	長白	3/1/50	**2:5**
殷虛建築遺存報告序	李濟	11/1/59	**21:9**
殷臺案必須澈底澄清	社論	5/1/57	**16:9**
泰馬邊防會議記詳	蘇平	12/1/56	**15:11**
泰國內政和共產黨活動	斜陽	2/1/53	**8:3**
泰國政變與東南亞局勢	張任飛	12/16/51	**5:12**
泰國僑社的風波(曼谷通訊)	道統	8/1/52	**7:3**
浪擲民脂之一例	李元禾	3/16/58	**18:6**
消弭中東戰亂與解放東歐	社論	11/16/56	**15:10**
消除國際的現實主義	社論	5/16/51	**4:10**
消除奢靡、厲行節約	時事述評	7/1/50	**3:1**
海外人士的十二點國是意見	方望思	3/1/60	**22:5**
海外心影	陶藍	12/1/51	**5:11**
海外孤兒流乾了辛酸的眼淚！何時才重入自由祖國的懷抱？！(曼谷通信)	言川	3/16/50	**2:6**
海外對總統三任問題的反應	方望思	6/1/59	**20:11**
海南島在鐵幕裡(海南通訊)	念蕙	11/1/50	**3:9**
海軍在戰略上之地位與中國海軍之使命	蔣勻田	6/16/51	**4:12**
海員的故事	蕭立坤	7/16/55	**13:2**
海埔新生地的開發問題	社論	3/16/59	**20:6**
海關為什麼還要使用英文？	短評	4/16/52	**6:8**
烏托邦在何處？(海外寄語之二)	於梨華	7/16/57	**17:2**
烏煙瘴氣的政治活動在臺大！	極光(殷海光筆名)	3/1/60	**22:5**
烏魯木齊之憶	潘人木	5/1/56	**14:9**
「特等功臣」縱火犯(重慶通訊)	望楚	9/1/51	**5:5**
琉球美國教師訪臺記	閩航	4/1/56	**14:7**
琉球應如何處理	時事述評	6/16/51	**4:12**
留待歷史判斷？	李寄子	3/1/56	**14:5**
留學生為甚麼去多回少？	社論	8/16/60	**23:4**
留學生赴美的簽證問題	社論	4/16/59	**20:8**

【十劃】(續)

留學獎學金應一律由政府考選嗎？	楊天驥	4/16/52	**6:8**
留學獎學金應該公開考選	王致忠	3/1/52	**6:5**
病	松青	9/16/59	**21:6**
病室(新詩)	余光中	8/1/57	**17:3**
真正民主的議會	李宗澤編譯	7/1/58	**19:1**
真理的鑰匙	金濤	1/1/52	**6:1**
真實的啓示(上)	黃思聘	4/16/55	**12:8**
真實的啓示(下)	黃思聘	5/1/55	**12:9**
砲戰話金門	公孫嬿	11/1/54	**11:9**
祖宗的遺產	陳之藩	9/1/55	**13:5**
神聖同盟與聯合國組織	黃正銘	4/16/52	**6:8**
神話與魔術	羅素原作／劉世超譯	2/1/59	**20:3**
祝中日和約告成	短評	5/1/52	**6:9**
祝北大西洋聯軍統帥部的成立	時事述評	1/1/51	**4:1**
祝望造成一個現代化的民主憲政國家	張士柴	10/31/56	**15:9**
祝壽也要攤派麼？	張壽民	7/16/56	**15:2**
秧歌	周子強	10/16/54	**11:8**
「秘密」不能當作禮品	時事述評	5/1/50	**2:9**
笑容(補登)	徐訏	6/1/58	**18:11**
笑容	徐訏	5/1/58	**18:9**
紐約(詩)	周策縱	4/16/59	**20:8**
紐約時報論胡適及其他(紐約通訊)	李三思	12/1/50	**3:11**
耕者有其田實施過程中須得糾正的幾點	易農	11/16/53	**9:10**
荒謬絕倫的託管說	時事述評	6/1/50	**2:11**
記民五黃克強致黃膺白的一封信	沈雲龍	11/16/59	**21:10**
記者節談穆萬森案件	社論(夏道平)	9/1/59	**21:5**
記美國醫學教育與大學教育的改造者弗勒斯納先生	胡適	11/16/59	**21:10**
討論「大膽假設、小心求證」之我見	劉家璧	11/16/58	**19:10**
豈容「御用」大法官濫用解釋權？	社論(傅正)	3/1/60	**22:5**
豈獨南美爲然？	短評	1/16/59	**20:2**
貢獻給立法院幾點意見(上)	雷震	4/1/52	**6:7**
貢獻給立法院幾點意見(下)	雷震	4/16/52	**6:8**
起「帶頭作用」的華西大學(成都通訊)	戴生	2/1/51	**4:3**

【十劃】(續)

迷妄的平等	海耶克原作／殷海光譯	4/16/54	**10:8**
迷途的印尼	林剛	6/16/54	**10:12**
迷途應知返矣	時事述評	11/1/50	**3:9**
退除役官兵待遇直言	丁開誠	9/16/58	**19:6**
逃亡夜	晏寒松	10/1/58	**19:7**
逃出鐵幕的各種妙法	荃蓀譯	2/1/53	**8:3**
「追求幻想的人們」	方恩	2/16/60	**22:4**
追求與幻滅	海光(殷海光筆名)	3/1/51	**4:5**
追念吳稚暉先生	胡適	1/1/54	**10:1**
郝希曼論平衡發展	馬逢華	5/1/60	**22:9**
酒瘋	黃思村	4/1/56	**14:7**
院士候選人的名單應當公開	王亮	9/5/57	**17:5**
飢餓的大陸(香港通訊)	祁自珍	5/1/50	**2:9**
馬化政策下的馬華教育	李雲溪	8/1/53	**9:3**
馬立克的和平攻勢	時事述評	7/1/51	**5:1**
馬共二次和談之真相	許屏齋	12/16/55	**13:12**
馬共和談內幕	許屏齋	11/16/55	**13:10**
馬共和談續訊	許屏齋	2/1/56	**14:3**
馬共的「和平攻勢」	葉泛	7/16/55	**13:2**
馬西西——菲律賓的艾森豪	岳文彬	4/16/53	**8:8**
馬克思政治哲學的錯誤	胡原道	1/16/51	**4:2**
馬克思經濟學批評(上)	胡原道	10/1/51	**5:7**
馬克思經濟學批評(下)	胡原道	10/16/51	**5:8**
馬克思與社會科學者	郝根原作／劉世超節譯	9/1/51	**5:5**
馬克思歷史哲學批判	胡原道	4/16/51	**4:8**
馬來亞大選的經過	葉泛	9/1/55	**13:5**
馬來亞公民權的規定	施信	9/16/56	**15:6**
馬來亞明年獨立了！	荀詩	3/16/56	**14:6**
馬來亞的人種歧視	李銳華	3/1/53	**8:5**
馬來亞的政黨、紅禍與自治運動	李銳華	1/16/53	**8:2**
馬來亞的剿共戰爭(新加坡通訊)	尹輝	1/1/52	**6:1**
馬來亞華僑教育之厄運	余東	2/1/54	**10:3**
馬來亞華僑統計	李銳華	5/16/53	**8:10**

【十劃】(續)

馬來亞華僑當前的三難	施勛	8/16/56	**15:4**
馬來亞獨立後的兩大課題	佘陽	9/16/57	**17:6**
馬林可夫政權的內政	龍平甫	2/1/54	**10:3**
馬林可夫政權的對外政策	龍平甫	10/16/54	**11:8**
馬林可夫政權與狄托主義	蔣勻田	4/16/53	**8:8**
馬華公會對憲制備忘錄之解釋	施信	12/16/56	**15:12**
馬華社團大會不同意憲制備忘錄	施勛	10/1/56	**15:7**
馬歇爾留給我們的警惕	社論(夏道平)	11/1/59	**21:9**
馬德里近事	警雷	7/16/53	**9:2**
高考及格者應考研究院所問題之商榷	黃健生	9/16/56	**15:6**
高考及格應考研究院問題之質疑	李清源	10/16/56	**15:8**
高速電腦計算機簡介	溫新徹	2/1/58	**18:3**
高普考限額錄取之不合理	翁錦葵	8/1/55	**13:3**
高等教育的一方面——對臺大的一項建議	蔣廷黻	8/16/53	**9:4**
高階層會議不會解決基本問題	董鼎山	5/16/60	**22:10**
高階層會議前夕的美國外交政策檢討	丁堅	5/1/58	**18:9**
高階層會議與聯大會議	社論	3/1/58	**18:5**
高雄縣長選舉訴訟近訊	余登發	7/16/57	**17:2**
高雄縣長選舉舞弊續訊	余登發	7/1/57	**17:1**

【十一劃】

偽藥與車禍	楊誠	6/1/56	**14:11**
停止無聊的日內瓦大使談判	社論	7/16/58	**19:2**
偉大的烏托邦	海耶克原作/殷海光譯	9/16/53	**9:6**
健全輿論形成之要件	雷震	1/16/52	**6:2**
動盪中的香港(香港通訊)	黎庶	5/1/50	**2:9**
參加「佛教對藝術文學暨哲學貢獻講習會」	周祥光	1/1/57	**16:1**
唱票員要做到魔術師之重視觀眾	李賜卿	6/16/60	**22:12**
唯物辯證法與必然性	劉世超	8/16/53	**9:4**
唯物辯證法與階級鬥爭	蔣勻田	11/16/52	**7:10**
國大代表不該為自己「名」「利」打算！	蘇子飛	1/1/60	**22:1**
國大何故要開臨時會？	社論	12/16/57	**17:12**
國內紛爭與國際組織(上)	戴杜衡	9/16/50	**3:6**

【十一劃】(續)

國內紛爭與國際組織(下)	戴杜衡	10/1/50	**3:7**
國父與歐美之友好	陸漸	4/1/53	**8:7**
國民大會要走到那裏去?(上)	雷震	5/16/53	**8:10**
國民大會要走到那裏去?(下)	雷震	6/1/53	**8:11**
國民經濟論與戰爭(上)	戴杜衡	6/1/51	**4:11**
國民經濟論與戰爭(下)	戴杜衡	6/16/51	**4:12**
國民黨可以不守選舉法規嗎?	陸大順	4/16/57	**16:8**
國民黨立委齊世英被開除了黨籍嗎?	袁固	1/1/55	**12:1**
國民黨的李國俊配當基隆市長候選人嗎?	包平	2/16/60	**22:4**
國民黨豈可重演違法競選的故技?	社論(傅正)	4/16/60	**22:8**
國民黨眼中的「共產黨同路人」	短評	12/16/58	**19:12**
國民黨當局應負的責任和我們應有的努力	社論(傅正)	7/1/58	**19:1**
國民黨當局還不懸崖勒馬?	社論(傅正)	6/16/58	**18:12**
國民黨興衰之關鍵在選舉!——爲國民黨建黨六十五週年紀念而作	曹大我	2/16/60	**22:4**
國民黨應如何領導從政黨員	社論(雷震)	1/16/55	**12:2**
國民黨黨員歸隊	時事述評	2/1/51	**4:3**
國事十問	胡越	2/1/60	**22:3**
國是問題與出版法——「亞洲畫報」六十四期讀後感	屈堯庭	12/16/58	**19:12**
國是會議應該從速召開	社論	4/16/59	**20:8**
國家主義與世界主義(上)	傅正	9/18/55	**13:6**
國家主義與世界主義(下)	傅正	10/1/55	**13:7**
國家自由與個人自由	羅鴻詔	1/1/53	**8:1**
國家和個人	樂志誠	5/1/57	**16:9**
國家要把人當人	傅正	10/1/56	**15:7**
國家與個人	蔣勻田	3/16/56	**14:6**
國家應爲個人利益而存在	社論	2/16/56	**14:4**
國家權力的界限	戴杜衡	3/1/51	**4:5**
國庫不是國民黨的私囊! ——從民社黨拒受宣傳補助費說到國民黨把國庫當作黨庫	社論	6/1/60	**22:11**
國校畢業生免試升學方案平議	社論	3/16/56	**14:6**
國際局勢與反攻復國之道	金思愷	12/5/59	**21:11**
國際形勢與中國前途	胡適	12/16/52	**7:12**
國際政治的理想與現實	張致遠	2/16/53	**8:4**

【十一劃】(續)

國際統一科學百科全書	潘毓剛	10/1/59	**21:7**
國際聖體大會中國朝聖團(巴塞羅納通訊)	曉星	7/1/52	**7:1**
國慶日在墨京(墨京通訊)	喬念祖	12/1/50	**3:11**
國慶與偽國慶之在香港	短評	11/5/58	**19:9**
國營事業轉投資問題的商榷	夏道平	11/1/54	**11:9**
堅持原則	何培讓	8/16/52	**7:4**
堆草龍	宛宛	7/16/51	**5:2**
基本人權溯源	李祥麟	2/1/54	**10:3**
基本科學為何常使極權者與迫害異端者受窘？	法蘭克原作／陳少廷譯	4/1/56	**14:7**
堵防時代思潮中的一股逆流	社論	5/16/52	**6:10**
執法者違法	短評	10/16/58	**19:8**
執政黨控制下的臺北市議會如此總質詢！	宋霖康	4/1/60	**22:7**
執政黨控制臺灣地方選舉的心理分析	朱文伯	1/1/58	**18:1**
寄語大陸同胞	社論	6/1/51	**4:11**
寄語艾森豪！	社論	11/16/52	**7:10**
寂寞的書	周棄子	3/16/56	**14:6**
寂寞的畫廊	陳之藩	11/1/57	**17:9**
密件	時事述評	10/16/50	**3:8**
專家政治	短評	4/16/59	**20:8**
屠克維爾論民主對社會及家庭關係的影響	李達生	1/16/59	**20:2**
屠狗者	公孫嬿	6/1/53	**8:11**
巢湖邊上	宛宛	10/1/50	**3:7**
常識與政治	毛子水	5/16/51	**4:10**
帶淚的百合	於梨華	6/1/57	**16:11**
康伯蘭的秋天	郭嗣汾	11/16/55	**13:10**
康隆報告的實質及其根本錯誤	社論	1/1/60	**22:1**
康德及黑格爾論自由	謝扶雅	11/16/59	**21:10**
張希文等來函	張希文等	7/16/58	**19:2**
張其昀部長的原子迷	社論(殷海光)	1/1/57	**16:1**
張桂卻死得冤枉！	牖民	8/16/59	**21:4**
張祥傳、蔡水勝先生來函	張祥傳、蔡水勝	8/16/60	**23:4**
張菊生(元濟)靠攏的前前後後(上海通訊)	陳敬仁	8/16/50	**3:4**
強迫的志願	李礪英	7/16/57	**17:2**

【十一劃】(續)

從「中國劇團」訪問西班牙說起	牧人	1/16/58	**18:2**
從「自由人」被扣說到「自由人」停刊	社論(傅正)	10/16/59	**21:8**
從「亞非作家會議」談起	薩摩訶	1/16/59	**20:2**
從「到奴役之路」說起	胡適	3/16/54	**10:6**
從「金雞獨立式」說起	孫愚	6/1/52	**6:11**
從「政在便民」說到日光節約	寧靜遠	3/16/52	**6:6**
從「限用毛筆」說起	趙曼君	7/16/57	**17:2**
從「國際難民年」看香港區的中國難民	佘陽	6/1/60	**22:11**
從「鳴放」到「反右派鬥爭」	嚴明	12/16/57	**17:12**
從「齊瓦哥醫生」論蘇俄知識份子	董鼎山	12/16/58	**19:12**
從「醜陋的美國人」談美國在東南亞的外交——權力觀念淹沒了林肯精神！	夏道平	8/1/59	**21:3**
從一個書目看中共的出版物	陸廷賢	1/1/55	**12:1**
從一個國家來看心、物、與非心非物	徐復觀	10/16/51	**5:8**
從一個機關的名稱說起	翁澤生	2/1/55	**12:3**
從一點邏輯問題說起	殷海光	6/16/54	**10:12**
從人權保障談到孫秋源被捕	汪文瑞	12/1/58	**19:11**
從入境問題談到民主政治	時事述評	8/1/50	**3:3**
從大安農會改選流血說到縣長何金生枉妄措置	應沉吟	8/1/60	**23:3**
從中日更動大使檢討中日外交關係	社論	4/1/59	**20:7**
從中共財經立場解剖其三反四反和五反(香港通訊)	原之道(雷震筆名)	3/16/52	**6:6**
從中東問題說到非洲的戰略地位	B. Fellers 原作／幼麟譯	10/16/51	**5:8**
從中東現勢看戰略性的石油供應	Gustav Egloff 原作／遙聲譯	4/1/51	**4:7**
從中國大陸歸來(上)	鄧納奎主教原作／焦木譯	10/1/55	**13:7**
從中國大陸歸來(下)	鄧納奎主教原作／焦木譯	11/5/55	**13:9**
從中德復交談蔣總統連任	岳賽夫	2/16/60	**22:4**
從內幕雜誌停刊說起	葛泰山	9/16/54	**11:6**
從公文程式的革新說到分層負責	社論	8/1/52	**7:3**
從公務員待遇談到政治革新	龍運鈞	3/1/53	**8:5**
從公論報奪產事件看張祥傳橫行霸道	易駿	8/1/60	**23:3**
從反共義士的行動看出自由民主的真實價值	社論(雷震)	11/1/53	**9:9**
從巴黎四國高層會決議看未來世局	宋文明	1/1/60	**22:1**
從文藝的應用性談文藝政策	李經	2/1/54	**10:3**
從日內瓦會議論蘇俄政策的基本目標	董鼎山	7/16/59	**21:2**

【十一劃】(續)

從日本矢野馬戲團開鑼說到張祥傳濫權	袁治本	7/16/60	**23:2**
從日本的已變看日本的未變	徐逸樵	2/16/57	**16:4**
從毛匪去職事件談共產政權的性格	社論	1/1/59	**20:1**
從王國柱之死談臺灣地方自治	社論	5/16/58	**18:10**
從世界大勢，看臺灣前途(華府通訊)	伴耘	10/16/51	**5:8**
從加拿大僑裔鄭天華當選議員談起	金承藝	7/1/57	**17:1**
從包啓黃案件論軍法	社論(夏道平)	9/5/54	**11:5**
從史大林的死後清算說起	龍平甫	7/16/56	**15:2**
從本刊的「讀者投書」說到國是問題	傅正	11/16/59	**21:10**
從本屆美國大選看美國政治及外交動向	社論	11/16/58	**19:10**
從民權初步論精誠團結	張佛泉	12/1/51	**5:11**
從立委律師鳴槍事件說起	社論	2/16/59	**20:4**
從伊拉克政變看美國的中東政策	社論	8/1/58	**19:3**
從印尼僑情說到僑務方案	津棠	8/16/53	**9:4**
從多惱河到鴨綠江	陳石孚	9/16/54	**11:6**
從安理會上印度代表看印度政府	時事述評	8/16/50	**3:4**
從艾契遜無條件支持英國的武力政策說起	時事述評	11/16/51	**5:10**
從艾登辭職說起	萬遜	3/16/57	**16:6**
從艾赫互相訪問談到美國對蘇的新認識	朱伴耘	9/1/59	**21:5**
從艾赫互訪論美蘇「實力平衡」問題	董鼎山	9/1/59	**21:5**
從艾赫會談的目標說到美國民間反應	董鼎山	9/16/59	**21:6**
從行政院改組說到陳院長觀念中的經濟建設	社論(夏道平)	6/16/60	**22:12**
從冷戰談到自由世界的經濟合作	鄒文海	4/1/52	**6:7**
從把握時機促進團結說到地方選舉	楊金虎	4/1/60	**22:7**
從李楊獲獎說到科學教育	趙曼君	12/16/57	**17:12**
從李慕白套匯案談到外匯政策	社論	10/16/54	**11:8**
從狄托訪英說起	安道	4/16/53	**8:8**
從赤色家庭解放出來	沈晦	11/20/49	**1:1**
從兩個故事看公務員的待遇	社論	6/1/59	**20:11**
從周恩來口中看美國的外交	蔣勻田	6/16/56	**14:12**
從孟德斯到佛爾	齊佑之	5/1/55	**12:9**
從官方的報道再論「奉命不上訴」	社論(夏道平)	12/1/58	**19:11**
從所謂「康隆報告」談起	夏濤聲	11/16/59	**21:10**

【十一劃】(續)

從東京看中日和約前途(東京通訊)	余蒼白	11/16/51	**5:10**
從波匈抗暴看特務政治的毀滅	社論	12/1/56	**15:11**
從法家拂士談到言論自由	社論	12/16/52	**7:12**
從法國大選得到的教訓	社論	1/16/56	**14:2**
從法理人情說違章建築之處理	社論	3/1/59	**20:5**
從爭取言論自由談到反對黨	胡適講／楊欣泉記	6/1/58	**18:11**
從物價管制看美國動員	王紀五	3/1/51	**4:5**
從物價談到資本	瞿荊洲	1/16/56	**14:2**
從近代文化批判共產黨	雷震	1/1/50	**2:1**
從邱吉爾八十歲看歐洲「領導者」	田雨耕	2/16/55	**12:4**
從金融觀點看日本經濟	瞿荊洲	4/16/55	**12:8**
從保衛臺灣到反攻大陸	杭立武	11/16/52	**7:10**
從保護政策說起	社論	2/16/56	**14:4**
從待遇調整案的發展與結束展望政局前途	社論	7/1/60	**23:1**
從政府威信談到國是會議	朱伴耘	10/16/57	**17:8**
從政治與軍事因素看大戰爆發的可能性	鼎山	6/1/58	**18:11**
從星加坡的學潮看東南亞的安危	社論	6/16/55	**12:12**
從柏林會議展望日內瓦會議	朱伴耘	4/16/54	**10:8**
從皇姑屯到柳條溝	徐逸樵	2/16/55	**12:4**
從紀德說起	時事述評	3/1/51	**4:5**
從紀德談起(作家書簡)	司馬桑敦	8/1/54	**11:3**
從美國大選的結果看美國人民反共的態度	時事述評	11/16/50	**3:10**
從美國看臺灣	玉東	5/1/60	**22:9**
從美澳紐聯防說美國外交	朱伴耘	9/1/52	**7:5**
從胡適之陳獨秀談起(華府通訊)	常思琰、王約翰	11/16/51	**5:10**
從香港看反共救國會議	陳登嶽	11/1/53	**9:9**
從孫案的反應矚望於調查委員會	社論	9/1/55	**13:5**
從參議員麥加賽提交美國國會的文件中 　看拉鐵摩爾輩的真面目	美國國會紀錄／遠思節譯	5/16/50	**2:10**
從國際輿論看北大西洋公約會議之成果	孔治	2/16/58	**18:4**
從常識看辯證唯物論(上)	岳中石	5/16/50	**2:10**
從常識看辯證唯物論(下)	岳中石	6/1/50	**2:11**
從常識論政黨制度的功用——在於建立自由社會的秩序	劉世超	8/1/59	**21:3**

【十一劃】(續)

從教廳的一件命令談法治前途與政治作風	社論	9/16/53	**9:6**
從教廳重新規定中學生制服說起	史浩然	9/16/53	**9:6**
從氫彈試驗竚望美國改變對蘇政策	社論	6/1/54	**10:11**
從疏散事件說到一個基本的問題	社論(夏道平)	8/16/55	**13:4**
從責任政治說到反對黨	傅正	10/1/57	**17:7**
從貨幣的兩個主義說到自由中國的貨幣	瞿荊洲	1/1/52	**6:1**
從速救助中國大陸流亡學生！	社論(傅正)	9/1/58	**19:5**
從郭雨新當選看人心	張健生	6/1/60	**22:11**
從幾部中國影片談起	薩滿	3/16/54	**10:6**
從華沙談判談到美國「不得使用武力」政策	宋文明	10/16/58	**19:8**
從華盛頓椅背上的太陽說起	社論	6/16/56	**14:12**
從華德事件看出極權國家的作風	時事述評	12/5/49	**1:2**
從蛛絲馬跡看匪劍帷燈	許思澄	8/16/53	**9:4**
從賀年信看日本	余蒼白	2/16/54	**10:4**
從開發蘭嶼檢討省政建設	劍聲	11/1/59	**21:9**
從開羅會議看蘇俄對中近東的陰謀	魯冀	3/16/58	**18:6**
從間接民主到直接民主(上)	戴杜衡	6/16/52	**6:12**
從間接民主到直接民主(下)	戴杜衡	7/1/52	**7:1**
從當前國際局勢看杜艾會談	社論	12/16/50	**3:12**
從經濟平等說起	戴杜衡	10/16/52	**7:8**
從經濟的分析批判階級鬥爭	周德偉	6/16/51	**4:12**
從義大利大選說起	魯冀	7/16/58	**19:2**
從雷正琪案談到官吏圖利問題	陶百川	3/1/56	**14:5**
從對西德和平契約談起	社論	6/1/52	**6:11**
從滿街蘋果談到外匯管制的弊端	社論	3/1/58	**18:5**
從監所條例看司法行政部的法治精神	一群監所管理員	1/1/59	**20:1**
從臺大講師慘死說到警務處李葆初的措置	林醒	1/1/60	**22:1**
從臺中縣地方選舉實例談到公平合法	林觀道	3/16/60	**22:6**
從臺北監(所)看司法	俞大問	5/16/59	**20:10**
從衛星放射到彌賽亞精神	殷海光	11/1/57	**17:9**
從學風腐蝕論中等教育	金溪若	7/16/59	**21:2**
從憲法保障人身體自由說到取締流氓辦法	社論(雷震)	12/16/58	**19:12**
從澳紐看「太平洋公約」	伍聞非	5/1/53	**8:9**

【十一劃】(續)

從總預算案的爭執說到公平待遇	社論	6/16/55	**12:12**
從聯合國看世界前途	蔣廷黻	4/1/51	**4:7**
從韓國政爭看我國的民主運動	社論	2/1/59	**20:3**
從韓國戰事檢討第三次大戰是否爆發？	陳恩成	7/16/50	**3:2**
從蘇俄發射人造衛星談到自由世界的科學組織	劉世超	11/16/57	**17:10**
從權力政治說毛去劉來	社論	5/16/59	**20:10**
從讀「胡適文存」說起	李教	3/1/57	**16:5**
患難朋友西班牙	陳賢友	3/16/53	**8:6**
悉聽尊便！	辛之魯	2/1/55	**12:3**
悠揚的山歌	陳之藩	2/16/57	**16:4**
「情感的花朵」前記	張秀亞	12/16/55	**13:12**
悼念史汀生先生	時事述評	11/1/50	**3:9**
悼念羅鴻詔先生	社論	4/16/56	**14:8**
悼塔西尼將軍	時事述評	1/16/52	**6:2**
惆悵的夕陽	陳之藩	12/16/56	**15:12**
探本尋源論財經大計	社論	8/1/56	**15:3**
接受過去兩次庚子年的教訓	金承藝	3/1/60	**22:5**
推銷員的精神	邢公畹	3/1/60	**22:5**
採桑女(上)	王治修	9/1/53	**9:5**
採桑女(下)	王治修	9/16/53	**9:6**
救國主義與亡國主義的對照	社論(夏道平)	2/1/58	**18:3**
教育文化向那方走？	社論	12/1/50	**3:11**
教育行政應有示範作用——守法	社論	8/1/53	**9:3**
教育改革兩案果真沒有變更現行學制麼？	楊公望	4/1/56	**14:7**
教育兩大措施質疑	史丹青	3/16/56	**14:6**
教育和政俗	社論	2/1/54	**10:3**
教育的轉機	社論	11/16/58	**19:10**
教育界的壞現象	張力行	11/5/55	**13:9**
教育計劃中的優先事項	James Ouillen 原作／周淑清譯	8/16/56	**15:4**
教育問題引端	社論	2/1/56	**14:3**
教育部中學標準教科書編印委員會來函	教育部中學標準教科書編印委員會	6/1/58	**18:11**
教育部來函	教育部	8/16/53	**9:4**
教育部長張其昀的民主觀——君主的民主	社論(殷海光)	10/1/56	**15:7**

【十一劃】(續)

教育部高教司來函	教育部高教司	10/1/54	**11:7**
教育部高教司來函	教育部高教司	12/16/54	**11:12**
教育與文化・科學與黨化	蔣勻田	6/16/59	**20:12**
教師節為教師請命	陳養吾	10/1/55	**13:7**
教師與「窮」！——介紹中學教師的待遇及其生活	胡盧一	6/1/59	**20:11**
教訓的第一課	時事述評	7/16/51	**5:2**
教國文的一點經驗	梁實秋	3/1/52	**6:5**
教會與共產主義之在中國(待續)	雷震遠原作／芬譯	6/1/50	**2:11**
教會與共產主義之在中國	雷震遠原作／芬譯	6/16/50	**2:12**
敘利亞問題的發生和發展	沙清海	10/16/57	**17:8**
斜輝(一)	孟瑤	9/1/56	**15:5**
斜暉(二續)	孟瑤	9/16/56	**15:6**
斜暉(三續)	孟瑤	10/1/56	**15:7**
斜暉(四續)	孟瑤	10/16/56	**15:8**
斜暉(五續)	孟瑤	11/16/56	**15:10**
斜暉(六續)	孟瑤	12/1/56	**15:11**
斜暉(七續)	孟瑤	12/16/56	**15:12**
斜暉(八續)	孟瑤	1/1/57	**16:1**
斜暉(九續)	孟瑤	1/16/57	**16:2**
斜暉(十續)	孟瑤	2/1/57	**16:3**
斜暉(十一續)	孟瑤	2/16/57	**16:4**
斜暉(續完)	孟瑤	3/1/57	**16:5**
晚清宮庭實紀	張白汀	4/1/53	**8:7**
晚餐	張之萍	1/16/54	**10:2**
晚餐	聶華苓	3/16/57	**16:6**
曹丕怎樣在群臣勸進下稱帝的？	看雲樓主	8/1/59	**21:3**
曹操的改造	東方既白	1/1/60	**22:1**
望不要張冠李戴！	章若虛	2/1/60	**22:3**
望國大代表勿為國民黨所收買	陶心和	3/1/60	**22:5**
梁任公先生年譜長編初稿序	胡適	7/16/58	**19:2**
梁財源蘇朝清先生來函	梁財源、蘇朝清	4/16/60	**22:8**
梁啓超徐志摩論俄帝	吳相湘	10/1/51	**5:7**
梅老師	童真	11/5/58	**19:9**

【十一劃】(續)

殺害東德人民的特務頭子 　　　　　　　　　　　　　　　　奧挺　　6/16/53　**8:12**

氫原子彈的煙幕　　　　　Richard L. Stokes 原作／李卿之節譯　6/16/50　**2:12**

涼棚下　　　　　　　　　　　　　　　　　　　　　　　　琦君　　6/16/57　**16:12**

清除和脫黨(里昂通訊)　　　　　　　　　　　　　　　　　頌三　　3/1/51　**4:5**

清除臭腐　　　　　　　　　　　　　　　　　　　　　　時事述評　5/1/50　**2:9**

清華園的苦悶(香港通信)　　　　　　　　　　　　　　　　梁守中　4/16/50　**2:8**

清算史達林後的法義共黨　　　　　　　　　　　　　　　　齊佑之　10/1/56　**15:7**

清算英國的艾德禮　　　　　　　　　　　　　　　　　　　社論　　10/16/54　**11:8**

清議與干戈　　　　　　　　　　　　　　　　　　　　　　劉博崑　10/31/56　**15:9**

淮南山區義旗處處(蚌埠通訊)　　　　　　　　　　　　　　曼青　　4/16/51　**4:8**

理想與現實　　　　　　　　　　　　　　　　　　　　　　王雲五　4/16/51　**4:8**

理論與事實——漫談人權保障問題　　　　　　　　　　　　朱文伯　12/1/58　**19:11**

理髮　　　　　　　　　　　　　　　　　　　　　　　　　思果　　7/16/59　**21:2**

理髮篇　　　　　　　　　　　　　　　　　　　　　　　　賀肇甫　5/1/55　**12:9**

現代自由經濟國家貨幣政策之檢討　　　　　　　　　　　　劉國增　2/16/54　**10:4**

現任與現役一字之差(苗栗縣長選舉糾紛)　　　　　　　　　雷震　　5/16/51　**4:10**

現任縣市長競選問題　　　　　　　　　　　　　　　　　時事述評　9/16/50　**3:6**

現有軍事機構與員額不可以裁減嗎？　　　　　　　　　　　社論　　11/1/59　**21:9**

現行租稅政策之商榷　　　　　　　　　　　　　　　　　　趙岡　　2/1/58　**18:3**

現行經濟機構怎可不再改革？　　　　　　　　　　　　　　翁之鏞　10/31/56　**15:9**

現階段美國對亞政策評議　　　　　　　　　　　　　　　　朱伴耘　6/16/54　**10:12**

略談「同文同種」　　　　　　　　　　　　　　　　　　　徐逸樵　10/1/59　**21:7**

略論反對黨問題的癥結　　　　　　　　　　　　　　　　　牟力非　2/1/57　**16:3**

略論蘇俄與中共的「理論競爭」問題　　　　　　　　　　　唐盛鎬　12/16/59　**21:12**

畢業酒　　　　　　　　　　　　　　　　　　　　　　　　黃思騁　1/1/55　**12:1**

異哉！所謂「臺灣問題」　　　　　　　　　　　　　　　　社論　　9/16/50　**3:6**

異哉！所謂國大代表總額問題！　　　　　　　　　　　　　龍在天　3/16/60　**22:6**

異哉，請求增發通貨！　　　　　　　　　　　　　　　　時事述評　6/1/50　**2:11**

異哉所謂「政黨的承認問題」　　　　　　　　　　　　　　民主潮　9/1/60　**23:5**

異哉所謂安全室主任　　　　　　　　　　　　　　　　　　謝琇如　1/1/58　**18:1**

第二十世紀　　　　　　　　　　　　　　　　海光(殷海光筆名)　11/1/50　**3:9**

第三次大戰何時爆發？　　　　　　　　　　　　　　　　　龍倦飛　5/16/50　**2:10**

第三次世界大戰寫真　　　　　　　　　　　　海光(殷海光筆名)　1/1/52　**6:1**

【十一劃】(續)

統制經濟底種種危害	海耶克原作／殷海光譯	2/1/54	**10:3**
組政黨何需經過另一政黨承認？	星島日報	9/1/60	**23:5**
組織東亞青年反共軍	朱開來	12/5/49	**1:2**
莎士比亞之謎	梁實秋	3/1/55	**12:5**
莎士比亞的秘密	張沅長	5/16/54	**10:10**
莎弗致法昂書	張秀亞	3/16/56	**14:6**
莫斯科的寒夜	殷海光	3/1/53	**8:5**
莫斯科的魔術——從史毛間的所謂「談判」到俄毛僞約	社論	3/1/50	**2:5**
荻村傳(一)	陳紀瀅	4/1/50	**2:7**
荻村傳(二)	陳紀瀅	4/16/50	**2:8**
荻村傳(三)	陳紀瀅	5/1/50	**2:9**
荻村傳(四)	陳紀瀅	5/16/50	**2:10**
荻村傳(五)	陳紀瀅	6/1/50	**2:11**
荻村傳(六)	陳紀瀅	6/16/50	**2:12**
荻村傳(七)	陳紀瀅	7/1/50	**3:1**
荻村傳(八)	陳紀瀅	7/16/50	**3:2**
荻村傳(九)	陳紀瀅	8/1/50	**3:3**
荻村傳(十)	陳紀瀅	8/16/50	**3:4**
荻村傳(十一)	陳紀瀅	9/1/50	**3:5**
荻村傳(十二)	陳紀瀅	9/16/50	**3:6**
荻村傳(十三)	陳紀瀅	10/1/50	**3:7**
荻村傳(續完)	陳紀瀅	10/16/50	**3:8**
蛇卵及其他	梁雲坡	3/1/53	**8:5**
被浪費了的讀書人	杜蘅之	11/16/59	**21:10**
被猛烈踢過的狗	郭衣洞	12/1/54	**11:11**
被遺忘的人	子強	1/16/58	**18:2**
被擯棄的與被選擇的	王敬義	6/1/54	**10:11**
覓回自己	陳之藩	11/16/55	**13:10**
訪康克特(海外寄語之六)	於梨華	9/16/57	**17:6**
訪畫記	彭歌	11/16/54	**11:10**
許曼計劃與布勒溫計劃	雷崧生	11/1/52	**7:9**
責任的意義	邱昌渭	8/1/54	**11:3**
責任與榮譽	方一諤	6/1/55	**12:11**

【十一劃】(續)

貫徹法治壽世慰親	陶百川	10/31/56	**15:9**
貨幣供給理論概述(上)	瞿荊洲	9/16/56	**15:6**
貨幣供給理論概述(下)	瞿荊洲	10/1/56	**15:7**
貪污與待遇	短評	4/16/59	**20:8**
這一年！	社論(夏道平)	1/1/56	**14:1**
這是什麼作風？	趙正誠	4/1/57	**16:7**
這是我們反省的時候了！	宋英	1/16/50	**2:2**
這是國民黨反省的時候	社論(雷震／殷海光)	5/16/54	**10:10**
這個樣子的訓導主任！	魯愚	11/16/54	**11:10**
這就是大家的需要	短評	12/16/58	**19:12**
這樣的地方選舉能算「公平合法」嗎？	社論(傅正)	5/1/60	**22:9**
這樣的辦法怎可不再修正？	鄭誠	6/1/57	**16:11**
這樣能解決問題嗎？——對於左舜生先生主張與中央日報社論的平議	社論	7/16/59	**21:2**
這樣做法，是否官僚作風？	鄧澂濤	9/5/54	**11:5**
這樣就能推行簡易商業會計制度嗎？	李進財	1/1/57	**16:1**
「通信週」和「通信自由」	短評	10/16/58	**19:8**
造謠者的果報(香港通訊)	范家樹	5/16/52	**6:10**
透視共黨在泰陰謀(曼谷通訊)	道統	7/16/52	**7:2**
透視周恩來印緬之行	黃巖	9/5/54	**11:5**
逢新年算舊賬	傅宗懋	1/1/50	**2:1**
部編標準教科書爲何加價？	崔文若	3/16/58	**18:6**
郭沫若的過去與現在(上)	劉治郁	8/1/50	**3:3**
郭沫若的過去與現在(下)	劉治郁	8/16/50	**3:4**
釣勝於魚	陳之藩	10/16/55	**13:8**
閉門造車	短評	4/16/59	**20:8**
陳明仁、周震麟合作鈔金(香港通訊)	乖崖	1/1/51	**4:1**
陳紀瀅先生來函	陳紀瀅	12/1/54	**11:11**
陳院長致胡適之先生函	陳誠	9/16/51	**5:6**
「陳情書」	第二光盛輪難屬代表	4/1/60	**22:7**
陳啓天先生來函	陳啟天	9/1/56	**15:5**
陳毅與饒漱石間的暗鬥(香港通訊)	柳甦生	12/1/51	**5:11**
陳獨秀與陳炯明	李念嚴	6/16/51	**4:12**
陸小曼的房子與匪區貪污(香港通訊)	雪人	8/16/51	**5:4**

【十一劃】(續)

陷後北平教授群(香港通信)	烏逸人	3/1/50	**2:5**
雪除夕	楊念慈	4/16/52	**6:8**
章勳義先生來函	章勳義	8/1/56	**15:3**
鳥仔卦	林海音	5/1/57	**16:9**
麥克吉利克先生的友情	孫宏偉	1/16/53	**8:2**
麥帥之去職	社論	4/16/51	**4:8**
麥帥之於聯合國	時事述評	12/16/50	**3:12**
麥帥事件與臺灣	時事述評	4/16/51	**4:8**
麥帥的聲明	時事述評	4/1/51	**4:7**
麥帥被黜後的共黨世界戰略	喬治原作／聶華苓譯	6/1/51	**4:11**
麥帥解職底教訓	殷海光	5/1/51	**4:9**

【十二劃】

傅孟真先生集	毛子水	2/16/53	**8:4**
傅孟真先生傳略	毛子水	1/1/51	**4:1**
傑弗遜的政治思想	Saul K. Padover 原作／申思聰譯	1/16/52	**6:2**
傑克不會成個呆孩子！	辛之魯	1/16/55	**12:2**
最近中東情勢之分析	施仁	6/1/56	**14:11**
最近年來的美國最高法院	劉慶瑞	1/1/60	**22:1**
最後的微笑	夏菁	7/16/58	**19:2**
凱恩斯的投資理論(下)	戴杜衡	6/1/54	**10:11**
凱恩斯的投資理論(上)	戴杜衡	5/16/54	**10:10**
凱恩斯的乘數原理(下)	戴杜衡	12/1/53	**9:11**
凱恩斯的乘數原理(上)	戴杜衡	11/16/53	**9:10**
凱瑟在美國企業界的成就	毛樹清	2/1/59	**20:3**
割除選癌・收拾民心	王地	4/1/60	**22:7**
創刊「自由中國」的意旨	雷震	3/16/57	**16:6**
創設講理俱樂部	殷海光	7/16/58	**19:2**
創造新的價值取向	蔣勻田	11/16/59	**21:10**
創辦新報的限制該解除了吧！——今天連違法的根據也沒有了	社論	7/16/60	**23:2**
剩餘價值與國民生產力	蔣勻田	12/5/49	**1:2**
勞山峰下冤魂淚	魯凡夫	10/16/52	**7:8**
勞氏、勞氏、心勞日拙矣！	時事述評	2/1/51	**4:3**

【十二劃】(續)

勞動制度論	汪洪法	6/1/50	**2:11**
勞榦先生來函	勞榦	7/16/57	**17:2**
喜宴	琦君	8/1/60	**23:3**
喪鐘乎？警鐘乎？	社論	5/1/56	**14:9**
堪注意的社會新聞	史重光	9/16/52	**7:6**
報導客觀事實是報紙的責任	劉圓明	7/1/56	**15:1**
奠邊府之戰	齊萬森	6/16/54	**10:12**
尊師重道哀教師！——作爲一個中學教師的感慨	胡虛一	1/16/59	**20:2**
尋夢曲	郭嗣汾	8/16/53	**9:4**
尋夢與畫夢	公孫嬿	12/16/53	**9:12**
就「法」言法	短評	1/16/59	**20:2**
就地方選舉向國民黨再進一言	社論	4/1/60	**22:7**
就業考試與中等學校教員	社論	9/5/54	**11:5**
幾度夕陽紅	陳之藩	7/1/58	**19:1**
幾番風雨(一)	孟瑤	7/1/54	**11:1**
幾番風雨(七)	孟瑤	10/1/54	**11:7**
幾番風雨(九)	孟瑤	11/1/54	**11:9**
幾番風雨(二)	孟瑤	7/16/54	**11:2**
幾番風雨(八)	孟瑤	10/16/54	**11:8**
幾番風雨(十)	孟瑤	11/16/54	**11:10**
幾番風雨(十一)	孟瑤	12/1/54	**11:11**
幾番風雨(三)	孟瑤	8/1/54	**11:3**
幾番風雨(五)	孟瑤	9/5/54	**11:5**
幾番風雨(六)	孟瑤	9/16/54	**11:6**
幾番風雨(四)	孟瑤	8/16/54	**11:4**
幾番風雨(續完)	孟瑤	12/16/54	**11:12**
幾點國是意見	王厚生	3/1/60	**22:5**
彭水沈冤(四川通訊)	望楚	6/16/51	**4:12**
「惡性畢業捐」應明令禁止	王家燕	6/1/58	**18:11**
「惡性補習」的原因何在？	短評	10/16/58	**19:8**
「惡性補習」與「惡性收費」	王世鈞	7/16/58	**19:2**
惡性補習與教室荒	短評	11/16/58	**19:10**
悲哀	李金	3/1/55	**12:5**

【十二劃】（續）

悲劇與英雄	Arther Miller 原作／李經譯	8/1/59	**21:3**
悲憤話新疆	羅家倫	2/16/50	**2:4**
慨乎蔣梅二先生之言！	劉世超	11/16/57	**17:10**
提前反攻中國大陸與世界反共戰爭	張仲仁	10/1/50	**3:7**
提議徵召胡適之先生爲中華民國副總統	許思澄	2/16/54	**10:4**
揭穿國民黨所謂安全措施下的選舉舞弊	李福春、李賜卿	3/16/60	**22:6**
揭開中印間有關西藏的幕	羅家倫	10/1/50	**3:7**
揭開氫原子彈的秘密(美國通信)	王紀五	3/16/50	**2:6**
捶帖	朱西甯	6/1/58	**18:11**
斯諾筆下之維辛斯基的臉譜	焦木節譯	1/1/51	**4:1**
智者的旅棧	陳之藩	10/16/56	**15:8**
智慧的火花	陳之藩	5/16/55	**12:10**
曾葆蓀爲國爭光(巴黎通訊)	一鶚	5/1/52	**6:9**
期待於國立政治大學	社論	12/1/54	**11:11**
期望中的憂慮——進言於新任行政院長陳誠氏	社論	7/16/58	**19:2**
港報一致抨擊彭孟緝！	方望思	3/16/60	**22:6**
游擊英雄馳閩江(福建通訊)	曼青	8/1/51	**5:3**
減輕學生課業負擔問題(來函)	蔣建白	6/16/55	**12:12**
湛山莊主人	司馬桑敦	12/1/53	**9:11**
湖上的小詩	張秀亞	4/1/57	**16:7**
湯餅會	鍾梅音	4/16/57	**16:8**
「無失論」與賣國賊	山空	12/5/49	**1:2**
無處訴苦——代請願	姚和民	5/1/58	**18:9**
無題	思果	11/16/57	**17:10**
琴心	公孫嬿	5/1/55	**12:9**
畫與我	王藍	2/1/51	**4:3**
痛定思痛話水災	社論	9/1/59	**21:5**
痛定思痛談免試升學	社論	2/1/59	**20:3**
痛話臺中市選舉	柯一民	5/16/60	**22:10**
發刊詞	本社(雷震)	11/20/49	**1:1**
發展臺灣經濟的方向	趙岡	6/1/57	**16:11**
發展臺灣經濟的方向：幾點商榷	馬逢華	9/5/57	**17:5**
發薪日	勞影	11/5/58	**19:9**

【十二劃】(續)

短簡	張秀亞	11/16/52	**7:10**
窗	聶華苓	5/16/59	**20:10**
童子操刀	陳之藩	4/16/55	**12:8**
等待(新詩)	方思	6/16/54	**10:12**
等待	張秀亞	2/1/55	**12:3**
筆尖	師範	6/16/53	**8:12**
答中央信託局	邱平	12/1/57	**17:11**
答王木公先生談自由	陳致平	2/1/57	**16:3**
答李聲庭君評「各國憲法及其政府」	劉慶瑞	10/16/56	**15:8**
答覆萬如鎔王曦譚謙三位先生的一封公開信	劉真	9/16/59	**21:6**
「結果圓滿」了嗎？	余明遠	10/1/56	**15:7**
紫君的婚禮	於梨華	2/1/60	**22:3**
紫娟表妹(上)	徐斌	10/16/53	**9:8**
紫娟表妹(下)	徐斌	11/1/53	**9:9**
絮語	張秀亞	8/1/53	**9:3**
給亡命者及其他	周策縱	1/16/59	**20:2**
給公費留學倡議諸公的幾點建議	慎和	6/16/60	**22:12**
給司法院大法官會議的一封請願書	曹浪平等	3/1/58	**18:5**
給在日本的梅蘭芳一封公開信	周棄子	6/1/56	**14:11**
給杜魯門總統的一封公開信	喬治原作	1/16/51	**4:2**
給美國政府一個嚴重的警告	社論	3/1/52	**6:5**
給胡適之先生的公開信	尤光先	6/1/54	**10:11**
給祖國的一封公開信(芝加哥通訊)	林慰君	5/16/50	**2:10**
給高市長的一封公開信	吳四維	2/16/55	**12:4**
給教育廳劉廳長的一封公開信	萬如鎔、王曦、譚謙	9/1/59	**21:5**
給惠德曼	余光中	6/1/54	**10:11**
給雷震先生的一封公開信	殷海光	5/16/60	**22:10**
給臺大石翠同學的一封公開信	師大學生・李玉	6/1/60	**22:11**
萍蹤雲影	張靜	8/16/52	**7:4**
華人力爭出生地公民權	佘陽	9/1/56	**15:5**
華萊士先生還未完全覺醒	時事述評	11/1/50	**3:9**
華僑中學易長糾紛	張秀明	8/16/57	**17:4**
華僑與古巴獨立	Gonzalo de Quesado 原作／漢聲譯	3/1/57	**16:5**

【十二劃】(續)

華僑與泰國經濟	莊心在	3/1/54	**10:5**
華僑讀者爭閱本刊	李銳華、江康城	7/1/53	**9:1**
菲共虎克黨日暮途窮	岳文彬	12/16/52	**7:12**
菲律賓華僑與「菲化案」	吳春熙	4/16/51	**4:8**
虛雲和尚年譜討論	胡適	12/16/59	**21:12**
虛矯和自我陶醉	陶之本	4/1/58	**18:7**
評「工商日報」對南韓政治風暴的看法	傅正	5/16/60	**22:10**
評「水東流」	杜詩	10/16/55	**13:8**
評「我的父親」	陳紀瀅	2/16/52	**6:4**
評「政黨的承認問題」	民主中國	9/1/60	**23:5**
評「洗腦」	吳魯芹	3/16/52	**6:6**
評「美國的總統」	滄波	10/16/52	**7:8**
評「經濟部建立證券市場研究小組報告書」	周正元	8/16/60	**23:4**
評大專青年論文競賽	王文瑞	1/1/59	**20:1**
評中廣小說選播「紅樓夢」	嚴明	11/1/59	**21:9**
評介「大火炬的愛」	陳紀瀅	8/1/52	**7:3**
評介「老子哲學」	杜呈祥	5/1/54	**10:9**
評內政部新頒出版品禁限事項	陶百川	11/16/54	**11:10**
評外匯貿易改進方案	社論	5/1/58	**18:9**
評存款戶使用本名及行使支票管理辦法	濟民	10/1/55	**13:7**
評扶植自耕農方案	社論	8/16/52	**7:4**
評李辰冬的評詩標準(上)	陳康	8/1/57	**17:3**
評李辰冬的評詩標準(下)	陳康	8/16/57	**17:4**
評星加坡的「教育政策白皮書」	社論	7/16/56	**15:2**
評洪譯「凱因斯指南」	陸民仁	11/16/55	**13:10**
評限外發行	時事述評	7/16/50	**3:2**
評師範生代職實習的試辦	章子鈞	9/16/56	**15:6**
評高等法院對臺北市省議員選舉訴訟的判決	洪安邦	7/16/60	**23:2**
評新公務人員任用法	鄭知三	5/16/54	**10:10**
評僑務教育函授學校	簡會元	8/16/56	**15:4**
評選舉監察辦法修正案──國民黨黨政當局再不要玩弄手法了！	社論	8/16/60	**23:4**
評醞釀中的又一次文清運動	社論	8/1/56	**15:3**
評蘇俄副總理馬倫科夫演詞	時事述評	11/20/49	**1:1**

【十二劃】(續)

評蘇俄集團與南共「綱領」之爭	金一鴻	11/5/58	**19:9**
貿易對於和約的影響	瞿荊洲	3/1/52	**6:5**
越北華僑回國觀光(河內通訊)	惜光	6/1/52	**6:11**
越南分割前後的華僑動態	田寧	9/16/54	**11:6**
越南的紅禍	丁匡華	9/16/52	**7:6**
越南政局及其展望(下)	齊佑之	2/1/56	**14:3**
越南政局及其展望(上)	齊佑之	1/16/56	**14:2**
越南政壇上的風雲(西貢通訊)	丁匡華	8/16/52	**7:4**
越南停戰以後	社論	8/1/54	**11:3**
越南排華的遠因近果	趙家將	6/16/57	**16:12**
越南戰局透視	丁匡華	11/16/52	**7:10**
跌斷了腿的大躍進！	劉富蘭	9/16/59	**21:6**
「跛鴨」與「拉夫」	喬志高	6/16/60	**22:12**
進展中的日本選民意識	徐逸樵	5/16/53	**8:10**
郵戰	苓譯	6/1/51	**4:11**
鄉下醫生	艾雯	8/16/57	**17:4**
鄉村醫生(上)	黃思騁	9/18/55	**13:6**
鄉村醫生(下)	黃思騁	10/1/55	**13:7**
開放的社會及其敵人	程滄波	12/1/52	**7:11**
開城談判的裏面觀	社論	7/16/51	**5:2**
開城談判會破裂嗎？	時事述評	9/1/51	**5:5**
開倒車——走私案移送軍法審判	社論(雷震／夏道平)	12/5/59	**21:11**
開發臺東與加路蘭築港	張冠英	9/16/53	**9:6**
閒話的閒話(紐約通訊)	曾英奇	1/16/52	**6:2**
閒談政治	薩孟武	1/1/59	**20:1**
陽明山公園爲何不開放？	俞朱錢	9/16/58	**19:6**
陽明學說述評(上)	羅鴻詔	12/1/55	**13:11**
陽明學說述評(下)	羅鴻詔	12/16/55	**13:12**
雅舍小品	海光(殷海光筆名)	2/16/52	**6:4**
雅爾達密約與臺灣海峽停火	社論	4/1/55	**12:7**
集中寺院	苓	7/1/51	**5:1**
集權政府中央行政組織形態的剖析	邱昌渭遺著	8/16/56	**15:4**
雲	光中	8/16/55	**13:4**

【十二劃】(續)

雲南邊區紀行	汪京金	4/1/57	**16:7**
飲一八四二年葡萄酒	光中	12/1/55	**13:11**
黃市長「巧辯」	短評	1/1/59	**20:1**
黃昏在唐人街	叢甦	3/16/60	**22:6**
黃昏的故事	聶華苓	1/16/52	**6:2**
黃昏星	光中	7/16/56	**15:2**
黃啓瑞在公車加價案中「玩法弄權」！	社論	11/1/59	**21:9**
黃啓瑞來函	黃啟瑞	11/16/59	**21:10**
黃啓瑞能向臺北市民交代嗎？	傅正	4/16/60	**22:8**
黃尊生詩序	陳伯莊	4/1/58	**18:7**
「黃禍」何處來？	短評	3/16/59	**20:6**
「黑馬」與「寵兒」	喬志高	4/1/60	**22:7**
黑幕重重話違建	甘火文	5/16/59	**20:10**

【十三劃】

傳訊華僑事件的始末	馬識途	5/1/56	**14:9**
傳統與革新	雷震	7/16/51	**5:2**
勢利眼的灑水車	陳居仁	8/16/54	**11:4**
園藝事業在臺灣	陸之琳	8/1/51	**5:3**
奧地利社會黨的勝利原因	紀夢平	6/1/57	**16:11**
廉潔的公教人員活不下去！	社論	7/16/57	**17:2**
徬徨歧途的美國外交	伴耘	8/1/56	**15:3**
意大利的左派勢力	魯冀	8/1/57	**17:3**
意大利普選前夕	方及	5/16/53	**8:10**
意大利閣潮的前因後果	魯冀	8/16/57	**17:4**
意大利選舉的前前後後	方及	7/1/53	**9:1**
意共內幕(羅馬通訊)	王薇	4/16/51	**4:8**
意在對外的毛澤東「處理人民內部矛盾」	蔣勻田	7/16/57	**17:2**
慈愛的心	沙玉華	6/16/55	**12:12**
感性的自覺	李經	6/16/58	**18:12**
感恩日	秋楊	9/16/58	**19:6**
愛之譁變	胡平	2/1/52	**6:3**
愛因斯坦的人生哲學	愛因斯坦原作／劉世超譯	1/1/53	**8:1**

【十三劃】(續)

愛因斯坦的苦悶	陳之藩	7/16/55	**13:2**
愛好清潔的尼德魯	苓譯	8/16/51	**5:4**
愛國華僑走向何處去？(香港通訊)	祁自珍	5/16/50	**2:10**
愛國詩人陸放翁	殷勤	1/16/50	**2:2**
愛國獎券	聶華苓	1/16/59	**20:2**
愛與死	張秀亞	8/1/57	**17:3**
慎防史達林的和平攻勢	時事述評	8/16/51	**5:4**
搶救教育危機	余燕人	12/16/54	**11:12**
搶救緬境難胞	社論	3/1/56	**14:5**
搖籃與竹馬(一)	王敬羲	3/16/55	**12:6**
搖籃與竹馬(二)	王敬羲	4/1/55	**12:7**
搖籃與竹馬(續完)	王敬羲	4/16/55	**12:8**
敬以諍言慶祝蔣總統當選連任	社論	4/1/54	**10:7**
敬向國大代表同仁說幾句話	雷震	3/1/60	**22:5**
敬向教育廳劉廳長請教	譚益齋	4/1/60	**22:7**
敬向蔣總統作一最後的忠告	社論(夏道平)	2/1/60	**22:3**
敬告我們的國大代表——團結‧法統‧政治買賣	社論(雷震、夏道平)	2/16/60	**22:4**
敬悼尾崎行雄先生	陳固亭	11/1/54	**11:9**
敬悼傅孟真先生	屈萬里	1/1/51	**4:1**
敬覆李月軒先生	萬子霖	8/1/57	**17:3**
新「官場現形記」	短評	4/16/59	**20:8**
新加坡人民行動黨反對自由中國！——因爲他們是僞裝的共產黨	沙學浚	7/1/59	**21:1**
新加坡國的誕生	司馬夫	7/1/59	**21:1**
新生入學必須樂捐！？	王大川	9/18/55	**13:6**
新年的願望——民主與團結	社論	1/1/54	**10:1**
新年初論美國總統競選	董鼎山	1/1/60	**22:1**
新年話世局	朱伴耘	1/1/54	**10:1**
新年語痛	田心	2/16/59	**20:4**
新成立的日本民主社會黨	黃洋	3/16/60	**22:6**
新作風在古巴(古巴通訊)	關浪帆	1/16/51	**4:2**
新官僚政治文獻的代表作	荊凡	5/16/56	**14:10**
新秋	夏菁	12/1/56	**15:11**
新軍，新在那裡？(鳳山通信)	余西蘭	4/16/50	**2:8**

【十三劃】(續)

新綠(小說)	胡平	10/1/52	7:7
新臺灣紡織公司來函	新臺灣紡織公司	11/16/56	15:10
新閣的作風與人事安排	社論	8/1/58	19:3
新墳	朱西甯	12/16/57	17:12
新興土耳其	方及	10/16/54	11:8
新疆六十萬哈薩克是俄中兩匪幫的死敵			
——並補充蒙藏會委員長李永新對邊疆抗暴運動的公開報導	吳傑彥	9/1/59	21:5
新蘇維埃帝國	殷海光	5/16/53	8:10
會考未行而弊端已見	王大川	5/1/56	14:9
極權對民主自由的威脅	海光(殷海光筆名)	9/1/51	5:5
楊梅	琦君	8/16/54	11:4
爺爺的寶貝	聶華苓	8/16/60	23:4
瑞典能守中立嗎?(西歐通訊)	安東	6/1/52	6:11
當兵的還敢談享受?	一群丘八	2/1/59	20:3
當兵與練兵	時事述評	8/1/51	5:3
當局對付批評的新作風	陶百川	2/1/55	12:3
當前台灣警政問題的嚴重性!	社論(傅正)	6/1/59	20:11
當前外匯貿易管理的「死結」	希美	4/16/58	18:8
當前國策之商榷	曹德宣	11/16/59	21:10
當前國際形勢與反共聯合戰線	社論	6/1/53	8:11
當前國際形勢靜觀	朱伴耘	8/16/57	17:4
當前僑務的檢討與策進	喬迺南	10/16/58	19:8
當前管制經濟的措施亟待改進	社論	3/16/53	8:6
睜開眼睛看當前世局——不要因愚昧的宣傳害了自己	社論	10/16/59	21:8
禁書要禁得合理	王少南	6/1/55	12:11
萬里風浪	郭友梅	4/1/53	8:7
萬事莫如反共急(芝加哥通訊)	林慰君	10/1/50	3:7
萬般感慨卸征衫!——從一份「保證書」說起	精希	1/16/60	22:2
節育與教條之我見	張天增	8/1/59	21:3
節約消耗和穩定財政	時事述評	4/16/51	4:8
節約運動必須正本清源	社論	4/1/52	6:7
節約歟?浪費歟?	短評	11/5/58	19:9
節能補虧、約以養源	時事述評	6/16/50	2:12

【十三劃】(續)

經財的破綻，軍政的污點——走私	時事述評	5/1/50	**2:9**
經濟的自由主義	高壽昌	2/1/51	**4:3**
經濟社會化的政策性(上)	王師復	4/1/50	**2:7**
經濟社會化的政策性(下)	王師復	4/16/50	**2:8**
經濟政策之技術的觀點	瞿荊洲	6/16/52	**6:12**
經濟政策與經濟學理	海光(殷海光筆名)	8/16/52	**7:4**
經濟部中央標準局來函	經濟部中央標準局	9/18/55	**13:6**
經濟學新辭典	凡夫	1/16/57	**16:2**
置電話記	吳魯芹	2/16/55	**12:4**
義和團幽靈復活(香港通訊)	梅川克	10/16/51	**5:8**
「聖地牙哥宣言」敲響了獨裁者的喪鐘！	社論	9/1/59	**21:5**
聖陵的晨歌	Conrad Aiken 原作／余光中譯	5/1/58	**18:9**
聖誕節在東京(東京通訊)	余蒼白	1/16/52	**6:2**
聖誕禮物	王敬羲	1/1/55	**12:1**
腳踏實地說老實話(讀「文學雜誌」創刊號)	周棄子	10/1/56	**15:7**
落月(一)	彭歌	1/16/56	**14:2**
落月(二續)	彭歌	2/1/56	**14:3**
落月(三續)	彭歌	2/16/56	**14:4**
落月(四續)	彭歌	3/1/56	**14:5**
落月(五續)	彭歌	3/16/56	**14:6**
落月(六續)	彭歌	4/1/56	**14:7**
落月(七續)	彭歌	4/16/56	**14:8**
落月(八續)	彭歌	5/1/56	**14:9**
落月(九續)	彭歌	5/16/56	**14:10**
落月(續完)	彭歌	6/1/56	**14:11**
「落月」後記	彭歌	8/1/56	**15:3**
落後地區的工業化問題	易巽	5/16/51	**4:10**
落後國家的資本形成問題	高叔康	4/1/58	**18:7**
葛藤(一)	聶華苓	6/1/56	**14:11**
葛藤(二續)	聶華苓	7/1/56	**15:1**
葛藤(三續)	聶華苓	7/16/56	**15:2**
葛藤(四續)	聶華苓	8/1/56	**15:3**
葛藤(五續)	聶華苓	8/16/56	**15:4**

【十三劃】(續)

葛藤(續完)	聶華苓	9/1/56	**15:5**
葡萄牙近事	警雷	6/1/53	**8:11**
蛻變中的美國對臺政策	朱伴耘	5/1/52	**6:9**
補正「籲請立監兩院澈查司法黑暗」一文	喻伯凱	6/1/58	**18:11**
解決中國問題須要以民意為依歸	社論	11/16/59	**21:10**
解決臺灣省政體制的根本辦法——省長必須實行民選！	社論	8/1/59	**21:3**
「解放」(獨幕劇)	余水姬	11/16/50	**3:10**
「解放」區中所謂教育！(浙南通訊)	金煜	5/1/50	**2:9**
「解放」歌謠集(華府通訊)	張文	7/16/50	**3:2**
「解放區」、香港、自由中國(上)	張力行	1/1/51	**4:1**
「解放區」、香港、自由中國(下)	張力行	1/16/51	**4:2**
解凍的時候	蔡文甫	2/1/59	**20:3**
解除留學生出國的難關	劉道孟	9/1/60	**23:5**
解除臺灣中立化應該是全球性戰略的第一步	社論	2/16/53	**8:4**
解除臺灣中立後西班牙輿論的反響	警雷	3/1/53	**8:5**
解除整肅與右傾危機(東京通訊)	袁固	8/16/51	**5:4**
解救越南危局的根本之圖	社論	11/1/50	**3:9**
試談文化的建設和反共的理論以壽蔣總統	毛子水	10/31/56	**15:9**
試談文化問題	楊懋春	6/16/60	**22:12**
試談新詩形式上的問題	嚴明	6/16/57	**16:12**
試論我國憲法的利弊得失	鄧啟	7/16/53	**9:2**
詩二首(感覺的糊塗‧殘更)	徐訏	2/1/54	**10:3**
詩二首	光中	4/16/56	**14:8**
詩二首	余光中	5/16/57	**16:10**
詩二首	李經	1/1/59	**20:1**
詩二首	張秀亞	6/16/57	**16:12**
詩三首	李經	1/1/57	**16:1**
詩與詩人	李經	9/16/53	**9:6**
跟著五四的腳步前進	社論(殷海光)	5/1/58	**18:9**
違法舞弊的臺南市長選舉應宣告無效	社論	5/16/60	**22:10**
遏止這股反時代的逆流	社論	9/1/56	**15:5**
過則勿憚改！	游紹虞	10/1/56	**15:7**
隔重洋遠眺群醜有感五首(華府通訊)	張文	6/1/50	**2:11**

【十三劃】(續)

雷諾判決無罪與臺北騷動事件之檢討 社論(夏道平) 6/1/57 **16:11**

雷諾事件在美國 王紀五 8/1/57 **17:3**

電力必須加價嗎？ 陶百川 10/1/54 **11:7**

電氣與人生 時事述評 11/16/51 **5:10**

預訓班與大專學生的軍訓問題 陳孜 3/1/58 **18:5**

鳩山乎？吉田乎？(東京通訊) 余蒼白 6/16/51 **4:12**

鳩山政權的苦悶 徐逸樵 6/1/55 **12:11**

鼓浪嶼之夏 王敬義 5/16/54 **10:10**

鼠 沙基(Saki)原作／思果譯 4/16/58 **18:8**

嗩吶 公孫嬿 10/1/54 **11:7**

【十四劃】

僑委會鄭委員長來函 僑委會鄭委員長 8/16/56 **15:4**

僑務委員會秘書室來函 僑務委員會秘書室 7/1/58 **19:1**

僑資條例准許輸入其他物資的弊害及對策 張九如 9/18/55 **13:6**

團結才能反共 短評 3/16/59 **20:6**

壽總統蔣公 社論 10/31/56 **15:9**

「寧鳴而死，不默而生」 胡適 4/1/55 **12:7**

對「革命」的一個看法 杜蘅之 8/1/58 **19:3**

對「教職員婚喪互助辦法」的意見 王明生 12/16/59 **21:12**

對大陸知識份子「大鳴大放」的分析 鍾正梅 11/1/57 **17:9**

對文化界清潔運動的兩項意見 社論 8/16/54 **11:4**

對日和約中國參加問題 黃正銘 8/16/51 **5:4**

對日和約與集體安全 社論 5/1/51 **4:9**

對本刊的幾點意見 余永祺 1/16/52 **6:2**

對本屆地方選舉的檢討 傅正 5/1/57 **16:9**

對本屆地方選舉應有的認識和態度 楊基振 4/16/60 **22:8**

對民社黨和國民黨提名競選之爭的看法 社論 12/16/59 **21:12**

對民青兩黨的期望 社論(夏道平) 12/1/55 **13:11**

對交通部更正函的駁正 一鳴 7/1/60 **23:1**

對共產集團和平攻勢應有的瞭解與對策 社論 4/16/53 **8:8**

對艾森豪總統關於遠東政策咨文的觀感 社論 2/1/55 **12:3**

對扶植自耕農計劃的一個輔助建議 徐芸書 8/16/52 **7:4**

【十四劃】(續)

對亞洲人民反共會議的期望	社論	8/1/54	**11:3**
對於丁文江所提倡的科學研究幾段回憶	李濟	9/1/56	**15:5**
對於地方選舉的兩點起碼要求	社論(傅正)	3/16/60	**22:6**
對於我們教育的展望	社論	9/16/52	**7:6**
對於杜勒斯外交政策的觀感	社論	2/1/56	**14:3**
對於所謂蘇俄政變的另一種看法	諸星雲	3/1/55	**12:5**
對於思想的幾點看法	隨如庵	3/1/50	**2:5**
對於軍事的兩個基本願望	曲靈鈞	11/16/59	**21:10**
對於海光先生評介「經濟政策與經濟學理」之商榷	周德偉	9/1/52	**7:5**
對於新詩的一點意見	夏濟安	5/1/57	**16:9**
對於監察院總檢討的檢討	社論	12/16/59	**21:12**
對於臺灣金融政策的一點建議	趙岡	7/16/59	**21:2**
對盲目檢扣書報的抗議	轉載祖國周刊	8/1/57	**17:3**
對初中地理教本第三冊的商榷	馬真吾	10/1/57	**17:7**
對政經半月刊事件的觀感	社論(夏道平)	1/16/60	**22:2**
對省府處置高雄市長罷免案平議	楊金虎	11/1/59	**21:9**
對高普考的幾點改進意見	林金順	3/16/57	**16:6**
對國民黨七全大會的期望	社論(雷震)	10/1/52	**7:7**
對梅部長的低調希望	社論(殷海光)	8/16/58	**19:4**
對貨幣數量說之探討	楊剛毅	7/1/60	**23:1**
對減輕學生課業負擔的檢討	健人	5/16/55	**12:10**
對構陷與誣衊的抗議——從個人自由與國家自由說起	社論(雷震)	2/16/57	**16:4**
對當前僑務工作的幾點意見	柳樹青	11/16/59	**21:10**
對臺大錄取新生的兩點意見	宓去病	9/16/53	**9:6**
對臺灣省政府改組的感想	沈建平	9/5/57	**17:5**
對蘇甦先生之聲明	裕隆公司	10/16/59	**21:8**
撤銷軍人之友社！	社論(傅正)	10/1/59	**21:7**
撤銷警備總司令部！	短評	1/1/59	**20:1**
歌頌咖啡的人	李雅韻	6/1/53	**8:11**
漢口在低氣壓的氛圍中(漢口通訊)	曼君	2/1/51	**4:3**
漫談泰國政變(「民主隨筆」之三)	姚士幼	10/1/57	**17:7**
漫談教學自由	凡生	12/1/55	**13:11**
熄滅了的星火	童真	5/16/57	**16:10**

【十四劃】(續)

獄中記	柯爾冰(蘇俄)原作／張帆譯	2/1/50	**2:3**
瑪德里近事	牧人	3/1/57	**16:5**
監察院之將來(一)	雷震	11/1/52	**7:9**
監察院之將來(二)	雷震	11/16/52	**7:10**
監察院之將來(三)	雷震	12/1/52	**7:11**
監察院之將來(四)	雷震	1/1/53	**8:1**
監察院之將來(五)	雷震	1/16/53	**8:2**
監察院之將來(六)	雷震	2/1/53	**8:3**
監察院明察秋毫不見輿薪	短評	2/16/59	**20:4**
福利國家的科學意義	徐道鄰	6/1/55	**12:11**
福萊斯特爾陰魂的控訴	朱可立譯	11/1/51	**5:9**
管制計劃是無可避免的嗎？	海耶克原作／殷海光譯	11/1/53	**9:9**
管制計劃與自由計劃	海耶克原作／殷海光譯	10/1/53	**9:7**
管理國營事業的前提條件——從電力加價想起	社論	12/1/52	**7:11**
精兵・除害・團結(附錄)	齊世英	3/16/59	**20:6**
綜析西德第三屆大選	紀夢平	11/16/57	**17:10**
綜核名實和政治	毛子水	1/1/52	**6:1**
「綠天」增訂本讀後所感	周棄子	12/1/55	**13:11**
綠窗漫筆	聶華苓	1/16/58	**18:2**
綠窗隨筆	聶華苓	11/1/53	**9:9**
綠藤	聶華苓	5/16/53	**8:10**
綠藻和鹹蛋	林海音	7/1/56	**15:1**
緊張而興奮的越北(河內通訊)	祁仁	4/16/52	**6:8**
緊握收拾人心的機會	蔣勻田	5/16/57	**16:10**
維也納的陰影(維也納通訊)	恨生	2/16/51	**4:4**
維辛斯基在享受自由文化的舒適	美國之音	12/20/49	**1:3**
翠鳥湖(一)	童真	9/16/57	**17:6**
翠鳥湖(二)	童真	10/1/57	**17:7**
翠鳥湖(三)	童真	10/16/57	**17:8**
翠鳥湖(四)	童真	11/1/57	**17:9**
翠鳥湖(續完)	童真	11/16/57	**17:10**
聞三軍官校停訓生保送大專有感	安泓	10/16/59	**21:8**
聞雞起舞(歷史短篇)	王平陵	6/1/50	**2:11**

【十四劃】(續)

腐蝕墮落中的中共幹部(香港通訊)	祁自珍	10/1/50	**3:7**
臺大青年的心聲	攀星	7/1/60	**23:1**
臺大校長問題	姬之尹	2/16/51	**4:4**
臺北市一年白淌了多少水？	短評	2/16/59	**20:4**
臺北市政問題還容忽視嗎？——望黃市長「崇法負責」	社論	8/16/59	**21:4**
臺北市警察局第五分局來函	臺北市警察局第五分局	4/16/58	**18:8**
臺北地方法院檢察處來函	臺北地方法院檢察處	5/1/58	**18:9**
臺北行	余伍源	1/16/60	**22:2**
臺北騷動事件的心理分析	徐道鄰	6/16/57	**16:12**
臺南農職一位青年教師的控訴	李勁秋	8/16/55	**13:4**
臺南農職教員來函	臺南農職教員	7/1/55	**13:1**
臺南農職教員來函二件	臺南農職教員	7/16/55	**13:2**
臺省府還有整頓林政積弊的決心嗎？	社論	11/16/56	**15:10**
臺電不需再加價	陳式銳	12/1/54	**11:11**
臺灣、香港與大陸	社論	11/16/50	**3:10**
臺灣人對陳內閣的期望	秋水	10/1/58	**19:7**
臺灣人與大陸人	社論(夏道平)	7/16/60	**23:2**
臺灣土壤概況與農林利用	梁鉅榮	10/1/51	**5:7**
臺灣大學現行招生辦法之商榷	李濟	5/1/54	**10:9**
臺灣之水利	陳克誠	7/1/51	**5:1**
臺灣之森林	朱惠方	8/16/51	**5:4**
臺灣之農業	陳世璨	7/1/51	**5:1**
臺灣水利問題之檢討	宋希尚	1/1/52	**6:1**
臺灣地方選舉的「三黨主義」	朱文伯	4/1/60	**22:7**
臺灣在政治上與文化上抗日的回顧	方豪	1/1/51	**4:1**
臺灣的土著族	衛惠林	5/1/52	**6:9**
臺灣的文獻	方豪	4/1/52	**6:7**
臺灣的地理	楊錫福	4/16/52	**6:8**
臺灣的利率問題	趙岡	8/1/58	**19:3**
臺灣的花鳥	李華	12/1/50	**3:11**
臺灣的金融與美援	瞿荊洲	4/16/51	**4:8**
臺灣的建築	宋祖平	6/16/52	**6:12**
臺灣的軍隊該出動了！	時事述評	11/16/50	**3:10**

【十四劃】(續)

臺灣的音樂	呂訴上	6/1/52	**6:11**
臺灣的畜牧	戈福江	7/16/51	**5:2**
臺灣的選舉爲甚麼辦不好？	陳咸森	4/16/60	**22:8**
臺灣省立台中女子中學來函	沈雅利	7/16/58	**19:2**
臺灣省立台北師範學校附屬學來函	臺灣省立台北師範學校	8/1/58	**19:3**
臺灣省地方自治法規修正草案芻議	王地	3/1/59	**20:5**
臺灣省政府公路局來函	臺灣省政府公路局	4/16/57	**16:8**
臺灣省政府教育廳來函	臺灣省政府教育廳	10/16/56	**15:8**
臺灣省教育廳來函	臺灣省教育廳	12/1/56	**15:11**
臺灣省實施地方自治的檢討	阮毅成	6/1/53	**8:11**
臺灣省雜誌協會成立宣言	臺灣省雜誌協會(雷震)	6/1/50	**2:11**
臺灣省議會的悲哀！	文漢瑞	5/16/59	**20:10**
臺灣省議會第二屆第一次大會總詢問發言要點	郭雨新	9/1/60	**23:5**
臺灣省鐵路警察局來函	臺灣省鐵路警察局	4/16/58	**18:8**
臺灣海峽停火談判勢在必行嗎？	社論	5/16/55	**12:10**
臺灣特產香茅油	洪北江	10/16/51	**5:8**
臺灣高等法院對於「今日的司法」之聲明	臺灣高等法院	8/1/57	**17:3**
臺灣問題在美國(美國通信)	林慰君	3/1/50	**2:5**
臺灣報紙篇幅利用之商榷	陸崇仁	2/1/56	**14:3**
臺灣森林增產的重要性及其途徑	胡舒寒	1/1/59	**20:1**
臺灣棉布問題面面觀	陳式銳	7/1/52	**7:1**
臺灣經濟革新芻議	陳式銳	5/1/53	**8:9**
臺灣應實施的林業政策	王子定	9/1/51	**5:5**
與內政部田部長論警察權	李聲庭	9/16/58	**19:6**
與毛澤東董必武談話的回憶	蔣勻田	1/1/50	**2:1**
與共黨鬥爭中的印尼自由僑教	片影	5/16/54	**10:10**
與劫後王孫話將來(紐約通訊)	曾英奇	7/1/51	**5:1**
與李普曼先生論美國外交政策	李中直	5/1/50	**2:9**
與法國大將談兵	陳賢文	6/1/54	**10:11**
與陳兼院長論反對黨	社論(雷震)	7/1/60	**23:1**
與章勛義先生一席譚	范益生	7/16/56	**15:2**
與潘重規先生談紅樓夢(上)	李辰冬	11/1/51	**5:9**
與潘重規先生論紅樓夢(下)	李辰冬	11/16/51	**5:10**

【十四劃】(續)

與錢穆先生談文化問題	李辰冬	8/1/52	**7:3**
與薩孟武先生論立法權的運用(上)	涂浩如	9/1/50	**3:5**
與薩孟武先生論立法權的運用(下)	涂浩如	9/16/50	**3:6**
舞台	王敬義	12/16/53	**9:12**
蓉子	沙玉華	12/16/55	**13:12**
蒙藏委員會來函	蒙藏委員會	9/1/60	**23:5**
製漆業原料輸入管制辦法應速改革	洪洋	7/16/55	**13:2**
語文的功用	劉世超	7/1/56	**15:1**
認清當前形勢‧展開自新運動	社論(殷海光)	10/16/58	**19:8**
說給英國人聽	夏道平	12/5/49	**1:2**
豪富的下場	王平陵	7/1/50	**3:1**
赫爾回憶錄序	胡適	3/16/60	**22:6**
赫魯雪夫法國之行	程天牧	5/16/60	**22:10**
赫魯雪夫治下的蘇俄(上)	Harrison E. Salisbury 原作／董鼎山摘譯	11/1/59	**21:9**
赫魯雪夫治下的蘇俄(下)	Harrison E. Salisbury 原作／董鼎山摘譯	12/5/59	**21:11**
赫魯雪夫恫嚇伎倆的底層	易浮生	12/1/57	**17:11**
赫魯歇夫秘密演說全文	一思	11/16/56	**15:10**
趙品玉案所蘊含的幾個問題	社論	10/16/59	**21:8**
趕快使用原子彈	時事述評	7/16/50	**3:2**
趕快取消戶稅	袁臨風	10/1/54	**11:7**
趕快解決對日和約問題	左舜生	7/1/50	**3:1**
遠東局面徹底澄清前的幾片暗雲	劉光炎	10/1/50	**3:7**
遠東消滅赤禍之關鍵	湯恩伯	7/16/50	**3:2**
遙念祖國(印尼通訊)	來乙	9/1/51	**5:5**
遙遠的祝福	羊叔子	3/16/52	**6:6**
銀行抄送存戶名單問題評議	戴濟民	7/1/56	**15:1**
銀行放款制度與出口貿易之關係	張子良	1/1/55	**12:1**
銓敘部來函	銓敘部	9/16/57	**17:6**
銓釋中立主義	蔣勻田	7/1/56	**15:1**
領袖公僕論	李達生	11/1/59	**21:9**
颱風警報中的記者群	余錚	11/16/54	**11:10**
駁一種浮誇的歷史考證	宋岑	2/16/57	**16:4**
駁斥閻錫山氏的「大同之路」(上)	羅鴻詔	7/1/52	**7:1**

【十四劃】(續)

駁斥閻錫山氏的「大同之路」(下) 　　　　　　　　　　　羅鴻詔　7/16/52　**7:2**

駁斥黨報官報的謬論和誣衊——所謂「政黨的承認」和「共匪支持新黨」　　雷震　8/16/60　**23:4**

駁正省立臺中女中溺斃學生案更正函 　　　　　　　　　　巫褀川　8/1/58　**19:3**

駁某畫報「論所謂蔣總統的『連任』問題」 　　　　　紀仁(傅正筆名)　2/16/60　**22:4**

鳳姐的結局——「一從二令三人木」 　　　　　　　　　　嚴明　1/16/60　**22:2**

【十五劃】

價值判斷與民主政治 　　　　　　　　　　　　　　　　　劉世超　6/1/52　**6:11**

劉自然案帶來的血的教訓 ！ 　　　　　　　　　　　　　　傅正　6/1/57　**16:11**

劊子手 　　　　　　　　　　　　　　　　　　　　　　朱西甯　6/1/57　**16:11**

寮國危局與東南亞的政治 　　　　　　　　　　　　　　　社論　9/16/59　**21:6**

寮國戰局政局剖析 　　　　　　　　　　　　　　　　　　佘陽　9/1/59　**21:5**

寬容和民主 　　　　　　　　　　　　　　　　　　　　毛子水　6/16/51　**4:12**

寫在「臺灣地方自治與選舉的檢討」之前——代序 　　　　雷震　4/1/60　**22:7**

寫在反共救國會議之前 　　　　　　　　　　　　　　　　社論　10/16/53　**9:8**

寫在反共救國會議之前 　　　　　　　　　　　　　　　趙世洵　3/1/57　**16:5**

寫在本屆地方選舉之前 　　　　　　　　　　　　　　　　社論　4/1/57　**16:7**

寫在臺灣全省行政會議之後 　　　　　　　　　　　　　　社論　4/1/59　**20:7**

寫在舊金山和會的前面 　　　　　　　　　　　　　　　　社論　9/1/51　**5:5**

寫給司法行政會議 　　　　　　　　　　　　　　　　　萬香堂　8/1/57　**17:3**

履霜堅冰至！ 　　　　　　　　　　　　　　　　　　　　社論　3/16/52　**6:6**

廢止總動員法 　　　　　　　　　　　　　　　　　　　　短評　3/16/59　**20:6**

彈劾案與調查權 　　　　　　　　　　　　社論(雷震／夏道平)　1/1/58　**18:1**

德國的政黨與大選 　　　　　　　　　　　　　　　　　龍平甫　11/1/53　**9:9**

德國問題 　　　　　　　　　　　　　　　　　　　　　龍平甫　1/16/56　**14:2**

德意志聯邦建軍計劃 　　　　　　　　　　　　　　　　龍平甫　3/16/53　**8:6**

慧眼看中共 　　　　　　　　　　　　　　　　　　　　美新社　12/5/49　**1:2**

憂鬱的靈魂 　　　　　　　　　　　　　　　　　　　　　彭歌　12/16/53　**9:12**

慰出洋不成的童軍朋友 　　　　　　　　　　　　　　　　何愚　5/1/59　**20:9**

摩洛哥問題 　　　　　　　　　　　　　　　　　　　　齊佑之　10/16/55　**13:8**

敵友之間 　　　　　　　　　　　　　　　　　　　　　燕歸來　2/16/54　**10:4**

暮春漫筆 　　　　　　　　　　　　　　　　　　　　　張秀亞　5/1/53　**8:9**

暴力國會與日本人 　　　　　　　　　　　　　　　　　郭恒鈺　12/16/58　**19:12**

【十五劃】(續)

標準警察	短評	4/1/59	**20:7**
標語有何用處？	社論	5/1/56	**14:9**
樊努材先生按語	樊努材	8/16/57	**17:4**
歐洲的防禦	龍平甫	2/1/53	**8:3**
歐洲聯防條約與對德臨時和約	龍平甫	1/1/53	**8:1**
歐遊雜詩二首	李經	1/1/58	**18:1**
澄清所有的反時代思潮之逆流	王浩然	6/1/52	**6:11**
確立文人治軍制度	社論(雷震)	6/16/54	**10:12**
確立院士的標準與榮譽	陳一士	5/16/57	**16:10**
緬甸內部紛爭與中緬關係之發展	王魯	1/1/55	**12:1**
緬甸社會黨的新內閣	蘇榴生	7/16/56	**15:2**
緬甸政情	顏彥	7/16/56	**15:2**
緬甸政變與政黨形勢	佘陽	11/16/58	**19:10**
緬甸華僑堅決反共(仰光通訊)	陳振中	4/1/52	**6:7**
緬甸對反共軍的煩惱	石佛	7/1/55	**13:1**
蔣勻田先生來函(附蔣氏覆巴格諾考斯基信)	蔣勻田	3/16/50	**2:6**
蔣勻田先生來函	蔣勻田	10/16/56	**15:8**
蔣總統不會作錯了決定吧？	社論(夏道平)	6/16/59	**20:12**
蔣總統如何向歷史交待？	社論(夏道平)	4/1/60	**22:7**
蔡元培先生對我國教育的貢獻	沈雲龍	12/16/58	**19:12**
蝸居和漂鳥	叢甦	5/16/60	**22:10**
談「自由中國」「社論」論節育問題	江必理	8/1/59	**21:3**
談大圈圈裏的小圈圈	小市民	3/16/60	**22:6**
談小賬	吳魯芹	1/16/55	**12:2**
談中共中央所犯教條錯誤及其意向	王厚生	7/16/60	**23:2**
談中共本身的矛盾	王厚生	4/16/58	**18:8**
談今日英國的大學	趙世洵	8/16/55	**13:4**
談今日臺灣的交通問題	余諫	8/1/60	**23:3**
談反共與助共	勞仲瓊	4/1/50	**2:7**
談反對黨	李璜	8/16/57	**17:4**
談文藝批評	方思	5/1/54	**10:9**
談世界婦女地位	曾寶蓀	12/1/53	**9:11**
談古巴危機真相與美國的對策	力元生	8/16/60	**23:4**

【十五劃】(續)

談立院對胡案判決質詢的問題	胡學古	12/1/55	**13:11**
談考試與任用	社論	8/16/59	**21:4**
談自由與違法	王木公	1/16/57	**16:2**
談杜勒斯(1888～1959)	董鼎山	7/1/59	**21:1**
談明年美國大選	陳香梅	12/1/51	**5:11**
談美國的總統預選	黃錫照	5/1/60	**22:9**
談軍人待遇與生活實況──兼論其對於士氣和建軍的影響	彭觀清	5/1/60	**22:9**
談紡織品外銷的幾個問題	陳若谷	10/16/57	**17:8**
談做保	社論(夏道平)	10/1/52	**7:7**
談教育機會均等問題	王雲五	8/1/51	**5:3**
談現行高普考的考試制度	仲夏	7/1/60	**23:1**
談話的藝術	梁實秋	3/16/59	**20:6**
談臺北市政	社論	10/1/55	**13:7**
談臺灣大學的擁護連任運動	一群臺大學生	1/16/60	**22:2**
談談人民的集會結社自由	朱文伯	11/16/59	**21:10**
談談國民黨改造	時事述評	8/16/50	**3:4**
談談離職軍文人員的身分與待遇	汪道揆	10/1/59	**21:7**
談談黨員競選問題	時事述評	12/1/50	**3:11**
談戴樂美	趙世洵	12/1/56	**15:11**
請勿製造少年犯	貴仁	12/16/58	**19:12**
請勿濫用「學術研究」之名	殷海光	4/16/58	**18:8**
請勿濫用多數決！	陳維民	7/1/58	**19:1**
請代向監察委員先生們呼籲	胡學古	7/16/59	**21:2**
請司法當局立即採取行動	李聲庭	11/1/57	**17:9**
請外匯貿易審議會答覆	一群大學生	11/5/58	**19:9**
請用具體的方法搶救青年	恬琴	12/5/49	**1:2**
請投在野黨和無黨無派候選人一票！	社論(傅正)	4/16/60	**22:8**
請改善各甲種平交道安全設備裝置	一群看柵工	8/1/60	**23:3**
請制止補習班盜用姓名刊登廣告	林文雄	10/16/59	**21:8**
請客	吳魯芹	7/16/54	**11:2**
請政府切實保障人權！	王建邦(傅正筆名)	12/1/58	**19:11**
請政府在出版界放條生路	汪新明	4/16/59	**20:8**
請政府快救救慘遭迫害的印尼華僑！	忠靈	1/1/59	**20:1**

【十五劃】(續)

請政府重視盜印惡風！	林德泰	8/1/59	**21:3**
請看如此兼職！	楊生、陳名	10/16/58	**19:8**
請看軍人之「友」社！	源夫	6/16/59	**20:12**
請看香港「聯合評論」	方望思	9/1/58	**19:5**
請看香港發出的臺灣政治颱風警報	方望思	2/16/59	**20:4**
請看基隆市海水浴場一篇濫賬是誰搞的！			
——從去年十月我反對提名李國俊競選市長說起	江秀文	4/16/60	**22:8**
請看這樣無法無天的事！	宇俊英	12/1/58	**19:11**
請看新竹縣試辦「國校畢業生免試升學」之成果	本刊記者	5/16/57	**16:10**
請重視海外對總統連任問題的看法	方望思	12/5/59	**21:11**
請問政府用意何在？	陳衷言	4/1/60	**22:7**
請問黃市長	沈澤清	4/16/60	**22:8**
請問戰時海外特別匯款何時解凍？	郭海浪	6/16/60	**22:12**
請國民黨放棄「革命」	賈長卿	4/16/57	**16:8**
請國民黨國大代表切記谷正綱之言	張心剛	2/1/60	**22:3**
請從今天起有效地保障言論自由	夏道平	10/31/56	**15:9**
請教育當局制止學店之風！	尤錫光	3/16/59	**20:6**
請速改善下級官兵眷屬的生活	阿珠	11/1/59	**21:9**
請速制止農藥漲價！	楊昆明	9/1/58	**19:5**
請速停辦「大陸來臺國民調查」！	社論(雷震／傅正)	12/5/59	**21:11**
請解禁攝影範圍	一攝影者	5/1/60	**22:9**
請監察院慎選大法官！	林縝	9/16/58	**19:6**
請廢止師大專修科	陳斐玲	8/16/58	**19:4**
請釋明「軍官服役條例」之疑義	馬成龍	8/16/59	**21:4**
請聽我們的控訴！	一群三軍官校停訓生	12/16/59	**21:12**
調查乎？疏通乎？	短評	2/16/59	**20:4**
調景嶺上話義民(香港通訊)	黃河清	6/1/51	**4:11**
誰在「胡說」？	短評	11/16/58	**19:10**
誰在「強銷書刊」！	短評	10/1/58	**19:7**
誰來監察人民代表？	短評	7/1/52	**7:1**
誰是「亡國主義」？誰是「救國主義」？	朱大川	2/1/58	**18:3**
誰是「惡性補習」的禍首？	伍家邦	7/16/58	**19:2**
誰是包庇臺北市城東供銷場大違建的幕後人物？	甘火文	12/16/59	**21:12**

【十五劃】(續)

誰是真正的多數？	社論	7/1/60	**23:1**
誰是斯大林的繼承人	海星	11/20/49	**1:1**
誰是縱火者？	樊凡夫	12/1/52	**7:11**
誰能擊敗共產主義？	許冠三	1/16/50	**2:2**
誰奢誰儉？	短評	10/16/58	**19:8**
誰該負責？	短評	12/16/58	**19:12**
論「化佃農爲自耕農」	張丕介	11/1/51	**5:9**
論「西山會議派」——民國史實試論之一	唐德剛	8/16/60	**23:4**
論「進出口商管理辦法」	陳式銳	8/1/59	**21:3**
論「籌設中醫學校」案與所謂中西醫問題	如濱	9/1/56	**15:5**
論二分法	社論(殷海光)	8/1/58	**19:3**
論大學校長	方豪	2/16/51	**4:4**
論中山先生的全面利用外資政策	徐芸書	6/16/54	**10:12**
論中日合作的前途並再告兩國當局	社論	3/1/52	**6:5**
論中立主義	程滄波	5/1/51	**4:9**
論中共之統制思想	羅鴻詔	1/1/52	**6:1**
論中共的經濟政策	王光華	9/16/50	**3:6**
論中共對大學教授的「思想改造」	馬東梟	2/16/52	**6:4**
論中美共同防禦條約	社論	12/16/54	**11:12**
論中國政治問題的癥結	薩孟武	12/16/50	**3:12**
論中華路違章建築整建後間位分配問題	富伯平、梁肅戎、李公權	7/16/60	**23:2**
論今本紅樓夢的後四十回(上)	趙岡	3/16/60	**22:6**
論今本紅樓夢的後四十回(下)	趙岡	4/1/60	**22:7**
論內閣制的新型態	孟浩	12/1/53	**9:11**
論反共聯合陣線	李中直	2/1/50	**2:3**
論巴斯底的鑰匙	李中直	12/16/51	**5:12**
論日本人	邱南生	12/1/52	**7:11**
論日本的「保守合同」	徐逸樵	11/5/55	**13:9**
論日本的「新善鄰」政策	徐逸樵	8/1/52	**7:3**
論日本的直接民權	孟浩	3/16/55	**12:6**
論史太林造成「權化」的策略	黃天健	3/1/55	**12:5**
論台海危機	社論	10/1/58	**19:7**
論尼赫魯的外交政策及印度與中共的關係	孫宏偉	2/1/52	**6:3**

【十五劃】(續)

論布爾希維克氣質	許冠三	2/16/50	**2:4**
論民主文化的培養	葉時修	10/1/58	**19:7**
論民主自由運動與反對黨	王厚生	6/1/59	**20:11**
論民主國際與反共抗俄	喬治原作／趙文海譯	8/16/50	**3:4**
論立法院通過「籌設中醫學校」	毛子水	5/1/56	**14:9**
論立法權的運用	薩孟武	6/16/50	**2:12**
論立法權配合行政權的運用	涂浩如	5/16/51	**4:10**
論米價	社論	5/16/53	**8:10**
論考試權	趙盧吾	11/1/50	**3:9**
論自由與國家(上)	林一新	5/1/50	**2:9**
論艾森豪威爾的「解放政策」	朱伴耘	10/1/52	**7:7**
論行政院與立法院之關係	張敬原	4/1/54	**10:7**
論行政與立法之關係	杜光塤	7/1/53	**9:1**
論西德經濟的復興(上)	余堅	7/1/57	**17:1**
論西德經濟的復興(下)	余堅	7/16/57	**17:2**
論狄托在拉賓演說對大陸的影響	王厚生	8/16/58	**19:4**
論言論與新聞的管制	社論	12/1/55	**13:11**
論兩種保險法規裏有關保險的錯誤	孫洵侯	2/1/60	**22:3**
論和平	羅鴻詔	9/16/51	**5:6**
論所謂東方狄托	董時進	4/1/51	**4:7**
論放棄主動使用武力之承諾	社論	11/5/58	**19:9**
論物價問題	社論	12/16/55	**13:12**
論知識份子的改造	吳康	5/1/51	**4:9**
論空軍確保臺灣	起淪	3/1/50	**2:5**
論初唐盛唐還沒有雕板書	胡適	7/1/59	**21:1**
論信用政策	戴杜衡	2/1/56	**14:3**
論宣傳	羅鴻詔	6/16/55	**12:12**
論思想國有	海耶克原作／殷海光譯	10/1/54	**11:7**
論思想統一問題	陳康	5/1/55	**12:9**
論政治的干涉經濟	陳式銳	2/1/58	**18:3**
論政治責任	夏道平	8/1/51	**5:3**
論政黨政治	梁叔文	2/16/58	**18:4**
論美元銀行承兌匯票及其與自由世界金融貿易之關係(下)	劉國增	1/16/57	**16:2**

【十五劃】(續)

論美元銀行承兌匯票及其與自由世界金融貿易之關係(上)　　劉國增　1/1/57　**16:1**

論美國大選的意義　　張佛泉　10/16/52　**7:8**

論美國外交政策的目的(上)　　樊際昌原作／王德昭譯　9/16/53　**9:6**

論美國外交政策的目的(下)　　樊際昌原作／王德昭譯　10/1/53　**9:7**

論美國的外交　　張致遠　3/1/52　**6:5**

論美國憲法上的種族平等　　劉慶瑞　4/16/58　**18:8**

論美澳紐三國安全公約　　孫宏偉　8/16/51　**5:4**

論英鎊之將來(上)　　劉國增　1/16/55　**12:2**

論英鎊之將來(下)　　劉國增　2/1/55　**12:3**

論計劃與自由　　王希穌　7/1/50　**3:1**

論革命　　羅鴻詔　7/1/51　**5:1**

論個人主義　　東方既白　4/16/56　**14:8**

論修正考試院組織法　　龍在天　6/16/60　**22:12**

論修改憲法與解釋憲法　　薩孟武　7/16/52　**7:2**

論效忠　　社論　4/16/57　**16:8**

論琉球歸屬問題　　梁嘉彬　10/16/53　**9:8**

論馬克思式社會主義的現實性　　鄭學稼　4/1/50　**2:7**

論唯物辯證法的變形　　黃紹祖　3/1/50　**2:5**

論國民教育及其課業的加重與減輕　　趙英若　1/1/60　**22:1**

論國民黨「以黨領軍政策」　　曲靈鈞　10/16/59　**21:8**

論國有化在國際法上的幾個問題　　金惠民　1/16/60　**22:2**

論國軍現代化之另一面　　吳秋山　3/16/57　**16:6**

論現代國際收支及貿易平衡(上)　　劉國增　8/1/53　**9:3**

論現代國際收支及貿易平衡(下)　　劉國增　8/16/53　**9:4**

論現階段法國第四共和的政治　　齊佑之　10/16/56　**15:8**

論畢業學生分發就業制度　　李慈　5/1/52　**6:9**

論設置「憲政研討委員會」的法律根據　　龍在天　6/1/60　**22:11**

論最近兩大財經措施　　白瑜　9/18/55　**13:6**

論智識份子錯覺中的共產黨　　余夢旦　2/1/50　**2:3**

論港務警察的正名問題　　匡煥球　2/16/58　**18:4**

論無記名投票——進步的民主制度　　社論(雷震)　3/16/60　**22:6**

論進口管制之開放　　社論　4/16/59　**20:8**

論集體主義　　蕭輝楷　6/16/50　**2:12**

【十五劃】(續)

論愛倫堡「給西方作家的一封公開信」	歐陽賓	8/16/50	**3:4**
論新所得稅法	白瑜	8/1/56	**15:3**
論新資本主義	劉道元	6/16/57	**16:12**
論新舊詩的出路	周天健	8/1/54	**11:3**
論經濟的國權主義	戴杜衡	3/16/50	**2:6**
論鼓勵出口聲中的矛盾現象	夏期岳	8/16/56	**15:4**
論團結對於反共抗俄的必要	社論	12/5/49	**1:2**
論臺灣外匯貿易管制的改變	陳式銳	4/16/55	**12:8**
論臺灣省的選舉	王嵐僧	4/1/57	**16:7**
論臺灣獄政(上)	蔡保勳	3/1/56	**14:5**
論臺灣獄政(下)	蔡保勳	3/16/56	**14:6**
論赫魯雪夫其人及其為政	董鼎山	10/16/58	**19:8**
論寬容精神與政治的出路	李中直	12/5/49	**1:2**
論質詢權的行使程式(上)	孟浩	11/5/55	**13:9**
論質詢權的行使程式(下)	孟浩	11/16/55	**13:10**
論憲法之修改及其程序	李聲庭	3/16/59	**20:6**
論澳洲的外交政策及其對中共的態度	孫宏偉	7/16/51	**5:2**
論蕭伯納	趙世洵	11/5/55	**13:9**
論臨時條款與修憲	宋功仁	7/16/59	**21:2**
論輿論之本質(上)	雷震	7/16/55	**13:2**
論輿論之本質(下)	雷震	8/1/55	**13:3**
論簡體字	周法高	8/1/55	**13:3**
論覆議權的行使程式	孟浩	5/16/56	**14:10**
論議會機關應有的專家機構	孟浩	5/16/57	**16:10**
論議會議員的言論不負責權	劉慶瑞	1/1/59	**20:1**
誹謗之意義及與言論自由之界線(上)	雷震	2/16/52	**6:4**
誹謗之意義及與言論自由之界線(下)	雷震	3/1/52	**6:5**
賣麵茶的哨子	聶華苓	10/16/58	**19:8**
質詢和答覆	侯庭督	7/1/54	**11:1**
適時調整文武公教人員待遇平議	陶實之	10/16/56	**15:8**
遷居	思果	2/16/58	**18:4**
鄰居	吳魯芹	3/1/56	**14:5**
醉	汪度	12/16/54	**11:12**

【十五劃】(續)

養雞場在臺北	陳定山	6/16/50	**2:12**
駐外俄軍中的地下反共活動	時事述評	12/5/49	**1:2**
駐歐外交使節近況簡述	琴流溪	1/16/55	**12:2**
黎巴嫩問題	龍平甫	9/16/58	**19:6**
黎明	琦君	1/1/56	**14:1**
墨西哥最近的政治發展	淦克超	7/1/58	**19:1**
戕害「五四精神」的幽靈——現代中國社會心理的分析	謝文孫	5/1/60	**22:9**

【十六劃】

奮鬥中的突尼斯(北非通訊)	紫宸	5/16/52	**6:10**
學人蒙難文化遭殃	社論(雷震)	1/1/52	**6:1**
學生時代救國活動的回憶	雷震	11/16/58	**19:10**
學術自由在臺大？	石翠	5/1/60	**22:9**
學術思想的自由創進及其演變	曾子友	5/1/57	**16:9**
學術界看布爾希維克主義	費極光	4/16/50	**2:8**
學術教育應獨立于政治	社論	5/16/58	**18:10**
學術與廣告	短評	3/1/59	**20:5**
學術審議委員人選	張震	8/16/57	**17:4**
憲法與行憲	邱昌渭	3/16/54	**10:6**
憑甚麼查扣「自由人」？	社論(傅正)	7/1/59	**21:1**
憶	芩	6/16/51	**4:12**
憶一位失去自由的教授	查良釗	11/1/54	**11:9**
憶艾理遜(美軍生活散記)	瞿國瑾	1/16/53	**8:2**
憶孟真	伍俶	1/1/51	**4:1**
憶烏尤	虞敏平(夏道平筆名)	5/16/53	**8:10**
憶高劍父先生	祝秀俠	8/1/51	**5:3**
戰爭與自由	殷海光	2/1/50	**2:3**
戰俘營中竟有私刑	短評	6/1/52	**6:11**
戰後日本大觀	徐逸樵	5/16/52	**6:10**
戰後日本右翼論	徐逸樵	10/1/54	**11:7**
戰後法國新經濟政策	郭垣	11/16/51	**5:10**
戰後芬蘭	梅興譯	11/16/53	**9:10**
戰後歐洲的社會主義(翻譯)	中央社編譯部譯	5/16/52	**6:10**

【十六劃】(續)

戰鬥中成長的中國新海軍	謝永炎	2/1/50	**2:3**
擁護僑委會的新號召——並建議召開國是會議	社論	7/1/56	**15:1**
擁護蔣總統繼續領導而不贊同連任——希望國大代表要負起歷史之責任！	曹德宣	1/16/60	**22:2**
擁護蔣總統繼續領導的我見	楊金虎	2/16/60	**22:4**
橫臥在東西羅馬之間的三億回教徒往那裡去？	李中直	11/1/51	**5:9**
機關首長應該澄清的幾個觀念	湯絢章	3/1/54	**10:5**
「歷史判斷」與「另請高明」	社論(夏道平)	3/1/56	**14:5**
歷史的台灣——歷史的台灣與中國(十二)	郭廷以	12/16/50	**3:12**
歷史的使命	蔣夢麟	2/1/52	**6:3**
歷史的坦途只有一條	黃中	1/1/50	**2:1**
歷史的治亂	陶英貝原作／聶華苓譯	5/1/52	**6:9**
歷史的教育價值	張致遠	9/1/52	**7:5**
歷史的教訓和英國的國策	毛子水	12/16/50	**3:12**
歷史的臺灣——歷史上的臺灣與中國(一)	郭廷以	7/1/50	**3:1**
歷史的臺灣——荷蘭侵入與臺灣之初次淪陷(二)	郭廷以	7/16/50	**3:2**
歷史的臺灣——初次光復(三)	郭廷以	8/1/50	**3:3**
歷史的臺灣——歷史的臺灣與中國(四)	郭廷以	8/16/50	**3:4**
歷史的臺灣——歷史的臺灣與中國(五)	郭廷以	9/1/50	**3:5**
歷史的臺灣——歷史的臺灣與中國(六)	郭廷以	9/16/50	**3:6**
歷史的臺灣——歷史的臺灣與中國(七)	郭廷以	10/1/50	**3:7**
歷史的臺灣——歷史的臺灣與中國(八)	郭廷以	10/16/50	**3:8**
歷史的臺灣——歷史的臺灣與中國(九)	郭廷以	11/1/50	**3:9**
歷史的臺灣——歷史的臺灣與中國(十)	郭廷以	11/16/50	**3:10**
歷史的臺灣——歷史的臺灣與中國(十一)	郭廷以	12/1/50	**3:11**
歷史的鏡子	吳相湘	2/1/52	**6:3**
歷盡艱辛的日美安全保障條約	黃洋	8/16/60	**23:4**
澳洲的反共活動(坎倍拉通訊)	王東	8/16/52	**7:4**
燕林先生來信	燕林	3/1/50	**2:5**
獨立一年來的馬來亞	佘陽	5/16/59	**20:10**
獨立自主與「一邊倒」	社論	2/1/50	**2:3**
「獨眼」將軍喪威巴蜀(香港通訊)	江望光	11/16/50	**3:10**
獨裁，殘暴，反人性的共產黨	雷震	11/20/49	**1:1**
獨裁怕自由	殷海光	4/1/54	**10:7**

【十六劃】(續)

積極展開新黨運動！	社論	6/16/58	**18:12**
篩(上)	金溟若	5/1/51	**4:9**
篩(下)	金溟若	5/16/51	**4:10**
糖衣奎寧丸	朱西寧	12/16/50	**3:12**
蕭伯納與甘地	苓譯	5/16/51	**4:10**
蕭軍之死	陳紀瀅	10/16/51	**5:8**
蕭軍之死與赤色文人的末路(香港通訊)	羊叔子	12/1/51	**5:11**
蕭條苦難話杭州(杭州通訊)	野萍	10/16/50	**3:8**
褪色的晚霞(上)	喻嘉濱	12/1/52	**7:11**
褪色的晚霞(下)	喻嘉濱	12/16/52	**7:12**
親愛精誠的狄恩將軍	時事述評	1/1/52	**6:1**
諾言貴實踐	社論(雷震／夏道平)	7/1/54	**11:1**
賴淵平先生來函	賴淵平	5/16/57	**16:10**
選票與人心	社論(夏道平)	5/16/57	**16:10**
選舉中的政黨與人民	時事述評	6/1/51	**4:11**
選舉改進座談會的聲明	傅正	6/16/60	**22:12**
選舉改進座談會鄭重要求內政部長連震東公開答覆	特載(傅正)	7/1/60	**23:1**
選舉監察工作研究	謝漢儒	12/1/57	**17:11**
遲回瞻顧後的日本	王雲五	2/1/52	**6:3**
錯誤的抉擇(上)	郭良蕙	4/16/54	**10:8**
錯誤的抉擇(中)	郭良蕙	5/1/54	**10:9**
錯誤的抉擇(下)	郭良蕙	5/16/54	**10:10**
錢！錢！錢！	短評	2/1/59	**20:3**
錢穆先生的莊子纂箋	王叔岷	7/1/52	**7:1**
錫蘭大選之分析	史信	5/1/56	**14:9**
錫蘭的政黨與政治	周祥光	1/16/54	**10:2**
霍夫曼論自由	聶華苓譯	12/16/51	**5:12**
駱駝(上)	殷勤	9/1/50	**3:5**
駱駝(下)	殷勤	9/16/50	**3:6**
龍娃和玉梅子	楊文璞	4/16/53	**8:8**

【十七劃】

儲蓄與儲蓄存款	楊志希	12/16/58	**19:12**

【十七劃】(續)

應該加強我們的外交活動	易健吾	8/1/56	**15:3**
應該改變的美國反共戰略	孫旭辰	6/16/55	**12:12**
應該慚愧的！	葉維理	11/16/57	**17:10**
懂了，原來「帽子」是扣上去的！	劉富蘭	12/16/59	**21:12**
戴五星帽的文學批評	李經	2/16/56	**14:4**
「戴季陶先生編年傳記」評介	沈雲龍	2/16/59	**20:4**
戴高樂將軍與法國新憲法	姜懷平	1/1/59	**20:1**
戴高樂組閣的前前後後	孔治	8/1/58	**19:3**
檢討外交的時候	社論	6/1/56	**14:11**
檢討我駐外使節與華僑的關係	聞甦	5/16/54	**10:10**
檢討美俄武器競賽	宋岑	12/1/57	**17:11**
檢討當前的留學政策及留學考試	何應鳴	8/16/55	**13:4**
檢討臺灣地方選舉的缺失	應浩文	2/16/55	**12:4**
檢討韓國之戰(華府通訊)	許思澄	8/16/50	**3:4**
檢察官對少年竊盜贓物犯的處理問題	鄧澂濤	11/16/56	**15:10**
營利事業所得稅應該廢止	趙岡	11/5/58	**19:9**
牆	黃思騁	11/1/54	**11:9**
總統復職一周年	時事述評	3/1/51	**4:5**
縱觀世局話和平(華府通訊)	伴耘	12/16/51	**5:12**
聯大討論阿爾及利亞問題的意義	社論	10/16/55	**13:8**
聯合招考入學志願問題	張佛泉	8/1/55	**13:3**
聯合國	李經	11/16/58	**19:10**
聯合國大會素描	譯自基督教箴言報	5/1/51	**4:9**
聯合國不要腐蝕了勝利的果實	社論	10/16/50	**3:8**
聯合國可容中共闖進嗎？	社論	10/1/53	**9:7**
聯合國匈牙利問題特別調委會特別報告	孫靜琪譯	11/5/58	**19:9**
聯合國的威望轉入低潮	陶希聖	12/1/50	**3:11**
聯合國的憲章和「和平要義」	毛子水	12/20/49	**1:3**
聯合國裁軍交涉僵局的癥結	魏學仁	10/1/52	**7:7**
聯合國憲章與鐵幕內人民的解放	蔣廷黻	3/16/55	**12:6**
聯合國歷史中最污濁的一頁	時事述評	10/16/50	**3:8**
臨別的光(獨幕劇)(上)	水姬	9/1/51	**5:5**
臨別的光(幕獨劇)(下)	水姬	9/16/51	**5:6**

【十七劃】(續)

「臨時條款等於憲法」！——根據第一屆國民大會第二次會議的記載　　社論　1/16/60　**22:2**

薪俸與愛情(上)　　旭愚譯　7/16/52　**7:2**

薪俸與愛情(下)　　旭愚譯　8/1/52　**7:3**

謝冰瑩先生的來信——簽名難　　謝冰瑩　12/1/53　**9:11**

謝海籌殉難之謎(香港通訊)　　韓再生　1/1/51　**4:1**

謝謝你們：雲、海、山！　　聶華苓　11/16/52　**7:10**

輿論制裁與法律責任　　短評　11/16/58　**19:10**

輿論的力量！　　短評　1/16/59　**20:2**

輿論界的反省(為本刊第五年開始而作)　　社論(雷震)　11/16/53　**9:10**

輿論與民主政治(一)　　雷震　10/1/51　**5:7**

還可以簡化　　陳祖蔭　9/16/52　**7:6**

還我自由(香港通訊)　　嚴蕭　4/1/52　**6:7**

邁進中的南洋大學　　嚴賜賀　12/16/54　**11:12**

韓政演變的光明啓示——人類理性時代的展開　　社論　6/1/60　**22:11**

韓國人民的憤怒驚醒了美國政府！　　社論　5/1/60　**22:9**

韓國的政爭與東方的民主　　社論　1/16/59　**20:2**

韓國的流血選舉與反對派的榜樣　　社論　4/1/60　**22:7**

韓國近來的態度是否利於反共　　社論　11/1/54　**11:9**

韓國停戰就是實行「解放政策」的第一步麼？　　社論　6/16/53　**8:12**

韓國問題解決了之後　　黃錫和　10/16/50　**3:8**

韓國戰局縱談　　時事述評　5/1/51　**4:9**

韓國選民已奠定了光明的民主前途　　蔣勻田　6/1/56　**14:11**

韓國濟州島戰俘營生活素描　　向自由　5/16/53　**8:10**

韓境反共義士必須如期釋放　　社論　1/16/54　**10:2**

韓境停戰在泰國的反響　　莊心在　9/1/53　**9:5**

韓戰一年對於世界的影響　　社論　7/1/51　**5:1**

韓戰餘生記　　Robert L. Sharpe 原作／隱輝譯　4/16/51　**4:8**

鮮牛奶的故事　　琦君　3/16/55　**12:6**

「薏美」及其作者　　周棄子　1/16/55　**12:2**

【十八劃】

嚮應自由中國大運動(台中通信)　　寧遠　3/16/50　**2:6**

擴張不已的殖民帝國——俄羅斯　　華明譯　9/16/56　**15:6**

【十八劃】(續)

擺渡船上(詩)	周夢蝶	6/16/60	**22:12**
歸吻	光中	5/16/55	**12:10**
瀑布(詩)	周策縱	6/1/60	**22:11**
礎潤而雨(華府通訊)	許思澄	2/16/52	**6:4**
職校畢業生限制報考院系的商榷	洪炳坤	8/1/55	**13:3**
職業教育的檢討與展望	陳克誠	1/1/53	**8:1**
舊歌新唱	思澄	3/16/52	**6:6**
舊箋	張秀亞	2/16/53	**8:4**
藍斯瓦拉卜著:「甘地主義與共產主義」	陳石孚	7/1/55	**13:1**
藉團結以打開政治新局面	社論	1/1/60	**22:1**
謹獻對於國防制度之意見	雷震	10/31/56	**15:9**
離婚	牛言度	1/1/51	**4:1**
雞尾酒會	吳魯芹	10/16/53	**9:8**
「雞尾酒會及其他」序	周棄子	11/16/57	**17:10**
額穆索的狼	司馬桑敦	1/16/55	**12:2**
鵝與主人	子強	6/1/55	**12:11**
鵝鑾鼻燈塔	夏菁	8/16/55	**13:4**
鎌倉三週與「三文判」印章	雷震	5/16/58	**18:10**

【十九劃】

壞人為何得勢?	海耶克原作／殷海光譯	7/16/54	**11:2**
懷念	張秀亞	1/1/54	**10:1**
懷念沈從文教授	馬逢華	2/1/57	**16:3**
「懷念沈從文教授」讀後	劉祖年	2/16/57	**16:4**
懷疑與希望	社論	3/16/57	**16:6**
羅家倫先生的來信——並代于右任先生申明撤銷推薦	羅家倫	12/1/53	**9:11**
羅素自述	羅素原作／林毓生譯	8/1/56	**15:3**
羅素的人生哲學	羅素原作／劉世超譯	3/1/53	**8:5**
羅素的不主張承認中共政權	時事述評	11/1/51	**5:9**
羅素論權力	海光(殷海光筆名)	4/1/52	**6:7**
羅敦偉先生來函	羅敦偉	8/16/57	**17:4**
羅斯福夫人回憶錄	海光(殷海光筆名)	11/1/52	**7:9**
羅斯福總統究不敢毀憲	唐德剛	11/16/59	**21:10**

【十九劃】(續)

藝術創造與自由	劉復之	5/1/56	**14:9**
關切的語片(金門通訊)	心白	10/1/50	**3:7**
關於「反攻大陸問題」的問題	社論(殷海光)	9/5/57	**17:5**
關於「為節省外匯而保護紡織業」	陳式銳	8/1/52	**7:3**
關於「胡適與白話文」	張起鈞	7/16/53	**9:2**
關於「留學生問題」──謹以此文紀念已故崔書琴教授	馬逢華	3/16/58	**18:6**
關於「統一思想」底問題	殷海光	5/1/50	**2:9**
關於反共團結運動	傅正	12/16/56	**15:12**
關於民主法治的四項建議	陶百川	11/16/59	**21:10**
關於在中國如何推進科學思想的幾個問題	李濟	11/1/53	**9:9**
關於改進初中入學考試問題	趙英若	6/16/59	**20:12**
關於私人投資問題	社論	7/1/52	**7:1**
關於言論自由和反共救國會議	胡適講／楊欣泉記	1/1/59	**20:1**
關於防衛捐的決議	陳繼平	12/16/57	**17:12**
關於防諜	時事述評	5/16/50	**2:10**
關於政黨提名問題的商榷	柯德厚	2/1/53	**8:3**
關於省立大學教師送審問題	張葆真	11/5/58	**19:9**
關於風蕭蕭的電影	徐訏	3/1/54	**10:5**
關於個體自由與群體自由	許冠三	7/16/53	**9:2**
關於哥倫坡計劃	苟詩	10/16/55	**13:8**
關於師範學院事件的來函三件	教育廳、布朗先生、李致一	9/1/53	**9:5**
關於書刊審查	時事述評	5/16/51	**4:10**
關於留學考試「改進」辦法	王浩然	8/16/55	**13:4**
關於偉人的定義	毛子水	3/16/50	**2:6**
關於教育部的機構和人事	李偉	10/16/58	**19:8**
關於陳懷琪投書事件的簡報	社論(夏道平)	3/1/59	**20:5**
關於臺灣省立師範學院的二三事	朱誠中	8/1/53	**9:3**
關於蘇俄陰謀文證彙編	吳相湘	1/16/52	**6:2**
難忘的人物──三劃阿王	琦君	10/16/54	**11:8**
霧裏獻花人	郭嗣汾	1/1/54	**10:1**
願天下有情男女都是喜劇中人	時事述評	9/1/51	**5:5**
願美國勿再鑄大錯	社論	8/1/51	**5:3**
願望與怨望	雷震	5/1/51	**4:9**

【二十劃】

懺悔	徐鍾珮	2/1/52	**6:3**
獻玉乎？獻寶乎？	郭慕泰	4/1/57	**16:7**
競選活動應有這樣不合理的限制嗎？	社論	5/1/54	**10:9**
競選活動應看做政治教育	社論(雷震)	1/16/53	**8:2**
競選縣長三次落選感言	石錫勳	6/1/60	**22:11**
籌安會的醜劇	顧達德	7/1/59	**21:1**
籌建石門水庫的好參考	凌鴻勛	1/1/56	**14:1**
蘇丹政變面面觀	魯翼	5/1/59	**20:9**
蘇俄人造衛星與世界大局	宋文明	11/16/57	**17:10**
蘇俄小女孩的幽怨	苓譯	8/16/51	**5:4**
蘇俄工業的弱點	朱新民	8/16/52	**7:4**
蘇俄內部的反抗運動	龍平甫	2/16/56	**14:4**
蘇俄內部的反叛運動	焦木譯	3/16/53	**8:6**
蘇俄囚營十一年記(上)	Elinor Lipper 原作／章生道譯	7/16/51	**5:2**
蘇俄囚營十一年記(中)	Elinor Lipper 原作／章生道譯	8/1/51	**5:3**
蘇俄囚營十一年記(下)	Elinor Lipper 原作／章生道譯	8/16/51	**5:4**
蘇俄向狄托進香	方及	7/1/55	**13:1**
蘇俄在美國的陰謀	L. F. Budenz 原作／焦木譯	4/16/52	**6:8**
蘇俄如何赤化附庸國	Bogdan Raditsa 原作／竹章摘譯	5/1/51	**4:9**
蘇俄何時能發動大戰？	芬萊特(Thomas K. Finletter)原作／金郁彤譯	1/1/55	**12:1**
蘇俄物價體系及盧布外匯匯率之檢討	劉國增	12/16/52	**7:12**
蘇俄的奴隸勞工制度	龍平甫	8/16/52	**7:4**
蘇俄的承認「越南共和國」和美國的製造氫原子彈	社論	2/16/50	**2:4**
蘇俄的財政與金融	朱新民	7/1/52	**7:1**
蘇俄的國策和動向	羅家倫	6/1/50	**2:11**
蘇俄的強迫移民政策	朱新民	8/1/53	**9:3**
蘇俄的話算數嗎？	Jacob Epstein 原作／遠思譯	10/1/50	**3:7**
蘇俄的幕後戰術和聯合國應有的和平計劃	鄒景蘇	12/1/50	**3:11**
蘇俄虎視下的中東現狀	王雲五	12/16/53	**9:12**
蘇俄侵略的技術	羅家倫	9/1/50	**3:5**
蘇俄帝國所望於「歐洲內亂」者	黃賽婉	6/1/50	**2:11**
蘇俄政變與臺灣海峽	社論	3/1/55	**12:5**
蘇俄為甚麼嗾使中共參加韓戰？	羅鴻詔	11/16/50	**3:10**

【二十劃】(續)

蘇俄消費品增產計劃下的人民生活　　　　　　　　　劉一樵　7/16/54　**11:2**

蘇俄理髮師的閒話太多　　　　　　　　　　　　　　　苓　　　6/16/51　**4:12**

蘇俄發射人造衛星以後　　　　　　　　　　　　　　社論　10/16/57　**17:8**

蘇俄開始嚴密控制東德　　　　　　　　　　　　時事述評　6/16/50　**2:12**

蘇俄集團的購買力　　　　　　　　　　　　　　　資友仁譯　9/16/52　**7:6**

蘇俄實力總檢討　　　　　　　　　　　　　　　　　方及　2/1/55　**12:3**

蘇俄與西方　　　　　　　　　　　　　　　　　　　羅鴻詔　8/1/53　**9:3**

蘇俄窺視下的地中海　　　　　　　　　　　　　　　方及　4/16/54　**10:8**

蘇迦諾的救國方案　　　　　　　　　　　　　　　　蘇益生　4/1/57　**16:7**

蘇嘉諾、哈達能合作嗎？　　　　　　　　　　　　　萬偕吾　1/1/58　**18:1**

蘇維亞怎樣管制思想　　　　　　　　　海光(殷海光筆名)　12/1/50　**3:11**

蘇聯何其盲目　　　　　　　　G. F. Eliot原作／冰生譯　1/16/50　**2:2**

蘇聯究竟是一個甚麼國家？　　　　　傅斯年講／許冠三記　12/20/49　**1:3**

蘇聯的教育　　　　　　　　　　　　　　　　　　　致力譯　1/16/51　**4:2**

蘇聯的新社會(上)　　　　　　達爾林(蘇俄)原作／摩洛譯　1/16/50　**2:2**

蘇聯的新社會(下)　　　　　　達爾林(蘇俄)原作／摩洛譯　2/1/50　**2:3**

蘇彝士運河事件的面面觀　　　　　　　　　　　　　伴耘　9/16/56　**15:6**

蘇彝士運河問題的前因後果　　　　　　　　　　　　龍平甫　12/1/56　**15:11**

覺醒　　　　　　　　　　　　　　　　　　　　　　胡平　4/1/52　**6:7**

覺醒　　　　　　　　　　　　　　　　　　　　　　苓　　8/1/51　**5:3**

議員好威風！　　　　　　　　　　　　　　　　　　短評　3/16/59　**20:6**

議會辯論與政治教育　　　　　　　　　　　　　　　社論　10/16/55　**13:8**

警備總部不應根據盛世才挾嫌誣告而濫行捕人　　社論(雷震)　6/1/60　**22:11**

警察國家匈牙利　　　　　　　　　　　　　　　　梅欣蓀譯　9/1/53　**9:5**

鐘聲的召喚　　　　　　　　　　　　　　　　　　陳之藩　8/16/55　**13:4**

黨國元老的「革命」手段　　　　　　　　　　　　　短評　10/1/58　**19:7**

「黨報社論」是否「不值一讀」？　　　　　　　　　成舍我　11/1/54　**11:9**

黨霸教育的真面目──兼論政大教授李聲庭解聘事　　社論　8/1/60　**23:3**

【二十一劃】

續論經濟政策之技術的觀點　　　　　　　　　　　　瞿荊洲　7/16/52　**7:2**

蘭克的生平與著作(為紀念傅孟真先生而作)　　　　　張致遠　12/16/52　**7:12**

護理工作在美國　　　　　　　　　　　　　　　　　陳雅甯　3/1/53　**8:5**

【二十一劃】(續)

護憲乎？毀憲乎？——望國大代表作明智的抉擇！	傅正	2/16/60	**22:4**
躍向自由(上)	嘉森金納夫人原作／文波節譯	10/16/50	**3:8**
躍向自由(中)	嘉森金納夫人原作／文波節譯	11/1/50	**3:9**
躍向自由(下)	嘉森金納夫人原作／文波節譯	11/16/50	**3:10**
躍向自由——蘇俄嘉森金納夫人著	新書介紹	12/5/49	**1:2**
辯證法和黑格爾的歷史神學	Hans Kelsen 原作／聶華苓譯	9/16/51	**5:6**
辯證法的唯物論三大法則批判	羅鴻詔	3/1/50	**2:5**
辯證法是玄學底論理學	劉百閔	6/16/50	**2:12**
鐵幕下的東德	龍平甫	5/1/53	**8:9**
鐵幕中的「新式」計算器	苓	12/1/51	**5:11**
鐵幕內亂與西方對策	社論	7/16/53	**9:2**
鐵幕後面的故事	本杜	11/20/49	**1:1**
鐵幕拾零	苓譯	5/16/51	**4:10**
鐵幕高空的寒星(香港通訊)	烏逸人	1/16/52	**6:2**
鐵幕裡的「政治犯」	苓譯	6/1/51	**4:11**
鐵幕話數則	荃蓀編譯	3/16/53	**8:6**
鐵幕對抗自由	索爾甫	1/1/50	**2:1**
鐵幕漏隙	傅一勤譯選	2/1/51	**4:3**
鐵幕擋不住音波	苓	6/16/51	**4:12**
鐵幕醜劇(香港通訊)	浩然	6/1/51	**4:11**
霹靂聲中的覺醒	社論	7/16/50	**3:2**
露莎的姑母	徐鍾珮	1/1/53	**8:1**
響應字體簡化運動	楊志希	5/16/54	**10:10**
響應美國輿論界的正義之聲	時事述評	12/16/50	**3:12**
響應選舉胡適之先生為副總統	朱伴耘	2/16/54	**10:4**
顧維鈞大使訪問記	凌霄	8/16/50	**3:4**
魔術政治	短評	1/1/59	**20:1**
魔窟塑像	雲蓀	11/1/50	**3:9**

【二十二劃】

「權」「利」的發展與歸著	徐傳禮	5/16/56	**14:10**
權力欲與民主政治	戴杜衡	2/16/52	**6:4**
權威及權威統治	李僉	5/16/55	**12:10**

【二十二劃】(續)

權威與個人(一)	羅素原作／汪仲譯	9/18/55	**13:6**
權威與個人(二)	羅素原作／汪仲譯	10/1/55	**13:7**
權威與個人(三)	羅素原作／汪仲譯	11/5/55	**13:9**
權威與個人(四)	羅素原作／汪沖譯	12/1/55	**13:11**
權威與個人(五)	羅素原作／汪仲譯	1/1/56	**14:1**
權威與個人(六)	羅素原作／汪仲譯	1/16/56	**14:2**
歡迎艾森豪總統訪華	社論	6/16/60	**22:12**
歡迎吳廷琰總統並談中、越、韓合作	社論	1/16/60	**22:2**
歡迎我們的代表蔣廷黻博士	社論	3/16/56	**14:6**
歡迎杜威先生	時事述評	7/16/51	**5:2**
歡迎美國軍援顧問團	時事述評	5/1/51	**4:9**
歡迎胡適之先生返國	龍運鈞	2/16/54	**10:4**
歡迎僑資與整飭金融	白瑜	8/1/55	**13:3**
讀「中國新聞法概論」再版書後	田言	12/16/56	**15:12**
讀「盲戀」	周棄子	4/16/54	**10:8**
讀中國國民黨政綱	朱佛心	11/1/57	**17:9**
讀司徒雷登著「五十年在中國」書後	呂光	4/16/55	**12:8**
讀行政院長的施政報告	時事述評	12/1/51	**5:11**
讀李辰多評先翁詩後的感言	陳陶淑明	4/16/57	**16:8**
讀者投書	李銳華	6/16/54	**10:12**
讀者來書二則	周南、蕭益思	12/1/53	**9:11**
讀胡朱兩先生文有感	鄭崇儒	4/1/54	**10:7**
讀胡適先生在聯大的演說	社論(殷海光)	10/16/57	**17:8**
讀徐著「語意學概要」	張佛泉	6/1/57	**16:11**
讀經與讀經的態度	李經	3/1/53	**8:5**
讀薩孟武先生「關於讀經問題」書後	夏道平	9/1/52	**7:5**
鬻血	高莫野	5/1/52	**6:9**

【二十三劃】

「邏輯新引」讀後感	龍一諤	5/1/56	**14:9**
邏輯解析的哲學	羅素原作／張尚德譯	9/5/57	**17:5**
驚人的造謠	苓譯	8/16/51	**5:4**

【二十四劃】

讓人民可以「告法」　　　　　　　　　　　　　　鄭知三　2/16/55　**12:4**

讓胡適牽著鼻子走是好漢嗎？　　　　　　　　　　金承藝　11/5/58　**19:9**

【二十五劃】

觀「永恒之島」後　　　　　　　　　　　　　　　陳立人　7/1/55　**13:1**

觀念的混亂‧理論的破產　　　　　　　　　　　　社論　1/16/57　**16:2**

【二十七劃】

讜論流徽——張知本先生「修改憲法問題」讀後感　　金鳴　7/1/59　**21:1**

【三十二劃】

籲請立監兩院澈查司法黑暗　　　　　　　　　　　喻伯凱　4/16/58　**18:8**

籲請政府澈查基隆中正堂案　　　　　　　　　　　程玉　8/16/58　**19:4**

籲請國民黨切勿再打擊立法院聲望　　　　　　　　程海公　6/1/58　**18:11**

籲請澈查臺中女中溺斃學生案　　　　　　　　　　巫祺川　7/1/58　**19:1**

分類索引

一、刊物的立場與反省

日期	譯作者	篇名	卷期
11/20/49	胡適	「自由中國」的宗旨	1:1
11/20/49	本社(雷震)	發刊詞	1:1
11/20/49	編者	本刊開闢青年號角的前言	1:1
7/1/50	本社	卷頭語	3:1
11/16/50	雷震	本刊一週年	3:10
7/1/51	社論(雷震)	我們的立場	5:1
11/16/51	社論(雷震)	本刊第三年的開始	5:10
11/16/51	夏道平	兩年來本刊內容的分析和檢討	5:10
12/16/51	社論(雷震)	反共與團結——本刊一貫的主張	5:12
1/16/52	余永祺	對本刊的幾點意見	6:2
12/16/52	胡適	「自由中國」雜誌三週年紀念會上致詞	7:12
11/16/53	社論(雷震)	輿論界的反省(爲本刊第五年開始而作)	9:10
11/16/54	雷震	我們五年來工作的重點	11:10
11/16/55	社論	我們的檢討與報告	13:10
11/16/56	雷震	我們的態度	15:10
1/16/57	社論	我們的答辯	16:2
3/16/57	雷震	創刊「自由中國」的意旨	16:6
1/1/59	社論(雷震／夏道平)	本刊的十年回顧	20:1
2/16/59	社論(殷海光)	自由中國之路——十年了！	20:4
11/16/59	毛子水	「自由中國」十週年感言	21:10
12/5/59	胡適講／楊欣泉記	「容忍與自由」——「自由中國」十週年紀念會上講詞	21:11

二、自由民主的基本概念

日期	譯作者	篇名	卷期
11/20/49	胡適	民主與極權的衝突	1:1
11/20/49	殷海光	思想自由與自由思想	1:1
12/5/49	圓照	自由人的難題	1:2
12/20/49	張其昀	中國憲法之重要涵義	1:3
1/1/50	獨家時論社	中國的出路	2:1
1/1/50	殷海光	民族戰爭呢？還是社會戰爭？	2:1
1/1/50	王雲五	民主與自由	2:1
1/16/50	宋英	這是我們反省的時候了！	2:2
1/16/50	許冠三	誰能擊敗共產主義？	2:2
2/1/50	社論	獨立自主與「一邊倒」	2:3
2/1/50	殷海光	戰爭與自由	2:3
2/1/50	李中直	論反共聯合陣線	2:3
2/16/50	雷震	以暴易暴乎？	2:4
2/16/50	蕭仲泉、楊欣泉記錄	我們為何而戰？我們如何而戰？	2:4
2/16/50	朱啟葆(夏道平筆名)	我們需要一個自由中國大運動(香港通訊)	2:4
3/1/50	徐芸書	中山先生論自由	2:5
3/16/50	徐芸書	中山先生論自由(下)	2:6
4/1/50	張金鑑	個人自由底社會價值	2:7
4/1/50	王師復	經濟社會化的政策性(上)	2:7
4/1/50	蕭仲泉、楊欣泉記錄	在維護「人民自由」與「政治民主」之原則下，中國對經濟措施，應採何種辦法，以實現「經濟社會化」或「經濟平等」(第二次座談會記錄)	2:7
4/1/50	勞仲瓊	談反共與助共	2:7
5/1/50	殷海光	關於「統一思想」底問題	2:9
8/1/50	時事述評	從入境問題談到民主政治	3:3
10/16/50	時事述評	自治與負責	3:8
11/16/50	時事述評	我們的政府夠民主嗎？	3:10
12/16/50	時事述評	民主與黨派	3:12
1/1/51	王雲五	爭取人民	4:1
1/16/51	社論	建立現代化的制度	4:2
1/16/51	時事述評	建立聯合陣線正是時候了！	4:2

日期	譯作者	篇名	卷期
3/16/51	時事述評	我們在等待什麼？	**4:6**
4/16/51	吳大宇	如何邁入民主政治的坦途	**4:8**
5/1/51	許冠三	民主中國的障礙在那裡？	**4:9**
5/16/51	陳恩成	民主與法治	**4:10**
6/1/51	羅鴻詔	民主政治與多數同意	**4:11**
6/16/51	毛子水	寬容和民主	**4:12**
7/16/51	時事述評	歡迎杜威先生	**5:2**
8/1/51	夏道平	論政治責任	**5:3**
8/16/51	社論	有容乃大	**5:4**
10/1/51	社論(雷震／殷海光)	言論自由的認識及其基本條件	**5:7**
11/16/51	羅鴻詔	民本主義與民主主義	**5:10**
11/16/51	申思聰	民主政治的起腳點	**5:10**
11/16/51	社論	本刊第三年的開始	**5:10**
11/16/51	雷震	民主政治就是民意政治	**5:10**
12/1/51	張佛泉	從民權初步論精誠團結	**5:11**
12/16/51	社論	反共與團結——本刊一貫的主張	**5:12**
1/16/52	雷震	健全輿論形成之要件	**6:2**
5/16/52	顧梅生	「不在其位，不謀其政」？	**6:10**
6/16/52	殷海光	我爲什麼反共？	**6:12**
10/1/52	陶冬心譯	民主與極權的再認識	**7:7**
12/16/52	許思澄	民主制度的基礎	**7:12**
12/16/52	胡適	「自由中國」雜誌三週年紀念會上致詞	**7:12**
2/1/53	胡適	三百年來世界文化的趨勢與中國應採取的方向	**8:3**
3/16/53	社論	當前管制經濟的措施亟待改進	**8:6**
6/16/53	殷海光	治亂底關鍵	**8:12**
8/1/53	夏道平	胡適言論集(乙編)	**9:3**
9/1/53	雷震	民意機關「議事資格」之比較的研究——爲立法院和國民大會的議事資格進一言	**9:5**
11/1/53	社論(雷震)	從反共義士的行動看出自由民主的真實價值	**9:9**
1/1/54	社論	新年的願望——民主與團結	**10:1**
2/1/54	董時進	我對副總統選舉的意見	**10:3**
3/16/54	社論	行憲與民主	**10:6**
5/1/54	社論	更多的民主與更多的自由	**10:9**

日期	譯作者	篇名	卷期
6/1/54	林希美	今後財經政策的展望	10:11
11/16/54	雷震	我們五年來工作的重點	11:10
11/16/54	A. Powell Davies 原作／何欣譯	民主真詮(上)	11:10
12/16/54	A. Powell Davies 原作／何欣譯	民主真詮(下)	11:12
2/1/55	龍一謌	如何建立民主制度	12:3
4/16/55	社論(夏道平)	民營事業的使命——勉臺紙公司及其他民營事業	12:8
5/1/55	龍一謌	民主為中庸之道	12:9
5/16/55	陳啟天	今後反共抗俄的三大方略	12:10
7/16/55	龍一謌	民主必需有個人自由	13:2
8/1/55	社論	共產黨怕自由	13:3
9/1/55	社論	為民主和自由解惑	13:5
11/16/55	社論	我們的檢討與報告	13:10
11/16/55	雷震	我替領導反共鬥爭的美國著想	13:10
12/1/55	魏書翰	由「一窩風」現象談到新聞自由	13:11
12/16/55	東方既白	介紹張佛泉著:「自由與人權」	13:12
2/16/56	崔寶瑛	自由與人權	14:4
3/1/56	社論(夏道平)	「歷史判斷」與「另請高明」	14:5
4/1/56	鄒文海	自由、平等與民主	14:7
6/1/56	雷震	立法委員的「民主風度」觀	14:11
8/16/56	社論	我們應該怎樣來反共	15:4
10/1/56	社論(殷海光)	教育部長張其昀的民主觀——君主的民主	15:7
10/16/56	社論(殷海光)	再論「君主的民主」	15:8
10/31/56	徐道鄰	民主、法治與制度	15:9
10/31/56	張士棻	祝望造成一個現代化的民主憲政國家	15:9
10/31/56	毛子水	試談文化的建設和反共的理論以壽蔣總統	15:9
10/31/56	王師曾	政治建設的根本問題	15:9
10/31/56	魏正明	民主政治的基本精神——合法的反對	15:9
10/31/56	陳啟天	改革政治、團結人心	15:9
11/16/56	江宗一	甚麼是民主政治的真諦?	15:10
12/16/56	陳式銳	父道政治歟?民主政治歟?	15:12
12/16/56	傅正	關於反共團結運動	15:12

日期	譯作者	篇名	卷期
1/16/57	王木公	談自由與違法	**16:2**
2/1/57	陳致平	答王木公先生談自由	**16:3**
3/1/57	社論	如何使和諧失掉作用	**16:5**
3/16/57	雷震	創刊「自由中國」的意旨	**16:6**
3/16/57	社論	不要上了圈套！	**16:6**
3/16/57	社論	懷疑與希望	**16:6**
4/16/57	社論	反民主的民主	**16:8**
4/16/57	社論	論效忠	**16:8**
5/1/57	樂志誠	國家和個人	**16:9**
9/16/57	社論	今日的問題(五)我們的經濟	**17:6**
2/1/58	社論(殷海光)	近年的政治心理與作風(「今日的問題」之十四)	**18:3**
2/1/58	社論	已是財經改革的時候了	**18:3**
2/1/58	陳式銳	論政治的干涉經濟	**18:3**
3/1/58	張益弘	看大陸念反攻	**18:5**
3/16/58	李中直	自由世界十病	**18:6**
4/1/58	傅正	所謂「勿蹈民盟路線的覆轍」	**18:7**
4/1/58	黃安	反對黨與反共	**18:7**
6/1/58	楊金虎	一個臺灣人對建設臺灣成模範省的看法	**18:11**
6/16/58	社論(殷海光)	政治的神經衰弱症	**18:12**
7/1/58	陳維民	請勿濫用多數決！	**19:1**
7/1/58	唐德剛	一個留美學生——望大陸・念臺灣	**19:1**
7/16/58	社論(殷海光)	自由民主是反共的活路	**19:2**
10/1/58	葉時修	論民主文化的培養	**19:7**
10/16/58	社論(殷海光)	認清當前形勢・展開自新運動	**19:8**
2/16/59	胡適	林肯一百五十年的生日紀念	**20:4**
3/16/59	胡適	容忍與自由	**20:6**
5/1/59	殷海光	胡適與國運	**20:9**
5/16/59	社論	反共的方法問題——從日本此次地選舉看出自由民主的價值	**20:10**
11/16/59	張九如	如何使國是不再成問題	**21:10**
11/16/59	陶百川	關於民主法治的四項建議	**21:10**
11/16/59	楊金虎	民主罪言	**21:10**
11/16/59	張天增	民主與自由的來源	**21:10**
12/5/59	胡適講楊欣泉記	「容忍與自由」——「自由中國」十週年紀念會上講詞	**21:11**

日期	譯作者	篇名	卷期
12/5/59	金思愷	國際局勢與反攻復國之道	**21:11**
1/16/60	楊基振	民主與世界安全	**22:2**
5/1/60	社論(殷海光)	「五四」是我們的燈塔！	**22:9**
7/16/60	社論(夏道平)	臺灣人與大陸人	**23:2**
7/16/60	殷海光	我對於在野黨的基本建議	**23:2**
		五四運動	
5/1/55	社論	我們要貫徹「五四」精神	**12:09**
5/1/57	社論(殷海光)	重整五四精神！	**16:09**
5/1/57	梁實秋	「五四」與文藝	**16:09**
5/1/58	社論(殷海光)	跟著五四的腳步前進	**18:09**
5/1/59	社論(殷海光)	展開啓蒙運動	**20:9**
7/16/59	社論(殷海光)	中國文化發展的新取向	**21:02**
5/1/60	社論(殷海光)	「五四」是我們的燈塔！	**22:09**
5/1/60	謝文孫	戕害「五四精神」的幽靈——現代中國社會心理的分析	**22:09**
		自由與平等	
11/20/49	傅斯年	自由與平等	**01:01**
1/1/50	黃中	歷史的坦途只有一條	**02:01**
2/16/50	資友仁	由政治民主到經濟平等	**02:04**
3/16/50	戴杜衡	論經濟的國權主義	**02:06**
4/1/50	社論	民主自由與經濟制度——經濟社會化應該犧牲政治民主化麼？	**02:07**
7/1/50	王希穌	論計劃與自由	**03:01**
8/1/50	殷海光	自由主義底蘊涵(上)	**03:03**
8/16/50	殷海光	自由主義底蘊涵(下)	**03:04**
2/1/51	高壽昌	經濟的自由主義	**04:03**
4/1/51	歐陽賓	社會主義的虛妄	**04:07**
10/16/52	戴杜衡	從經濟平等說起	**07:08**
		國家自由與個人自由	
9/16/51	李中直	個人與國家	**05:06**
1/1/53	羅鴻詔	國家自由與個人自由	**08:01**
7/16/53	許冠三	關於個體自由與群體自由	**09:02**
9/16/53	傅中梅	個人自由乎？國家自由乎？	**09:06**
1/16/54	殷海光	政治組織與個人自由	**10:02**
1/16/54	許冠三	政府權威與公民自由	**10:02**

三、法治

日期	譯作者	篇名	卷期
1/1/51	時事述評	行政院籌組設計委員會	4:1
11/16/51	社論	本刊第三年的開始	5:10
5/16/52	短評	負責與法治	6:10
10/1/52	社論(夏道平)	談做保	7:7
1/1/53	社論(雷震)	法律與自由	8:1
4/1/53	社論(雷震)	希望政府切實實行陳院長在檢討會的指陳	8:7
8/1/53	社論	教育行政應有示範作用——守法	9:3
9/16/53	社論	從教廳的一件命令談法治前途與政治作風	9:6
12/16/53	龍運鈞	如何建立法治的社會基礎？	9:12
1/1/54	社論	新年的願望——民主與團結	10:1
2/16/54	社論	行憲六年	10:4
3/1/54	社論	行憲與守法	10:5
3/16/54	邱昌渭	憲法與行憲	10:6
3/16/54	蔣勻田	制憲與行憲	10:6
4/1/54	社論	敬以諍言慶祝蔣總統當選連任	10:7
11/16/54	雷震	我們五年來工作的重點	11:10
8/16/56	社論(夏道平)	建立法治	15:4
9/1/56	社論	法治乎？黨治乎？	15:5
10/16/56	社論	我們對於反共救國會議的幾點初步意見	15:8
10/31/56	徐道鄰	民主、法治與制度	15:9
10/31/56	張士棻	祝望造成一個現代化的民主憲政國家	15:9
10/31/56	毛子水	試談文化的建設和反共的理論以壽蔣總統	15:9
10/31/56	社論	壽總統蔣公	15:9
10/31/56	陶百川	貫徹法治壽世慰親	15:9
12/16/56	社論	政治改革不容再緩！	15:12
1/16/57	王木公	談自由與違法	16:2
2/1/57	陳致平	答王木公先生談自由	16:3
3/16/57	雷震	創刊「自由中國」的意旨	16:6
6/16/57	社論	怎樣挽救當前的危局？	16:12
9/5/57	王聿修	建立我們的法律觀念	17:5
3/1/58	曹浪平等	給司法院大法官會議的一封請願書	18:5

日期	譯作者	篇名	卷期
3/16/58	社論	究竟誰在給共匪利用？	18:6
4/1/58	社論	改組與改革	18:7
6/1/58	楊金虎	一個臺灣人對建設臺灣成模範省的看法	18:11
7/1/58	唐德剛	一個留美學生——望大陸・念臺灣	19:1
7/16/58	薩孟武	由出版法談到委任命令及自由裁量	19:2
7/16/58	社論	期望中的憂慮——進言於新任行政院長陳誠氏	19:2
10/16/58	李聲庭	勉新任大法官	19:8
11/16/58	簡暢	法治與武斷	19:10
11/16/58	社論(夏道平)	如此司法——「奉命不上訴」	19:10
12/1/58	汪文瑞	從人權保障談到孫秋源被捕	19:11
12/16/58	貴仁	請勿製造少年犯	19:12
1/1/59	薩孟武	閒談政治	20:1
1/1/59	一群監所管理員	從監所條例看司法行政部的法治精神	20:1
5/1/59	社論	「地方黨治」必須立即停止	20:9
9/16/59	社論	災區重建計劃與緊急處分命令——開闢財源應從杜絕浪費、整頓稅收著手	21:6
10/16/59	社論	趙品玉案所蘊含的幾個問題	21:8
11/16/59	陶百川	關於民主法治的四項建議	21:10
11/16/59	李聲庭	恪遵憲法厲行法治	21:10
11/16/59	唐德剛	羅斯福總統究不敢毀憲	21:10
11/16/59	曹德宣	當前國策之商榷	21:10
3/1/60	夏濤聲	另一方式的修改憲法	22:5
4/1/60	王地	割除選癌・收拾民心	22:7
4/16/60	文漢瑞	由蔡金塗被捕談法治	22:8

四、表現自由／出版法問題

日期	譯作者	篇名	卷期
11/20/49	殷海光	思想自由與自由思想	**1:1**
12/20/49	許冠三	不屈服的海峽	**1:3**
5/16/51	時事述評	關於書刊審查	**4:10**
6/1/51	社論	政府不可誘民入罪	**4:11**
6/16/51	毛子水	寬容和民主	**4:12**
6/16/51	社論	再論經濟管制的措施	**4:12**
8/16/51	社論	有容乃大	**5:4**
9/1/51	胡適	致本社的一封信	**5:5**
9/16/51	陳誠	陳院長致胡適之先生函	**5:6**
11/16/51	社論	本刊第三年的開始	**5:10**
1/16/52	雷震	健全輿論形成之要件	**6:2**
2/16/52	雷震	誹謗之意義及與言論自由之界線(上)	**6:4**
3/1/52	雷震	誹謗的意義及與言論自由之界線(下)	**6:5**
11/16/52	雷震	三年來的回顧與自省	**7:10**
12/16/52	胡適	「自由中國」雜誌三週年紀念會上致詞	**7:12**
12/16/52	社論	從法家拂士談到言論自由	**7:12**
2/16/54	社論	行憲六年	**10:4**
3/16/54	蔣勻田	制憲與行憲	**10:6**
3/16/54	朱啟葆(夏道平筆名)	吳國楨事件發展中的平議	**10:6**
7/1/54	社論(雷震／夏道平)	諾言貴實踐	**11:1**
8/16/54	社論	對文化界清潔運動的兩項意見	**11:4**
8/16/54	龍一諤	政治批評之我見	**11:4**
9/16/54	葛泰山	從內幕雜誌停刊說起	**11:6**
10/16/54	李僉	我們需要一個文藝政策嗎？	**11:8**
11/1/54	社論	斥無恥的讕言	**11:9**
11/16/54	雷震	我們五年來工作的重點	**11:10**
11/16/54	社論	出版品限制取消以後的責任問題	**11:10**
11/16/54	陶百川	評內政部新頒出版品禁限事項	**11:10**
12/1/54	陳紀瀅	陳紀瀅先生來函	**11:11**
1/1/55	社論	如何加強自由制度——請自便民始	**12:1**
1/16/55	雷震	自由對抗奴役(對大陸廣播)	**12:2**

日期	譯作者	篇名	卷期
2/1/55	陶百川	當局對付批評的新作風	**12:3**
2/16/55	龍一諤	自由日談言論自由	**12:4**
2/16/55	社論(夏道平)	有容乃大‧無慾則剛	**12:4**
2/16/55	社論	斥所謂「停火」與「兩個中國」之謬說	**12:4**
3/1/55	社論	所謂「時裝表演」事件的始末與我們的觀感	**12:5**
3/16/55	成舍我	「人權保障」與「言論自由」	**12:6**
3/16/55	社論(夏道平)	修辭立其誠(有感於俞院長在立法院的答覆詞)	**12:6**
5/16/55	陳啟天	今後反共抗俄的三大方略	**12:10**
5/16/55	李僉	權威及權威統治	**12:10**
6/1/55	王少南	禁書要禁得合理	**12:11**
6/16/55	臺南農職讀者	如此「圖書審查」！	**12:12**
6/16/55	社論	抗議與申訴	**12:12**
7/16/55	雷震	論輿論之本質(上)	**13:2**
8/1/55	社論	共產黨怕自由	**13:3**
8/1/55	雷震	論輿論之本質(下)	**13:3**
11/16/55	社論	我們的檢討與報告	**13:10**
12/1/55	魏書翰	由「一窩風」現象談到新聞自由	**13:11**
12/1/55	社論	論言論與新聞的管制	**13:11**
12/16/55	東方既白	介紹張佛泉著：「自由與人權」	**13:12**
1/1/56	李佛朗	中國留美學生之聲	**14:1**
2/1/56	陸崇仁	臺灣報紙篇幅利用之商榷	**14:3**
5/1/56	劉復之	藝術創造與自由	**14:9**
6/1/56	蔣勻田	韓國選民已奠定了光明的民主前途	**14:11**
7/1/56	劉圓明	報導客觀事實是報紙的責任	**15:1**
7/16/56	張壽民	祝壽也要攤派麼？	**15:2**
8/1/56	社論	評醞釀中的又一次文清運動	**15:3**
10/1/56	張佛泉	言論自由與「百家爭鳴」	**15:7**
10/16/56	社論	我們對於反共救國會議的幾點初步意見	**15:8**
10/31/56	張士楽	祝望造成一個現代化的民主憲政國家	**15:9**
10/31/56	王師曾	政治建設的根本問題	**15:9**
10/31/56	魏正明	民主政治的基本精神——合法的反對	**15:9**
10/31/56	夏道平	請從今天起有效地保障言論自由	**15:9**
10/31/56	徐復觀	我所了解的蔣總統的一面	**15:9**

日期	譯作者	篇名	卷期
11/16/56	社論(雷震)	政府和輿論都應重視這一次的反應！	15:10
11/16/56	雷震	我們的態度	15:10
11/16/56	敬禮	何以沒有讀「自由中國」的自由？	15:10
12/16/56	田言	讀「中國新聞法概論」再版書後	15:12
1/1/57	邵鏡人	我對反共救國會議之希望	16:1
1/16/57	社論	我們的答辯	16:2
1/16/57	范度才	中華日報鼓吹暴動	16:2
2/16/57	社論(雷震)	對搆陷與誣衊的抗議——從個人自由與國家自由說起	16:4
2/16/57	易水寒	有感於曹聖芬先生的「看法和作法」	16:4
3/1/57	樊努材	不可栽誣前賢！	16:5
3/1/57	趙世洵	寫在反共救國會議之前	16:5
3/16/57	雷震	創刊「自由中國」的意旨	16:6
3/16/57	社論	不要上了圈套！	16:6
3/16/57	社論	懷疑與希望	16:6
4/1/57	趙正誠	這是什麼作風？	16:7
5/1/57	陳哲春	「公共場所，莫談國事！」	16:9
5/1/57	曾子友	學術思想的自由創進及其演變	16:9
6/16/57	社論	怎樣挽救當前的危局？	16:12
8/1/57	祖國周刊	對盲目檢扣書報的抗議	17:3
8/1/57	社論(殷海光)	是什麼，就說什麼(代緒論)	17:3
8/16/57	嚴明	「百家爭鳴」與「思想擂臺」	17:4
12/1/57	社論	倪路案亟待澄清	17:11
12/16/57	社論	我們的新　聞自由(「今日的問題」之十一)	17:12
1/1/58	社論(雷震／夏道平)	爲「自治」半月刊橫遭查扣而抗議	18:1
2/1/58	社論(殷海光)	近年的政治心理與作風(「今日的問題」之十四)	18:3
3/1/58	夏道平	爲「被誣衊了的資本主義」一書之被擅刪改，向行政院經濟安定委員會工業委員會抗議	18:5
3/16/58	社論	究竟誰在給共匪利用？	18:6
4/1/58	傅正	所謂「勿蹈民盟路線的覆轍」	18:7
4/16/58	殷海光	請勿濫用「學術研究」之名	18:8
4/16/58	金燕君	一次莫名其妙的圍剿戰	18:8
5/1/58	社論	出版法修正案仍以撤回爲妥	18:9
5/1/58	社論	安全室是幹什麼的？	18:9

日期	譯作者	篇名	卷期
5/16/58	社論(夏道平)	出版法事件的綜合觀	18:10
5/16/58	崔霖	出版法修正草案程序之爭	18:10
6/1/58	程海公	籲請國民黨切勿再打擊立法院聲望	18:11
6/1/58	胡適	從爭取言論自由談到反對黨	18:11
6/16/58	金承藝	看兩位先哲對於出版自由的意見	18:12
6/16/58	社論(傅正)	國民黨當局還不懸崖勒馬？	18:12
7/1/58	社論(傅正)	國民黨當局應負的責任和我們應有的努力	19:1
7/16/58	薩孟武	由出版法談到委任命令及自由裁量	19:2
7/16/58	社論	期望中的憂慮——進言於新任行政院長陳誠氏	19:2
7/16/58	丁堅	民意是不是在立法院？	19:2
7/16/58	董鼎山	展開民主政治討論的風氣	19:2
9/1/58	朱伴耘	五論反對黨	19:5
9/16/58	社論(傅正)	扼殺民營報紙的又一辦法	19:6
10/16/58	社論(殷海光)	認清當前形勢‧展開自新運動	19:8
10/16/58	短評	「通信週」和「通信自由」	19:8
11/5/58	短評	國慶與偽國慶之在香港	19:9
11/16/58	簡暢	法治與武斷	19:10
11/16/58	短評	輿論制裁與法律責任	19:10
12/1/58	社論(傅正)	政府不應用經濟方法打擊民營報紙！	19:11
12/1/58	短評	保障出版自由	19:11
12/1/58	朱文伯	理論與事實——漫談人權保障問題	19:11
12/16/58	短評	伍藻池闖下「言禍」	19:12
12/16/58	屈堯庭	國是問題與出版法——「亞洲畫報」六十四期讀後感	19:12
1/1/59	短評	撤銷警備總司令部！	20:1
1/1/59	劉慶瑞	論議會議員的言論不負責權	20:1
1/1/59	社論(雷震／夏道平)	本刊的十年回顧	20:1
1/1/59	胡適	關於言論自由和反共救國會議	20:1
1/16/59	社論	取消一黨專政！——從黨有、黨治、黨享走向民有、民治、民享的大道	20:2
1/16/59	短評	輿論的力量！	20:2
2/1/59	社論	從韓國政爭看我國的民主運動	20:3
3/1/59	社論(夏道平)	關於陳懷琪投書事件的簡報	20:5
3/1/59	王地	臺灣省地方自治法規修正草案芻議	20:5

日期	譯作者	篇名	卷期
3/16/59	社論(傅正)	治安機關無權查扣書刊——從「祖國周刊」被扣說到書報雜誌 審查會報之違法	20:6
3/16/59	短評	旁觀者清	20:6
4/1/59	胡適	給本社編輯委員會一封信	20:7
4/1/59	短評	人民代表與新聞自由	20:7
4/16/59	汪新明	請政府在出版界放條生路	20:8
5/1/59	社論	「地方黨治」必須立即停止	20:9
6/1/59	王厚生	論民主自由運動與反對黨	20:11
7/1/59	社論(傅正)	憑甚麼查扣「自由人」？	21:1
8/1/59	社論	加緊撲滅翻版盜印的惡風	21:3
8/1/59	林德泰	請政府重視盜印惡風！	21:3
9/1/59	社論(夏道平)	記者節談穆萬森案件	21:5
9/16/59	小野秀雄原作 ／郭恒鈺譯	自由社會基於出版自由	21:6
10/16/59	社論	趙品玉案所蘊含的幾個問題	21:8
10/16/59	社論(傅正)	從「自由人」被扣說到「自由人」停刊	21:8
11/16/59	陶百川	關於民主法治的四項建議	21:10
11/16/59	傅正	從本刊的「讀者投書」說到國是問題	21:10
11/16/59	雷震	重申我們說話的態度	21:10
1/16/60	社論(夏道平)	對政經半月刊事件的觀感	22:2
2/1/60	胡越	國事十問	22:3
5/16/60	殷海光	給雷震先生的一封公開信	22:10
7/1/60	社論	誰是真正的多數？	23:1
7/1/60	葉時修	反對黨不能組織起來嗎？	23:1
7/1/60	攀星	臺大青年的心聲	23:1
7/16/60	社論	創辦新報的限制該解除了吧！——今天連違法的根據也沒有了	23:2
7/16/60	耿瀑志	介紹國際新聞學會對臺灣新聞自由的報告	23:2
7/16/60	社論(殷海光)	我們要有說真話的自由	23:2
8/1/60	易駿	從公論報奪產事件看張祥傳橫行霸道	23:3
8/16/60	雷震	駁斥黨報官報的謬論和誣衊——所謂「政黨的承認」和「共匪 支持新黨」	23:4

五、其他基本權問題

日期	譯作者	篇名	卷期
10/16/50	雷震	形式主義與官僚政治	3:8
6/1/51	社論	政府不可誘民入罪	4:11
5/1/52	社論	五一談工運	6:9
5/1/52	短評	「便民」口號重實踐	6:9
11/1/52	劉國瑞	入境證問題	7:9
11/16/53	袁良驊	冤獄賠償與民主政治	9:10
3/16/54	社論	行憲與民主	10:6
9/5/54	鄧潋濤	這樣做法，是否官僚作風？	11:5
1/1/55	社論	如何加強自由制度——請自便民始	12:1
3/16/55	成舍我	「人權保障」與「言論自由」	12:6
5/16/55	社論	亞盟要把握住反共的有效武器	12:10
9/1/55	社論	為民主和自由解惑	13:5
11/5/55	社論	自清運動要不得	13:9
7/1/56	社論	擁護僑委會的新號召——以建議召開國是會議	15:1
10/1/56	傅正	國家要把人當人	15:7
10/31/56	張士棻	祝望造成一個現代化的民主憲政國家	15:9
12/1/56	史丹青	公共汽車應部份開放民營	15:11
12/16/56	傅正	關於反共團結運動	15:12
2/16/57	社論(雷震)	對搆陷與誣衊的抗議——從個人自由與國家自由說起	16:4
3/16/57	雷震	創刊「自由中國」的意旨	16:6
5/1/57	曾子友	學術思想的自由創進及其演變	16:9
7/1/57	許冠三	政府權力與公民自由	17:1
12/1/57	社論	倪路案亟待澄清	17:11
1/1/58	謝琇如	異哉所謂安全室主任	18:1
5/1/58	社論	安全室是幹什麼的？	18:9
6/16/58	簡暢	我所知道的司法	18:12
7/16/58	社論	期望中的憂慮——進言於新任行政院長陳誠氏	19:2
9/16/58	李聲庭	與內政部田部長論警察權	19:6
10/16/58	社論(殷海光)	認清當前形勢‧展開自新運動	19:8
11/16/58	簡暢	法治與武斷	19:10
11/16/58	短評	保障人權還在「研究」中	19:10

日期	譯作者	篇名	卷期
12/1/58	汪文瑞	從人權保障談到孫秋源被捕	19:11
12/1/58	朱文伯	理論與事實——漫談人權保障問題	19:11
12/1/58	金承藝	紀念人權節應把臺灣建為保障人權模範省	19:11
12/1/58	王建邦(傅正筆名)	請政府切實保障人權！	19:11
12/1/58	社論(殷海光)	你要不要做人	19:11
12/1/58	胡秋原	世界人權宣言之淵源及其意義	19:11
12/1/58	李聲庭	世界人權宣言十週年	19:11
12/1/58		世界人權宣言(附錄)	19:11
12/1/58	李鈞	如何保障基本人權	19:11
12/16/58	社論(雷震)	從憲法保障人身體自由說到取締流氓辦法	19:12
12/16/58	短評	冤獄如何了？	19:12
1/1/59	短評	撤銷警備總司令部！	20:1
1/16/59	社論	取消一黨專政！——從黨有、黨治、黨享走向民有、民治、民享的大道	20:2
1/16/59	朱文伯	為中國地方自治研究會再說幾句話	20:2
2/1/59	短評	二十世紀的「酷刑」	20:3
2/1/59	短評	以「法」違法	20:3
2/1/59	李超群	何必「逼上梁山」啊！——國民黨為何開除省議員許世賢等黨籍	20:3
3/1/59	官家良	官家良申冤的「陳情書」	20:5
3/1/59	社論(雷震)	冤獄賠償制度之建立不容再緩了——兼評立法院刑事補償草案	20:5
3/16/59	短評	議員好威風！	20:6
3/16/59	短評	廢止總動員法	20:6
5/16/59	社論	多災多難的「冤獄賠償法草案」——未被冤埋，又有被肢解的危險	20:10
6/1/59	社論(傅正)	當前台灣警政問題的嚴重性！	20:11
9/16/59	牛不凡	軍人應該任「冤」嗎？	21:6
10/16/59	社論	趙品玉案所蘊含的幾個問題	21:8
11/16/59	陶百川	關於民主法治的四項建議	21:10
11/16/59	傅正	從本刊的「讀者投書」說到國是問題	21:10
11/16/59	朱文伯	談談人民的集會結社自由	21:10
12/5/59	社論	政府豈可趁「災」加價？	21:11
12/5/59	社論(雷震／傅正)	請速停辦「大陸來臺國民調查」！	21:11

日期	譯作者	篇名	卷期
1/1/60	林醒	從臺大講師慘死說到警務處李葆初的措置	**22:1**
2/1/60	胡越	國事十問	**22:3**
4/16/60	文漢瑞	由蔡金塗被捕談法治	**22:8**
5/1/60	一攝影者	請解禁攝影範圍	**22:9**
6/1/60	社論(雷震)	警備總部不應根據盛世才挾嫌誣告而濫行捕人	**22:11**
7/1/60	葉時修	反對黨不能組織起來嗎？	**23:1**
9/1/60	龔一中	誘買試題案裡的人權問題	**23:5**
9/1/60	郭雨新	臺灣省議會第二屆第一次大會總詢問發言要點	**23:5**

六、責任閣制／責任政治

日期	譯作者	篇名	卷期
4/16/50	張慶楨	立法院能控制行政院麼？	**2:8**
5/16/51	涂浩如	論立法權配合行政權的運用	**4:10**
8/1/51	夏道平	論政治責任	**5:3**
7/1/53	杜光塤	論行政與立法之關係	**9:1**
7/16/53	鄧啟	試論我國憲法的利弊得失	**9:2**
4/1/54	社論	敬以諍言慶祝蔣總統當選連任	**10:7**
4/1/54	張敬原	論行政院與立法院之關係	**10:7**
6/16/54	社論(雷震／夏道平)	立法院給憲政開一惡例	**10:12**
7/16/54	社論(雷震)	民主憲政的又一試金石	**11:2**
10/1/54	社論(雷震／夏道平)	又一個關係憲政的問題	**11:7**
10/1/54	趙小培	俞院長的兼職問題	**11:7**
11/16/54	蔣勻田	立法院的試金石	**11:10**
3/1/56	社論(夏道平)	「歷史判斷」與「另請高明」	**14:5**
3/1/56	李寄予	留待歷史判斷？	**14:5**
4/16/56	社論(雷震)	毋自壞長城	**14:8**
5/16/56	孟浩	論覆議權的行使程式	**14:10**
10/31/56	張士柔	祝望造成一個現代化的民主憲政國家	**15:9**
10/31/56	社論	壽總統蔣公	**15:9**
10/31/56	胡適	述艾森豪總統的兩個故事給蔣總統祝壽	**15:9**
12/16/56	傅正	關於反共團結運動	**15:12**
3/16/57	雷震	創刊「自由中國」的意旨	**16:6**
6/16/57	社論	怎樣挽救當前的危局？	**16:12**
10/1/57	傅正	從責任政治說到反對黨	**17:7**
11/1/57	社論	我們的中央政制	**17:9**
12/1/57	社論(雷震)	今天的立法院	**17:11**
1/1/58	社論(雷震)	行政院長應不應到監察院報告備詢	**18:1**
1/16/58	楊金虎	倡導護憲運動	**18:2**
2/1/58	社論	世界上有這種政治制度麼？——「總統有權，內閣有責」	**18:3**
3/16/58	社論	究竟誰在給共匪利用？	**18:6**
4/1/58	社論	改組與改革	**18:7**
7/16/58	社論	期望中的憂慮——進言於新任行政院長陳誠氏	**19:2**

七、行政中立——國民黨退出軍警特

日期	譯作者	篇名	卷期
8/1/50	社論(雷震)	為國民黨改造進一言	3:3
11/16/55	雷震	我替領導反共鬥爭的美國著想	13:10
6/16/56	社論	刷新外交的三大前題	14:12
6/16/56	蔣勻田	從周恩來口中看美國的外交	14:12
9/1/56	社論	法治乎？黨治乎？	15:5
10/31/56	蔣勻田	忠誠的反應	15:9
12/16/56	傅正	關於反共團結運動	15:12
12/16/56	社論	政治改革不容再緩！	15:12
12/16/56	廖水土	公務與黨務	15:12
3/16/57	雷震	創刊「自由中國」的意旨	16:6
5/1/57	陳力行	我掏出良心說話！	16:9
10/16/57	朱伴耘	從政府威信談到國是會議	17:8
1/16/58	楊金虎	倡導護憲運動	18:2
3/16/58	社論	究竟誰在給共匪利用？	18:6
6/1/58	楊金虎	一個臺灣人對建設臺灣成模範省的看法	18:11
7/1/58	社論	由地方行政改革談一黨特權	19:1
1/16/59	社論	取消一黨專政！——從黨有、黨治、黨享走向民有、民治、民享的大道	20:2
3/16/59	社論(夏道平)	我們反對軍隊黨化	20:6
5/1/59	社論	「地方黨治」必須立即停止	20:9
10/16/59	曲靈鈞	論國民黨「以黨領軍政策」	21:8
11/16/59	雷震	重申我們說話的態度	21:10
11/16/59	曲靈鈞	對於軍事的兩個基本願望	21:10
1/1/60	丘仲言	一個軍人對「以軍為家運動」的看法	22:1
2/1/60	胡越	國事十問	22:3
3/1/60	方望思	海外人士的十二點國是意見	22:5
4/1/60	王地	割除選癌‧收拾民心	22:7
4/1/60	雷震	寫在「臺灣地方自治與選舉的檢討」之前——代序	22:7
4/16/60	社論(傅正)	請投在野黨和無黨無派候選人一票！	22:8
4/16/60	雷震	人心！人心！人心！——從臺中縣、臺南市、雲林縣事例說到唐秘書長和田部長的談話	22:8

八、司法

日期	譯作者	篇名	卷期
5/16/51	雷震	現任與現役一字之差(苗栗縣長選舉糾紛)	4:10
11/1/51	社論(雷震)	軍法與普通司法的劃分	5:9
5/16/52	短評	軍法與司法劃分的進步	6:10
9/16/52	齊魯道	不合理的免費乘車證	7:6
11/1/52	劉國瑞	入境證問題	7:9
4/1/54	社論	敬以諍言慶祝蔣總統當選連任	10:7
9/5/54	社論(夏道平)	從包啓黃案件論軍法	11:5
11/1/54	社論(夏道平)	軍司法再進一步的革新	11:9
12/1/54	虞經華	行政與司法似未配合	11:11
2/16/55	鄭知三	讓人民可以「告法」	12:4
12/1/55	胡學古	談立院對胡案判決質詢的問題	13:11
9/1/56	社論	法治乎？黨治乎？	15:5
10/1/56	社論	司法偵查權不容侵越	15:7
10/31/56	陶百川	貫徹法治壽世慰親	15:9
11/16/56	鄧澂濤	檢察官對少年竊盜贓物犯的處理問題	15:10
12/16/56	傅正	關於反共團結運動	15:12
3/16/57	雷震	創刊「自由中國」的意旨	16:6
3/16/57	社論	懷疑與希望	16:6
7/1/57	社論(雷震)	今日的司法！	17:1
8/1/57	萬香堂	寫給司法行政會議	17:3
8/1/57	臺灣高等法院	臺灣高等法院對於「今日的司法」之聲明	17:3
9/5/57	姚士幼	由土耳其總理孟德士訪華談到政治不應干涉司法(民主隨筆之二)	17:5
11/1/57	社論	再談今日的司法	17:9
11/1/57	李聲庭	請司法當局立即採取行動	17:9
3/1/58	陳玉章	大法官人選問題	18:5
4/16/58	喻伯凱	籲請立監兩院澈查司法黑暗	18:8
6/1/58	楊金虎	一個臺灣人對建設臺灣成模範省的看法	18:11
6/1/58	喻伯凱	補正「籲請立監兩院澈查司法黑暗」一文	18:11
6/16/58	簡暢	我所知道的司法	18:12
7/1/58	社論	由地方行政改革談一黨特權	19:1

日期	譯作者	篇名	卷期
8/1/58	社論	新閣的作風與人事安排	**19:3**
8/16/58	陶潤之	谷鳳翔還不該撤換嗎？	**19:4**
10/16/58	李聲庭	勉新任大法官	**19:8**
11/16/58	社論(夏道平)	如此司法——「奉命不上訴」	**19:10**
12/1/58	汪文瑞	從人權保障談到孫秋源被捕	**19:11**
12/1/58	朱文伯	理論與事實——漫談人權保障問題	**19:11**
12/1/58	王建邦	請政府切實保障人權！	**19:11**
12/1/58	史濟人	「奉命不上訴」的新論證	**19:11**
12/1/58	社論(夏道平)	從官方的報道再論「奉命不上訴」	**19:11**
12/16/58	社論	三論谷鳳翔對「奉命不上訴」案應負的法律責任——又一證據谷鳳翔難逃教唆罪嫌	**19:12**
1/1/59	短評	谷鳳翔何時撤職查辦？	**20:1**
1/16/59	社論	取消一黨專政！——從黨有、黨治、黨享走向民有、民治、民享的大道	**20:2**
1/16/59	社論(夏道平)	「奉命不上訴」爲何「不予起訴」？	**20:2**
2/1/59	雷震	各級法院應不應該隸屬於司法院？——依據憲法第七十七條之「正」解，司法院究竟是個什麼性質的機關？	**20:3**
2/1/59	短評	谷鳳翔逍遙法外！	**20:3**
2/1/59	短評	取消「黨化司法」	**20:3**
2/16/59	社論(殷海光)	自由中國之路——十年了！	**20:4**
3/1/59	社論(雷震)	冤獄賠償制度之建立不容再緩了——兼評立法院刑事補償草案	**20:5**
5/16/59	俞大問	從臺北監(所)看司法	**20:10**
8/16/59	李聲庭	法治是甚麼？	**21:4**
8/16/59	社論	臺北市政問題還容忽視嗎？——望黃市長「崇法負責」	**21:4**
9/16/59	牛不凡	軍人應該任「冤」嗎？	**21:6**
11/16/59	傅正	從本刊的「讀者投書」說到國是問題	**21:10**
11/16/59	陶百川	關於民主法治的四項建議	**21:10**
12/5/59	社論(雷震／夏道平)	開倒車——走私案移送軍法審判	**21:11**
3/1/60	社論(傅正)	豈容「御用」大法官濫用解釋權？	**22:5**
5/16/60	社論	違法舞弊的臺南市長選舉應宣告無效	**22:10**
7/1/60	葉時修	反對黨不能組織起來嗎？	**23:1**
7/16/60	社論(夏道平)	臺灣人與大陸人	**23:2**
8/1/60	社論	司法獨立與司法人員的管理	**23:3**

九、立法院問題

日期	譯作者	篇名	卷期
4/16/50	張慶楨	立法院能控制行政院麼？	2:8
6/16/50	薩孟武	論立法權的運用	2:12
9/1/50	涂浩如	與薩孟武先生論立法權的運用(上)	3:5
9/16/50	涂浩如	與薩孟武先生論立法權的運用(下)	3:6
5/16/51	涂浩如	論立法權配合行政權的運用	4:10
11/1/51	時事述評	立法院院長的選舉	5:9
4/1/52	雷震	貢獻給立法院幾點意見(上)	6:7
4/16/52	雷震	貢獻給立法院幾點意見(下)	6:8
6/1/52	原之道(雷震筆名)	立委三年成法(官)(律)師	6:11
6/16/52	朱啟葆(夏道平筆名)	本屆立法院面臨考驗	6:12
10/1/52	彭翰	立法院會議人數常不足問題	7:7
9/1/53	雷震	民意機關「議事資格」之比較的研究——爲立法院和國民大會的議事資格進一言	9:5
4/1/54	張敬原	論行政院與立法院之關係	10:7
5/16/54	社論(雷震)	我們需要怎樣的行政院長	10:10
6/16/54	社論(雷震／夏道平)	立法院給憲政開一惡例	10:12
7/1/54	社論(雷震／夏道平)	諾言貴實踐	11:1
11/16/54	蔣勻田	立法院的試金石	11:10
6/1/55	方一諤	責任與榮譽	12:11
6/16/55	社論	從總預算案的爭執說到公平待遇	12:12
10/16/55	社論	議會辯論與政治教育	13:8
11/5/55	孟浩	論質詢權的行使程式(上)	13:9
11/16/55	孟浩	論質詢權的行使程式(下)	13:10
12/1/55	胡學古	談立院對胡案判決質詢的問題	13:11
2/16/56	薩孟武	民意機關的議事公開	14:4
4/16/56	社論(雷震)	毋自壞長城	14:8
5/1/56	社論	喪鐘乎？警鐘乎？	14:9
5/1/56	周學藩	立法院太不像樣了！	14:9
5/16/56	孟浩	論覆議權的行使程式	14:10
6/1/56	雷震	立法委員的「民主風度」觀	14:11
12/1/56	社論	希望於我們的人民代表們	15:11

日期	譯作者	篇名	卷期
10/1/57	傅正	從責任政治說到反對黨	**17:7**
11/16/57	社論(夏道平)	一個博得喝采的決議案	**17:10**
12/1/57	社論(雷震)	今天的立法院	**17:11**
1/1/58	趙岡	立法院應設立資料部門	**18:1**
4/16/58	社論(夏道平)	立監兩院加緊自肅運動！	**18:8**
5/16/58	崔霖	出版法修正草案程序之爭	**18:10**
6/1/58	程海公	籲請國民黨切勿再打擊立法院聲望	**18:11**
7/16/58	丁堅	民意是不是在立法院？	**19:2**
1/1/59	劉慶瑞	論議會議員的言論不負責權	**20:1**
2/16/59	社論	從立委律師鳴槍事件說起	**20:4**
3/1/59	短評	立法院要「自立」了！	**20:5**
9/16/59	蘇尠	立法院有不可寬恕之錯失	**21:6**
5/16/60	李子	立委唐嗣堯對行政院五十年度總預算之質詢	**22:10**

十、監察

日期	譯作者	篇名	卷期
6/16/50	夏道平	功乎？罪乎？──從監察院的糾彈案說到國家行局的調整	2:12
7/1/52	短評	誰來監察人民代表？	7:1
11/1/52	雷震	監察院之將來(一)	7:9
11/16/52	雷震	監察院之將來(二)	7:10
12/1/52	雷震	監察院之將來(三)	7:11
1/1/53	雷震	監察院之將來(四)	8:1
1/16/53	雷震	監察院之將來(五)	8:2
2/1/53	雷震	監察院之將來(六)	8:3
8/1/53	社論	教育行政應有示範作用──守法	9:3
4/1/55	社論	胡光麃案的教訓	12:7
7/1/56	陶百川	一個監察委員的狗生哲學	15:1
1/1/58	社論(雷震)	行政院長應不應到監察院報告備詢	18:1
1/1/58	社論(雷震／夏道平)	彈劾案與調查權	18:1
1/16/58	社論	勿陷總統於違憲──駁斥中央日報一月九日社論	18:2
3/1/58	陳文峰	俞鴻鈞真的不是拒絕調查嗎？	18:5
4/16/58	社論(夏道平)	立監兩院加緊自肅運動！	18:8
9/16/58	林縝	請監察院慎選大法官！	19:6
11/16/58	社論(夏道平)	如此司法──「奉命不上訴」	19:10
12/1/58	社論(夏道平)	從官方的報道再論「奉命不上訴」	19:11
12/1/58	短評	看監察院的！	19:11
2/16/59	短評	監察院明察秋毫不見輿薪	20:4
7/16/59	胡學古	請代向監察委員先生們呼籲	21:2
12/16/59	社論	對於監察院總檢討的檢討	21:12

十一、考試

日期	譯作者	篇名	卷期
11/1/50	趙虛吾	論考試權	3:9
5/16/52	社論	堵防時代思潮中的一股逆流	6:10
6/1/52	王浩然	澄清所有的反時代思潮之逆流	6:11
6/16/53	薩孟武	公職候選人的考試問題	8:12
1/16/54	社論	倖進之風不可長	10:2
5/16/54	鄭知三	評新公務人員任用法	10:10
7/16/55	瞿宗泉、葉家梧	不公平的就業考試成績計算法	13:2
8/1/55	翁錦葵	高普考限額錄取之不合理	13:3
3/16/57	林金順	對高普考的幾點改進意見	16:6
9/16/57	銓敘部	銓敘部來函	17:6
8/16/59	社論	談考試與任用	21:4
6/16/60	龍在天	論修正考試院組織法	22:12
7/1/60	仲夏	談現行高普考的考試制度	23:1

十二、在野黨

日期	譯作者	篇名	卷期
1/1/50	專載	中國自由黨組織綱要草案	2:1
1/16/50	專載	中國自由黨組織綱要草案(續完)	2:2
4/1/50	雷震	反對黨之自由及如何確保	2:7
12/16/50	時事述評	民主與黨派	3:12
2/1/51	時事述評	國民黨員歸隊	4:3
3/1/51	宵遠	「大家來」對「一面倒」讀後感(臺北通訊)	4:5
4/16/52	雷震	貢獻給立法院幾點意見(下)	6:8
10/1/52	社論(雷震)	對國民黨七全大會的期望	7:7
2/16/54	社論	行憲六年	10:4
3/16/54	社論	行憲與民主	10:6
3/16/54	蔣勻田	制憲與行憲	10:6
4/1/54	社論	敬以諍言慶祝蔣總統當選連任	10:7
9/5/54	蔣勻田	如何利用反對黨？	11:5
11/16/54	雷震	我們五年來工作的重點	11:10
10/16/55	陳正文	有感於南韓新反對黨的誕生	13:8
11/16/55	雷震	我替領導反共鬥爭的美國著想	13:10
12/1/55	社論(夏道平)	對民青兩黨的期望	13:11
6/1/56	蔣勻田	韓國選民已奠定了光明的民主前途	14:11
7/1/56	陶百川	一個監察委員的狗生哲學	15:1
10/31/56	張士柒	祝望造成一個現代化的民主憲政國家	15:9
10/31/56	王師曾	政治建設的根本問題	15:9
10/31/56	魏正明	民主政治的基本精神——合法的反對	15:9
10/31/56	陳啟天	改革政治、團結人心	15:9
10/31/56	社論	壽總統蔣公	15:9
10/31/56	蔣勻田	忠誠的反應	15:9
11/16/56	江宗一	甚麼是民主政治的真諦？	15:10
1/1/57	邵鏡人	我對反共救國會議之希望	16:1
2/1/57	牟力非	略論反對黨問題的癥結	16:3
3/1/57	趙世洵	寫在反共救國會議之前	16:5
3/16/57	雷震	創刊「自由中國」的意旨	16:6
4/1/57	王嵐僧	論臺灣省的選舉	16:7

日期	譯作者	篇名	卷期
4/1/57	朱伴耘	反對黨！反對黨！反對黨！	16:7
5/1/57	傅正	對本屆地方選舉的檢討	16:9
8/1/57	社論(殷海光)	是什麼，就說什麼(代緒論)	17:3
8/16/57	姚士幼	一黨執政太久，老百姓要換口味(民主隨筆)	17:4
9/5/57	楊正義	爲在野黨的遭遇說幾句話	17:5
9/16/57	朱伴耘	再論反對黨	17:6
10/1/57	傅正	從責任政治說到反對黨	17:7
10/16/57	朱伴耘	從政府威信談到國是會議	17:8
12/1/57	社論(雷震)	今天的立法院	17:11
1/16/58	楊金虎	倡導護憲運動	18:2
2/16/58	社論(雷震)	反對黨問題(「今日的問題」之十五)	18:4
2/16/58	朱伴耘	三論反對黨	18:4
2/16/58	梁叔文	論政黨政治	18:4
4/1/58	黃安	反對黨與反共	18:7
4/16/58	社論	改進黨政關係	18:8
5/1/58	朱伴耘	四論反對黨	18:9
6/1/58	胡適	從爭取言論自由談到反對黨	18:11
6/16/58	社論	積極展開新黨運動！	18:12
7/1/58	唐德剛	一個留美學生——望大陸・念臺灣	19:1
7/1/58	社論	由地方行政改革談一黨特權	19:1
7/16/58	董鼎山	展開民主政治討論的風氣	19:2
7/16/58	殷海光	創設講理俱樂部	19:2
8/1/58	牟力非	我對於知識分子大結合的看法和寄望	19:3
8/16/58	黎復	反對黨勢在必組	19:4
9/1/58	朱伴耘	五論反對黨	19:5
10/16/58	社論(殷海光)	認清當前形勢・展開自新運動	19:8
12/1/58	朱文伯	理論與事實——漫談人權保障問題	19:11
12/16/58	屈堯庭	國是問題與出版法——「亞洲畫報」六十四期讀後感	19:12
1/1/59	社論(雷震／夏道平)	本刊的十年回顧	20:1
1/1/59	短評	我國不是「一黨專政」麼？	20:1
1/16/59	社論	取消一黨專政！——從黨有、黨治、黨享走向民有、民治、民享的大道	20:2
1/16/59	朱文伯	爲中國地方自治研究會再說幾句話	20:2

日期	譯作者	篇名	卷期
1/16/59	老兵	軍人也贊成反對黨	20:2
2/1/59	社論	從韓國政爭看我國的民主運動	20:3
3/1/59	傅正	地方自治乎？省府官治乎？——對省府所擬地方自治法規七種 修正草案的總評	20:5
5/16/59	朱伴耘	六論反對黨	20:10
6/1/59	王厚生	論民主自由運動與反對黨	20:11
8/1/59	劉世超	從常識論政黨制度的功用——在於建立自由社會的秩序	21:3
9/1/59		中國民主社會黨第二屆全國黨員代表宣言(來件)	21:5
11/16/59	曹德宣	當前國策之商榷	21:10
11/16/59	朱文伯	談談人民的集會結社自由	21:10
11/16/59	杜蘅之	被浪費了的讀書人	21:10
12/16/59	社論	對民社黨和國民黨提名競選之爭的看法	21:12
2/16/60	曹大我	國民黨興衰之關鍵在選舉！——爲國民黨建黨六十五週年紀念 而作	22:4
3/1/60	陳咸森	主義與政治	22:5
4/1/60	王嵐僧	由地方選舉看民主政治的前途	22:7
4/16/60	社論(傅正)	請投在野黨和無黨無派候選人一票！	22:8
4/16/60	陳咸森	臺灣的選舉爲甚麼辦不好？	22:8
5/1/60	社論(傅正)	這樣的地方選舉能算「公平合法嗎」？	22:9
5/16/60	雷震	我們爲什麼迫切需要一個強有力的反對黨	22:10
6/1/60	選舉檢討	在野黨及無黨無派人士舉行本屆地方選舉檢討會紀錄摘要	22:11
6/16/60	傅正	選舉改進座談會的聲明	22:12
6/16/60	社論	土耳其政變的教訓——兼論反對黨的正面價值	22:12
7/1/60	葉時修	反對黨不能組織起來嗎？	23:1
7/1/60	社論(雷震)	與陳兼院長論反對黨	23:1
7/1/60	特載(傅正)	選舉改進座談會鄭重要求內政部長連震東公開答覆	23:1
7/1/60	李萬居	李萬居先生在選舉改進座談會委員會議第一次會議中致開會辭 全文	23:1
7/16/60	社論(夏道平)	臺灣人與大陸人	23:2
7/16/60	殷海光	我對於在野黨的基本建議	23:2
8/1/60	楊金虎	我們衷心期待的反對黨	23:3
8/16/60	雷震	駁斥黨報官報的謬論和誣衊——所謂「政黨的承認」和「共匪 支持新黨」	23:4

日期	譯作者	篇名	卷期
9/1/60	社論(殷海光)	大江東流擋不住！	**23:5**
9/1/60	星島日報	組政黨何需經過另一政黨承認？	**23:5**
9/1/60	公論報	也談談政黨的承認問題	**23:5**
9/1/60	傅添榮	論組黨與反共復國的契機	**23:5**
9/1/60	民主中國	評「政黨的承認問題」	**23:5**
9/1/60	劉道孟	解除留學生出國的難關	**23:5**
9/1/60	中央日報	政黨的承認問題	**23:5**
9/1/60	雷震、李萬居、高玉樹	選舉改進座談會緊急聲明	**23:5**
9/1/60	民主潮	異哉所謂「政黨的承認問題」	**23:5**
9/1/60	朱伴耘	七論反對黨——代結論	**23:5**

十三、國民黨體質改造╱國民黨問題

日期	譯作者	篇名	卷期
12/5/49	圓照	自由人的難題	1:2
8/1/50	社論(雷震)	為國民黨改造進一言	3:3
8/16/50	時事述評	談談國民黨改造	3:4
12/1/50	時事述評	談談黨員競選問題	3:11
2/1/51	時事述評	國民黨員歸隊	4:3
5/16/51	毛子水	常識與政治	4:10
10/1/52	社論(雷震)	對國民黨七全大會的期望	7:7
11/1/52	社論	再期望於國民黨者	7:9
5/16/54	社論(雷震／殷海光)	這是國民黨反省的時候	10:10
12/1/54	社論(夏道平)	一份祝壽的心儀(為中國國民黨六十周年紀念作)	11:11
1/1/55	袁固	國民黨立委齊世英被開除了黨籍嗎？	12:1
1/16/55	社論(雷震)	國民黨應如何領導從政黨員	12:2
11/5/55	社論	自清運動要不得	13:9
11/16/55	雷震	我替領導反共鬥爭的美國著想	13:10
9/1/56	社論	法治乎？黨治乎？	15:5
10/31/56	張士棻	祝望造成一個現代化的民主憲政國家	15:9
10/31/56	王師曾	政治建設的根本問題	15:9
10/31/56	蔣勻田	忠誠的反應	15:9
11/16/56	陳紹基	為縣市長省員候選人提名向國民黨進一言	15:10
3/16/57	雷震	創刊「自由中國」的意旨	16:6
4/16/57	賈長卿	請國民黨放棄「革命」	16:8
8/16/57	李璜	談反對黨	17:4
10/1/57	傅正	從責任政治說到反對黨	17:7
11/1/57	朱佛心	讀中國國民黨政綱	17:9
1/16/58	楊金虎	倡導護憲運動	18:2
4/16/58	社論	改進黨政關係	18:8
6/1/58	楊金虎	一個臺灣人對建設臺灣成模範省的看法	18:11
6/1/58	程海公	籲請國民黨切勿再打擊立法院聲望	18:11
6/1/58	朱佛心	八股論調的悲哀	18:11
6/16/58	社論(傅正)	國民黨當局還不懸崖勒馬？	18:12
7/1/58	社論(傅正)	國民黨當局應負的責任和我們應有的努力	19:1

日期	譯作者	篇名	卷期
8/1/58	杜蘅之	對「革命」的一個看法	19:3
1/16/59	社論	取消一黨專政！——從黨有、黨治、黨享走向民有、民治、民享的大道	20:2
2/16/59	社論(殷海光)	自由中國之路——十年了！	20:4
7/16/59	社論(殷海光)	中國文化發展的新取向	21:2
9/16/59	牛不凡	軍人應該任「冤」嗎？	21:6
10/16/59	曲靈鈞	論國民黨「以黨領軍政策」	21:8
2/16/60	曹大我	國民黨興衰之關鍵在選舉！——為國民黨建黨六十五週年紀念而作	22:4
3/16/60	王嵐僧	一個要求・一條大道——盼國民黨當局慎重考慮問題	22:6
4/1/60	朱文伯	臺灣地方選舉的「三黨主義」	22:7
4/16/60	陳咸森	臺灣的選舉為甚麼辦不好？	22:8
5/1/60	社論	政府不應縱容中廣公司違法！	22:9
6/1/60	社論	國庫不是國民黨的私囊！——從民社黨拒受宣傳補助費說到國民黨把國庫當作黨庫	22:11
6/16/60	殷海光	我對于三民主義的看法和建議	22:12

十四、地方自治

日期	譯作者	篇名	卷期
1/1/50	張初暘	台灣地方自治的技術問題	2:1
3/16/52	陳克文	地方自治與民主政治	6:6
6/1/53	阮毅成	臺灣省實施地方自治的檢討	8:11
10/31/56	王師曾	政治建設的根本問題	15:9
4/16/57	朱文伯	我看「選賢與能、節約守法」	16:8
4/16/57	沈雲龍	有關臺省地方選舉的幾個問題	16:8
9/5/57	沈建平	對臺灣省政府改組的感想	17:5
10/16/57	社論	小地盤、大機構	17:8
11/16/57	社論	我們的地方制度	17:10
1/1/58	朱文伯	執政黨控制臺灣地方選舉的心理分析	18:1
1/16/58	楊金虎	倡導護憲運動	18:2
5/16/58	社論	從王國柱之死談臺灣地方自治	18:10
7/1/58	社論	由地方行政改革談一黨特權	19:1
9/1/58	社論	急救臺灣地方政治	19:5
10/1/58	秋水	臺灣人對陳內閣的期望	19:7
1/16/59	朱文伯	爲中國地方自治研究會再說幾句話	20:2
2/16/59	社論(殷海光)	自由中國之路－－十年了！	20:4
3/1/59	傅正	地方自治乎？省府官治乎？——對省府所擬地方自治法規七種修正草案的總評	20:5
4/1/59	社論	寫在臺灣全省行政會議之後	20:7
4/16/59	李先良	今日臺灣之市政	20:8
4/16/59	短評	閉門造車	20:8
5/1/59	社論	「地方黨治」必須立即停止	20:9
5/16/59	文漢瑞	臺灣省議會的悲哀！	20:10
7/1/59	漢瑞	省議會的風波！	21:1
8/1/59	社論	解決臺灣省政體制的根本辦法——省長必須實行民選！	21:3
8/16/59	社論	談考試與任用	21:4
8/16/59	社論	臺北市政問題還容忽視嗎？——望黃市長「崇法負責」	21:4
11/1/59	社論	黃啓瑞在公車加價案中「玩法弄權」！	21:9
11/1/59	楊金虎	對省府處置高雄市長罷免案平議	21:9
11/16/59	楊金虎	民主罪言	21:10

日期	譯作者	篇名	卷期
11/16/59	曹德宣	當前國策之商榷	21:10
11/16/59	傅正	從本刊的「讀者投書」說到國是問題	21:10
1/1/60	郭雨新	民選省長此其時矣！	22:1
3/1/60	方望思	海外人士的十二點國是意見	22:5
4/1/60	雷震	寫在「臺灣地方自治與選舉的檢討」之前——代序	22:7
4/1/60	宋霖康	執政黨控制下的臺北市議會如此總質詢！	22:7
4/16/60	社論(傅正)	請投在野黨和無黨無派候選人一票！	22:8
4/16/60	陳咸森	臺灣的選舉為甚麼辦不好？	22:8
4/16/60	傅正	黃啓瑞能向臺北市民交代嗎？	22:8
5/16/60	雷震	我們為什麼迫切需要一個強有力的反對黨	22:10
8/1/60	楊金虎	我們衷心期待的反對黨	23:3
9/1/60	郭雨新	臺灣省議會第二屆第一次大會總詢問發言要點	23:5

十五、地方選舉問題

十六、軍隊

日期	譯作者	篇名	卷期
2/1/50	謝永炎	戰鬥中成長的中國新海軍	2:3
3/1/50	起淪	論空軍確保臺灣	2:5
4/16/50	余西蘭	新軍，新在那裡？(鳳山通信)	2:8
5/1/50	社論	把握、把握、把握住人心！	2:9
6/1/50	李文燦	所望於軍政當局者(新竹通訊)	2:11
6/1/50	時事述評	軍人魂、文人氣節	2:11
7/1/50	時事述評	軍風紀的新紀元	3:1
7/1/50	時事述評	艾其遜外交政策難得全體支持	3:1
10/1/50	心白	關切的語片(金門通訊)	3:7
11/16/50	時事述評	臺灣的軍隊該出動了！	3:10
3/16/51	文靜	看陸軍射擊比賽大會(鳳山通訊)	4:6
7/16/52	社論	我們對於大專畢業生軍訓的幾句要話	7:2
6/16/54	社論(雷震)	確立文人治軍制度	10:12
7/16/54	社論(雷震)	民主憲政的又一試金石	11:2
3/1/55	辛之魯	兵為貴！	12:5
10/31/56	社論	壽總統蔣公	15:9
10/31/56	蔣勻田	忠誠的反應	15:9
10/31/56	雷震	謹獻對於國防制度之意見	15:9
12/16/56	丁開誠	同是後備軍人，何以厚彼薄此？	15:12
3/16/57	雷震	創刊「自由中國」的意旨	16:6
3/16/57	吳秋山	論國軍現代化之另一面	16:6
4/1/57	朱伴耘	反對黨！反對黨！反對黨！	16:7
5/1/57	陳力行	我掏出良心說話！	16:9
8/16/57	社論(夏道平)	我們的軍事	17:4
9/16/57	則鳴	我所知道的今日軍事之一面	17:6
1/16/58	楊金虎	倡導護憲運動	18:2
3/1/58	陳孜	預訓班與大專學生的軍訓問題	18:5
3/16/58	社論	究竟誰在給共匪利用？	18:6
5/1/58	夏貴培	一個軍人的話	18:9
5/16/58	季濟才	一個假退役軍官的呼籲	18:10
6/1/58	楊金虎	一個臺灣人對建設臺灣成模範省的看法	18:11

日期	譯作者	篇名	卷期
9/16/58	丁開誠	退除役官兵待遇直言	19:6
2/1/59	一群丘八	當兵的還敢談享受？	20:3
2/16/59	一群第七期海軍預備軍官	我們的薪餉到那裏去了？	20:4
3/1/59	一群第七期海軍預備軍官	我們對海軍總部的期望	20:5
3/16/59	社論(夏道平)	我們反對軍隊黨化	20:6
3/16/59	短評	兵不在多而在精	20:6
3/16/59	齊世英	精兵‧除害‧團結(附錄)	20:6
3/16/59	齊世英	精兵、除害、團結——四十八年三月二十日在立法院質詢全文(附錄)	20:6
4/1/59	社論	軍事改革的起點	20:7
6/16/59	源夫	請看軍人之「友」社！	20:12
7/16/59	社論	這樣能解決問題嗎？——對於左舜生先生主張與中央日報社論的平議	21:2
8/16/59	馬成龍	請釋明「軍官服役條例」之疑義	21:4
9/1/59	余布衣	老兵的悲哀！——對退除役政策的檢討	21:5
10/1/59	社論(傅正)	撤銷軍人之友社！	21:7
10/1/59	汪道搮	談談離職軍文人員的身分與待遇	21:7
10/16/59	曲靈鈞	論國民黨「以黨領軍政策」	21:8
10/16/59	安泓	聞三軍官校停訓生保送大專有感	21:8
11/1/59	社論	現有軍事機構與員額不可以裁減嗎？	21:9
11/1/59	阿珠	請速改善下級官兵眷屬的生活	21:9
11/16/59	傅正	從本刊的「讀者投書」說到國是問題	21:10
11/16/59	曲靈鈞	對於軍事的兩個基本願望	21:10
11/16/59	曹德宣	當前國策之商榷	21:10
12/16/59	一群三軍官校停訓生	請聽我們的控訴！	21:12
12/16/59	蕭人鑑	我們懂得「軍」與「家」	21:12
1/1/60	丘仲言	一個軍人對「以軍為家運動」的看法	22:1
1/16/60	精希	萬般感慨卸征衫！——從一份「保證書」說起	22:2
2/1/60	胡越	國事十問	22:3
2/16/60	文信國	正視現實與解決問題——有感於退除役軍人變賣「戰士授田證」	22:4

十七、教育／救國團

日期	譯作者	篇名	卷期
2/1/50	張中文	我們需要一種健全的政治教育	2:3
3/16/50	杭立武	二十多年來的中國教育	2:6
12/1/50	社論	教育文化向那方走？	3:11
2/16/51	方豪	論大學校長	4:4
2/16/51	姬之尹	臺大校長問題	4:4
2/16/51	時事述評	大學制度亟需確立	4:4
8/1/51	王雲五	談教育機會均等問題	5:3
9/1/51	毛子水	入學考試不及格怎麼辦？	5:5
1/16/52	時事述評	「再教育」？	6:2
2/1/52	成雨田	一個嚴重的青年教育問題	6:3
3/1/52	王致忠	留學獎學金應該公開考選	6:5
4/16/52	楊天驥	留學獎學金應一律由政府考選嗎？	6:8
5/1/52	徐佛觀	「計劃教育」質疑	6:9
5/1/52	李慈	論畢業生分發就業制度	6:9
9/16/52	社論	對於我們教育的展望	7:6
1/1/53	陳克誠	職業教育的檢討與展望	8:1
4/1/53	邁雲	有感於大學課程	8:7
8/1/53	社論	教育行政應有示範作用——守法	9:3
8/1/53	朱誠中	關於臺灣省立師範學院的二三事	9:3
8/16/53	蔣廷黻	高等教育的一方面——對臺大的一項建議	9:4
8/16/53	教育部	教育部來函	9:4
9/1/53	社論	在教育界多事之秋談建教合作	9:5
9/1/53	羅鴻詔	大學教育應如何改進發展？	9:5
9/16/53	宓去病	對臺大錄取新生的兩點意見	9:6
9/16/53	史浩然	從教廳重新規定中學生制服說起	9:6
9/16/53	社論	從教廳的一件命令談法治前途與政治作風	9:6
11/1/53	李濟	關於在中國如何推進科學思想的幾個問題	9:9
12/16/53	焦言田	一本誤謬不堪的農職教科書	9:12
2/1/54	社論	教育和政俗	10:3
4/1/54	社論	敬以諍言慶祝蔣總統當選連任	10:7
5/1/54	李濟	臺灣大學現行招生辦法之商榷	10:9

日期	譯作者	篇名	卷期
9/5/54	社論	就業考試與中等學校教員	11:5
9/5/54	葉宏琛	何謂「標準」教科書？	11:5
9/16/54	朱啟葆(夏道平筆名)	有感於臺大教聘會拒聘事件	11:6
10/16/54	李僉	我們需要一個文藝政策嗎？	11:8
10/16/54	丁劍霞	也有感於臺大聘委會拒聘事件	11:8
11/16/54	魯愚	這個樣子的訓導主任！	11:10
12/1/54	社論	期待於國立政治大學	11:11
12/16/54	余燕人	搶救教育危機	11:12
12/16/54	李經	我們為什麼要大學	11:12
12/16/54	教育部高教司	教育部高教司來函	11:12
1/16/55	張瑚玉	有感於「搶救教育危機」	12:2
5/16/55	健人	對減輕學生課業負擔的檢討	12:10
6/16/55	蔣建白	減輕學生課業負擔問題(來函)	12:12
7/16/55	社論	大學聯合招考依系科志願分配新生之不合理	13:2
8/1/55	張佛泉	聯合招考入學志願問題	13:3
8/1/55	洪炳坤	職校畢業生限制報考院系的商榷	13:3
8/16/55	何應鳴	檢討當前的留學政策及留學考試	13:4
8/16/55	王浩然	關於留學考試「改進」辦法	13:4
8/16/55	李勁秋	臺南農職一位青年教師的控訴	13:4
9/18/55	王大川	新生入學必須樂捐！？	13:6
10/1/55	陳養吾	教師節為教師請命	13:7
11/5/55	張力行	教育界的壞現象	13:9
11/16/55	雷震	我替領導反共鬥爭的美國著想	13:10
12/1/55	凡生	漫談教學自由	13:11
2/1/56	社論	教育問題引端	14:3
2/1/56	王大川	目的何在？憤慨呢？還是恐怖？	14:3
3/1/56	葛寶戡	免試升學和延長義務教育	14:5
3/16/56	社論	國校畢業生免試升學方案平議	14:6
3/16/56	史丹青	教育兩大措施質疑	14:6
4/1/56	楊公望	教育改革兩案果真沒有變更現行學制麼？	14:7
4/16/56	社論	不能接受的「籌設中醫學校」案	14:8
4/16/56	筍詩	南洋大學開學了！	14:8
5/1/56	毛子水	論立法院通過「籌設中醫學校」	14:9

日期	譯作者	篇名	卷期
5/1/56	王大川	會考未行而弊端已見	**14:9**
5/16/56	龍遠銘	由「中醫學校」想起	**14:10**
8/16/56	James Ouillen 原作 ／周淑清譯	教育計劃中的優先事項	**15:4**
9/1/56	如濱	論「籌設中醫學校」案與所謂中西醫問題	**15:5**
9/1/56	劉濟華	大學應是通才教育麼？	**15:5**
9/1/56	江志平	大學畢業生為甚麼不能再讀書？	**15:5**
9/16/56	社論	失言乎？實言乎？	**15:6**
9/16/56	章子鈞	評師範生代職實習的試辦	**15:6**
9/16/56	黃健生	高考及格者應考研究院所問題之商榷	**15:6**
10/1/56	余明遠	「結果圓滿」了嗎？	**15:7**
10/1/56	游紹虞	過則勿憚改！	**15:7**
10/16/56	王大川	一件不容忽視的小事	**15:8**
10/16/56	李清源	高考及格應考研究院問題之質疑	**15:8**
10/31/56	毛子水	試談文化的建設和反共的理論以壽蔣總統	**15:9**
10/31/56	羅大年	建立自由教育必須剔除的兩大弊害	**15:9**
12/1/56	宏毅	大學生談大學生的領導問題	**15:11**
12/16/56	社論	政治改革不容再緩！	**15:12**
12/16/56	游紹虞	不要「領導」！	**15:12**
1/1/57	社論(殷海光)	張其昀部長的原子迷	**16:1**
1/1/57	馮文正	我關心免試升學的前途	**16:1**
2/1/57	徐萬駒	可以強學生去充臨時演員嗎？	**16:3**
3/1/57	袁始	大學教育的悲哀	**16:5**
3/16/57	吳秋山	論國軍現代化之另一面	**16:6**
3/16/57	雷震	創刊「自由中國」的意旨	**16:6**
5/16/57	本刊記者	請看新竹縣試辦「免試升學」之成果	**16:10**
6/16/57	社論	怎樣挽救當前的危局？	**16:12**
6/16/57	李月軒	為地理教本審查事質詢教育部	**16:12**
7/1/57	游紹虞	有感於地理教本審查之事	**17:1**
7/16/57	趙曼君	從「限用毛筆」說起	**17:2**
7/16/57	康梅	怎樣糾正不良學風？	**17:2**
7/16/57	李講英	強迫的「志願」	**17:2**
8/1/57	李經	大學英文系與「英文人材」	**17:3**

日期	譯作者	篇名	卷期
8/1/57	萬子霖	敬覆李月軒先生	17:3
8/16/57	張震	學術審議委員人選	17:4
8/16/57	張秀明	華僑中學易長糾紛	17:4
10/1/57	馬真吾	對初中地理教本第三冊的商榷	17:7
10/1/57	揚正民	一個大學生的信念與看法	17:7
10/16/57	金克文	十足的官腔！	17:8
10/16/57	鄺大志	大專聯考四大惑	17:8
11/16/57	水元	所望於教育當局者	17:10
11/16/57	劉世超	慨乎蔣梅二先生之言！	17:10
11/16/57	田曉	未來的李楊沒有教室！	17:10
11/16/57	中華標準教科書地理科編輯委員會	中華標準教科書地理科編輯委員會來函	17:10
12/1/57	王有信	個別審訊，強迫樂捐	17:11
12/16/57	趙曼君	從李楊獲獎說到科學教育	17:12
1/1/58	謝琇如	異哉所謂安全室主任	18:1
1/16/58	楊金虎	倡導護憲運動	18:2
1/16/58	社論(殷海光)	我們的教育(「今日的問題」之十三)	18:2
1/16/58	石柱	年終檢討會上	18:2
3/1/58	陳孜	預訓班與大專學生的軍訓問題	18:5
3/16/58	崔文若	部編標準教科書為何加價？	18:6
4/16/58	楊德本	大學教育與學術環境	18:8
5/16/58	社論	學術教育應獨立于政治	18:10
5/16/58	施濟民	我們應當查究部編「標準教科書」的盈餘款項	18:10
6/1/58	楊金虎	一個臺灣人對建設臺灣成模範省的看法	18:11
6/1/58	社論	為學術教育工作者請命	18:11
6/1/58	王家燕	「惡性畢業捐」應明令禁止	18:11
6/16/58	陳偉士	為甚麼要教員強銷書刊？	18:12
6/16/58	一部份臺灣大專教授	一部份臺灣大專教授的來函	18:12
7/1/58	傅正	一個免試升學學校教員對免試升學的意見	19:1
7/1/58	巫祺川	籲請澈查臺中女中溺斃學生案	19:1
7/1/58	孔祥之	我要追問「標準教科書」盈餘款項問題	19:1
7/16/58	伍家邦	誰是「惡性補習」的禍首？	19:2
7/16/58	王世鈞	「惡性補習」與「惡性收費」	19:2

日期	譯作者	篇名	卷期
8/16/58	社論(殷海光)	對梅部長的低調希望	19:4
8/16/58	陳斐玲	請廢止師大專修科	19:4
9/1/58	喻血輪	今日家庭教育的沒落	19:5
9/16/58	社論(殷海光)	爲教師爭人格	19:6
9/16/58	金溟若	今日教育的方向	19:6
10/1/58	短評	誰在「強銷書刊」！	19:7
10/1/58	短評	「免試升學」如何了？	19:7
10/16/58	社論(殷海光)	認清當前形勢・展開自新運動	19:8
10/16/58	李偉	關於教育部的機構和人事	19:8
10/16/58	短評	「惡性補習」的原因何在？	19:8
10/16/58	楊生、陳名	請看如此兼職！	19:8
11/5/58	張葆真	關於省立大學教師送審問題	19:9
11/16/58	社論	教育的轉機	19:10
11/16/58	短評	惡性補習與教室荒	19:10
11/16/58	短評	軍訓已到「武裝睡覺」階段	19:10
12/1/58	社論(殷海光)	你要不要做人	19:11
12/16/58	王有守凌天賜	省立農學院學生的哀鳴	19:12
12/16/58	求直	如此省立大學——省立法商學院	19:12
1/1/59	王文瑞	評大專青年論文競賽	20:1
1/1/59	邢公俠	中學教師分等考核制應取消	20:1
1/16/59	胡虛一	尊師重道哀教師！——作爲一個中學教師的感慨	20:2
1/16/59	社論	取消一黨專政！——從黨有、黨治、黨享走向民有、民治、民享的大道	20:2
2/1/59	社論	痛定思痛談免試升學	20:3
2/1/59	短評	錢！錢！錢！	20:3
2/1/59	社論	科學教育的基本認識	20:3
2/16/59	社論(殷海光)	自由中國之路——十年了！	20:4
3/1/59	陳康	今日的小學教育	20:5
3/16/59	趙英若	修訂國民學校課程標準問題商榷	20:6
3/16/59	尤錫光	請教育當局制止學店之風！	20:6
4/1/59	顧問搏	也談「惡性」補習	20:7
5/1/59	社論	「地方黨治」必須立即停止	20:9
6/1/59	金重	今日小學教育中該糾正的兩件事	20:11

日期	譯作者	篇名	卷期
6/16/59	趙英若	關於改進初中入學考試問題	20:12
6/16/59	蔣勻田	教育與文化‧科學與黨化	20:12
7/1/59	社論	古亭國校事件透露的嚴重問題	21:1
7/16/59	金溟若	從學風腐蝕論中等教育	21:2
7/16/59	宋宗憲	看法商學院之前途	21:2
9/1/59	萬如鎔王曦譚謙	給教育廳劉廳長的一封公開信	21:5
9/16/59	劉真	答覆萬如鎔王曦譚謙三位先生的一封公開信	21:6
10/16/59	安泓	聞三軍官校停訓生保送大專有感	21:8
11/16/59	杜蘅之	被浪費了的讀書人	21:10
11/16/59	沈剛伯	五十年來的教育	21:10
11/16/59	李濟	文化沙漠	21:10
11/16/59	傅正	從本刊的「讀者投書」說到國是問題	21:10
1/1/60	趙英若	論國民教育及其課業的加重與減輕	22:1
1/1/60	「自由中國」讀者	一個教育人員子弟給劉廳長的信	22:1
2/1/60	胡越	國事十問	22:3
2/1/60	省教育廳	省教育廳答本刊投書質疑	22:3
2/1/60	省教育廳秘書處	省教育廳秘書處來函	22:3
3/1/60	方望思	海外人士的十二點國是意見	22:5
3/1/60	極光(殷海光筆名)	烏煙瘴氣的政治活動在臺大！	22:5
4/1/60	譚益齋	敬向教育廳劉廳長請教	22:7
5/1/60	石翠	學術自由在臺大？	22:9
5/16/60	譚益齋	再向教育廳劉廳長請教	22:10
6/1/60	師大學生‧季玉	給臺大石翠同學的一封公開信	22:11
7/1/60	葉時修	反對黨不能組織起來嗎？	23:1
7/1/60	攀星	臺大青年的心聲	23:1
7/16/60	殷海光	我對於在野黨的基本建議	23:2
8/1/60	社論	黨霸教育的真面目——兼論政大教授李聲庭解聘事	23:3
8/16/60	社論	留學生爲甚麼去多回少？	23:4
9/1/60	林亨	看嘉義大林中學梅山分部妄施黨化教育！	23:5
		救國團問題	
10/16/52	徐復觀	青年反共救國團的健全發展的商榷	7:8
1/1/58	社論(傅正)	青年反共救國團問題(「今日的問題」)之十二	18:1
1/16/58	路狄君	青年團破壞法制與浪費國帑	18:2

日期	譯作者	篇名	卷期
6/1/58	社論	再論青年反共救國團撤銷問題	**18:11**
6/16/58	路狄	青年救國團害國害青年	**18:12**
11/16/58	雷震	學生時代救國活動的回憶	**19:10**
9/1/60	社論(傅正)	三論青年反共救國團撤銷問題	**23:5**

十八、外交／聯合國問題

日期	譯作者	篇名	卷期
12/20/49	美國星期六晚報社論／本刊資料室譯	承認中國赤色政權我們能有甚麼收穫？	1:3
2/16/50	王安右	「洪承疇」致前駐緬大使涂允檀書(曼谷通訊)	2:4
4/16/50	社論	自由中國和聯合國的生命	2:8
5/1/50	王德箴	致聯合國秘書長賴伊函	2:9
5/1/50	李中直	與李普曼先生論美國外交政策	2:9
5/16/50	徐鍾珮	哀聯合國	2:10
6/1/50	時事述評	荒謬絕倫的託管說	2:11
6/16/50	Richard L. Stokes 原作／李卿之節譯	氫原子彈的煙幕	2:12
7/1/50	左舜生	趕快解決對日和約問題	3:1
7/16/50	社論	霹靂聲中的覺醒	3:2
7/16/50	社論	中美交誼的過去和將來	3:2
7/16/50	蔣勻田	美國對遠東的基本態度改變了麼？	3:2
7/16/50	陳啟天	太平洋新局勢與中國前途	3:2
7/16/50	陶希聖	兩個戰略的交綏	3:2
8/16/50	時事述評	從安理會上印度代表看印度政府	3:4
8/16/50	喬治原作／趙文海譯	論民主國際與反共抗俄	3:4
8/16/50	凌霄	顧維鈞大使訪問記	3:4
9/1/50	社論	迅速締結太平洋公約	3:5
9/1/50	威廉	中美合作與世界和平	3:5
9/16/50	戴杜衡	國內紛爭與國際組織(上)	3:6
9/16/50	龍倦飛	大戰、韓戰與台灣	3:6
9/16/50	荻秋	日本與聯合國合作的一著棋(東京通訊)	3:6
9/16/50	社論	異哉！所謂「臺灣問題」	3:6
10/1/50	社論	我們對於美國新任國防部長馬歇爾的期望	3:7
10/1/50	戴杜衡	國內紛爭與國際組織(下)	3:7
10/1/50	劉光炎	遠東局面徹底澄清前的幾片暗雲	3:7
10/1/50	羅家倫	揭開中印間有關西藏的幕	3:7
10/1/50	張仲仁	提前反攻中國大陸與世界反共戰爭	3:7
10/16/50	時事述評	聯合國歷史中最污濁的一頁	3:8

日期	譯作者	篇名	卷期
10/16/50	社論	聯合國不要腐蝕了勝利的果實	3:8
11/16/50	社論	臺灣、香港與大陸	3:10
11/16/50	李長空	借箸爲美國及聯合國籌一現階段的遠東戰略	3:10
11/16/50	時事述評	臺灣的軍隊該出動了！	3:10
12/1/50	陶希聖	聯合國的威望轉入低潮	3:11
12/16/50	社論	從當前國際局勢看杜艾會談	3:12
1/16/51	喬治原作	給杜魯門總統的一封公開信	4:2
1/16/51	羅家倫	中印間關於西藏問題的幕內證件	4:2
4/1/51	時事述評	麥帥的聲明	4:7
4/1/51	蔣廷黻	從聯合國看世界前途	4:7
4/16/51	社論	麥帥之去職	4:8
4/16/51	時事述評	麥帥事件與臺灣	4:8
4/16/51	王雲五	理想與現實	4:8
5/1/51	時事述評	歡迎美國軍援顧問團	4:9
5/1/51	社論	對日和約與集體安全	4:9
5/16/51	時事述評	杜麥論戰中的兩點	4:10
8/16/51	黃正銘	對日和約中國參加問題	5:4
9/1/51	社論	寫在舊金山和會的前面	5:5
9/1/51	胡適	十年來中美關係急趨惡化的原委	5:5
9/16/51	社論	「九一八」廿週年敬告日本人民	5:6
10/1/51	時事述評	只有自省才是辦法	5:7
10/16/51	伴耘	從世界大勢看臺灣前途(華府通訊)	5:8
11/16/51	余蒼白	從東京看中日和約前途(東京通訊)	5:10
2/1/52	社論	急轉直下的中日媾和	6:3
2/1/52	王雲五	遲回瞻顧後的日本	6:3
2/16/52	社論	爲中日簽約問題正告日本和我國政府	6:4
3/1/52	社論	論中日合作的前途並再告兩國當局	6:5
3/1/52	余蒼白	吉田書簡與「吉田哲學」(東京通訊)	6:5
3/1/52	張致遠	論美國的外交	6:5
3/1/52	社論	給美國政府一個嚴重的警告	6:5
3/1/52	瞿荊洲	貿易對於和約的影響	6:5
3/16/52	蔣廷黻	巴黎聯合國大會	6:6
4/16/52	短評	和約談判的癥結在那裡？	6:8

日期	譯作者	篇名	卷期
4/16/52	黃正銘	神聖同盟與聯合國組織	6:8
4/16/52	社論	向美國政府重申警告	6:8
5/1/52	短評	祝中日和約告成	6:9
5/1/52	施克教	中梵外交的透視(梵蒂岡通訊)	6:9
5/1/52	朱伴耘	蛻變中的美國對臺政策	6:9
7/1/52	社論	關於私人投資問題	7:1
8/1/52	徐逸樵	論日本的「新善鄰」政策	7:3
2/16/53	社論	解除臺灣中立化應該是全球性戰略的第一步	8:4
3/1/53	社論	乘中蘇條約廢除的機會論我國外交的心理基礎	8:5
4/16/53	朱伴耘	美國積極外交的面面觀	8:8
6/1/53	朱伴耘	春風綠來話和平	8:11
7/1/53	夏道平	我們對李承晚釋俘事件應有的態度	9:1
9/16/53	朱伴耘	世界未來局勢與中國前途	9:6
10/1/53	社論	聯合國可容中共闖進嗎？	9:7
10/16/53	社論	我們信賴聯軍統帥的保證	9:8
11/1/53	余錚	為一本「文藝名著」的出版與推薦而抗議	9:9
11/16/53	社論	向尼克森先生致意	9:10
12/1/53	社論	美國應如何領導自由世界	9:11
1/1/54	朱伴耘	新年話世局	10:1
1/1/54	社論	新年的願望——民主與團結	10:1
2/1/54	費威克	承認中共政府問題	10:3
4/16/54	朱伴耘	從柏林會議展望日內瓦會議	10:8
6/16/54	朱伴耘	現階段美國對亞政策評議	10:12
7/1/54	社論	建議中韓日同盟	11:1
9/16/54	朱伴耘	美國能再徬徨觀望嗎？	11:6
10/1/54	社論	正告日本朝野認清中共的真相	11:7
12/16/54	社論	論中美共同防禦條約	11:12
1/1/55	朱伴耘	武裝共存的面面觀	12:1
2/1/55	社論	對艾森豪總統關於遠東政策咨文的觀感	12:3
2/16/55	社論	斥所謂「停火」與「兩個中國」之謬說	12:4
2/16/55	李汝楓	加強對菲外交	12:4
3/1/55	社論	蘇俄政變與臺灣海峽	12:5
3/16/55	蔣廷黻	聯合國憲章與鐵幕內人民的解放	12:6

日期	譯作者	篇名	卷期
3/16/55	田雨耕	英國最近對臺灣的態度	**12:6**
4/1/55	社論	雅爾達密約與臺灣海峽停火	**12:7**
5/1/55	社論	亞非會議與中共陰謀	**12:9**
5/16/55	杭立武	自由亞洲的重要性	**12:10**
5/16/55	社論	臺灣海峽停火談判勢在必行嗎？	**12:10**
6/1/55	社論	亞盟會議的流產與亞洲團結反共	**12:11**
7/16/55	社論	四國會議的展望	**13:2**
10/16/55	龍平甫	美國與中共的日內瓦會談	**13:8**
11/16/55	雷震	我替領導反共鬥爭的美國著想	**13:10**
1/1/56	社論(夏道平)	這一年！	**14:1**
2/1/56	社論	對於杜勒斯外交政策的觀感	**14:3**
5/16/56	社論	美援與友誼	**14:10**
5/16/56	田雨耕	法國最近會承認中共嗎？	**14:10**
6/1/56	社論	檢討外交的時候	**14:11**
6/1/56	袁世駿	准假四月與另有任用	**14:11**
6/16/56	本社	中近東問題座談會	**14:12**
6/16/56	社論	刷新外交的三大前題	**14:12**
6/16/56	蔣勻田	從周恩來口中看美國的外交	**14:12**
7/1/56	社論	人無遠慮、必有近憂——對日本鳩山內閣進一言	**15:1**
7/16/56	蔣勻田	「美國的亞洲政策」書後	**15:2**
8/1/56	社論	加強中韓越三國合作	**15:3**
8/1/56	易健吾	應該加強我們的外交活動	**15:3**
6/1/57	傅正	劉自然案帶來的血的教訓 ！	**16:11**
6/1/57	社論(夏道平)	雷諾判決無罪與臺北騷動事件之檢討	**16:11**
6/16/57	社論	怎樣挽救當前的危局？	**16:12**
6/16/57	徐道鄰	臺北騷動事件的心理分析	**16:12**
8/1/57	王紀五	雷諾事件在美國	**17:3**
1/16/58	楊金虎	倡導護憲運動	**18:2**
3/1/58	社論	高階層會議與聯大會議	**18:5**
3/16/58	社論	中國人看美國的遠東政策——對美遠東使節的臺北會議提幾點 坦率建議	**18:6**
4/1/58	社論	日匪貿易協定與我們的對日外交	**18:7**
4/1/58	社論	反共冷戰中的政治力量與現代的主權觀念	**18:7**

日期	譯作者	篇名	卷期
5/1/58	艾國勳	由印尼事件談杜勒斯外交的矛盾與錯誤	18:9
9/1/58	社論	以沈著與機智應付臺峽緊張局勢	19:5
10/1/58	社論	論台海危機	19:7
10/16/58	宋文明	從華沙談判談到美國「不得使用武力」政策	19:8
11/5/58	短評	論放棄主動使用武力之承諾	19:9
11/5/58	施治華	分析中美會談結果及「不使用武力」聲明	19:9
11/5/58	紀夢平	西歐輿論對臺灣海峽事件的反響	19:9
4/1/59	社論	從中日更動大使檢討中日外交關係	20:7
4/1/59	短評	保安處分執行法	20:7
4/1/59	短評	外交需要人才	20:7
4/16/59	社論	留學生赴美的簽證問題	20:8
6/16/59	社論	由兩件不愉快的事看我們的外交	20:12
7/1/59	沙學浚	新加坡人民行動黨反對自由中國！——因爲他們是僞裝的共產黨	21:1
8/1/59	社論	美國輿情與其援外政策新趨向	21:3
8/16/59	社論	美蘇首長互訪計劃與我們的道路	21:4
11/16/59	曹德宣	當前國策之商榷	21:10
11/16/59	傅正	從本刊的「讀者投書」說到國是問題	21:10
11/16/59	社論	解決中國問題須要以民意爲依歸	21:10
11/16/59	夏濤聲	從所謂「康隆報告」談起	21:10
1/1/60	社論	康隆報告的實質及其根本錯誤	22:1
1/16/60	社論	歡迎吳廷琰總統並談中、越、韓合作	22:2
1/16/60	羅堅白	看我國所漠視的可倫坡計劃如何被日本利用	22:2
2/1/60	Adlai E. Stevenson 原作／董鼎山節譯	要者居先！——美國民主黨領袖史蒂文生的看法	22:3
2/16/60	社論	美日安全新約與太陽旗的重新升起	22:4
2/16/60	岳賽夫	從中德復交談蔣總統連任	22:4
3/1/60	王厚生	幾點國是意見	22:5
6/16/60	社論	歡迎艾森豪總統訪華	22:12
8/1/60	Chester Bowles 原作／蔣勻田譯	重行考慮「中國問題」	23:3

十九、總統三連任問題／修憲／國大

日期	譯作者	篇名	卷期
7/16/52	薩孟武	論修改憲法與解釋憲法	7:2
5/16/53	雷震	國民大會要走到那裏去？（上）	8:10
6/1/53	雷震	國民大會要走到那裏去？（下）	8:11
7/16/53	鄧啟	試論我國憲法的利弊得失	9:2
9/1/53	雷震	民意機關「議事資格」之比較的研究——爲立法院和國民大會的議事資格進一言	9:5
2/16/54	社論	行憲六年	10:4
3/16/54	社論	行憲與民主	10:6
10/31/56	社論	壽總統蔣公	15:9
10/31/56	胡適	述艾森豪總統的兩個故事給蔣總統祝壽	15:9
12/16/57	社論	國大何故要開臨時會？	17:12
1/16/58	社論	勿陷總統於違憲——駁斥中央日報一月九日社論	18:2
1/16/58	楊金虎	倡導護憲運動	18:2
12/16/58	屈堯庭	國是問題與出版法——「亞洲畫報」六十四期讀後感	19:12
1/1/59	社論	欣幸中的疑慮——關於蔣總統反對修憲的聲明	20:1
1/16/59	朱文伯	爲中國地方自治研究會再說幾句話	20:2
2/16/59	方望思	請看香港發出的臺灣政治颱風警報	20:4
3/16/59	章船	奇怪不奇怪？	20:6
3/16/59	李聲庭	論憲法之修改及其程序	20:6
6/1/59	方望思	海外對總統三任問題的反應	20:11
6/16/59	社論(夏道平)	蔣總統不會作錯了決定吧？	20:12
7/1/59	金鳴	讜論流徵——張知本先生「修改憲法問題」讀後感	21:1
7/16/59	社論	這樣能解決問題嗎？——對於左舜生先生主張與中央日報社論的平議	21:2
7/16/59	社論(夏道平)	好一個舞文弄法的謬論！——所謂「修改臨時條款並不是修改憲法本身」	21:2
7/16/59	宋功仁	論臨時條款與修憲	21:2
8/1/59	看雲樓主	曹丕怎樣在群臣勸進下稱帝的？	21:3
9/1/59	傅正	修憲已沒有「合法途徑」了！	21:5
12/5/59	方望思	請重視海外對總統連任問題的看法	21:11
12/5/59	桑明	亨利‧魯斯對於蔣總統連任所暗示的意見	21:11

日期	譯作者	篇名	卷期
12/16/59	社論(傅正)	重申我們反對修憲的意見	21:12
1/1/60	社論	藉團結以打開政治新局面	22:1
1/1/60	社論(傅正)	「死亡宣告」可以適用於國大代表嗎？	22:1
1/1/60	蘇子飛	國大代表不該為自己「名」「利」打算！	22:1
1/16/60	社論(夏道平)	對政經半月刊事件的觀感	22:2
1/16/60	一群臺大學生	談臺灣大學的擁護連任運動	22:2
1/16/60	社論	「臨時條款等於憲法」！——根據第一屆國民大會第二次會議的記載	22:2
1/16/60	曹德宣	擁護蔣總統繼續領導而不贊同連任——希望國大代表要負起歷史之責任！	22:2
2/1/60	胡越	國事十問	22:3
2/1/60	社論(夏道平)	敬向蔣總統作一最後的忠告	22:3
2/1/60	李樺	左舜生不出席國民大會了！	22:3
2/16/60	曹大我	國民黨興衰之關鍵在選舉！——為國民黨建黨六十五週年紀念而作	22:4
2/16/60	岳賽夫	從中德復交談蔣總統連任	22:4
2/16/60	楊金虎	擁護蔣總統繼續領導的我見	22:4
2/16/60	紀仁(傅正筆名)	駁某畫報「論所謂蔣總統的『連任』問題」	22:4
2/16/60	葛文侯	洪憲帝制期間各方申討之文獻	22:4
2/16/60	社論(雷震、夏道平)	敬告我們的國大代表——團結·法統·政治買賣	22:4
2/16/60	傅正	護憲乎？毀憲乎？——望國大代表作明智的抉擇！	22:4
3/1/60	方望思	海外人士的十二點國是意見	22:5
3/1/60	社論(傅正)	豈容「御用」大法官濫用解釋權？	22:5
3/1/60	極光(殷海光筆名)	烏煙瘴氣的政治活動在臺大！	22:5
3/1/60	王厚生	幾點國是意見	22:5
3/1/60	金承藝	接受過去兩次庚子年的教訓	22:5
3/1/60	朱文伯	修憲、毀憲與責任	22:5
3/1/60	雷震	敬向國大代表同仁說幾句話	22:5
3/1/60	袁治本	看國民大會的明爭暗鬥！	22:5
3/1/60	陶心和	望國大代表勿為國民黨所收買	22:5
3/1/60	左舜生、張君勱、張發奎、李璜等	我們對毀憲策動者的警告	22:5
3/1/60	社論(傅正)	不要再玩政治魔術！——告國民黨當局	22:5

日期	譯作者	篇名	卷期
3/1/60	夏濤聲	另一方式的修改憲法	**22:5**
3/16/60	王嵐僧	一個要求‧一條大道——盼國民黨當局慎重考慮問題	**22:6**
3/16/60	社論(雷震)	論無記名投票——進步的民主制度	**22:6**
3/16/60	龍在天	異哉！所謂國大代表總額問題！	**22:6**
3/16/60	雷震	在國民大會反對修改憲法和臨時條款的書面意見	**22:6**
3/16/60	董時進	致全體國大代表書——關於修改憲法及總統連任問題	**22:6**
3/16/60	社論(雷震／夏道平)	怎樣才使國大的紛爭平息了的！	**22:6**
3/16/60	汪文瑞	看國大幕後活動如此這般！	**22:6**
4/1/60	社論(夏道平)	蔣總統如何向歷史交待？	**22:7**
4/1/60	南瀛	如此擁護連任！	**22:7**
5/1/60	玉東	從美國看臺灣	**22:9**
6/1/60	龍在天	論設置「憲政研討委員會」的法律根據	**22:11**

二十、反共救國會議

日期	譯作者	篇名	卷期
2/1/50	李中直	論反共聯合陣線	2:3
1/16/51	時事述評	建立聯合陣線正是時候了！	4:2
6/1/53	社論	當前國際形勢與反共聯合戰線	8:11
10/16/53	社論	寫在反共救國會議之前	9:8
11/1/53	陳登嶽	從香港看反共救國會議	9:9
11/16/53	董時進	我對反共救國會議的看法	9:10
12/1/53	周祥光	我對「反共救國會議」的意見	9:11
12/16/53	朱伴耘	我對反共救國會議的希望	9:12
1/1/54	社論	新年的願望——民主與團結	10:1
1/1/54	徐蛻	反共救國會議的面面觀	10:1
5/16/55	陳啟天	今後反共抗俄的三大方略	12:10
7/16/55	陶志俠	如何加強華僑聯繫、團結反共人士	13:2
10/16/56	社論	我們對於反共救國會議的幾點初步意見	15:8
10/31/56	魏正明	民主政治的基本精神——合法的反對	15:9
10/31/56	陳啟天	改革政治、團結人心	15:9
12/1/56	周祥光	政府召開「反共救國會議」有感	15:11
1/1/57	邵鏡人	我對反共救國會議之希望	16:1
3/1/57	社論	如何使和諧失掉作用	16:5
3/1/57	趙世洵	寫在反共救國會議之前	16:5
3/16/57	社論	懷疑與希望	16:6
3/16/57	雷震	創刊「自由中國」的意旨	16:6
10/16/57	朱伴耘	從政府威信談到國是會議	17:8
10/16/58	社論(殷海光)	認清當前形勢・展開自新運動	19:8
11/5/58	社論	呼籲從速召開反共救國會議——並請蔣總統釋疑	19:9
12/16/58	屈堯庭	國是問題與出版法——「亞洲畫報」六十四期讀後感	19:12
1/1/59	胡適	關於言論自由和反共救國會議	20:1
3/16/59	齊世英	精兵・除害・團結(附錄)	20:6
4/1/59	短評	召開國是會議	20:7
4/16/59	社論	國是會議應該從速召開	20:8
11/16/59	曹德宣	當前國策之商榷	21:10
1/1/60	社論	藉團結以打開政治新局面	22:1

二十一、反共

日期	譯作者	篇名	卷期
11/20/49	雷震	獨裁，殘暴，違背人性的共產黨	1:1
11/20/49	William White 原作／ 本刊資料室特譯	一個俄國空軍上校初到美國	1:1
11/20/49	本刊	鐵幕後的故事	1:1
11/20/49	海鷗	自由與解放	1:1
12/5/49	王世杰	反共鬥爭中之台灣	1:2
12/5/49	社論	論團結對於反共抗俄的必要	1:2
12/5/49	朱開來	組織東亞的反共軍	1:2
12/5/49	時事述評	駐外俄軍中的地下反共活動	1:2
12/5/49	姬之尹	我們不能放棄歷史的任務	1:2
12/5/49	惦琴	請用具體方法搶救青年	1:2
12/20/49	彭定公	反共戰爭的精神條件	1:3
12/20/49	陳啟天	民主與反民主的鬥爭	1:3
12/20/49	社論	我們不能放棄大陸上的據點！	1:3
1/1/50	雷震	從近代文化批判共產黨	2:1
1/1/50	黃中	歷史的坦途只有一條	2:1
1/1/50	索爾甫	鐵幕對抗自由	2:1
1/1/50	社論	二十世紀後半期開始時我們應有的決定	2:1
1/16/50	許冠三	誰能擊敗共產主義？	2:2
1/16/50	沈軍田	我看「甚麼比共產黨更可怕」	2:2
1/16/50	思齊	為自由中國而戰	2:2
1/16/50	社論	師克在和不在眾	2:2
2/1/50	余家菊	一切當從團結做起！	2:3
2/16/50	傅斯年	我們為甚麼要抗俄反共？	2:4
2/16/50	J. F. Morse 原作 ／遠思譯	我們如何爭取世界	2:4
3/1/50	王仁泉	毛澤東即或成為狄托，難道我們就不反嗎？	2:5
3/1/50	星光	文明在考驗之中	2:5
4/1/50	勞仲瓊	談反共與助共	2:7
4/1/50	W. L. White 原作 ／林茂心譯	一個選擇了自由的俄國飛行員(上)	2:7

日期	譯作者	篇名	卷期
4/16/50	趙盧吾	我們要在甚麼時候反攻和怎樣反攻？	2:8
4/16/50	W. L. White 原作／林茂心譯	一個選擇了自由的俄國飛行員(下)	2:8
5/1/50	喬治原作／聶華苓譯	亞洲當赤禍之衝	2:9
5/16/50	社論	我們現在已臨一毫不可鬆懈的時候了！	2:10
5/16/50	余家菊	怎樣發揚我們的力量！	2:10
6/1/50	臺灣省雜誌協會(雷震)	臺灣省雜誌協會成立宣言	2:11
6/1/50	社論	今日的臺灣十年前的英倫	2:11
7/1/50	余大海	反共如救火(新竹通訊)	3:1
7/1/50	雷震	我們要以工作對付工作	3:1
7/1/50	台灣省雜誌協會	台灣省雜誌協會各會員刊物對建立戰時生活體制的共同呼籲	3:1
7/16/50	時事述評	不要鬆懈鬆懈必敗！	3:2
8/1/50	冀樵	大陸上反共武力的實力及其分佈情形(香港通訊)	3:3
8/16/50	社論	民主國際才是防共長堤	3:4
8/16/50	歐陽賓	論愛倫堡「給西方作家的一封公開信」	3:4
9/1/50	時事述評	收復大陸時所需要的人才	3:5
10/1/50	張仲仁	提前反攻中國大陸與世界反共戰爭	3:7
10/1/50	林慰君	萬事莫如反共急(芝加哥通訊)	3:7
10/1/50	心白	關切的語片(金門通訊)	3:7
11/16/50	時事述評	從美國大選的結果看美國人民反共的態度	3:10
1/1/51	時事述評	祝北大西洋聯軍統帥部成立	4:1
2/16/51	社論	「大家來」對「一面倒」	4:4
2/16/51	一鶚譯	為自由而戰	4:4
3/1/51	一鶚	抗俄聲中的西歐(巴黎通訊)	4:5
3/1/51	時事述評	總統復職一周年	4:5
3/16/51	社論	制裁人類的公敵！	4:6
4/1/51	蔣廷黻	從聯合國看世界前途	4:7
4/1/51	曼卿	活躍三湘的反共游擊英雄(湖南通訊)	4:7
4/1/51	社論	於歡迎蔣廷黻博士以後	4:7
4/16/51	社論	麥帥之去職	4:8
4/16/51	曼青	淮南山區義旗處處(蚌埠通訊)	4:8
5/1/51	雷震	願望與怨望	4:9
6/1/51	社論	寄語大陸同胞	4:11

日期	譯作者	篇名	卷期
6/1/51	H. C. Lodge 原作／王召中譯	不必害怕	4:11
6/16/51	曾英奇	西歐的防線(紐約通訊)	4:12
6/16/51	社論	民主國家應提高警覺	4:12
7/1/51	警雷	西班牙怎樣反共(馬德里通訊)	5:1
7/1/51	羅鴻詔	論革命	5:1
7/1/51	仲岑譯	百年罪惡	5:1
7/16/51	雷震	傳統與革新	5:2
8/1/51	安道	艾森豪威爾與西歐(西歐通訊)	5:3
8/1/51	不文	西班牙留學生的憤怒(瑪德里通訊)	5:3
8/16/51	孫宏偉	論美澳紐三國安全公約	5:4
8/16/51	殷海光	共黨語言可以襲用嗎？	5:4
9/1/51	黃雪村	美國應如何爭取主動遏止侵略	5:5
9/1/51	雷震	「共黨語言可以襲用嗎？」書後	5:5
9/16/51	羅鴻詔	論和平	5:6
10/1/51	江風	南漪湖上的反共英雄(宣城通訊)	5:7
10/16/51	時事述評	大家都是中華好兒女	5:8
12/1/51	吳相湘	「苦撐待變」與反共抗俄必勝信念	5:11
12/1/51	社論	再向日本人民進一言	5:11
12/1/51	杭立武	苦撐待變	5:11
12/1/51	W. H. Chomberlin 原作／召中譯	糾正世人對共產主義的錯覺	5:11
12/16/51	社論	反共與團結——本刊一貫的主張	5:12
12/16/51	轟華苓譯	霍夫曼論自由	5:12
1/1/52	尹輝	馬來亞的剿共戰爭(新加坡通訊)	6:1
1/1/52	毛子水	綜核名實和政治	6:1
2/16/52	犬養健原作／陸漸譯	美國對蘇政策	6:4
3/16/52	社論	履霜堅冰至！	6:6
4/1/52	陳振中	緬甸華僑堅決反共(仰光通訊)	6:7
4/16/52	社論	研究敵情不容自我陶醉	6:8
5/16/52	安道	艾帥返美前夕的西歐防務(西歐通訊)	6:10
6/16/52	殷海光	我為什麼反共？	6:12
8/1/52	吳康	思想真能改造嗎？	7:3

日期	譯作者	篇名	卷期
8/16/52	王東	澳洲的反共活動(坎倍拉通訊)	7:4
11/1/52	雷崧生	許曼計劃與布勒溫計劃	7:9
11/16/52	杭立武	從保衛臺灣到反攻大陸	7:10
11/16/52	社論	寄語艾森豪！	7:10
12/1/52	朱伴耘	政治與自私	7:11
2/1/53	社論	全球性戰略與民主世界的團結	8:3
2/1/53	龍平甫	歐洲的防禦	8:3
2/16/53	張致遠	國際政治的理想與現實	8:4
4/16/53	社論	對共產集團和平攻勢應有的瞭解與對策	8:8
5/1/53	伍閩非	從澳紐看「太平洋公約」	8:9
5/1/53	黃廣	地中海防務與美西基地使用協定	8:9
5/1/53	張佛泉	自由與國際和平	8:9
9/1/53	海耶克原作 ／殷海光譯	放棄了的道路	9:5
9/16/53	樊際昌原作／王德昭譯	論美國外交政策的目的(上)	9:6
9/16/53	社論	時機不可再失！(向諾蘭先生進一言)	9:6
10/1/53	樊際昌原作／王德昭譯	論美國外交政策的目的(下)	9:7
11/16/53	社論	向尼克森先生致意	9:10
2/1/54	李煥	反共義士李煥先生來信	10:3
3/1/54	董時進	拿出抗日的決心和勇氣來反共！	10:5
3/16/54	胡適	從「到奴役之路」說起	10:6
4/1/54	鄭壽麟	東德六月抗暴事件之回顧(上)	10:7
4/16/54	鄭壽麟	東德六月抗暴事件之回顧(下)	10:8
5/16/54	黎中天	死的自由	10:10
6/1/54	社論	從氫彈試驗竚望美國改變對蘇政策	10:11
6/16/54	朱伴耘	現階段美國對亞政策評議	10:12
7/1/54	社論	建議中韓日同盟	11:1
7/1/54	王曾善	美巴簽訂軍事協定	11:1
7/1/54	龍平甫	日內瓦會議與東南亞防禦問題(上)	11:1
7/16/54	社論	美國在亞洲要有積極的政策	11:2
7/16/54	龍平甫	日內瓦會議與東南亞防禦問題(下)	11:2
7/16/54	張佛泉	亞洲人民反共的最終目的	11:2
8/1/54	社論	對亞洲人民反共會議的期望	11:3

日期	譯作者	篇名	卷期
8/16/54	社論	爲美國人想——唯有解放政策才能避免原子戰爭	**11:4**
10/1/54	方及	巴爾幹軍事聯防簽字	**11:7**
10/16/54	賴家球譯	危險的時代	**11:8**
11/1/54	社論	韓國近來的態度是否利於反共	**11:9**
11/1/54	齊萬森	法國與歐洲聯防	**11:9**
11/1/54	公孫嬿	砲戰話金門	**11:9**
12/16/54	劉世超	心理戰與客觀道德	**11:12**
1/16/55	東方既白	文化自由協會與文化自由運動	**12:2**
5/16/55	陳啟天	今後反共抗俄的三大方略	**12:10**
5/16/55	社論	亞盟要把握住反共的有效武器	**12:10**
6/1/55	社論	亞盟會議的流產與亞洲團結反共	**12:11**
6/16/55	夏道平	亞洲反共人士在臺北	**12:12**
6/16/55	羅鴻詔	論宣傳	**12:12**
7/1/55	石佛	緬甸對反共軍的煩惱	**13:1**
7/16/55	包時學	亞洲反共人民的團結問題	**13:2**
9/18/55	社論	法屬北非問題	**13:6**
10/1/55	社論	南韓新反對黨的誕生	**13:7**
12/16/55	社論	尼赫魯先生當心點！	**13:12**
1/16/56	李樹樺等	一群退役戰士的呼籲	**14:2**
3/16/56	社論	歡迎我們的代表蔣廷黻博士	**14:6**
4/1/56	社論	建立反共知識的權威	**14:7**
4/1/56	社論	拿出大氣派來應付敵人政治攻勢	**14:7**
4/1/56	殷海光	守護我們底堡壘(上)	**14:7**
4/16/56	殷海光	守護我們的堡壘(下)	**14:8**
6/16/56	孫至厚	巴格達公約之組成及其現狀	**14:12**
7/16/56	社論	如何應付共匪的和談攻勢？	**15:2**
8/1/56	荀詩	東南亞聯防公約軍事會議在星開幕	**15:3**
8/16/56	社論	我們應該怎樣來反共	**15:4**
9/1/56	龍平甫	波蘭人的反共怒潮	**15:5**
12/1/56	社論	從波匈抗暴看特務政治的毀滅	**15:11**
12/16/56	傅正	關於反共團結運動	**15:12**
12/16/56	龍平甫	匈牙利人的革命運動	**15:12**
1/1/57	社論(殷海光)	不要怕民主！	**16:1**

日期	譯作者	篇名	卷期
1/1/57	蔣勻田	爭自由爲革命的動因	16:1
8/1/57	社論(殷海光)	今日的問題(二)反攻大陸問題	17:3
9/5/57	社論(殷海光)	關於「反攻大陸問題」的問題	17:5
10/16/57	社論(殷海光)	讀胡適先生在聯大的演說	17:8
11/1/57	社論	以行動爲號召	17:9
1/1/58	社論	北大首長會議的決定及其影響	18:1
1/16/58	王厚生	人造衛星與社會制度	18:2
2/1/58	社論(夏道平)	救國主義與亡國主義的對照	18:3
3/1/58	張益弘	看大陸念反攻	18:5
3/1/58	孔治	巴格達公約會議	18:5
4/1/58	黃安	反對黨與反共	18:7
4/1/58	社論	反共冷戰中的政治力量與現代的主權觀念	18:7
7/16/58	社論(殷海光)	自由民主是反共的活路	19:2
8/1/58	社論(殷海光)	論二分法	19:3
9/1/58	一群中國大陸流亡學生	我們的呼聲——給臺灣及海外中國同胞的一封公開信	19:5
12/1/58	社論	共產統治與人權	19:11
3/16/59	短評	團結才能反共	20:6
3/16/59	齊世英	精兵、除害、團結——四十八年三月二十日在立法院質詢全文 (附錄)	20:6
4/1/59	社論	重視西藏掀起的抗暴運動	20:7
4/1/59	萬夫雄	西藏反共革命的長成與發展	20:7
4/16/59	王厚生	西藏抗暴的經過與影響	20:8
5/16/59	社論	反共的方法問題——從日本此次地選舉看出自由民主的價值	20:10
6/16/59	源夫	請看軍人之「友」社！	20:12
9/1/59	吳彥傑	新疆六十萬哈薩克是俄中兩匪幫的死敵——並補充蒙藏會委員長李永新對邊疆抗暴運動的公開報導	21:5
9/1/59	余布衣	老兵的悲哀！——對退除役政策的檢討	21:5
10/16/59	社論	睜開眼睛看當前世局——不要因愚昧的宣傳害了自己	21:8
12/16/59	蕭人鑑	我們懂得「軍」與「家」	21:12

二十二、經濟／財政

日期	譯作者	篇名	卷期
1/1/50	王聿修	一個自由經濟制度的成就	2:1
2/16/50	資友仁	由政治民主到經濟平等	2:4
3/16/50	社論	存亡絕續在此一舉——蔣總統復職後我們的願望	2:6
4/1/50	社論	民主自由與經濟制度——經濟社會化應該犧牲政治民主化麼？	2:7
4/1/50	王師復	經濟社會化的政策性(上)	2:7
4/1/50	蕭仲泉、楊欣泉記錄第二次座談會記錄	在維護「人民自由」與「政治民主」之原則下，中國對經濟措施，應採何種辦法，以實現「經濟社會化」或「經濟平等」。	2:7
4/16/50	王師復	經濟社會化的政策性(下)	2:8
5/1/50	時事述評	秘密不能當作禮品	2:9
5/1/50	張志楷	有人說：國民政府是被公營事業拖垮的！(香港通訊)	2:9
5/1/50	社論	把握、把握、把握住人心！	2:9
6/16/50	時事述評	節能補虧、約以養源	2:12
6/16/50	羅敦偉	公營企業的民主化	2:12
7/1/50	時事述評	消除奢靡、厲行節約	3:1
7/1/50	王希甦	論計劃與自由	3:1
8/1/50	時事述評	為鹽民請命	3:3
9/16/50	王光華	論中共的經濟政策	3:6
12/16/50	羅敦偉	工業民主與金融改造	3:12
1/1/51	乖崖	陳明仁、周震麟合作鈔金(香港通訊)	4:1
2/1/51	高壽昌	經濟的自由主義	4:3
2/1/51	何千里	改幣以來台灣的貨幣與金融	4:3
3/1/51	王紀五	從物價管制看美國動員	4:5
3/16/51	董時進	共產黨是要耕者有其田嗎？	4:6
3/16/51	時事述評	公營事業董監事	4:6
4/1/51	Gustav Egloff 原作／遙聲譯	從中東現勢看戰略性的石油供應	4:7
4/1/51	周鐵	我國租稅應走之路	4:7
4/16/51	時事述評	節約消耗和穩定財政	4:8
4/16/51	瞿荊洲	臺灣的金融與美援	4:8
5/16/51	易巽	落後地區的工業化問題	4:10
6/1/51	戴杜衡	國民經濟論與戰爭(上)	4:11

日期	譯作者	篇名	卷期
6/16/51	戴杜衡	國民經濟論與戰爭(下)	**4:12**
6/16/51	社論	再論經濟管制的措施	**4:12**
6/16/51	周德偉	從經濟的分析批判階級鬥爭	**4:12**
10/1/51	胡原道	馬克思經濟學批評(上)	**5:7**
10/16/51	胡原道	馬克思經濟學批評(下)	**5:8**
11/1/51	張丕介	論「化佃農爲自耕農」	**5:9**
11/1/51	林炳康	公教人員待遇辦法的檢討與改善芻議	**5:9**
11/16/51	郭垣	戰後法國新經濟政策	**5:10**
1/1/52	瞿荊洲	從貨幣的兩個主義說到自由中國的貨幣	**6:1**
3/1/52	瞿荊洲	貿易對於和約的影響	**6:5**
3/1/52	資友仁譯	自由經濟的成就	**6:5**
3/16/52	原之道(雷震筆名)	從中共財經立場解剖其三反四反和五反(香港通訊)	**6:6**
4/1/52	社論	節約運動必須正本清源	**6:7**
4/1/52	鄒文海	從冷戰談到自由世界的經濟合作	**6:7**
6/16/52	社論	求公平、節浪費！——寫在軍公教人員待遇調整之前	**6:12**
6/16/52	瞿荊洲	經濟政策之技術的觀點	**6:12**
7/1/52	社論	關於私人投資問題	**7:1**
7/1/52	朱新民	蘇俄的財政與金融	**7:1**
7/1/52	陳式銳	臺灣棉布問題面面觀	**7:1**
7/16/52	瞿荊洲	續論經濟政策之技術的觀點	**7:2**
8/1/52	陳式銳	關於「爲節省外匯而保護紡織業」	**7:3**
8/16/52	社論	評扶植自耕農方案	**7:4**
8/16/52	徐芸書	對扶植自耕農計劃的一個輔助建議	**7:4**
8/16/52	海光(殷海光筆名)	經濟政策與經濟學理	**7:4**
10/1/52	瞿荊洲	工業化的實際問題	**7:7**
10/16/52	戴杜衡	從經濟平等說起	**7:8**
12/1/52	社論	管理國營事業的前提條件——從電力加價想起	**7:11**
12/16/52	劉國增	蘇俄物價體系及盧布外匯匯率之檢討	**7:12**
1/16/53	瞿荊洲	中小工業金融之重要性	**8:2**
3/16/53	社論	當前管制經濟的措施亟待改進	**8:6**
3/16/53	瞿荊洲	作爲工業金融市場的證券交易所之主要業務——臺灣證交所 應否緩設之探討	**8:6**

日期	譯作者	篇名	卷期
4/1/53	Sumner Slichter 原作／楊志希譯	美國是否走向另一經濟恐慌？	8:7
4/16/53	黃鐘	公教得其養	8:8
5/1/53	陳式銳	臺灣經濟革新芻議	8:9
5/16/53	社論	論米價	8:10
8/1/53	社論	公用事業的價格問題	9:3
8/1/53	劉國增	論現代國際收支及貿易平衡(上)	9:3
8/16/53	林希美	出售公營事業之估價及其股票之流通與保值	9:4
8/16/53	劉國增	論現代國際收支及貿易平衡(下)	9:4
9/16/53	張冠英	開發臺東與加路蘭築港	9:6
10/1/53	海耶克原作／殷海光譯	管制計劃與自由計劃	9:7
11/1/53	劉國增	英國預算的分析	9:9
11/1/53	海耶克原作／殷海光譯	管制計劃是無可避免的嗎？	9:9
11/16/53	易農	耕者有其田實施過程中須得糾正的幾點	9:10
11/16/53	戴杜衡	凱恩斯的乘數原理(上)	9:10
12/1/53	戴杜衡	凱恩斯的乘數原理(下)	9:11
1/1/54	Dr. George Kemney 原作／李循和譯	東歐社會經濟現況	10:1
2/1/54	海耶克原作／殷海光譯	統制經濟底種種危害	10:3
2/16/54	邱昌渭	政治民主才能經濟平等	10:4
2/16/54	劉國增	現代自由經濟國家貨幣政策之檢討	10:4
3/1/54	莊心在	華僑與泰國經濟	10:5
3/16/54	丁匡華	剖解中共「經建公債」	10:6
5/16/54	戴杜衡	凱恩斯的投資理論(上)	10:10
6/1/54	林希美	今後財經政策的展望	10:11
6/1/54	劉國增	美國是否不景氣之研究	10:11
6/1/54	宋希尚	日本重建之途徑	10:11
6/1/54	社論	打開投資之門	10:11
6/1/54	王聿修	自由經濟必然平等	10:11
6/1/54	戴杜衡	凱恩斯的投資理論(下)	10:11

日期	譯作者	篇名	卷期
6/16/54	徐芸書	論中山先生的全面利用外資政策	**10:12**
7/16/54	劉一樵	蘇俄消費品增產計劃下的人民生活	**11:2**
8/16/54	劉國增	英美自由金融政策之分析	**11:4**
8/16/54	王志和	戶稅要不得	**11:4**
9/5/54	周德偉	十餘人來金銀外匯及貿易政策	**11:5**
9/16/54	瞿荊洲	英國經濟復興與英鎊自由兌換	**11:6**
9/16/54	社論	公賣制度必須改革	**11:6**
10/1/54	陶百川	電力必須加價嗎？	**11:7**
10/1/54	袁臨風	趕快取消戶稅	**11:7**
10/1/54	田蓑	正視教師待遇	**11:7**
10/16/54	社論	從李慕白套匯案談到外匯政策	**11:8**
11/1/54	夏道平	國營事業轉投資問題的商榷	**11:9**
12/1/54	社論	有感於水泥紙業兩公司的股東大會	**11:11**
12/1/54	陳式銳	臺電不需再加價	**11:11**
1/1/55	俞南琛	戶稅問題的商榷	**12:1**
1/1/55	張子良	銀行放款制度與出口貿易之關係	**12:1**
1/16/55	劉國增	論英鎊之將來(上)	**12:2**
2/1/55	劉國增	論英鎊之將來(下)	**12:3**
3/16/55	社論	我們對於管理外匯貿易新辦法的關懷	**12:6**
3/16/55	劉濟華	戶稅計稅標準憑什麼？	**12:6**
4/16/55	社論(夏道平)	民營事業的使命──勉臺紙公司及其他民營事業	**12:8**
4/16/55	瞿荊洲	從金融觀點看日本經濟	**12:8**
4/16/55	陳式銳	論臺灣外匯貿易管制的改變	**12:8**
5/1/55	陶百川	官商勾結的背信罪	**12:9**
5/16/55	鄭壽麟	西德工業生產近況	**12:10**
6/16/55	楊志希譯	一九六○年美國經濟展望	**12:12**
7/16/55	洪洋	製漆業原料輸入管制辦法應速改革	**13:2**
8/1/55	白瑜	歡迎僑資與整飭金融	**13:3**
8/16/55	余蒼白譯	日美經濟關係十年(上)	**13:4**
9/1/55	余蒼白譯	日美經濟關係十年(下)	**13:5**
9/1/55	馬振基	正字標記乎？歪字標記乎？	**13:5**
9/18/55	白瑜	論最近兩大財經措施	**13:6**
9/18/55	張九如	僑資條例准許輸入其他物資的弊害及對策	**13:6**

日期	譯作者	篇名	卷期
10/1/55	瞿荊洲	日本貿易之進步及其趨向	**13:7**
10/1/55	濟民	評存款戶使用本名及行使支票管理辦法	**13:7**
11/5/55	彭郎	所望於臺省審計處者	**13:9**
12/16/55	社論	論物價問題	**13:12**
12/16/55	楊承厚	六年來新臺幣制度之檢討	**13:12**
1/16/56	瞿荊洲	從物價談到資本	**14:2**
1/16/56	羅素原作／汪仲譯	權威與個人(六)	**14:2**
2/1/56	戴杜衡	論信用政策	**14:3**
2/1/56	張九如	物價問題與行政技術問題	**14:3**
2/16/56	社論	從保護政策說起	**14:4**
3/1/56	陶百川	從雷正琪案談到官吏圖利問題	**14:5**
4/1/56	白瑜	何貴乎有銀行？	**14:7**
4/16/56	陳式銳	中東及東南亞之經濟戰	**14:8**
4/16/56	彭翰	中國生產力中心的工作和使命	**14:8**
5/16/56	社論	公教人員的待遇問題	**14:10**
6/1/56	社論	美援急須擴及文化部門	**14:11**
6/1/56	王大川	水泥的配售與價管	**14:11**
7/1/56	戴濟民	銀行抄送存戶名單問題評議	**15:1**
7/16/56	張九如	工業面臨十重關	**15:2**
8/1/56	社論	探本尋源論財經大計	**15:3**
8/1/56	白瑜	論新所得稅法	**15:3**
8/16/56	夏期岳	論鼓勵出口聲中的矛盾現象	**15:4**
9/16/56	瞿荊洲	貨幣供給理論概述(上)	**15:6**
9/16/56	社論	研究貪污問題的第一課	**15:6**
10/1/56	瞿荊洲	貨幣供給理論概述(下)	**15:7**
10/16/56	陶實之	適時調整文武公教人員待遇平議	**15:8**
10/31/56	翁之鏞	現行經濟機構怎可不再改革？	**15:9**
1/1/57	劉國增	論美元銀行承兌匯票及其與自由世界金融貿易之關係(上)	**16:1**
1/1/57	社論(雷震)	軍公教人員待遇的調整還可再拖嗎？	**16:1**
1/1/57	李進財	這樣就能推行簡易商業會計制度嗎？	**16:1**
1/16/57	劉國增	論美元銀行承兌匯票及其與自由世界金融貿易之關係(下)	**16:2**
2/1/57	劉鳴	待遇還不調整嗎？	**16:3**
2/16/57	行政院主計處	行政院主計處來函	**16:4**

日期	譯作者	篇名	卷期
3/1/57	夏佐虞	爲調整待遇闢財源	16:5
3/1/57	社論	一項亟待解決的土地問題	16:5
3/16/57	李靜之	中共開放自由市場的分析	16:6
4/1/57	趙岡	怎樣以凱因斯的理論來研究臺灣經濟	16:7
4/1/57	社論	日「中」貿易的嚴重性	16:7
4/16/57	陶百川	一本萬利案奇觀	16:8
5/1/57	趙岡	俄毛貸款之謎	16:9
5/1/57	社論	殷臺案必須澈底澄清	16:9
5/16/57	社論	放寬對匪禁運的危險性	16:10
6/1/57	梁振超	日匪貿易問題	16:11
6/1/57	鄭誠	這樣的辦法怎可不再修正？	16:11
6/1/57	趙岡	發展臺灣經濟的方向	16:11
6/16/57	劉道元	論新資本主義	16:12
7/1/57	余堅	論西德經濟的復興(上)	17:1
7/1/57	邱平	外匯貿易體系應予一元化	17:1
7/16/57	余堅	論西德經濟的復興(下)	17:2
7/16/57	社論	廉潔的公教人員活不下去！	17:2
7/16/57	劉道元	再論新資本主義	17:2
9/5/57	社論	我們的財政	17:5
9/5/57	馬逢華	發展臺灣經濟的方向：幾點商榷	17:5
9/16/57	社論	今日的問題(五)我們的經濟	17:6
10/1/57	社論	美援運用問題	17:7
10/16/57	陳若谷	談紡織品外銷的幾個問題	17:8
11/1/57	趙岡	中共對外貿易額之研究	17:9
12/1/57	社論	待遇調整案的檢討	17:11
12/1/57	邱平	答中央信託局	17:11
12/16/57	趙岡	大陸人口問題與馬克斯經濟學	17:12
12/16/57	陳繼平	關於防衛捐的決議	17:12
1/1/58	王沿津	日匪貿易之死結	18:1
1/1/58	邱平	爲僑資進口物資辦法再進一言	18:1
1/16/58	社論	供給制爲浪費之源	18:2
2/1/58	社論	已是財經改革的時候了	18:3
2/1/58	陳式銳	論政治的干涉經濟	18:3

日期	譯作者	篇名	卷期
2/1/58	趙岡	現行租稅政策之商榷	**18:3**
3/1/58	社論	從滿街的蘋果談到外匯管制的弊端	**18:5**
3/1/58	白瑜	自治捐與防衛捐及其紛爭與解決途徑	**18:5**
4/1/58	高叔康	落後國家的資本形成問題	**18:7**
4/1/58	趙岡	再談財經政策	**18:7**
4/16/58	希美	當前外匯貿易管理的「死結」	**18:8**
5/1/58	社論	評外匯貿易改進方案	**18:9**
6/16/58	王沿津	日本東南亞經濟開發基金問題的檢討	**18:12**
8/1/58	趙岡	臺灣的利率問題	**19:3**
8/16/58	社論	工商業倒風的對策	**19:4**
8/16/58	陳式銳	由倒風看經濟的改善	**19:4**
9/1/58	楊志固	美國證券市場的管理(上)	**19:5**
9/16/58	楊志固	美國證券市場的管理(中)	**19:6**
10/1/58	楊志固	美國證券市場的管理(下)	**19:7**
10/16/58	社論	由證券市場之設立以覘新內閣行政效率	**19:8**
10/16/58	瞿荊洲	人口增加與資本累積	**19:8**
11/5/58	趙岡	營利事業所得稅應該廢止	**19:9**
11/5/58	一群大學生	請外匯貿易審議會答覆	**19:9**
12/16/58	楊志希	儲蓄與儲蓄存款	**19:12**
2/1/59	毛樹清	凱瑟在美國企業界的成就	**20:3**
2/16/59	社論	軍公教人員待遇為何不能合理改善？	**20:4**
3/1/59	短評	苛捐雜稅	**20:5**
3/16/59	社論	海埔新生地的開發問題	**20:6**
4/16/59	社論	論進口管制之開放	**20:8**
6/1/59	劉道元	本年美國經濟的兩大問題	**20:11**
6/1/59	社論	從兩個故事看公務員的待遇	**20:11**
6/1/59	胡盧一	教師與「窮」！——介紹中學教師的待遇及其生活	**20:11**
7/1/59	社論	再談軍公教人員待遇問題	**21:1**
7/16/59	趙岡	對於臺灣金融政策的一點建議	**21:2**
8/1/59	陳式銳	論「進出口商管理辦法」	**21:3**
12/5/59	陳式銳	正視第五次電力加價問題	**21:11**
12/16/59	Vance Brand 講	自由經濟與開發貸款	**21:12**
	／毛樹清譯		

日期	譯作者	篇名	卷期
12/16/59	王明生	對「教職員婚喪互助辦法」的意見	21:12
1/16/60	金惠民	論國有化在國際法上的幾個問題	22:2
2/1/60	社論	改善投資環境的基本問題	22:3
2/1/60	孫洵侯	論兩種保險法規裏有關保險的錯誤	22:3
4/16/60	社論	物價，公教待遇與財政	22:8
5/1/60	彭觀清	談軍人待遇與生活實況——兼論其對於士氣和建軍的影響	22:9
5/1/60	馬逢華	郝希曼論平衡發展	22:9
5/1/60	社論	政府不應縱容中廣公司違法！	22:9
6/16/60	社論(夏道平)	從行政院改組說到陳院長觀念中的經濟建設	22:12
6/16/60	社論(夏道平)	爲軍公教人員叫不平	22:12
6/16/60	郭海浪	請問戰時海外特別匯款何時解凍？	22:12
7/1/60	荇子	旁聽第十六屆亞洲遠東經濟委員會年會偶拾	23:1
7/1/60	社論	從待遇調整案的發展與結束展望政局前途	23:1
7/1/60	楊剛毅	對貨幣數量說之探討	23:1
7/16/60	一群陸軍中下級軍官	我們對於調整待遇案的抗議	23:2
8/1/60	社論	中央銀行復業問題	23:3
8/16/60	周正元	評「經濟部建立證券市場研究小組報告書」	23:4

二十三、文藝

日期	譯作者	篇名	卷期
12/20/49	陳紀瀅	孤鳳孤雛	**1:3**
1/1/50	田麟	念重慶	**2:1**
1/1/50	北均	自由鐘聲	**2:1**
1/1/50	梁實秋	杜甫與佛	**2:1**
1/16/50	沈晦	身份證的秘密(上)	**2:2**
1/16/50	白眉	「全家福」及「三月十五日」	**2:2**
2/1/50	沈晦	身份證的秘密(下)	**2:3**
2/1/50	柯爾冰(蘇俄)原作 ／張帆譯	獄中記	**2:3**
2/16/50	半葦	原野之憶	**2:4**
2/16/50	長白	殉馬	**2:4**
2/16/50	Fred Virski 原作 ／冰生譯	我在紅軍的生活	**2:4**
3/1/50	長白	殉馬(下)	**2:5**
3/1/50	天南	一封沒寄出的信	**2:5**
3/16/50	毛子水	關於偉人的定義	**2:6**
3/16/50	子強	泡沫	**2:6**
3/16/50	墨人	人類的宣言	**2:6**
3/16/50	戴杜衡	論經濟的國權主義	**2:6**
4/1/50	田麟	風波	**2:7**
4/1/50	吳蟄	十四行	**2:7**
4/1/50	陳紀瀅	荻村傳(一)	**2:7**
4/16/50	杜呈祥	「山東忠義軍馬」時期的辛棄疾	**2:8**
4/16/50	陳紀瀅	荻村傳(二)	**2:8**
5/1/50	陳紀瀅	荻村傳(三)	**2:9**
5/16/50	陳紀瀅	荻村傳(四)	**2:10**
5/16/50	喻嘉濱	包袱	**2:10**
6/1/50	王平陵	聞雞起舞(歷史短篇)	**2:11**
6/1/50	陳紀瀅	荻村傳(五)	**2:11**
6/16/50	陳定山	養雞場在臺北	**2:12**
6/16/50	陳紀瀅	荻村傳(六)	**2:12**

日期	譯作者	篇名	卷期
7/1/50	王平陵	豪富的下場	**3:1**
7/1/50	陳紀瀅	荻村傳(七)	**3:1**
7/16/50	陳紀瀅	荻村傳(八)	**3:2**
8/1/50	田麟	怒吼(上)	**3:3**
8/1/50	陳紀瀅	荻村傳(九)	**3:3**
8/16/50	田麟	怒吼(下)	**3:4**
8/16/50	陳紀瀅	荻村傳(十)	**3:4**
9/1/50	殷勤	駱駝(上)	**3:5**
9/1/50	陳紀瀅	荻村傳(十一)	**3:5**
9/16/50	殷勤	駱駝(下)	**3:6**
9/16/50	陳紀瀅	荻村傳(十二)	**3:6**
10/1/50	宛宛	巢湖邊上	**3:7**
10/1/50	陳紀瀅	荻村傳(十三)	**3:7**
10/16/50	椰厂	旅行的陰暗面	**3:8**
10/16/50	陳紀瀅	荻村傳(續完)	**3:8**
11/1/50	雲蔴	魔窟塑像	**3:9**
11/1/50	劉治郁	風流才子話田漢	**3:9**
11/16/50	余水姬	「解放」(獨幕劇)	**3:10**
12/1/50	金溟若	歧路	**3:11**
12/1/50	李華	臺灣的花鳥	**3:11**
12/16/50	朱西寧	糖衣奎寧丸	**3:12**
1/1/51	牛言度	離婚	**4:1**
2/1/51	王藍	畫與我	**4:3**
2/16/51	王平陵	自由中國四幕劇(一)	**4:4**
3/1/51	王平陵	自由中國四幕劇(二)	**4:5**
3/16/51	王平陵	自由中國四幕劇(三)	**4:6**
4/1/51	王平陵	自由中國四幕劇(四)	**4:7**
4/16/51	田麟	大江東去(上)	**4:8**
5/1/51	金溟若	篩(上)	**4:9**
5/1/51	田麟	大江東去(下)	**4:9**
5/16/51	金溟若	篩(下)	**4:10**
6/1/51	朱西寧	拾起屠刀	**4:11**
6/16/51	苓	憶	**4:12**

日期	譯作者	篇名	卷期
7/1/51	歐陽賓	五月的葵村	5:1
7/16/51	宛宛	堆草龍	5:2
8/1/51	苓	覺醒	5:3
9/1/51	水姬	臨別的光(獨幕劇)(上)	5:5
9/16/51	水姬	臨別的光(幕獨劇)(下)	5:6
10/1/51	歐陽賓	血的洗禮	5:7
10/16/51	陳紀瀅	蕭軍之死	5:8
10/16/51	惜夢	自由的謳歌	5:8
11/1/51	李辰冬	與潘重規先生論紅樓夢(上)	5:9
11/16/51	李辰冬	與潘重規先生論紅樓夢(下)	5:10
12/1/51	陶藍	海外心影	5:11
12/16/51	段永蘭	我的父親	5:12
1/1/52	金濤	真理的鑰匙	6:1
1/16/52	聶華苓	黃昏的故事	6:2
2/1/52	徐鍾珮	懺悔	6:3
2/1/52	胡平	愛之譁變	6:3
2/16/52	段永蘭	金陵瑣憶	6:4
3/1/52	梁實秋	教國文的一點經驗	6:5
3/1/52	朱西寧	火炬的愛	6:5
3/16/52	羊叔子	遙遠的祝福	6:6
4/1/52	胡平	覺醒	6:7
4/16/52	楊念慈	雪除夕	6:8
5/16/52	朱西甯	何處是歸宿	6:10
6/1/52	A. E. Hotchner 原作／聶華苓譯	生・死・哀・樂	6:11
7/16/52	旭愚譯	薪俸與愛情(上)	7:2
8/1/52	旭愚譯	薪俸與愛情(下)	7:3
8/16/52	Jannia 原作／陶冬心譯	一個站在鏡子前面的人	7:4
8/16/52	張靜	萍蹤雲影	7:4
9/1/52	樂季生	火(小說)	7:5
9/1/52	周德偉	對於海光先生評介「經濟政策與經濟學理」之商榷	7:5

日期	譯作者	篇名	卷期
9/16/52	Lesley Conger 原作 ／聶華苓譯	青春戀(小說)	**7:6**
10/1/52	胡平	新綠(小說)	**7:7**
10/1/52	梁雲坡	自由的寓言(詩)	**7:7**
10/16/52	宛宛	是我殺害了他嗎！？(上)	**7:8**
11/1/52	宛宛	是我殺害了他嗎！？(中)	**7:9**
11/16/52	丘邑	下輩子	**7:10**
11/16/52	張秀亞	短簡	**7:10**
11/16/52	宛宛	是我殺害了他嗎！？(下)	**7:10**
12/1/52	喻嘉濱	褪色的晚霞(上)	**7:11**
12/16/52	喻嘉濱	褪色的晚霞(下)	**7:12**
1/1/53	徐鍾珮	露莎的姑母	**8:1**
1/1/53	張秀亞	冬夜	**8:1**
1/1/53	子強	為胡適之先生有關文藝的談話進一解	**8:1**
1/16/53	瞿國瑾	憶艾理遜(美軍生活散記)	**8:2**
2/1/53	上官予	自由之歌	**8:3**
2/1/53	黃沙譯	一個喬治亞的廚子	**8:3**
2/16/53	張秀亞	舊箋	**8:4**
3/1/53	胡平	幸福的病	**8:5**
3/1/53	梁雲坡	蛇卵及其他	**8:5**
3/16/53	謝鍵友	我掙脫了魔掌	**8:6**
3/16/53	李經	文學批評中的「美」	**8:6**
4/1/53	師範	約會	**8:7**
4/1/53	Stephen Kelen 原作 ／陶冬心譯	柴卻羅夫上校	**8:7**
4/16/53	楊文璞	龍娃和玉梅子	**8:8**
4/16/53	歐陽賓	金七公公的期待	**8:8**
5/1/53	胡平	紅裙	**8:9**
5/1/53	張秀亞	暮春漫筆	**8:9**
5/16/53	聶華苓	綠藤	**8:10**
5/16/53	虞敏平(夏道平筆名)	憶烏尤	**8:10**
6/1/53	公孫嬿	屠狗者	**8:11**
6/1/53	李雅韻	歌頌咖啡的人	**8:11**

日期	譯作者	篇名	卷期
6/16/53	師範	筆尖	**8:12**
7/1/53	司馬桑敦	人間到處有青山	**9:1**
7/16/53	風雷	布老虎	**9:2**
8/1/53	聶華苓	一顆孤星	**9:3**
8/1/53	張秀亞	絮語	**9:3**
8/16/53	郭嗣汾	尋夢曲	**9:4**
9/1/53	王治修	採桑女(上)	**9:5**
9/16/53	李經	詩與詩人	**9:6**
9/16/53	王治修	採桑女(下)	**9:6**
10/1/53	司馬桑敦	山洪暴發的時候	**9:7**
10/16/53	吳魯芹	雞尾酒會	**9:8**
10/16/53	徐斌	紫娟表妹(上)	**9:8**
11/1/53	徐斌	紫娟表妹(下)	**9:9**
11/1/53	虞敏平(夏道平筆名)	秋思	**9:9**
11/1/53	聶華苓	綠窗隨筆	**9:9**
11/16/53	黎中天	雨過天青(上)	**9:10**
12/1/53	司馬桑敦	湛山莊的主人	**9:11**
12/16/53	彭歌	憂鬱的靈魂	**9:12**
12/16/53	王敬義	舞台	**9:12**
12/16/53	公孫嬿	尋夢與畫夢	**9:12**
1/1/54	郭嗣汾	霧裏獻花人	**10:1**
1/1/54	張秀亞	懷念	**10:1**
1/16/54	吳魯芹	小襟人物	**10:2**
1/16/54	張之萍	晚餐	**10:2**
2/1/54	徐訏	詩二首(感覺的糊塗・殘更)	**10:3**
2/1/54	歐陽賓	伊凡	**10:3**
2/1/54	李經	從文藝的應用性談文藝政策	**10:3**
2/16/54	司馬桑敦	在寒冷的絕崖上	**10:4**
2/16/54	燕歸來	敵友之間	**10:4**
3/1/54	王敬義	七星寮(上)	**10:5**
3/1/54	徐訏	關於風蕭蕭的電影	**10:5**
3/16/54	王敬義	七星寮(下)	**10:6**
3/16/54	郭湘章	友情的悵惘	**10:6**

日期	譯作者	篇名	卷期
4/1/54	郭衣洞	幸運的石頭	**10:7**
4/16/54	郭良蕙	錯誤的抉擇(上)	**10:8**
4/16/54	周棄子	讀「盲戀」	**10:8**
5/1/54	孫多慈	西班牙之行	**10:9**
5/1/54	吳魯芹	文人與無行	**10:9**
5/1/54	方思	談文藝批評	**10:9**
5/1/54	郭良蕙	錯誤的抉擇(中)	**10:9**
5/16/54	張沅長	莎士比亞的秘密	**10:10**
5/16/54	郭良蕙	錯誤的抉擇(下)	**10:10**
6/1/54	王敬羲	被擯棄的與被選擇的	**10:11**
6/1/54	余光中	給惠德曼	**10:11**
6/1/54	尤光先	給胡適之先生的公開信	**10:11**
6/16/54	聶華苓	山居	**10:12**
6/16/54	方思	等待(新詩)	**10:12**
7/1/54	孟瑤	幾番風雨(一)	**11:1**
7/1/54	何琤	小室之春	**11:1**
7/16/54	吳魯芹	請客	**11:2**
7/16/54	孟瑤	幾番風雨(二)	**11:2**
8/1/54	周天健	論新舊詩的出路	**11:3**
8/1/54	公孫嬿	老碼頭的風情畫	**11:3**
8/1/54	孟瑤	幾番風雨(三)	**11:3**
8/1/54	薩滿	日記一頁	**11:3**
8/16/54	琦君	楊梅	**11:4**
8/16/54	王敬羲	吻	**11:4**
8/16/54	孟瑤	幾番風雨(四)	**11:4**
9/5/54	郭嗣汾	山中書簡	**11:5**
9/5/54	歸人	我讀「山洪暴發的時候」	**11:5**
9/5/54	孟瑤	幾番風雨(五)	**11:5**
9/16/54	聶華苓	灰衣人	**11:6**
9/16/54	王敬羲	八月的天空	**11:6**
9/16/54	孟瑤	幾番風雨(六)	**11:6**
10/1/54	公孫嬿	嗩吶	**11:7**
10/1/54	張秀亞	日記抄	**11:7**

日期	譯作者	篇名	卷期
10/1/54	孟瑤	幾番風雨(七)	11:7
10/16/54	琦君	難忘的人物——三劃阿王	11:8
10/16/54	T. F. Powys 原作 ／薩滿譯	有回音的房屋	11:8
10/16/54	孟瑤	幾番風雨(八)	11:8
11/1/54	黃思聘	牆	11:9
11/1/54	王敬義	我的小屋	11:9
11/1/54	孟瑤	幾番風雨(九)	11:9
11/16/54	彭歌	訪畫記	11:10
11/16/54	張君藍	我和老周	11:10
11/16/54	孟瑤	幾番風雨(十)	11:10
12/1/54	孟清流	秋在東京	11:11
12/1/54	郭衣洞	被猛烈踢過的狗	11:11
12/1/54	孟瑤	幾番風雨(十一)	11:11
12/16/54	孟瑤	幾番風雨(續完)	11:12
12/16/54	汪度	醉	11:12
1/1/55	王敬義	聖誕禮物	12:1
1/1/55	黃思聘	畢業酒	12:1
1/1/55	聶華苓	母與女	12:1
1/16/55	司馬桑敦	額穆索的狼	12:2
1/16/55	吳魯芹	談小賬	12:2
1/16/55	周棄子	「薏美」及其作者	12:2
2/1/55	張秀亞	等待	12:3
2/1/55	陳梅隱	風箏	12:3
2/1/55	郭嗣汾	拾夢(上)	12:3
2/16/55	郭嗣汾	拾夢(下)	12:4
2/16/55	吳魯芹	置電話記	12:4
3/1/55	陳之藩	月是故鄉明	12:5
3/1/55	梁實秋	莎士比亞之謎	12:5
3/1/55	李歛	悲哀	12:5
3/16/55	王敬義	搖籃與竹馬(一)	12:6
3/16/55	琦君	鮮牛奶的故事	12:6
3/16/55	陳之藩	哲人的微笑	12:6

日期	譯作者	篇名	卷期
4/1/55	陳之藩	出國與出家	**12:7**
4/1/55	王敬羲	搖籃與竹馬(二)	**12:7**
4/16/55	陳之藩	童子操刀	**12:8**
4/16/55	黃思聘	真實的啓示(上)	**12:8**
4/16/55	王敬羲	搖籃與竹馬(續完)	**12:8**
4/16/55	殷海光	西行漫記	**12:8**
5/1/55	陳之藩	並不是悲觀	**12:9**
5/1/55	黃思聘	真實的啓示(下)	**12:9**
5/1/55	賀肇芇	理髮篇	**12:9**
5/1/55	公孫嬿	琴心	**12:9**
5/16/55	潘壘	血旗(上)	**12:10**
5/16/55	光中	歸吻	**12:10**
5/16/55	陳之藩	智慧的火花	**12:10**
6/1/55	子強	鵝與主人	**12:11**
6/1/55	陳之藩	到什麼地方去？	**12:11**
6/1/55	潘壘	血旗(中)	**12:11**
6/16/55	沙玉華	慈愛的心	**12:12**
6/16/55	陳之藩	成功的哲學	**12:12**
6/16/55	潘壘	血旗(下)	**12:12**
7/1/55	雨初	女畫家(一)	**13:1**
7/1/55	陳之藩	失根的蘭花	**13:1**
7/1/55	陳立人	觀「永恒之島」後	**13:1**
7/16/55	陳之藩	愛因斯坦的苦悶	**13:2**
7/16/55	蕭立坤	海員的故事	**13:2**
7/16/55	雨初	女畫家(二)	**13:2**
7/16/55	張秀亞	栗色馬	**13:2**
8/1/55	陳之藩	哲學家皇帝	**13:3**
8/1/55	雨初	女畫家(三)	**13:3**
8/16/55	陳之藩	鐘聲的召喚	**13:4**
8/16/55	雨初	女畫家(四續)	**13:4**
8/16/55	光中	雲	**13:4**
8/16/55	夏菁	鵝鑾鼻燈塔	**13:4**
9/1/55	雨初	女畫家(五續)	**13:5**

日期	譯作者	篇名	卷期
9/1/55	陳之藩	祖宗的遺產	**13:5**
9/18/55	黃思騁	鄉村醫生(上)	**13:6**
9/18/55	雨初	女畫家(六)	**13:6**
10/1/55	雨初	女畫家(續完)	**13:7**
10/1/55	黃思騁	鄉村醫生(下)	**13:7**
10/16/55	周子強	如相和尙	**13:8**
10/16/55	陳之藩	釣勝於魚	**13:8**
10/16/55	杜詩	評「水東流」	**13:8**
11/5/55	趙世洵	論蕭伯納	**13:9**
11/5/55	陳之藩	山水與人物	**13:9**
11/16/55	郭嗣汾	康伯蘭的秋天	**13:10**
11/16/55	陳之藩	覓回自己	**13:10**
12/1/55	咸思	老伴兒	**13:11**
12/1/55	光中	飲一八四二年葡萄酒	**13:11**
12/16/55	沙玉華	蓉子	**13:12**
12/16/55	張秀亞	「情感的花朵」前記	**13:12**
1/1/56	琦君	黎明	**14:1**
1/1/56	周棄子	冬心草	**14:1**
1/16/56	彭歌	落月(一)	**14:2**
1/16/56	陳之藩	泥土的芬芳	**14:2**
2/1/56	彭歌	落月(二續)	**14:3**
2/16/56	彭歌	落月(三續)	**14:4**
2/16/56	李經	戴五星帽的文學批評	**14:4**
3/1/56	吳魯芹	鄰居	**14:5**
3/1/56	陳之藩	印字小工二百五十年誕祭	**14:5**
3/1/56	彭歌	落月(四續)	**14:5**
3/16/56	張秀亞	莎茀致法昂書	**14:6**
3/16/56	彭歌	落月(五續)	**14:6**
4/1/56	黃思村	酒瘋	**14:7**
4/1/56	彭歌	落月(六續)	**14:7**
4/16/56	彭歌	落月(七續)	**14:8**
4/16/56	光中	詩二首	**14:8**
5/1/56	潘人木	烏魯木齊之憶	**14:9**

日期	譯作者	篇名	卷期
5/1/56	彭歌	落月(八續)	**14:9**
5/16/56	彭歌	落月(九續)	**14:10**
6/1/56	聶華苓	葛藤(一)	**14:11**
6/1/56	彭歌	落月(續完)	**14:11**
7/1/56	林海音	綠藻和鹹蛋	**15:1**
7/1/56	聶華苓	葛藤(二續)	**15:1**
7/16/56	聶華苓	葛藤(三續)	**15:2**
7/16/56	光中	黃昏星	**15:2**
8/1/56	聶華苓	葛藤(四續)	**15:3**
8/1/56	彭歌	「落月」後記	**15:3**
8/16/56	聶華苓	葛藤(五續)	**15:4**
9/1/56	孟瑤	斜輝(一)	**15:5**
9/1/56	聶華苓	葛藤(續完)	**15:5**
9/16/56	黃思村	一個煙盒的故事	**15:6**
9/16/56	孟瑤	斜暉(二續)	**15:6**
10/1/56	孟瑤	斜暉(三續)	**15:7**
10/16/56	陳之藩	智者的旅棧	**15:8**
10/16/56	孟瑤	斜暉(四續)	**15:8**
11/16/56	彭歌	美國文學之瑰寶——白鯨記	**15:10**
11/16/56	孟瑤	斜暉(五續)	**15:10**
12/1/56	趙世洵	讀戴樂美	**15:11**
12/1/56	夏菁	新秋	**15:11**
12/1/56	孟瑤	斜暉(六續)	**15:11**
12/16/56	孟瑤	斜暉(七續)	**15:12**
12/16/56	郭嗣汾	老人星	**15:12**
12/16/56	陳之藩	惆悵的夕陽	**15:12**
1/1/57	張秀亞	白夜	**16:1**
1/1/57	李經	詩三首	**16:1**
1/1/57	孟瑤	斜暉(八續)	**16:1**
1/1/57	梁實秋	「百獸圖」與諷刺文學	**16:1**
1/16/57	陳之藩	哈德遜劇院	**16:2**
1/16/57	孟瑤	斜暉(九續)	**16:2**
2/1/57	夏承楹	拜年	**16:3**

日期	譯作者	篇名	卷期
2/1/57	陳之藩	河邊的故事	16:3
2/1/57	孟瑤	斜暉(十續)	16:3
2/16/57	孟瑤	斜暉(十一續)	16:4
2/16/57	林海音	殉	16:4
2/16/57	陳之藩	悠揚的山歌	16:4
3/1/57	童真	春回	16:5
3/1/57	孟瑤	斜暉(續完)	16:5
3/16/57	聶華苓	晚餐	16:6
3/16/57	光中	二月之夜	16:6
4/1/57	琦君	冷月	16:7
4/1/57	張秀亞	湖上的小詩	16:7
4/16/57	鍾梅音	湯餅會	16:8
4/16/57	光中	仰望	16:8
5/1/57	林海音	鳥仔卦	16:9
5/1/57	夏濟安	對於新詩的一點意見	16:9
5/1/57	梁實秋	「五四」與文藝	16:9
5/16/57	余光中	詩二首	16:10
5/16/57	童真	熄滅了的星火	16:10
6/1/57	於梨華	帶淚的百合	16:11
6/1/57	朱西甯	劊子手	16:11
6/16/57	張秀亞	詩二首	16:12
6/16/57	琦君	涼棚下	16:12
6/16/57	嚴明	試談新詩形式上的問題	16:12
7/1/57	於梨華	胃氣和爭氣(海外寄語之一)	17:1
7/1/57	周子強	紅絨鞋	17:1
7/16/57	聶華苓	卑微的人	17:2
7/16/57	於梨華	烏托邦在何處？(海外寄語之二)	17:2
8/1/57	張秀亞	愛與死	17:3
8/1/57	於梨華	白色小屋的主人(海外寄語之三)	17:3
8/1/57	余光中	病室(新詩)	17:3
8/16/57	艾雯	鄉下醫生	17:4
8/16/57	於梨華	一年的成績(海外寄語之四)	17:4
9/5/57	司馬中原	灼子	17:5

日期	譯作者	篇名	卷期
9/5/57	於梨華	尼加拉瀑布(海外寄語之五)	**17:5**
9/16/57	童真	翠鳥湖(一)	**17:6**
9/16/57	於梨華	訪康克特(海外寄語之六)	**17:6**
9/16/57	湯因比原作／鍾玄靈譯	印度遊記	**17:6**
10/1/57	童真	翠鳥湖(二)	**17:7**
10/1/57	易希陶	巴印紀遊	**17:7**
10/16/57	周子強	門	**17:8**
10/16/57	童真	翠鳥湖(三)	**17:8**
10/16/57	胡虛一	介紹一本「新老殘遊記」	**17:8**
11/1/57	陳之藩	寂寞的畫廊	**17:9**
11/1/57	童真	翠鳥湖(四)	**17:9**
11/16/57	思果	無題	**17:10**
11/16/57	童真	翠鳥湖(續完)	**17:10**
12/1/57	林海音	城南舊事(上)	**17:11**
12/1/57	易希陶	我的最後航程	**17:11**
12/16/57	朱西甯	新墳	**17:12**
12/16/57	林海音	城南舊事(下)	**17:12**
1/1/58	李經	歐遊雜詩二首	**18:1**
1/16/58	子強	被遺忘的人	**18:2**
1/16/58	聶華苓	綠窗漫筆	**18:2**
2/1/58	司馬中原	李隆老店	**18:3**
2/16/58	徐訏	紅樓夢的藝術價值與小說裏的對白(一)	**18:4**
2/16/58	思果	遷居	**18:4**
2/16/58	蔣廷黻	「和平共存」？	**18:4**
3/1/58	徐訏	紅樓夢的藝術價值與小說裏的對白(二續)	**18:5**
3/16/58	徐訏	紅樓夢的藝術價值與小說裏的對白(續完)	**18:6**
4/1/58	黃思騁	夕陽(一)	**18:7**
4/1/58	陳伯莊	黃尊生詩序	**18:7**
4/16/58	黃思騁	夕陽(續完)	**18:8**
4/16/58	沙基(Saki)原作／思果譯	鼠	**18:8**
5/1/58	徐訏	笑容	**18:9**

日期	譯作者	篇名	卷期
5/1/58	Conrad Aiken 原作／余光中譯	聖陵的晨歌	18:9
5/16/58	思果	我要編一本新尺牘	18:10
6/1/58	朱西甯	捶帖	18:11
6/1/58	徐訏	笑容(補登)	18:11
6/16/58	李經	感性的自覺	18:12
6/16/58	於梨華	也是秋天(一)	18:12
7/1/58	陳之藩	幾度夕陽紅	19:1
7/1/58	於梨華	也是秋天(二續)	19:1
7/16/58	夏菁	最後的微笑	19:2
7/16/58	於梨華	也是秋天(三續)	19:2
7/16/58	崇仁	「今檮杌傳」片感	19:2
8/1/58	思果	文字的命運	19:3
8/1/58	於梨華	也是秋天(四續)	19:3
8/16/58	梁實秋	欣賞與了解	19:4
8/16/58	於梨華	也是秋天(五續)	19:4
9/1/58	徐訏	夜窗詩草	19:5
9/1/58	於梨華	也是秋天(六續)	19:5
9/16/58	秋楊	感恩日	19:6
9/16/58	於梨華	也是秋天(七續)	19:6
10/1/58	晏寒松	逃亡夜	19:7
10/1/58	於梨華	也是秋天(八續)	19:7
10/16/58	聶華苓	賣麵茶的哨子	19:8
10/16/58	於梨華	也是秋天(續完)	19:8
11/5/58	童真	梅老師	19:9
11/5/58	勞影	發薪日	19:9
12/16/58	嚴明	紅樓夢後四十回的考證問題(上)——對林語堂先生的翻案提出商榷	19:12
1/1/59	李經	詩二首	20:1
1/1/59	思果	主客	20:1
1/1/59	嚴明	紅樓夢後四十回的考證問題(下)	20:1
1/16/59	周策縱	給亡命者及其他	20:2
1/16/59	聶華苓	愛國獎券	20:2

日期	譯作者	篇名	卷期
2/1/59	蔡文甫	解凍的時候	**20:3**
2/1/59	王敬義	夜奔	**20:3**
2/16/59	楊海宴	小乖驢	**20:4**
3/16/59	梁實秋	談話的藝術	**20:6**
4/1/59	朱西甯	再見，火車的輪聲！	**20:7**
4/16/59	周策縱	紐約(詩)	**20:8**
5/1/59	赫胥黎原作 /劉世超譯	勇敢的新世界中的科學(寓言小說)	**20:9**
5/16/59	聶華苓	窗	**20:10**
5/16/59	李經	文藝政策的兩重涵義	**20:10**
6/1/59	徐訏	江湖行(一)	**20:11**
6/16/59	徐訏	江湖行(二續)	**20:12**
7/1/59	徐訏	江湖行(三續)	**21:1**
7/1/59	周策縱	月戀及其他(詩)	**21:1**
7/16/59	徐訏	江湖行(四續)	**21:2**
7/16/59	思果	理髮	**21:2**
8/1/59	徐訏	江湖行(五續)	**21:3**
8/1/59	Arther Miller 原作 /李經譯	悲劇與英雄	**21:3**
8/16/59	徐訏	江湖行(六續)	**21:4**
8/16/59	周策縱	心(詩)	**21:4**
9/1/59	徐訏	江湖行(七續)	**21:5**
9/16/59	松青	病	**21:6**
9/16/59	徐訏	江湖行(八續)	**21:6**
10/1/59	楊海宴	兩截壓憋了的黃瓜(小說)	**21:7**
10/1/59	徐訏	江湖行(九續)	**21:7**
10/16/59	童真	手(小說)	**21:8**
10/16/59	徐訏	江湖行(十續)	**21:8**
11/1/59	嚴明	評中廣小說選播「紅樓夢」	**21:9**
11/1/59	徐訏	江湖行(十一續)	**21:9**
12/5/59	徐訏	江湖行(十二續)	**21:11**
12/5/59	叢甦	西雅圖的秋天	**21:11**
12/16/59	徐訏	江湖行(十三續)	**21:12**

日期	譯作者	篇名	卷期
12/16/59	胡虛一	介紹一本值得當代青年一讀的書	21:12
1/1/60	思果	牛皮紙的包裹	22:1
1/1/60	徐訏	江湖行(十四續)	22:1
1/16/60	嚴明	鳳姐的結局——「一從二令三人木」	22:2
1/16/60	徐訏	江湖行(十五續)	22:2
2/1/60	於梨華	紫君的婚禮	22:3
2/1/60	徐訏	江湖行(十六續)	22:3
2/16/60	徐訏	江湖行(十七續)	22:4
2/16/60	趙岡	巧姐的年齡問題——敬答嚴明先生	22:4
3/1/60	司馬中原	一粒灰塵	22:5
3/16/60	叢甦	黃昏在唐人街	22:6
3/16/60	李經	哀思錄引(詩)	22:6
3/16/60	趙岡	論今本紅樓夢的後四十回(上)	22:6
4/1/60	徐訏	江湖行(十八續)	22:7
4/1/60	趙岡	論今本紅樓夢的後四十回(下)	22:7
4/16/60	徐訏	江湖行(十九續)	22:8
5/1/60	徐訏	江湖行(二十續)	22:9
5/16/60	叢甦	蝸居和漂鳥	22:10
5/16/60	徐訏	江湖行(二十一續)	22:10
6/1/60	周策縱	瀑布(詩)	22:11
6/1/60	徐訏	江湖行(二十二續)	22:11
6/16/60	徐訏	江湖行(二十三續)	22:12
6/16/60	周夢蝶	擺渡船上(詩)	22:12
7/1/60	姚詠蓂	坐筵	23:1
7/1/60	徐訏	江湖行(二十四續)	23:1
7/16/60	徐訏	江湖行(二十五續)	23:2
8/1/60	徐訏	江湖行(續完)	23:3
8/1/60	琦君	喜宴	23:3
8/16/60	顧一樵	「埋沙集」書前	23:4
8/16/60	聶華苓	爺爺的寶貝	23:4
9/1/60	喬鵬書	狀元及第	23:5
9/1/60	雷震	我的母親(一)	23:5

國家圖書館出版品預行編目資料

《自由中國》全 23 卷總目錄暨索引 ／ 薛化元主
編. ― 初版. ― 臺北市：遠流， 2000 [民 89]
　　面；　　公分
含索引
ISBN 957-32-4109-9(精裝)

1. 期刊 － 目錄　2. 期刊 － 索引

012.7　　　　　　　　　　　　　　　89009151